ELLIS PETERS

BRUDER CADFAEL UND DAS FREMDE MÄDCHEN

BRUDER CADFAEL UND DER KETZERLEHRLING

Zwei mittelalterliche Romane

PAVILLON VERLAG
MÜNCHEN

PAVILLON TASCHENBUCH
Nr. 02/0024

Titel der Originalausgabe
THE CONFESSION OF BROTHER HALUIN
Aus dem Englischen von Jürgen Langowski

Titel der Originalausgabe
THE HERETIC'S APRENTICE
Aus dem Englischen von Christel Wiemken

Umwelthinweis:
Dieses Buch wurde auf
chlor- und säurefreiem Papier gedruckt.

ISBN: 3-453-15776-1

BRUDER CADFAEL UND DAS FREMDE MÄDCHEN

1

Im Jahre 1142 zeigte sich der Winter schon früh von seiner grimmigsten Seite. Nach dem langen Herbst voll milder, feuchter und trister Tage kam der Dezember mit schwerem Himmel und kurzen, düsteren Tagen, die sich auf die Firstbalken senkten wie die Hand eines Riesen. Im Skriptorium war selbst mittags kaum noch Licht genug, um die Buchstaben zu malen, und die Farben mußte man fast aufs Geratewohl benutzen, weil ihnen die unerbittliche, viel zu früh eintretende Dämmerung jeden Glanz raubte.

Die Wetterfühligen hatten schwere Schneefälle vorausgesagt, die in der Mitte des Monats auch kamen. Stürme waren es nicht, nur ein blendender, stiller Schneefall, der mehrere Tage und Nächte anhielt, jede Bodenwelle füllte und alle Farben der Welt bleichte. Die Schafe in den Bergen begrub er wie die Hütten in den Tälern, dämpfte jedes Geräusch, kletterte jede Wand hinauf, verwandelte Hausdächer in weiße Bergketten und die Luft zwischen Erde und Himmel in einen undurchdringlichen weißen Strudel aus Flocken so groß wie Lilienblüten. Als der Schneefall endlich nachließ und die schweren Wolkenkissen sich hoben, lag die Vorstadt halb begraben, geglättet zu einer weißen Ebene, in der es außer den hohen Gebäuden der Abtei kaum etwas gab, das einen Schatten über die bleiche Fläche hätte werfen können. Gespenstischer Glanz ging vom Schnee aus und machte die Nacht zum Tage, wo unheimliche Dämmerung noch vor einer Woche den Tag zur Nacht gemacht hatte.

Nicht nur, daß diese Schneefälle im Dezember den größten Teil des Landes bedeckten, das Leben des Landvolkes behinderten, die Bewohner einiger Weiler mit dem Hungertod bedrohten, nicht wenige Schafhirten in den Bergen mit ihren Flocken begruben und jeden Reisenden zum Stillhalten zwangen – nein, sie wendeten auch das Kriegsglück, machten sich über die Lieblingsbeschäftigungen der Prinzen lustig und ließen die Geschichte auf ihrem Weg ins Jahr 1143 seltsame Umwege gehen.

Zugleich aber lösten sie in der Abtei von St. Peter und St. Paul zu Shrewsbury eine Reihe eigenartiger Ereignisse aus.

In den fünf Jahren, die König Stephen und seine Cousine, die Kaiserin Maud, inzwischen um den Thron von England kämpften, war das Glück zwischen ihnen viele Male wie ein Pendel hin- und hergeschwungen, hatte willkürlich dem einen oder dem anderen den Siegespokal angeboten, nur um ihn vor dem Zugriff wieder fortzureißen und dem ebenso gequälten Gegner anzubieten. Nun, unter dem weißen Kleid des Winters wurde abermals alles auf den Kopf gestellt, denn wie durch ein Wunder wurde die Kaiserin aus dem gepanzerten Handschuh des Königs gerissen, just als dieser ein für allemal die Faust um die Gefangene schließen und den Krieg triumphierend beenden wollte. So war die Lage wieder wie damals zu Beginn des fünfjährigen Kampfes, und alles begann von vorne. Da dies jedoch in Oxford geschehen war, weit jenseits des undurchdringlichen Schnees, sollte einige Zeit verstreichen, ehe die Nachrichten Shrewsbury erreichten.

Was sich in der Abtei von St. Peter und St. Paul zutrug, war, damit verglichen, auf den ersten Blick nichts weiter als eine kleine Unannehmlichkeit. Ein Gesandter des Bischofs, in einer der oberen Kammern des Gästehauses einquartiert und ohnehin schon gereizt und verstimmt, weil er hier festsaß, solange die Straßen unpassierbar waren, erwachte zu seinem Mißvergnügen mitten in der Nacht, als eine Ladung eiskalten Wassers über seinen Kopf stürzte. Mit mächtiger Stimme sorgte er dafür, daß jeder in Hörweite sofort davon erfuhr. Bruder Denis, der für die Gäste verantwortlich war, beeilte sich, ihn zu beruhigen, und gab ihm in einer anderen Kammer ein trockenes Bett. Aber kaum eine Stunde nach dem Guß begann eine undichte Stelle im Dach zu tropfen, der sich bald in einem Umkreis von ein paar Metern ein Dutzend weitere hinzugesellten. Die große Schneelast auf dem südwärts gewandten Dach des Gästehauses hatte sich einen Weg durch das Blei gebahnt, war zwischen die Dachziegel vorgedrungen und hatte vielleicht sogar einige von ihnen eingedrückt. Der vorstoßende Schnee hatte die Wärme im Innern des Hauses gespürt und mit der stummen Bosheit unbelebter Dinge beschlossen, den bischöflichen Gesandten zu taufen.

Am Morgen wurde im Kapitel eine Dringlichkeitssitzung einberufen, um zu beraten, was man tun sollte und konnte. Bei diesem Wetter sollte man tunlichst die gefährliche und unangenehme Arbeit auf dem Dach vermeiden, doch andererseits mußten sie, wenn sie die Reparatur aufschoben, bei Tauwetter mit einer Flut rechnen, und der bisher noch begrenzte Schaden würde sich erheblich verschlimmern.

Einige Brüder hatten bereits beim Bau von Nebengebäuden in der Enklave, von Scheunen und Ställen und Lagerhäusern, mitgewirkt. Bruder Conradin, über fünfzig Jahre alt, aber stark wie ein Stier, war als einer der ersten kindlichen Oblaten ins Kloster gekommen und hatte noch als Knabe unter den Mönchen von Seez gearbeitet, die der großzügige Earl herübergebracht hatte, damit sie den Bau der Abtei überwachen konnten. Wenn es um die Bausubstanz ging, hörte man auf Bruder Conradins Worte, und nachdem er sich das Leck im Dach des Gästehauses angesehen hatte, erklärte er, daß sie sich eine Verzögerung nicht erlauben konnten, wenn sie nicht später die ganze südliche Hälfte des Dachs erneuern wollten. Sie hatten Holz, sie hatten Schieferplatten, sie hatten Blei. Das Süddach ragte über den Abflußkanal hinaus, der zum Mühlbach führte. Der Wasserlauf war überfroren, es wäre also kein Problem, ein Gerüst zu errichten. Natürlich war es bitterkalt, wenn man dort oben arbeitete. Zuerst mußten sie die Schneegebirge abräumen, um das drückende Gewicht vom Dach zu nehmen, dann mußten sie die zerbrochenen oder verschobenen Schieferplatten ersetzen und die Kehlbleche mit Blei reparieren. Doch wenn sie sich oft ablösten und, solange die Arbeit dauerte, im Wärmeraum ein Feuer unterhalten durften, war es zu schaffen.

Abt Radulfus, verständig und schnell entschlossen wie immer, nickte mit seinem beeindruckenden Haupt und sagte: »Nun gut, dann tut es!«

Sobald die ausgedehnten Schneefälle nachließen und der Himmel sich hob, drangen die zähen Bewohner der Vorstadt aus ihren Häusern, dick eingepackt und bewaffnet mit Schaufeln, Besen und Rechen mit langen Griffen; sie begannen, den Weg zur Hauptstraße freizuräumen und einen Durchgang bis zur Brücke und zur Stadt zu bahnen, deren ebenso kräftige Bewohner sicherlich schon von ihrer Seite aus den winterlichen Feind angingen. Der Forst hielt sich noch, doch jeder Tag nagte ein Stück mehr aus den Schneewehen und verringerte unmerklich deren Last. Als einige Hauptstraßen wieder gangbar waren und ein paar Reisende, die entweder tollkühn waren oder keine andere Wahl hatten, mühsam über die Wege zogen, hatte Bruder Conradin sein Gerüst aufgebaut und die Leitern sicher auf dem geneigten Dach verankert. Die Helfer wechselten sich droben in der Eiseskälte ab und räumten vorsichtig die Schneemassen fort, um zum gebrochenen Blei und den geborstenen Schieferplatten zu gelangen. Unten am überfrorenen Abflußgraben sammelte sich ein Wall aus schmutzigem, pappigem Schnee, und ein unachtsamer Bruder, der den Warnruf von oben nicht gehört oder sich nicht darum geschert hatte, wurde von einer kleinen Lawine verschüttet. Man grub ihn eilig aus und schickte ihn in den Wärmeraum, wo er auftauen konnte.

Inzwischen war der Weg zwischen Stadt und Vorstadt wieder frei. Zunächst noch zögerlich und langsam, konnten die Neuigkeiten aus Winchester endlich bis Shrewsbury vordringen, wo sie einige Tage vor Weihnachten die Garnison auf der Burg und den Sheriff der Grafschaft erreichten.

Hugh Beringar machte sich unverzüglich auf den Weg zur Abtei, um auch Abt Radulfus zu informieren. In diesem Land, das seit fünf Jahren von einem unberechenbaren Krieg geschüttelt wurde, war es für Staat und Kirche angebracht, eng zusammenzuarbeiten. Wenn Sheriff und Abt am gleichen Strang zogen, konnten sie ihren Leuten ein vergleichsweises ruhiges und geordnetes Leben gewährleisten und die schlimmsten Auswüchse der Zeit von ihnen fernhalten. Hugh war König Stephens Mann, der für seinen Herrscher die Grafschaft treu verwaltete, doch noch größer war seine Treue für die Menschen, die in diesem Land lebten. Er hätte sich über den Sieg des Königs gefreut, mit dem in diesem Herbst und Winter jeder gerechnet hatte, doch sein wichtigstes Anliegen war es, dem König, sobald die letzte Schlacht geschlagen war, die Grafschaft relativ wohlhabend, befriedet und intakt zu übergeben.

Er suchte Bruder Cadfael sofort auf, nachdem er die Gemächer des Abtes verlassen hatte, und fand seinen Freund in der Hütte im Herbarium eifrig damit beschäftigt, in einem blubbernden Topf auf der Kohlenpfanne zu rühren. Die unvermeidlichen Hustenanfälle und Erkältungen des Winters, die Frostbeulen an Händen und Füßen, sie hielten ihn ständig damit beschäftigt, den Arzneischrank in der Krankenstation nachzufüllen, und dank der dafür notwendigen Kohlenpfanne war seine Holzhütte ein etwas wärmerer Arbeitsplatz als die Nischen des Skriptoriums.

Hugh kam mit einem Schwall kalter Luft und in sichtlicher Aufregung hereingeplatzt, auch wenn die äußeren Zeichen seiner Unruhe jedem entgangen wäre, der ihn weniger gut kannte als Cadfael. Doch seine angestrengten Bewegungen und die knappe Begrüßung veranlaßten Cadfael, mit Rühren aufzuhören und das Gesicht des Sheriffs, die funkelnden Augen und die zuckende Ader auf seiner Wange, genau zu betrachten.

»Alles hat sich wieder gewendet!« sagte Hugh. »Nun geht es wieder von vorne los!« Was er damit auch meinen mochte, Cadfael schenkte sich die Frage, weil er es ohnehin gleich erfahren würde. Es hatte fast den Anschein, als siegte in Hughs Gesicht nun eine amüsierte Erleichterung über Verzweiflung und Verdrossenheit. Er setzte sich schwer auf die Bank an der Holzwand und ließ in hilfloser Resignation die Hände zwischen den Knien hängen.

»Heute morgen ist ein Bote aus dem Süden durchgekommen«, begann er, indem er den aufmerksamen Blick des Freundes erwiderte. »Sie ist fort! Aus der Falle entkommen und zu ihrem Bruder nach Wallingford geflohen. Der König hat sein Unterpfand verloren. Er hatte sie in der Hand, doch er ließ sie durch die Finger gleiten. Ich frage mich wirklich«, erklärte Hugh, indem er angesichts dieses neuen Gedankens die Augen weit aufriß, »ob er nicht beide Augen zudrückte und sie gehen ließ, als es hart auf hart kam. Es sähe ihm ähnlich. Gott weiß, er wollte sie unbedingt fassen, aber vielleicht bekam er es mit der Angst, als er sich überlegen mußte, was er mit ihr anfangen sollte, nachdem er sie gefangen hatte. Das ist eine Frage, die ich ihm wirklich gern stellen würde, und ich weiß doch genau, daß ich es niemals tun werde«, schloß er mit schiefem Grinsen.

»Wollt Ihr mir etwa erzählen«, fragte Cadfael vorsichtig zurück, während er ihn über die Kohlenpfanne hinweg anstarrte, »daß die Kaiserin aus Oxford geflohen ist? Umstellt von der Armee des Königs, die Vorräte in der Burg bis auf den letzten Krümel verzehrt? Wie soll ihr das gelungen sein? Als nächstes werdet Ihr mir noch einreden, sie habe Flügel bekommen und sie über die Linien des Königs hinweg nach Wallingford geflogen! Selbst wenn sie unbemerkt die Burg verlassen konnte, sie kann doch nicht ungesehen zu Fuß durch die Wälle der Belagerer gelaufen sein.«

»Ach, genau das tat sie aber, Cadfael, sie tat beides! Sie stahl sich unbemerkt aus der Burg und gelangte mindestens durch einen Teil von Stephens Linien. Man vermutet, daß sie sich vom rückwärtigen Turm an einem Seil zum Fluß hinabließ, begleitet von zweien oder dreien ihrer Männer. Mehr können es nicht gewesen sein. Wahrscheinlich haben sie sich ganz in weiß gekleidet, um im Schnee unsichtbar zu bleiben, und der fallende Schnee verbarg sie. Sie haben auf dem Eis den Fluß überquert, sind die etwa sechs Meilen bis Abingdon gewandert, haben sich Pferde beschafft und sind nach Wallingford geritten. Ich muß schon sagen, Cadfael, sie ist eine außergewöhnliche Frau. Dem Vernehmen nach ist mit ihr nicht gut Kirschen essen, wenn sie auf der Höhe ist, aber bei Gott, ich kann verstehen, daß die Männer ihr folgen, wenn es mit ihr bergab geht.«

»Dann ist sie also wieder mit FitzCount vereint«, sagte Cadfael. Er gab ein anerkennendes Schnaufen von sich. Vor knapp einem Monat hatte es noch den Anschein gehabt, als sei die Kaiserin ein für allemal von ihrem treuesten und ergebensten Verbündeten abgeschnitten, und als würden die beiden einander in dieser Welt nie wieder begegnen.

Seit September war die Kaiserin in der Burg von Oxford belagert worden. Die Armeen des Königs hatten sie umzingelt, er hatte die Stadt eingenommen und brauchte nur noch abzuwarten, um ihre angeschlagene Garnison auszuhungern. Und nun, nach kühner Tat in kalter Nacht, hatte sie die Ketten abgestreift und war frei, um ihre Streitkräfte wieder aufzustellen und mit neuer Kraft weiterzukämpfen. Gewiß verstand es Stephen wie kein zweiter, einen sicheren Sieg doch noch in eine Niederlage zu verwandeln. Doch diese Eigenschaft war den beiden gemein. Vielleicht lag es ihnen im Blut, denn auch die Kaiserin hatte sich, als sie schon prächtig in Westminster saß und ihre Krönung unmittelbar bevorstand, den störrischen Bürgern ihrer Hauptstadt gegenüber so überheblich und barsch gegeben, daß diese sich voller Wut erhoben und sie wieder vertrieben hatten. Sobald einer der beiden, so schien es, ernstlich die Hand nach der Krone ausstreckte, bekam es das Schicksal mit der Angst, schlug sich auf die Seite des anderen und nahm dem ersten den Lohn der Mühen wieder weg.

»Immerhin«, entgegnete Cadfael etwas gelassener, während er den brodelnden Topf auf den Rost neben der Kohlenpfanne stellte, wo er leise köcheln konnte, »immerhin ist Stephen sein Problem los. Er braucht sich nicht mehr zu sorgen, was er mit ihr anfangen soll.«

»Das ist wahr«, stimmte Hugh wehmütig zu. »Er hätte nie den Mumm gehabt, sie in Ketten zu legen, wie sie es mit ihm tat, als sie ihn nach der Schlacht von Lincoln gefangennahm, und wie sich zeigte, braucht es mehr als Steinmauern, um sie zu halten. Ich glaube, er hat in all den Monaten nicht darüber nachgedacht, er hat nur bis zu dem Augenblick vorausgeblickt, in dem er sie zur Kapitulation zwingen konnte. Er ist von den Sorgen befreit, die mit dem Tag ihrer Gefangennahme begonnen hätten. Vielleicht gelingt es ihm, ihr jede Hoffnung zu nehmen, so daß sie sich gezwungen sieht, in die Normandie zurückzukehren. Aber wir kennen die Dame besser«, fügte er traurig hinzu. »Sie wird niemals aufgeben.«

»Wie hat Stephen denn den Verlust aufgenommen?« fragte Cadfael neugierig.

»Wie erwartet«, berichtete Hugh ebenso liebevoll wie resigniert. »Sobald die Kaiserin die Burg verlassen hatte, ergab sich die Burg von Oxford. Da sie aber fort war, hatte Stephen kein Interesse mehr an den Hungerleidern. Die meisten Männer hätten ihre Wut an der Garnison ausgelassen. Wie Ihr Euch sicher erinnern werdet, ließ er sich einmal hinreißen, hier in Shrewsbury auf diese Weise Rache zu nehmen. Gott weiß, es ist gegen seine Natur. Nie wieder! Gut möglich, daß es die Erinnerung an Shrewsbury war, die ihn Oxford schonen ließ. Er ließ sie unbeschadet ziehen unter der Bedingung, daß sie nach Hause zurückkehrten. Auf der Burg stationierte er eine starke und gut versorgte Garnison und brach dann mit seinem Bruder, dem Bischof, nach Winchester auf, um das Weihnachtsfest zu feiern. Er hat alle seine Sheriffs aus den Midlands zu sich gerufen, damit sie mit ihm feiern. Er war lange nicht mehr in dieser Gegend. Zweifellos will er uns noch einmal genau mustern, um sich zu vergewissern, daß seine Verteidigungslinien halten.«

»Ihr müßt nach Winchester?« fragte Cadfael erstaunt. »Ihr werdet nicht rechtzeitig dort eintreffen.«

»Doch, das werden wir. Wir haben noch vier Tage, und der Bote sagte, im Süden habe es getaut, und die Straßen seien frei. Ich werde morgen aufbrechen.«

»Dann müssen Aline und Euer Junge zu Weihnachten auf Euch verzichten! Und Giles wird ohne Euch seinen dritten Geburtstag feiern!« Hughs Sohn war ein Weihnachtskind. Er war in einem schlimmen Winter, bei Frost und Schnee und beißenden Stürmen, zur Welt gekommen. Cadfael war sein Pate und sein ergebenster Bewunderer.

»Ach, Stephen wird uns nicht lange aufhalten«, sagte Hugh zuversichtlich. »Er braucht uns dort, wo er uns einsetzte, damit wir für ihn die Steuereinnahmen überwachen. Ich werde bis zum Ende des Jahres zurück sein, wenn alles gut verläuft. Aber Aline wäre froh, wenn Ihr sie ein- oder zweimal besuchen könntet, während ich fort bin. Der Vater Abt wird es Euch nicht verübeln, wenn Ihr Euch hin und wieder einmal frei nehmt, und dieser lange junge Bursche – Winfrid, nicht wahr? –, der kommt inzwischen gut genug mit den Salben und Arzneien zurecht, um für ein oder zwei Stunden sich selbst überlassen zu bleiben.«

»Ich will mich gern um Eure Liebsten daheim kümmern«, stimmte Cadfael aus ganzem Herzen zu, »solange Ihr bei Hofe seid. Aber wir werden Euch vermissen. Was für eine Wendung! Fünf Jahre dauert es nun, und keine Seite hat einen Vorteil errungen. Im neuen Jahr wird sicherlich alles wieder von vorn beginnen. All diese Mühen und diese Verschwendung, und nichts ist gewonnen.«

»Oh, doch, etwas hat sich verändert!« Hugh gab ein bellendes Lachen von sich. »Ein neuer Bewerber auf den Thron ist aufgetaucht, Cadfael. Geoffrey konnte nicht mehr als eine Handvoll Ritter entbehren und seiner Frau zu Hilfe schicken, aber er hat ihr einen gesandt, von dem er sich anscheinend leichter trennen kann. Entweder das, oder er kennt Stephen gut genug, um zu wissen, wie weit er gehen kann. Er schickte ihren Sohn zu seinem Onkel Robert, um zu sehen, ob die Engländer vielleicht lieber ihm als seiner Mutter folgen. Henry Plantagenet, neun Jahre alt – oder ist er schon zehn? Älter auf keinen Fall. Robert brachte ihn zu ihr nach Wallingford. Ich vermute, der Junge ist inzwischen in sicherer Entfernung in Bristol oder Gloucester. Aber selbst wenn Stephen ihn in die Finger bekommt, was könnte er mit ihm tun, außer ihn auf eigene Kosten in ein Schiff zu setzen und ihn gut bewacht nach Frankreich zurückzuschicken?«

»Was erzählt Ihr mir da?« Cadfael hatte erstaunt und neugierig die Augen aufgerissen. »Also ist ein neuer Stern am Horizont aufgestiegen. Und so jung ist er! Wie es scheint, wird wenigstens eine ein gesegnetes Weihnachtsfest haben, da sie die Freiheit zurückgewonnen hat und ihren Sohn in den Armen halten kann. Seine Ankunft wird ihr zweifellos Mut machen. Ich bezweifle aber, daß er darüber hinaus viel für ihre Sache tun kann.«

»Noch nicht!« erwiderte Hugh in prophetischer Voraussicht. »Wir müssen abwarten und sehen, wie er sich macht. Wenn er den Mut seiner Mutter und Geoffreys Verstand in sich hat, dann könnte er dem König in ein paar Jahren einigen Ärger bereiten. Wir sollten die Zeit nutzen, die wir haben, und dafür sorgen, daß der Junge nach Anjou zurückkehrt und dort bleibt. Das beste wäre es, wenn er seine Mutter gleich mitnimmt. Ich wünschte nur«, sagte Hugh, während er sich einen Ruck gab und mit einem Seufzen aufstand, »daß Stephens Sohn hält, was er verspricht, denn dann brauchen wir den Sprößling der Kaiserin nicht zu fürchten.« Er schüttelte seine Zweifel mit einem ungeduldigen Achselzucken ab. »Ich muß fort, mich auf die Reise vorbereiten. Wir werden im ersten Tageslicht aufbrechen.«

Cadfael stellte den abkühlenden Topf auf den Boden und ging mit seinem Freund in den Kräutergarten hinaus, der still von seinen Mauern eingeschlossen lag, die kleinen, ordentlichen Beete unter tiefem Schnee gemütlich den Frost durchschlafend. Als sie auf den Weg traten, der die überfrorenen Teiche umrundete, konnten sie in der Ferne, hinter der glitzernden Fläche und den großen Gärten an der Nordseite, die lange Schräge des Dachs des Gästehauses sehen, das den Abflußgraben überragte. Zwei dick vermummte Gestalten arbeiteten an den freigelegten Schieferplatten.

»Wie ich sehe, habt auch Ihr Eure Schwierigkeiten«, meinte Hugh.

»Wer kommt im Winter ungeschoren davon? Der Schnee hat mit seinem Gewicht die Platten verschoben, einige sogar zerbrochen, und hat sich einen Weg ins Haus gebahnt, um den Kaplan des Bischofs in seinem Bett zu taufen. Wenn wir es bis zum Tauwetter ließen, wie es ist, hätten wir einen viel größeren Schaden zu reparieren.«

»Und Euer Baumeister glaubt, er könne auch bei Frost gute Arbeit leisten.« Hugh hatte die braun gekleidete Gestalt auf halber Höhe der langen Leiter erkannt, die eine Trage voll Schieferplatten hochschleppte, mit der die meisten jüngeren Helfer überfordert gewesen wären. »Eine mühselige Arbeit ist es da oben«, sagte Hugh, während er die höchste Plattform des Gerüsts musterte. Dort oben war der Schiefer hoch aufgestapelt, und die beiden winzigen Gestalten bewegten sich vorsichtig auf dem ungeschützten Dach.

»Wir wechseln uns oft ab, und im Wärmeraum brennt für uns ein Feuer, wenn wir herunterkommen. Wir älteren sind von der Arbeit befreit, aber die meisten – außer den Kranken und Schwachen – tragen ihren Teil bei. Das ist nur gerecht, aber ich habe meine Zweifel, ob Conradin daran seine Freude hat. Es gefällt ihm nicht, wenn die närrischen jungen Brüder dort oben herumlaufen, und so bald wie möglich will er nur noch die einteilen, bei denen er sich sicher ist. Jedenfalls behält er sie genau im Auge, und sobald jemand dort droben blaß um die Nase wird, schickt er ihn auf die feste Erde hinunter. Das ist nicht jedermanns Sache.«

»Wart Ihr da oben?« fragte Hugh neugierig.

»Ich habe gestern meine Schicht geleistet, bevor die Dämmerung kam. Die kurzen Tage behindern uns, aber in einer Woche müßten wir fertig sein.«

Hugh kniff die Augen zusammen, als ein greller Sonnenstrahl

vom kristallenen Weiß reflektiert wurde. »Wer sind die beiden da oben? Ist das nicht Bruder Urien? Der dunkle da? Aber wer ist der andere?«

»Das ist Bruder Haluin.« Die schmale, bewegliche Gestalt war hinter dem Vorsprung des Gerüsts kaum zu erkennen, aber Cadfael hatte eine Stunde vorher gesehen, wie die beiden die Leiter hinaufgestiegen waren.

»Was denn, Anselms bester Zeichner? Wie kann man einen solchen Künstler nur so mißhandeln? Er wird sich in der Kälte die Hände ruinieren, und nachdem er die Schieferplatten herumgewuchtet hat, wird er eine oder zwei Wochen keinen Pinsel mehr anfassen können.«

»Anselm wollte es ihm ausreden«, gab Cadfael zu, »aber Haluin ließ sich nicht beirren. Niemand hätte es ihm verübelt, weil jeder weiß, wie wichtig seine Arbeit ist, aber wenn irgendwo ein Büßerhemd frei herumliegt, dann wird Haluin es sofort für sich beanspruchen. Ein lebenslanger Büßer ist der Junge, Gott weiß für welche eingebildeten Sünden. Seit er als Novize eintrat, hat er meines Wissens noch nie eine Regel gebrochen. Er war kaum achtzehn, als er die ersten Gelübde ablegte, und ich glaube nicht, daß er vorher viel Zeit hatte, der Welt einen Schaden zuzufügen. Aber manche werden für ein Leben als Büßer geboren. Vielleicht nehmen sie die Bürde eines anderen auf sich, der sich damit zufriedengibt, daß wir Menschen und keine Engel sind. Wenn Haluins Bußfertigkeit und Frömmigkeit einen Teil meiner Verfehlungen wiedergutmacht, dann wird es ihm gut angerechnet werden, und auch ich habe nichts zu klagen.«

Es war zu kalt, um sich lange im tiefen Schnee aufzuhalten und die vorsichtigen Arbeiter auf dem Dach des Gästehauses zu beobachten. Sie wanderten weiter durch die Gärten, umrundeten die gefrorenen Teiche, in deren Eisdecke Bruder Simeon zackige Löcher geschlagen hatte, damit die Fische Luft bekamen, und überquerten den Mühlbach, der die Teiche speiste, auf der schmalen Holzbrücke, auf deren Planken eine dünne, glatte Eisschicht schimmerte. Als sie näher kamen, liefen sie unter den Balken des Gerüsts, die den Abflußkanal überragten, und konnten die Arbeiter auf dem Dach nicht mehr sehen.

»Er hat mir schon damals als Novize bei den Kräutern geholfen«, erklärte Cadfael, während sie sich einen Weg durch die
verschneiten Beete des oberen Gartens bahnten und in den
großen Hof traten. »Haluin, meine ich. Das war kurz nach dem
Ende meines eigenen Noviziats. Ich war damals schon über
vierzig, er war gerade achtzehn geworden. Sie schickten ihn zu
mir, weil er lesen und Lateinisch konnte, während ich nach drei
oder vier Jahren immer noch nicht alles gelernt hatte. Er stammt
aus einer wohlhabenden Familie und hätte ein großes Anwesen
geerbt, wenn er nicht ins Kloster gegangen wäre. So hat es ein
Vetter von ihm bekommen. Der Junge wurde in das Haus eines
Adligen gegeben, wie es der Brauch ist, und diente seinem Herrn
als Schreiber. Er lernte ungewöhnlich schnell und konnte gut
rechnen. Ich habe mich oft gefragt, warum er sich dann plötzlich
anders entschied, aber wie jedermann hier weiß, kann man eine
Berufung nicht in Frage stellen. Sie kommt, wann sie will, und
dann gibt es kein Sträuben mehr.«

»Es wäre doch einfacher gewesen, den Burschen sofort ins
Skriptorium zu setzen, wenn er schon so belesen war«, meinte
der praktisch denkende Hugh. »Ich habe einige seiner Arbeiten
gesehen. Für jede andere Aufgabe wäre er verschwendet.«

»Schon, aber sein Gewissen befahl ihm, alle Stufen der Lehr-
zeit zu durchlaufen, bevor er sich irgendwo einrichtete. Er half
mir drei Jahre mit den Kräutern, dann diente er zwei weitere
Jahre im Hospital von St. Giles bei den Kranken und Verkrüppelten, und dann noch einmal zwei Monate in den Gärten der
Gaye, und schließlich half er zwei Monate draußen in Rhydcroe-
seau bei den Schafen, ehe er sich auf das einrichtete, was er am
besten konnte. Selbst jetzt will er, wie Ihr ja seht, keine Privilegien in Anspruch nehmen, nur weil er mit den Pinseln und
Federn eine so geschickte Hand hat. Wenn die anderen auf einem
verschneiten Dach gefährlich herumschlittern, dann muß er es
auch tun. Kein schlechter Zug«, räumte Cadfael ein, »aber er
übertreibt es, und die Regeln warnen vor Übertreibung.«

Sie überquerten den großen Hof und näherten sich dem
Torhaus, wo Hughs Pferd angebunden war, das große, grob-
knochige Tier, sein liebstes Reittier, das zwei- oder dreimal das
Gewicht seines Herrn hätte tragen können.

»Es wird heute nicht mehr schneien«, sagte Cadfael, indem er den verhangenen Himmel beäugte und im leichten, schläfrigen Wind schnüffelte. »Und in den nächsten paar Tagen wohl auch nicht. Es wird auch keinen schlimmen Frost mehr geben, wir haben das Schlimmste hinter uns. Ich bete, daß Ihr einen erträglichen Ritt in den Süden haben werdet.«

»Nun, wir werden in der Morgendämmerung aufbrechen und, so Gott will, zum Neujahr zurück sein.« Hugh faßte den Zügel und schwang sich in den hohen Sattel. »Das Tauwetter soll noch warten, bis Euer Dach wieder regendicht ist! Und vergeßt nicht, daß Aline Euch erwartet.«

Damit ritt er zum Tor hinaus. Klirrend hallten die Hufe auf dem Pflaster und schlugen einen Funken, der aufflammte und wieder erloschen war, ehe sich das Hufeisen vom gefrorenen Boden hob. Cadfael wandte sich zur Krankenstation, um die Vorräte in Bruder Edmunds Arzneischrank zu überprüfen. Noch eine Stunde, und das Licht würde schon wieder trüber, es waren die kürzesten Tage des Jahres. Bruder Urien und Bruder Haluin waren für heute die letzten beiden, die auf dem Dach arbeiteten.

Niemand wußte genau, wie es dazu kommen konnte. Bruder Urien, der Bruder Conradins Ruf sofort Folge geleistet hatte und heruntergestiegen war, versuchte später, eine plausible Erklärung zusammenzubekommen, doch selbst er mußte zugeben, daß man nicht ganz sicher sein konnte. Conradin, der daran gewöhnt war, daß man ihm gehorchte, und der verständlicherweise glaubte, daß niemand, der recht bei Sinnen war, länger als unbedingt nötig in der bitteren Kälte dort droben blieb, hatte einfach gerufen und sich umgedreht, um für diesen Tag die letzten zerbrochenen Schieferplatten aus dem Weg zu räumen. Bruder Urien ließ sich dankbar auf die Bretter des Gerüsts hinab und tastete sich vorsichtig die lange Leiter auf den Boden hinunter. Er war kräftig und willig und hatte keine besonderen Fähigkeiten außer seinen reichhaltigen Erfahrungen. Was er tat, das tat er gut, aber er sah keinen Grund, mehr zu tun, als man von ihm verlangte. Er trat einige Schritte zur Seite und betrachtete sein Werk. Dabei sah er Bruder Haluin, der nicht etwa die kurze

Leiter herunterstieg, die auf seiner Seite aufs Dach gelegt war, sondern vielmehr noch einige Stufen hinaufkletterte und sich seitwärts hinauslehnte, um noch etwas Schnee fortzufegen und noch einige Dachziegel freizulegen. Anscheinend vermutete er, daß der beschädigte Bereich auf beiden Seiten größer war als angenommen, und wollte den Schnee beseitigen, um das Gewicht vom Dach zu nehmen und weiteren Schaden zu verhüten.

Die Schneewehe auf dem Dach begann sich zu bewegen, rutschte in dicken Falten in sich zusammen und fiel teils auf die Planken des Gerüsts und die aufgestapelten Schieferplatten und teils über die Dachkante hinweg auf den Boden. Die Lawine war nicht beabsichtigt gewesen, doch die gefrorene Masse löste sich vom steilen Dach, prallte als massiver Block auf das Gerüst und ließ es erzittern. Haluin hatte sich zu weit vorgebeugt. Die Leiter rutschte dem Schnee, der sie gehalten hatte, hinterher, eher vor der Leiter als nach ihr prallte Haluin auf das Ende der Planken und stürzte dann ganz hinab in den überfrorenen Graben, ohne einen Laut von sich zu geben. Leiter und Lawine trafen wie er auf die Planken des Gerüsts und warfen ihm einen Schauer schwerer, scharfkantiger Schieferplatten hinterher, die tief in sein Fleisch einschnitten.

Bruder Conradin, der direkt unter dem Gerüst beschäftigt gewesen war, konnte im letzten Augenblick zur Seite springen, für den Augenblick vom herabfallenden Schnee fast geblendet. Bruder Urien war ein Stück zurückgetreten und hatte innegehalten, gerade als er seinen Gefährten warnen wollte, weil das Licht inzwischen zu schlecht war. Statt dessen, da jede Rettung zu spät kam, stieß er einen Schrei aus und sprang vor, wurde aber dennoch von der Lawine halb verschüttet.

Sie schüttelten den Schnee ab und trafen gleichzeitig bei Bruder Haluin ein.

Es war Bruder Urien, der in grimmigem Schweigen eilig nach Cadfael suchte, während Conradin in die andere Richtung über den großen Hof rannte und den ersten Bruder, der ihm über den Weg lief, nach Bruder Edmund, dem Krankenwärter schickte. Cadfael war in seiner Hütte gerade damit beschäftigt, die Kohlenpfanne für die Nacht abzudecken, als Urien hereinplatzte, ein dunkler, ernster Mann, der schlimme Neuigkeiten zu verkünden hatte.

»Bruder, kommt schnell! Bruder Haluin ist vom Dach gefallen!«

Cadfael, wortkarg wie Urien, fuhr herum, ließ die letzten Torfbrocken fallen und langte sich eine Wolldecke vom Regal.

»Tot?« Das Dach war wenigstens vierzig Fuß hoch, Haluin mußte im Fall auf Holzbalken geprallt und unten auf das harte Eis geschlagen sein. Wenn er aber etwas glücklicher in den tiefen Schnee gestürzt war, der durch die Lawine vom Dach noch tiefer geworden war, dann mochte er es überlebt haben.

»Er atmet, aber wie lange noch? Conradin holt Hilfe, Edmund ist inzwischen sicher schon unterrichtet.«

»Kommt!« sagte Cadfael nur, und schon war er zur Tür hinaus und rannte zur kleinen Brücke, die über den Graben führte. Dann aber überlegte er es sich anders und wandte sich zum kleinen Weg zwischen der Abtei und den Teichen, um am Ende des Weges über den Graben zu springen und den Weg zu Haluin abzukürzen. Vom großen Hof aus näherte sich der Schein zweier Fackeln. Bruder Edmund kam, Bruder Conradin hart auf den Fersen, mit einigen weiteren Helfern und einer Trage.

Bruder Haluin, bis zu den Knien unter schweren Schieferplatten begraben, lag, während sein Blut das Eis unter seinem Kopf färbte, totenstill inmitten des Tumults, den er ausgelöst hatte.

2

So gefährlich es auch war, ihn zu bewegen, ihn auch nur einen Moment länger dort zu lassen, wo er lag, hätte bedeutet, den Tod, der ihn schon fest in seinem Griff hielt, einzuladen und ihm Tür und Tor zu öffnen. In stummer, zielstrebiger Eile räumten sie die heruntergestürzten Planken fort und gruben mit bloßen Händen die messerscharfen Schieferplatten aus, die seine Füße und Knie zu einer Masse aus Blut und Knochen zerschmettert und zerfetzt hatten. Er war bewußtlos und spürte nichts, als sie ihn aus dem eisigen Bett des Grabens hoben, um Seilschlingen um ihn zu legen und ihn auf die Trage zu heben. Wie in einem Trauerzug trugen sie ihn durch die dunklen Gärten in die Krankenstation, wo Bruder Edmund bereits in einer kleinen Zelle, getrennt von den alten und kranken Brüdern, die hier ihre letzten Jahre verbrachten, ein Lager für ihn bereitet hatte.

»Er wird es nicht überleben«, meinte Edmund, als er das bleiche, leblose Gesicht sah.

Das dachte auch Cadfael. Alle dachten es. Aber dennoch, er atmete, und selbst wenn es ein rasselnder, stöhnender Atem war, der von Verletzungen sprach, die vielleicht nie wieder heilen würden, sie arbeiteten an ihm wie an einem, der leben konnte und mußte, auch wenn sie sich innerlich der Vergeblichkeit bewußt waren. Unendlich behutsam und sachte befreiten sie ihn von seinen vereisten Kleidern und polsterten ihn rundherum mit Decken, in die gewärmte Steine gewickelt waren. Cadfael suchte vorsichtig nach gebrochenen Knochen, richtete den linken Unterarm ein, der bei der Berührung geknirscht hatte, und verband ihn. Immer noch zeigte sich keine Regung im Gesicht des Verletzten. Cadfael tastete vorsichtig Haluins Kopf ab, bevor er die blutende Wunde säuberte und versorgte, doch er konnte nicht feststellen, ob der Schädel gebrochen war. Der kratzende, schnarchende Atem sprach dafür, aber man konnte nicht sicher sein. An den gebrochenen Füßen und Knöcheln arbeitete Cadfael noch lange, nachdem sie Bruder Haluin mit gewärmten

Decken vor dem Kältetod bewahrt hatten. Sein Körper lag in jeder Richtung gerade und abgesichert, um den Schock und die Schmerzen der Bewegungen zu mildern, wenn er wieder zu sich kam. Niemand glaubte wirklich daran, nur ein geheimer Rest einer festen Hoffnung ließ sie sich anstrengen, um den ersterbenden Funken zu nähren.

»Er wird nie wieder gehen können«, meinte Bruder Edmund, als er schaudernd die zerschmetterten Füße betrachtete, die Cadfael umständlich badete.

»Nicht ohne Hilfe«, stimmte Cadfael düster zu. »Und nicht mit diesen Beinen.« Dennoch setzte er die zertrümmerten Überreste so gut er konnte zusammen.

Lange, schmale und elegante Füße hatte Bruder Haluin gehabt, passend zu seinem schlanken Körperbau. Die tiefen, bösen Schnitte, die ihm die Schieferplatten zugefügt hatten, gingen stellenweise bis zu den Knochen hinunter und hatten an einigen Stellen sogar die Knochen splittern lassen. Es dauerte eine lange Zeit, die blutigen Bruchstücke zu entfernen und jeden Fuß so einzuwickeln, daß er zumindest entfernt einem menschlichen Fuß ähnelte. Dann wurden eilig improvisierte Hauben aus Fell, von innen gut gepolstert, über die Füße geschoben, damit sie stillgelegt waren und bei der Heilung dem, was sie einst gewesen waren, möglichst nahe kommen konnten. Dies natürlich nur, falls es überhaupt eine Heilung gab.

Die ganze Zeit über lag Bruder Haluin schmerzvoll schnarchend, ohne zu bemerken, was mit ihm getan wurde, tief bewußtlos und jenseits der Lichter und Schatten dieser Welt. Schließlich verflachte sein Atem zu einem leisen Wispern, nicht mehr als das Beben eines einsamen Blattes in einem kaum wahrnehmbaren Hauch. Sie dachten schon, er sei von ihnen gegangen, doch so schwach die Bewegungen auch waren, das Blatt hörte nicht auf, sich zu regen.

»Ruft mich sofort, wenn er einen Augenblick zu sich kommt«, sagte Abt Radulfus und überließ ihnen die Krankenwache.

Bruder Edmund mußte etwas Schlaf finden. Cadfael teilte sich die Nachtwache mit Bruder Rhun, dem neuesten und jüngsten Chormönch. Zu beiden Seiten des Bettes saßen sie und starrten unverwandt den ohnmächtigen Bruder an, der, gesalbt, gesegnet und für den Tod gewappnet, in tiefem Schlaf lag.

Es war viele Jahre her, daß Haluin aus Cadfaels Reich entlassen und zur Arbeit in der Gaye eingeteilt worden war. Cadfael betrachtete mit großer Aufmerksamkeit die Gesichtszüge des Mannes, deren Einzelheiten er fast vergessen hatte, und fand sie nun zugleich verändert und anrührend vertraut. Bruder Haluin war kein großer Mann, kaum größer als das Mittelmaß. Er hatte lange, zarte und wohlgeformte Knochen, mehr Sehnen und weniger Fleisch als zu der Zeit, da er als noch nicht ausgewachsener Junge, der die Mannesblüte erst noch erreichen sollte, ins Kloster gekommen war. Fünfunddreißig oder sechsunddreißig mußte er jetzt sein, damals war er kaum achtzehn gewesen und hatte noch die weiche Haut und das Strahlen des Kindes an sich gehabt. Sein Gesicht war länglich und oval, die Wangenknochen und Kiefer waren kräftig und gut ausgebildet, die schmalen, geschwungenen Augenbrauen fast schwarz, eine Spur dunkler als das krause dunkle Haar, dessen größten Teil er der Tonsur geopfert hatte. Jetzt war sein Gesicht kreidebleich, die Wangen waren eingefallen und die geschlossenen Augen lagen in tiefen Höhlen, die blau waren wie Schatten im Schnee. Auch um die schmalen Lippen bildete sich, während sie ihn beobachteten, ein bläulicher, kranker Schimmer. In den Stunden nach Mitternacht, wenn das Leben am zerbrechlichsten ist, würde sich die Waagschale in diese oder jene Richtung neigen.

Auf der anderen Seite des Bettes kniete Bruder Rhun, aufmerksam aber durch den nahen Tod eines anderen ebensowenig eingeschüchtert, wie er es eines Tages durch seinen eigenen sein würde. Im Dämmerlicht zwischen den Steinwänden des kleinen Raumes schien von seinem hellen, jungen Gesicht, vom Ring seines flachsblonden Haars und seinen hellblauen Augen ein sanftes Strahlen auszugehen. Nur ein Mensch mit Rhuns unschuldiger Klarheit konnte so inbrünstig und liebevoll und doch ohne falsches Mitleid am Bett eines Sterbenden wachen. Cadfael hatte schon viele junge Menschen gesehen, die mit diesem jugendlichen Zauber ins Kloster gekommen waren, doch bald schon war ihr Strahlen einfach von der Last, ein Mensch zu sein, und durch den Zahn der Zeit vergangen, trüb geworden und geschwunden. Rhun würde dies nie geschehen. St. Winifred würde, nachdem sie ihm die körperliche Vollkommenheit geschenkt hatte, nicht zulassen, daß ihr Geschenk durch irgendeine Verstümmelung seines Geistes gefährdet würde.

Langsam verging die Nacht, und Bruder Haluin blieb still wie er war. Kurz vor der Dämmerung aber sagte Rhun leise: »Seht nur, er bewegt sich.«

Ein leichtes Zucken lief über das bleierne Gesicht, die dunklen Brauen wurden zusammengezogen, die Augenlider spannten sich, als die ersten Schmerzen spürbar wurden, die Lippen wurden zu einer kurzen Grimasse, die von Angst und Pein sprach, zusammengekniffen. Sie warteten, ihrem Gefühl nach eine lange Zeit, und konnten nicht mehr tun, als die feuchte Stirn und den Speichel abzuwischen, der als kleines Rinnsal aus dem Mundwinkel sickerte.

Im ersten trüben Schein, der vom Schnee reflektiert wurde, noch bevor die Dämmerung begann, öffnete Bruder Haluin die pechschwarzen Augen in ihren blauen Höhlen und bewegte die Lippen, um etwas zu hauchen, das Rhun nur verstehen konnte, weil er sein junges, scharfes Ohr dicht über den Mund legte.

»Beichten...«, flüsterte der Mann, der zwischen Leben und Tod schwebte. Das war für eine Weile alles.

»Geht und holt den Vater Abt«, sagte Cadfael.

Rhun ging schweigend und rasch hinaus. Haluin kam allmählich zu sich, und als seine Augen klarer wurden und die Umgebung erkennen konnten, begriff er, wo er war und wer an seiner Seite saß. Er raffte all die Lebenskraft zusammen, die ihm noch geblieben war. Cadfael sah das schmerzhafte Zucken um Mund und Kiefer und wollte schon ein wenig Mohnsaft zwischen die Lippen seines Patienten träufeln, doch dieser hielt den Mund fest geschlossen und wandte den Kopf ab. Er wollte seine Sinne nicht trüben und behindern, bevor er gesagt hatte, was er sagen mußte.

»Der Vater Abt kommt gleich«, sagte Cadfael, indem er sich über das Kissen beugte. »Wartet noch, dann könnt Ihr zu ihm sprechen.«

Abt Radulfus kam gerade herein und bückte sich unter dem niedrigen Türsturz. Er nahm den Stuhl, auf dem Rhun gesessen hatte, und neigte sich zum Verletzten. Rhun war draußen geblieben und hatte hinter dem Abt die Tür geschlossen. Er hielt sich bereit, um Botengänge auszuführen, die vielleicht notwendig wurden. Cadfael wollte aufstehen, um sich wie Rhun zurückzuziehen, doch in Haluins hohlen Augen flackerten gelbe Funken der Angst, ein kurzer Krampf lief durch seinen Körper, und er stöhnte schmerzvoll, als hätte er am liebsten eine Hand gehoben, um Cadfael aufzuhalten. Der Abt beugte sich vor, damit Haluin ihn sehen und hören konnte.

»Ich bin da, mein Sohn. Ich höre. Was ängstigt Euch?«

Haluin holte tief Luft und sammelte sich, um verständlich zu sprechen. »Sünden…«, begann er, »…nie erzählt.« Die Worte kamen langsam und unter großen Mühen, aber sie waren verständlich. »Gegen Cadfael versündigt… vor langer Zeit… nie gebeichtet…«

Der Abt blickte zu Cadfael, der noch am Bett stand. »Bleibt! Er wünscht es so.« Und zu Haluin sagte er, indem er die schlaffe Hand nahm, die der Verletzte nicht selbst heben konnte: »Sprecht, wie Ihr könnt, wir werden zuhören. Macht nicht viele Worte, wir können zwischen den Worten lesen.«

»Meine Gelübde«, sagte er mit dünner Stimme. »Unrein… nicht aus Hingabe… sondern Verzweiflung!«

»Viele sind aus den falschen Gründen eingetreten«, erwiderte der Abt, »und dennoch aus den richtigen Gründen geblieben. In den vier Jahren, die ich hier als Abt diene, habe ich in Eurem Verhalten keinen Makel gefunden. Habt in dieser Hinsicht keine Sorge. Gott mag seine eigenen Gründe gehabt haben, Euch in dieses Kloster zu führen.«

»Ich diente dem Herrn de Clary in Hales«, sagte die dünne Stimme. »Oder besser, seiner Frau – er war damals im Heiligen Land. Seine Tochter…« Es gab ein langes Schweigen, während er sich entschlossen und geduldig sammelte, um noch mehr und Schlimmeres zu sagen. »Ich liebte sie… und wurde geliebt. Aber die Mutter… meine Werbung war nicht willkommen. Wir nahmen uns, was verboten war…«

Abermals ein langes Schweigen. Die bläulichen, eingefallenen Lider senkten sich einen Moment über die brennenden Augen. »Wir lagen beisammen«, sagte er etwas lauter. »Diese Sünde beichtete ich, nannte aber nie ihren Namen. Die Herrin warf mich hinaus. Verzweifelt kam ich hierher... um keinen weiteren Schaden anzurichten. Doch das Schlimmste sollte noch kommen.«

Der Abt drückte Haluins willenlose Hand und hielt sie fest. Das Gesicht im Kissen war zu einer tönernen Maske erstarrt, ein anhaltender Schauer lief durch den zerschundenen, gequälten Körper, bis er gespannt war und sich eiskalt anfühlte.

»Ruht Euch aus!« sagte Radulfus dem Leidenden ins Ohr. »Laßt Euch Zeit! Gott hat auch für Dinge Ohren, die nicht laut gesagt werden.«

Cadfael, der zusah, hatte das Gefühl, als antwortete Haluins Hand, so schwach sie auch war, mit einem kurzen Druck. Er holte den Trank aus Wein und Kräutern, mit dem er die Lippen des Bewußtlosen befeuchtet hatte, und tröpfelte ein wenig zwischen die leicht geöffneten Lippen. Nun wurde die Gabe angenommen, und die Sehnen im schlanken Hals mühten sich zu schlucken. Seine Zeit war noch nicht gekommen. Was er sich auch von der Seele reden mußte, er hatte genug Zeit. Sie gaben ihm kleine Schlucke Wein und sahen zu, wie sich der Kalk seines Gesichts wieder in Fleisch verwandelte, bleich und schwach, wie es war. Nach einer Weile sprach er weiter, sehr leise und mit geschlossenen Augen.

»Vater...?« begann die leise Stimme ängstlich.

»Ich bin hier. Ich werde Euch nicht allein lassen.«

»Ihre Mutter kam... ich erfuhr erst von ihr, daß Bertrade ein Kind erwartete. Die Herrin hatte Angst vor dem Zorn ihres Mannes, wenn er heimkommen würde. Ich diente damals schon Bruder Cadfael, ich hatte gelernt... ich kannte die Kräuter... ich stahl einige und gab ihr... Ysop und Schwertlilien... Cadfael weiß sie besser zu verwenden!«

In der Tat, weit besser! Aber was in kleinen Dosierungen bei enger Brust und einem schlimmen Husten helfen konnte oder die Gelbsucht abwehrte, konnte auch eine Schwangerschaft beenden. Ein schlimmer Mißbrauch, von der Kirche verurteilt und für eine Frau, die kurz vor der Entbindung stand, sogar lebensgefährlich. Aus Furcht vor dem zornigen Vater, aus Angst, vor der Welt beschämt zu sein, aus Angst, weil die Heiratsaussichten dahin und die Familienehre beschmutzt war. Hatte ihn die

Mutter des Mädchens dazu aufgefordert, oder hatte er sie selbst überredet? Die Jahre der Reue und der Selbstkasteiung hatten ihm nicht die Schrecken nehmen können, die jetzt sein Fleisch zucken und sein Gesicht in einer Fratze erstarren ließen.

»Sie starben«, sagte er rasselnd und laut vor Schmerzen. »Meine Liebste und das Kind, beide starben. Ihre Mutter schickte mir eine Nachricht – beide tot und begraben. Ein Fieber wäre es gewesen, so ließen sie verlauten. Gestorben am Fieber – nichts mehr zu befürchten. Meine Sünde, meine schreckliche Sünde… Gott weiß, daß es mir leid tut.«

»Wo wahre Reue ist«, erklärte Abt Radulfus, »wird sie von Gott erkannt. Nun, von diesem Kummer habt Ihr erzählt. Seid Ihr fertig, oder gibt es noch mehr zu berichten?«

»Ich bin fertig«, erwiderte Haluin, »aber ich muß noch um Vergebung bitten. Ich bitte Gott um Vergebung und Cadfael, weil ich sein Vertrauen und seine Kunst mißbrauchte. Und die Herrin von Hales für den Kummer, den ich ihr bereitete.« Nun, da es heraus war, hatte er seine Stimme und seine Worte besser unter Kontrolle. Die lähmende Spannung war von seiner Zunge gewichen, und so schwach seine Worte auch herauskamen, er hatte sich erklärt und alles berichtet.

»Ich will geläutert und in Vergebung sterben«, sagte er.

»Bruder Cadfael mag für sich selbst sprechen«, erklärte der Abt. »Für Gott will ich sprechen, wenn er es mir erlaubt.«

»Ich vergebe Euch«, sagte Cadfael, seine Worte mit mehr als der üblichen Umsicht wählend, »alle Vergehen, die Ihr euch unter großer Belastung gegen meine Kunst zuschulden kommen ließet. Und die Tatsache, daß die Mittel und das Wissen da waren, um Euch zu Dingen zu verleiten, die ich nicht abwenden konnte, das kann ich mir ebenso selbst wie Euch vorwerfen. Ich wünsche Euch Frieden.«

Was Abt Radulfus im Namen Gottes zu verkünden hatte, dauerte etwas länger. Einige unter den Brüdern, dachte Cadfael, wären erschrocken und ungläubig gewesen, hätten sie sehen können, welche gemessene, väterliche Fürsorge der sonst so strenge und förmliche Abt an den Tag legen konnte. Ein erleichtertes Gewissen und einen ehrbaren Tod, das war es, was Haluin wünschte. Es war zu spät, um dem Sterbenden eine Buße aufzuerlegen. Die Behaglichkeit des Sterbebettes hat keinen Preis, sie ist ein Geschenk.

»Ein gebrochenes und ein bußfertiges Herz«, sagte Radulfus, »ist das einzige Opfer, das Euch auferlegt wurde, und es wird nicht verachtet werden.« Er gab ihm die Absolution und seinen feierlichen Segen und verließ das Krankenzimmer. Er winkte Cadfael zu sich hinaus. Erloschen war jetzt die Dankbarkeit, die in Haluins Gesicht aufgeflammt war, Erschöpfung übermannte ihn, und das Feuer in seinen Augen war zwischen den halb geschlossenen Lidern erstorben, während er zwischen Bewußtlosigkeit und Schlaf schwebte.

Im Vorraum wartete Rhun geduldig. Er hatte sich etwas zurückgezogen, um nicht wider Willen doch ein Wort der Beichte zu hören.

»Geht hinein und setzt Euch zu ihm«, sagte der Abt. »Er wird jetzt schlafen, und er wird keine schlechten Träume haben. Sollte sich sein Zustand ändern, dann könnt Ihr Bruder Edmund holen. Und wenn Bruder Cadfael gebraucht wird, dann könnt Ihr ihn in meinen Gemächern erreichen.«

Im holzvertäfelten Sprechzimmer in der Wohnung des Abtes saßen sie beisammen, die einzigen, die je von dem Vergehen erfahren würden, das Haluin sich selbst zur Last gelegt hatte, die einzigen, die unter vier Augen über die Beichte sprechen durften.

»Ich bin erst seit vier Jahren hier«, begann Radulfus unvermittelt, »und weiß nichts von den Umständen, unter denen Haluin zu uns kam. Anscheinend gehörte es anfangs zu seinen Pflichten, Euch bei den Kräutern zu helfen, und dort erwarb er das Wissen, das er so mißbrauchte. Ist es sicher, daß der Trank den Tod herbeiführte? Oder kann es wirklich ein Fieber gewesen sein, an dem sie starben?«

»Wenn die Mutter des Mädchens ihr das Mittel gab, dann gibt es kaum einen Irrtum«, sagte Cadfael traurig. »Ja, ich weiß, daß Ysop tödlich sein kann. Es war dumm, ihn auf Lager zu halten, denn er kann durch andere Kräuter ersetzt werden. Aber in kleinen Dosierungen sind das Kraut wie die Wurzel, getrocknet und zu Pulver gemahlen, gut für die Gelbsucht, und zusammen mit Andorn helfen sie bei Brustbeschwerden. Die blau blühende

Sorte ist milder und besser. Ich weiß wohl, daß Frauen das Kraut in großen Dosierungen hin und wieder zur Abtreibung benutzen. Kein Wunder, wenn manchmal ein armes Mädchen stirbt.«

»Das ist doch sicher während seines Noviziats geschehen, denn er kann noch nicht lange hier gewesen sein, wenn das Kind, wie er vermutet, von ihm war. Er war doch selbst noch ein Junge.«

»Gerade achtzehn, und das Mädchen war sicher nicht älter, wenn überhaupt. Es muß eine Folter gewesen sein«, sagte Cadfael nun, »wenn sie im gleichen Haus lebten und einander jeden Tag sahen. Sie waren von gleichem Stand, denn er kommt aus einer angesehenen Familie, und die beiden waren sicherlich offen für die Liebe wie die meisten Kinder. Wirklich«, meinte Cadfael wohlwollend, »ich frage mich, warum seine Werbung abgelehnt wurde. Er war ein Einzelkind, er hätte ein großes Anwesen geerbt, wenn er nicht die Gelübde abgelegt hätte. Und er war ein angenehmer Junge, wie ich mich erinnere, belesen und begabt. Manch ein Ritter hätte ihn als gute Partie für seine Tochter willkommen geheißen.«

»Vielleicht hatte der Vater bereits andere Pläne mit ihr«, wandte Radulfus ein. »Er könnte sie schon in ihrer Kindheit einem anderen versprochen haben. Ihre Mutter wird dann nicht gewagt haben, sie in Abwesenheit des Vaters einem anderen Mann zu geben, wenn sie solche Angst vor ihm hatte.«

»Sie hätte den Jungen aber nicht völlig abweisen müssen. Wenn sie ihm die Hoffnung gelassen hätte, dann hätte er sicher gewartet und nicht versucht, die Heirat mit dem Mädchen zu erzwingen. Vielleicht tue ich ihm damit aber auch Unrecht«, besann Cadfael sich. »Es war wohl keine Berechnung, denke ich, die ihn zu dem Mädchen ins Bett schlüpfen ließ, einfach nur hitzige Zuneigung. Haluin ist keiner, der lange Pläne schmiedet.«

»Nun, wie dem auch sei«, meinte Radulfus mit müdem Lächeln, »es ist geschehen und kann nicht ungeschehen gemacht werden. Er war nicht der erste und gewiß nicht der letzte junge Mann, der diesem Irrtum zum Opfer fiel, und sie nicht das erste und auch nicht das letzte arme Mädchen, das darunter leidet. Wenigstens hat sie ihren guten Namen behalten. Es ist zu verstehen, daß er selbst unter dem Siegel der Beichte fürchtete, sich zu offenbaren. Aber das alles ist lange her, achtzehn Jahre sind es jetzt. Wir wollen ihm ein friedliches Ende ermöglichen.«

Allgemein war man der Ansicht, daß ein friedliches Ende alles war, was man noch für Bruder Haluin erhoffen konnte. In den Gebeten war nicht von einer Genesung die Rede, zumal er nach der kurzen wachen Spanne in tiefe Bewußtlosigkeit gefallen war. In den folgenden sieben Tagen, als das Weihnachtsfest kam und ging, lag er reglos und bemerkte nicht, was seine Brüder an seinem Bett taten. Er aß nicht und gab keinen Laut von sich außer dem kaum hörbar flatternden Atem. Und doch, dieser Atem, so schwach er auch war, kam gleichmäßig und ruhig, und wann immer man Tropfen mit gesüßtem Wein auf seine Lippen gab, wurden sie angenommen, und die Stränge in seinem Hals schienen sich wie von selbst zu bewegen, wenn er gehorsam schluckte. Nur die breite, kalte Stirn und die geschlossenen Augen ließen nicht durch irgendwelche Regungen erkennen, daß ihm bewußt war, was mit seinem Körper geschah.

»Als wäre nur sein Körper hier«, sagte Bruder Edmund, »während sein Geist an einem anderen Ort wartet, bis das Haus wieder hergestellt und gesäubert ist, damit er darin leben kann.«

Ein passender Vergleich aus der Bibel, dachte Cadfael, denn Haluin hatte selbst die Teufel ausgetrieben, die ihn heimgesucht hatten. Das Heim, das sie bewohnt hatten, konnte nun durchaus eine Zeitlang verwaist sein. Niemand war da, der achtgeben und die Heilung fördern konnte. Aber so sehr dieser ausgedehnte Rückzug auch dem Tod ähnelte, Bruder Haluin würde nicht sterben. Und deshalb, dachte Cadfael, müssen wir genau aufpassen, damit die Parabel auch ihr rechtes Ende findet. Wir müssen dafür sorgen, daß es den sieben Teufeln, die schlimmer sind als die ersten, nicht gelingt, einen Fuß in die Tür zu bekommen, während er abwesend ist. So beteten sie das ganze Weihnachtsfest über bis zur feierlichen Begrüßung des neuen Jahres inbrünstig für Haluin.

Inzwischen begann zögernd das Tauwetter. Jeden Tag wurde

ein wenig mehr von den gewaltigen Schneemassen abgetragen, die niedergefallen waren. Die Arbeit am Dach wurde ohne weitere Zwischenfälle beendet, das Gerüst wurde abgebaut. Das Gästehaus war nun wieder wasserdicht. Alles, was von der großen Aufregung geblieben war, war jener stille, stumme Mann in seinem abgetrennten Krankenzimmer in der Krankenstation, der unschlüssig zwischen Leben und Tod schwankte.

In der Nacht auf Epiphanias schlug Bruder Haluin dann die Augen auf und holte tief und langsam Luft wie ein Mann, der ohne Furcht erwacht. Er ließ die Blicke verwundert durch die kleine Kammer wandern, bis er Bruder Cadfael sah, der stumm und aufmerksam neben ihm auf dem Stuhl saß.

»Ich habe Durst«, sagte Haluin vertrauensvoll wie ein Kind und lehnte sich weich an Cadfaels Arm, um zu trinken.

Sie hatten schon erwartet, daß er wieder das Bewußtsein verlieren würde, doch er blieb den ganzen Tag wach und klar, und in der folgenden Nacht schlief er einen natürlichen Schlaf, flach aber ruhig. Danach kehrte das Leben in sein Gesicht zurück und verließ es nicht mehr. Da er aber die Schwelle zum Tod verlassen hatte, kehrte er nun in das Reich des Schmerzes zurück. Auf gerunzelter Stirn und zusammengepreßten Lippen hinterließ der Schmerz seine Spuren, doch Haluin trug ihn ohne zu klagen. Der gebrochene Arm war verheilt, während er bewußtlos gelegen hatte. Nur noch die juckenden Schmerzen heilender Wunden waren dort zu spüren. Nachdem Cadfael und Edmund sich zwei Tage mit der Krankenwache abgewechselt hatten, schien es ihnen, als sei die Verletzung im Innern des Kopfes ebenso verheilt wie die äußere Wunde, geheilt durch Stille und Ruhe. Denn sein Bewußtsein war klar. Er erinnerte sich an das vereiste Dach, er erinnerte sich an den Sturz, und einmal, als er mit Cadfael allein war, gab er zu erkennen, daß er sich ebenso deutlich an seine Beichte erinnerte, denn nach langem Schweigen sagte er:

»Ich habe Euch einst, vor langer Zeit, hintergangen, und jetzt pflegt und versorgt Ihr mich, und ich kann es Euch nicht vergelten.«

»Ich habe auch keine Gegenleistung erwartet«, gab Cadfael gelassen zurück und begann geduldig und sorgfältig, die Verbände von einem der verstümmelten Füße zu nehmen, um die Umschläge zu erneuern, wie er es die ganze Nacht und den Morgen über schon getan hatte.

»Aber ich muß doch für meine Taten büßen. Wie sonst könnte ich von meinen Sünden befreit werden?«

»Ihr habt die Beichte abgelegt«, erklärte Cadfael beschwichtigend. »Ihr habt die Absolution vom Vater Abt selbst bekommen. Hütet Euch, mehr zu verlangen.«

»Aber ich habe nicht gebüßt. Mit einer so leicht gewonnenen Absolution stehe ich immer noch als Schuldner da«, wandte Haluin ein.

Cadfael hatte den linken Fuß freigelegt, der stärker verstümmelt war als der rechte. Die oberflächlichen Schnitte und Wunden waren verheilt, aber was mit dem Labyrinth der kleinen Knochen im Innern geschehen war, konnte nicht mehr gerichtet werden. Sie waren zu einem unförmigen Klumpen zusammengepreßt, verbogen und zertrümmert, zu zornigem Rot und Purpur verfärbt. Doch die Haut darüber hatte sich geglättet und die tieferen Verletzungen verdeckt.

»Wenn Ihr glaubt, Ihr hättet noch Schulden«, meinte Cadfael freimütig, »dann werdet Ihr mit Euren Schmerzen bis zum Ende Eures Lebens dafür bezahlen. Seht Ihr es? Diesen Fuß werdet Ihr nie wieder fest auf den Boden setzen. Ich bezweifle, daß Ihr je wieder richtig laufen könnt.«

»Doch«, sagte Haluin, während er durch das schmale Fenster in den sich verdunkelnden Winterhimmel hinausblickte. »Doch, ich werde wieder laufen. Das werde ich. Wenn Gott es erlaubt, dann werde ich wieder auf meinen eigenen Füßen laufen, und wenn ich mir Krücken leihen muß, die mich stützen. Und wenn mir der Vater Abt die Erlaubnis gibt, dann will ich, sobald ich mich wieder bewegen kann, nach Hales gehen, Adelais de Clary um Vergebung bitten und eine Nacht an Bertrades Grab wachen.«

Cadfael war der Meinung, daß weder die Tote noch die Lebende nach achtzehn Jahren großen Trost in Haluins liebevoller Zuwendung finden würde. Doch wenn die fromme Absicht dem Mann Kraft und Entschlossenheit schenkte, zu leben, sich zu mühen und etwas Nützliches zu tun, warum ihn entmutigen? Deshalb sagte er nur:

»Nun, wir wollen zuerst alles in Ordnung bringen, was in Ordnung gebracht werden kann. Ihr müßt den Blutverlust ausgleichen, denn in dem Zustand, in dem Ihr jetzt seid, wird Euch niemand fortgehen lassen.« Als er dann den rechten Fuß betrachtete, der einem menschlichen Fuß noch entfernt ähnlich sah, fuhr er nachdenklich fort: »Vielleicht können wir Euch dicke, von innen gepolsterte Fellstiefel machen. Krücken werdet Ihr brauchen, aber so könnt Ihr wenigstens einen Fuß auf den Boden setzen. Heute nicht, und in den nächsten Wochen und vielleicht Monaten auch noch nicht. Aber wir werden Maß nehmen und sehen, was wir für Euch tun können.«

Später hielt Cadfael es für angebracht, Abt Radulfus zu berichten, welche Buße Bruder Haluin sich selbst auferlegen wollte, und so geschah es auch nach dem Kapitel in der Abgeschiedenheit des äbtlichen Sprechzimmers.

»Als die Last von seinem Herzen genommen war«, begann Cadfael, »hätte er zufrieden sterben können, wenn es sein Schicksal gewesen wäre. Aber er wird leben. Sein Bewußtsein ist klar, sein Wille ist stark, und auch wenn er abgemagert ist, sein Körper ist kräftig, und nun, da er noch viele Jahre vor sich sieht, ist er nicht damit zufrieden, für seine Sünden eine Absolution zu erhalten, die er sich nicht mit einer Buße verdient hat. Wenn er nicht so störrisch wäre, könnte man versuchen, ihm diesen Vorsatz auszureden, sobald er wieder genesen ist. Ich für meinen Teil würde ihm keinen Vorwurf machen, wenn er darauf verzichtete, ganz im Gegenteil. Aber eine Absolution ohne Buße, damit ist Haluin nicht zufrieden. Ich will ihn zurückhalten, solange ich kann, aber glaubt mir, sobald er sich stark genug fühlt, es zu versuchen, werden wir wieder davon hören.«

»Einem so verständlichen Wunsch kann ich mich kaum verschließen«, erklärte der Abt vernünftig, »aber ich kann es verbieten, solange er nicht stark genug dafür ist. Wenn ihm die Reise seinen Seelenfrieden schenkt, dann habe ich nicht das Recht, ihm im Weg zu stehen. Vielleicht spendet er damit auch der unglücklichen Dame, deren Tochter so elend starb, einen verspäteten Trost. Dieses Anwesen in Hales«, fuhr Radulfus fort, während er über die geplante Pilgerfahrt nachdachte, »ist mir nicht bekannt, auch wenn ich den Namen de Clary schon einmal gehört habe. Wißt Ihr, wo es liegt?«

»Am Ostrand der Grafschaft, Vater. Es ist etwa fünfundzwanzig Meilen von Shrewsbury entfernt.«

»Der Herr war damals im Heiligen Land und kennt möglicherweise nicht den wahren Grund für den Tod seiner Tochter, wenn seine Frau solche Furcht vor ihm hatte. Viele Jahre sind vergangen, aber wenn er noch lebt, dann darf dieser Besuch nicht stattfinden. Es wäre schlimm, wenn Bruder Haluin seine eigene Seele rettete, indem er die Herrin von Hales in neue Sorgen und Gefahren stürzt. Auch wenn sie gefehlt hat, sie hat dafür gelitten.«

»Soweit ich weiß, Vater«, gab Cadfael zurück, »sind beide schon einige Jahre tot. Als ich einmal für Abt Heribert nach Lichfield mußte, habe ich die Gegend gesehen, aber von einem Haus der de Clarys hörte ich nichts.«

»Hugh Beringar wird es wissen«, sagte der Abt zuversichtlich. »Er kennt die Adelshäuser der Grafschaft in- und auswendig. Wir können ihn fragen, wenn er aus Winchester zurückgekehrt ist. Es besteht kein Grund zur Eile. Selbst wenn Haluin seine Buße tun muß, er ist noch nicht dazu in der Lage. Er kann sein Bett noch nicht verlassen.«

Die Reise von Bruder Ha

HALES

HARGEDON

← nach Shrewsbury

Haus des
Waldbauern

← Der Reiseweg ═══ Straßen

luin und Bruder Cadfael

Tame

ELFORD

VIVERS

FAREWELL

CHENET

0 Meilen 4

Wald

3

Hugh kam vier Tage nach Epiphanias mit seiner Eskorte zurück. Der größte Teil des Schnees war inzwischen verschwunden. Der Himmel war grau, die Tage kurz und düster, in manchen Nächten gab es noch Frost, so daß der Schnee nur langsam taute und keine Überschwemmungen verursachte. Nach so schweren Schneefällen wären bei wärmerem Wetter gewaltige Wassermassen den Fluß heruntergekommen, der Severn hätte den Meole-Bach gestaut und die unteren Felder überflutet, auch wenn die Enklave selbst hoch genug lag und geschützt war. In diesem Jahr blieben sie jedoch verschont.

Nachdem Hugh in seinem Haus an der St. Mary's Church die Stiefel abgestreift und den Mantel abgelegt hatte, worauf ihm seine Frau die Pelzschuhe brachte und sein Sohn sich an seinen Schwertgurt klammerte und darauf bestand, daß sein neuer, frisch bemalter Holzritter gebührend bewundert werde, konnte Hugh von einer für die Jahreszeit vergleichsweise angenehmen Reise berichten und erklären, daß sein Bemühen um das Wohlergehen der Grafschaft bei Hofe wohlwollend zur Kenntnis genommen worden war.

»Ich bezweifle allerdings, ob dieser weihnachtliche Waffenstillstand lange halten wird«, sagte er später zu Cadfael, nachdem er den Abt über alle Neuigkeiten aus Winchester unterrichtet hatte. »Den Fehlschlag von Oxford hat er tapfer geschluckt, aber ob Winter oder nicht, er wird auf Rache sinnen und nicht lange stillhalten. Er will Wareham zurückbekommen, aber der Ort ist gut gerüstet und stark bemannt, und Stephen hatte noch nie die Geduld für eine langwierige Belagerung. Vielleicht greift er auch eine Festung weiter im Westen an, um den Krieg in Roberts Land zu tragen. Man kann nicht voraussagen, was er als nächstes versuchen wird. Aber mich oder meine Männer hier im Süden will er nicht einberufen, denn er hat zuviel Angst vor dem Grafen von Chester, um mich lange von meiner Grafschaft fernzuhalten. Gott sei Dank, denn ich bin da einer Meinung mit ihm«, sagte Hugh munter. »Und wie ist es Euch ergangen? Ich habe zu meinem Kummer gehört, daß Euer bester Zeichner gestürzt ist und fast gestorben wäre. Der Vater Abt erzählte es mir. Ich war an jenem Tag wohl erst einige Stunden fort, als es geschah. Ist es wahr, daß er sich rasch erholt?«

»Besser als wir je erwartet hätten«, sagte Cadfael, »und am allerwenigsten er selbst, denn er war schon bereit, seine Seele für den Tod zu erleichtern. Aber er ist aus den Schatten herausgetreten, und in ein oder zwei Tagen wird er sogar sein Bett verlassen können. Seine Füße sind für immer verkrüppelt, die Schieferplatten haben sie zerfetzt. Bruder Luke schneidet ihm schon Krücken zurecht«, berichtete Cadfael. Dann kam er unvermittelt auf sein Anliegen zu sprechen. »Was wißt Ihr über die de Clarys, die das Anwesen in Hales besitzen? Einer von ihnen ging vor fast zwanzig Jahren auf eine Kreuzfahrt. Ich kannte ihn nicht selbst, weil es nach meiner Zeit im Osten war. Lebt er noch?«

»Bertrand de Clary«, erwiderte Hugh sofort und blickte seinen Freund voller Interesse an. »Was ist mit ihm? Er ist lange tot, vor zehn oder mehr Jahren gestorben. Seine Söhne haben sein Erbe angetreten. Ich hatte bisher noch nichts mit ihnen zu tun. Hales ist ihr einziges Anwesen in dieser Grafschaft, ihr Hauptsitz und der größte Teil ihrer Ländereien liegen in Staffordshire. Warum? Was habt Ihr mit de Clary zu tun?«

»Haluin hat mit ihnen zu tun. Er war in ihren Diensten, bevor er die Kutte anlegte. Er glaubt, er müsse ihnen eine alte Schuld zurückzahlen. Es fiel ihm ein, als er die Beichte vor seinem vermeintlichen Tod ablegte. Er glaubt, er habe sich vergangen, und das belastet heute noch sein Gewissen.«

Die Beichte war heilig, und mehr konnte er selbst Hugh nicht erzählen. Doch wenn freiwillig nicht mehr angeboten wurde, würde Hugh auch nicht nachfragen, auch wenn er insgeheim über das spekulierte, was nicht ausgesprochen worden war.

»Er ist entschlossen, sobald er körperlich dazu in der Lage ist, die Reise zu unternehmen und die Schuld zu begleichen. Ich frage mich nun … wenn Bertrands Witwe auch nicht mehr unter den Lebenden ist, dann sollte Haluin sofort davon erfahren, damit er es sich aus dem Kopf schlägt.«

Hugh beäugte seinen Freund interessiert und mit nachsichtigem Lächeln. »Und Ihr wollt dafür sorgen, daß er sich keine Sorgen mehr macht, sondern so bald und so gut wie möglich sein altes Leben wieder aufnimmt. Ich kann Euch leider nicht helfen, Cadfael. Die Witwe ist noch am Leben, sie ist sogar in Hales. Am letzten Michaelstag erst hat sie ihre Steuern bezahlt. Ihr Sohn ist mit einer Frau aus Staffordshire verheiratet, es gibt noch einen jüngeren Sohn, und nach allem, was man hört, ist seine Mutter nicht von der Art, die mit einer anderen Frau unter einem Dach lebt, ohne sich einzumischen. Sie lebt am liebsten in Hales, regiert mit strenger Hand und überläßt ihrem Sohn sein eigenes Gut. Zweifellos kommt dies beiden sehr gelegen. Ich wäre nicht so gut im Bilde«, fügte er erklärend hinzu, »wenn wir nicht auf dem Rückweg von Winchester ein Stück weit mit einigen von de Clarys Männern geritten wären, die nach der Belagerung von Oxford heimkehrten. Den Herrn selbst habe ich nicht gesehen, er wurde noch bei Hofe aufgehalten, als wir aufbrachen. Inzwischen, wenn Stephen ihn fortgelassen hat, wird er aber auf dem Heimweg sein.«

Cadfael nahm diese Neuigkeiten gelassen aber ohne große Freude auf. Also lebte sie noch, die Frau, die versucht hatte, ihrer Tochter mit einer Abtreibung zu helfen, welcher der Tochter aber den Tod gebracht hatte. Nicht die erste und die letzte, die auf diese Weise zu Tode gekommen war. Aber welche Verzweiflung und welche Schuldgefühle mochten die Mutter damals heimgesucht haben, welche bitteren Erinnerungen glühten selbst jetzt noch unter der Asche von achtzehn Jahren? Es wäre besser, sie nicht aufzustören. Andererseits hatte auch Haluin mit seinen Gewissensbissen und seiner nach Erlösung dürstenden Seele seine Rechte. Und schließlich war er damals erst achtzehn Jahre alt gewesen! Die Frau, die ihm die Zuneigung seiner Tochter durch ein Verbot entzogen hatte, war sicherlich doppelt so alt wie er. Sie hätte, dachte Cadfael fast empört, sofort sehen müssen, was sich zwischen den beiden entwickelte, um rechtzeitig die richtigen Schritte zu unternehmen und sie zu trennen.

»Hattet Ihr schon einmal das Gefühl, Hugh, daß es besser sein könnte, selbst eine schlimme Tat ruhen zu lassen, als noch Schlimmeres zu entfesseln?« fragte Cadfael traurig. »Ach! Er hat noch nicht einmal seine Krücken probiert. Wer weiß, was sich in ein paar Wochen alles ändern kann.«

Mitte Januar hoben sie Bruder Haluin aus seinem Bett und setzten ihn neben das Feuer in der Krankenstation in eine Ecke. Er konnte sich nicht wie die anderen frei bewegen, um aus eigener Kraft der Kälte Herr zu werden. Sie behandelten seinen Körper, der vom langen Liegen noch steif war, mit Öl und Massagen, um die Sehnen wieder beweglich zu machen. Um seine Hände und seinen Kopf zu beschäftigen, brachten sie ihm seine Farben und ein wenig Arbeit; er bekam eine einfache Seite zum Ausschmücken, bis seine Finger ihre alte Gewandtheit und Gleichmäßigkeit wiedergewonnen hatten. Seine zermalmten Füße waren geheilt und in den unglücklichen Formen erstarrt. Es kam noch nicht in Frage, ihn etwa versuchen zu lassen, auf ihnen zu stehen, aber Cadfael erlaubte ihm, die Krücken auszuprobieren, die Bruder Luke für ihn gemacht hatte. Zwei Brüder stützten Haluin, während er sich allmählich an ihr Gewicht und ihre Handhabung und an die gepolsterten Stützen in seinen Achselhöhlen gewöhnte. Wenn man keinen seiner Füße dazu bringen konnte, ihn irgendwann wieder zu tragen, dann waren selbst die Krücken nutzlos, aber Cadfael und Edmund stimmten darin überein, daß der rechte Fuß wahrscheinlich einigermaßen wiederhergestellt werden konnte, und selbst der linke mochte später ein wenig Hilfe bieten, wenn man bei der Anfertigung des Schuhwerks für den Invaliden etwas erfinderisch vorging.

Aus diesem Grund rief Cadfael am Ende des Monats den jungen Philip Corviser, den Sohn des Stadtvorstehers, ins Kloster. Sie steckten die Köpfe zusammen und berieten über das Problem. Zu zweit machten sie ein Paar Stiefel, die so unglücklich aussahen wie die Füße, für die sie gedacht waren, die aber darauf zugeschnitten waren, den Behinderten so gut wie möglich zu stützen. Sie bestanden aus dickem Fell und hatten eine Ledersohle, die bis über die Fußgelenke hinaufgezogen war. Gesichert wurden sie mit Lederzungen, die zusätzlich die beschädigten Gliedmaßen stützen und die unverletzten Schienbeine ins Stützwerk einbezogen. Philip war mit seiner Arbeit recht zufrieden, doch er hielt sich zurück, solange die Stiefel nicht anprobiert waren und solange nicht sicher war, ob der Verletzte sie ohne Schmerzen tragen konnte und im Winterwetter warme Füße hatte.

Alles, was man für ihn tat, nahm Bruder Haluin dankbar und demütig an, während er unermüdlich daran arbeitete, Auge und Hand mit seinem Rot, seinem Blau und dem zierlich gemalten Blattgold zu üben. Doch in jeder freien Stunde hob er sich umständlich von seiner Eckbank, stützte sich auf die Krücken und hielt sich zusätzlich an der Wand oder einer Bank fest, wenn sein Gleichgewicht in Gefahr war. Es dauerte eine Zeit, bis die Sehnen in seinen zerstörten Beinen wieder zu Kräften kamen, doch Anfang Februar konnte er endlich den rechten Fuß fest auf den Boden setzen und für kurze Zeit sogar ohne weitere Hilfe allein auf diesem Fuß stehen. Von diesem Zeitpunkt an begann er, ernsthaft die Krücken zu benutzen. Er lernte, mit ihnen umzugehen, er ließ sich, pflichtbewußt und pünktlich, wieder an seinem Platz im Kapitel sehen und saß in jedem Gottesdienst im Chorgestühl. Ende Februar konnte er sogar die Spitze seines linken Stiefels auf den Boden setzen, der ihm half, stabil und sicher auf den Krücken zu stehen, auch wenn dieser Fuß nie wieder sein Gewicht allein würde tragen können.

In einem Punkt hatte er noch Glück gehabt: Seit der erste frühe Schneefall getaut war, blieb das Wetter mild. Gelegentlich gab es etwas Frost, der sich aber nie lange hielt, und die wenigen Schneefälle, die jetzt noch kamen, waren nicht heftig, und der Schnee blieb nicht lange liegen. Als er sich seines Gleichgewichts sicher war und sich an die neue Gangart gewöhnt hatte, konnte er auch draußen auf dem Hof üben. Er lernte schnell und hatte nur Angst vor den Pflastersteinen im Hof, wenn sie mit Reif überzogen waren.

Eines Tages, es war Anfang März, die Tage wurden schon länger, und die erste, zögernde Ahnung des Frühlings lag in der Luft, erhob sich Bruder Haluin im Kapitel, als die wichtigsten Angelegenheiten des Tages geregelt waren, und sprach mit schwacher Stimme aber voller Entschlossenheit eine Bitte aus, die Abt Radulfus und Bruder Cadfael gut verstehen konnten.

»Vater«, sagte er, die dunklen Augen beständig aufs Gesicht des Abtes gerichtet, »Ihr wißt, daß ich, elend und krank, den

Wunsch äußerte, eine gewisse Pilgerschaft zu unternehmen, falls ich durch Gottes Gnade je dazu imstande wäre. Gott war wirklich sehr gnädig zu mir, und wenn Ihr mir die Erlaubnis gebt, möchte ich nun mein Versprechen vor Gott bekräftigen. Ich bitte um Eure Erlaubnis und um die Gebete meiner Brüder, damit ich erfülle, was ich versprochen habe und in Frieden heimkehre.«

Radulfus sah den Bittsteller ungewöhnlich lange schweigend an. Sein Gesicht verriet weder Zustimmung noch Mißbilligung, doch der prüfende Blick ließ Bruder Haluin das Blut in die Wangen schießen.

»Kommt nach dem Kapitel zu mir«, sagte der Abt schließlich. »Ich will von Euch hören, was Ihr beabsichtigt, und dann entscheiden, ob Ihr schon dafür bereit seid.«

Im Sprechzimmer des Abtes wiederholte Haluin seine Bitte mit deutlicheren Worten, denn vor diesen beiden Männern war sein Geist nackt, sie wußten um seinen Kummer. Cadfael dagegen wußte, warum er als stummer Zeuge dazugerufen worden war. Zwei Gründe gab es offensichtlich: Er war der einzige weitere Zeuge für Haluins Beichte und durfte deshalb zu Rate gezogen werden, und er konnte etwas über Haluins körperliche Verfassung sagen und erklären, ob Haluin für diese Reise schon bereit sei. Einen dritten Grund hätte er nicht vermutet, aber er fühlte sich, während er zuhörte, nicht wohl in seiner Haut.

»Ich darf und will Euch nicht zurückhalten«, sagte der Abt, »und Ihr müßt tun, was Eurem Seelenfrieden dient. Ich glaube aber, daß Eure Bitte zu früh kommt. Ihr habt gewiß noch nicht Eure Kraft zurückgewonnen, und so gut es uns auch in den letzten Wochen ging, der Frühling hat noch nicht begonnen. Es kann immer noch ein schlimmer Frost kommen. Bedenkt nur, wie nahe Ihr noch vor kurzer Zeit dem Tode wart. Erspart Euch diese Belastung, bis Ihr besser in der Lage seid, sie zu ertragen.«

»Vater«, widersprach Haluin hitzig, »gerade weil ich dem Tod so nahe war, darf ich nicht zögern. Was ist, wenn der Tod noch einmal die Hand nach mir ausstreckt, bevor ich für meine Sünde Buße getan habe? Ich habe gesehen, wie er im Nu und in Windeseile Hand an einen Mann legen kann, ich bin gewarnt. Ich muß darauf hören. Wenn ich sterbe, während ich die Buße tue, die für mich angemessen ist, dann werde ich mein Ende als passend und richtig empfinden. Aber zu sterben, ohne gebüßt zu haben, ist mir eine schreckliche Aussicht. Ehrwürdiger Vater«, sagte er, und sein Geist flackerte auf wie ein geschürtes Feuer, »ich habe sie wirklich geliebt, ich liebte sie und wollte sie heiraten, und ich hätte sie mein Leben lang geliebt. Und ich habe sie getötet. Ich habe meine Sünden viel zu lange verschwiegen, und nun, da ich sie gebeichtet habe, will ich endlich Wiedergutmachung leisten.«

»Habt Ihr auch an die vielen Meilen gedacht, die Ihr gehen und zurückkehren müßt? Oder wollt Ihr reiten?«

Haluin schüttelte heftig den Kopf. »Vater, ich habe schon in meinem Herzen geschworen, und ich werde den Schwur vor dem Altar wiederholen, daß ich zu Fuß zu dem Ort gehe, an dem sie begraben liegt, und daß ich zu Fuß zurückkehren werde – auf diesen Füßen, mit denen ich auf die Erde kam und die mich zwangen, mich meiner nicht gebeichteten Vergehen zu erinnern. Ich kann gehen, ich habe gelernt zu gehen wie die unschuldigen Lahmen. Warum sollte ich nicht, wenn ich doch eine solche Schuld auf mich genommen habe, auch die Mühen auf mich nehmen? Ich kann es ertragen, Bruder Cadfael weiß es.«

Bruder Cadfael war alles andere als erbaut darüber, als Zeuge hinzugerufen zu werden, und er war nicht glücklich, etwas sagen zu müssen, was das besessene Unternehmen noch fördern konnte. Andererseits war aber auch kein wirklicher Seelenfrieden in Sicht, solange der gequälte Mann nicht für seine Sünden gebüßt hatte.

»Ich weiß, daß er den Willen und den Mut hat«, erklärte er. »Ob er auch die Kraft hat, das ist eine andere Frage. Und ob er das Recht hat, seinen Körper zu zwingen, bis er stirbt, um seine Seele zu läutern, das ist eine Frage, über die ich mir kein Urteil erlauben will.«

Radulfus dachte eine Weile in düsterem Schweigen nach. Er betrachtete den Bittsteller lange und prüfend, und wäre etwas Falsches oder Überhebliches in der Bitte gewesen, dann wäre Haluin unsicher geworden und hätte den Blick gesenkt. Doch Haluins große, aufrichtige Augen hielten dem Blick des Abtes stand.

»Nun, ich muß Euren Wunsch, Buße zu tun, anerkennen, so spät er auch kommt«, sagte der Abt schließlich, »und ich verstehe, daß die jahrelange Verzögerung Eurem Seelenfrieden nicht gedient hat. Geht also und versucht es. Aber ich lasse Euch nicht allein gehen. Jemand muß bei Euch sein, der Euch helfen kann, wenn Ihr strauchelt, und wenn es dazu kommen sollte, dann müßt Ihr ihm erlauben, alles zu tun, was Eurer Sicherheit dient. Wenn Ihr die Reise gut übersteht, braucht er nichts zu tun, was Euren Opfergang irgendwie entwerten könnte, doch wenn Ihr auf dem Weg zu Fall kommt, wird er als mein Abgesandter neben Euch stehen, dem Ihr gehorchen müßt, wie Ihr mir gehorcht.«

»Aber, Ehrwürdiger Vater«, protestierte Haluin voller Sorge, »meine Sünde ist allein meine Sache, und ich habe die heilige Beichte abgelegt. Wie könnte ich einen anderen Mann so nahe an mich heranlassen, ohne meinerseits das Siegel der Verschwiegenheit zu brechen? Es wäre ein Vergehen, das nur Verwunderung und Fragen über meinen Bußgang erzeugen würde.«

»Ihr sollt einen Gefährten bekommen, der sich nicht wundert und der keine Fragen stellt«, erwiderte Abt Radulfus, »da er bereits von Euch selbst eingeweiht wurde. Bruder Cadfael soll mit Euch gehen. Seine Gesellschaft und seine Gebete werden Euch trösten und begleiten. Eure Absichten und die Erinnerungen der Dame werden dadurch nicht getrübt, und außerdem ist er fähig, Euch unterwegs zu versorgen.« An Cadfael gewandt, sagte er dann: »Wollt Ihr diese Aufgabe übernehmen? Ich glaube nicht, daß er schon in der Lage ist, allein zu gehen.«

Was bleibt mir übrig, dachte Cadfael, war aber im Grunde über diese Entwicklung alles andere als traurig. Irgendwo, tief in ihm, war noch ein kleiner Rest des Vagabunden, der vierzig Jahre lang von Wales bis Jerusalem und zurück zur Normandie die Welt durchstreift hatte, bevor er Gefallen an der Gleichmäßigkeit des Klosterlebens gefunden hatte. Da der Ausflug vom Abt nicht nur erlaubt, sondern sogar befohlen worden war, nahm er ihn als willkommene Gelegenheit und nicht als Versuchung, der man entgehen mußte.

»Wenn Ihr es wünscht, Vater, dann werde ich ihn begleiten.«

»Die Reise wird mehrere Tage dauern. Ich denke, Bruder Winfrid kann Bruder Edmund auch allein mit allem versorgen, was dieser für die Kranken braucht?«

»Für ein paar Tage dürften die beiden zurechtkommen«, stimmte Cadfael zu. »Ich habe den Arzneischrank in der Krankenstation erst gestern nachgefüllt, in der Hütte ist noch ein guter Vorrat aller wichtigen Arzneien, die gewöhnlich im Winter gebraucht werden. Sollte etwas Unvorhergesehenes geschehen, könnte auch Bruder Oswin aus St. Giles gerufen werden, um eine Weile auszuhelfen.«

»Gut! Nun Haluin, dann bereitet Euch auf die Reise vor und brecht auf, sobald Ihr bereit seid, meinetwegen schon morgen. Aber Ihr müßt Bruder Cadfael gehorchen, sobald Eure Kräfte schwinden, Ihr müßt ihm zu Willen sein, wie Ihr innerhalb dieser Mauern mir gehorcht.«

»Vater«, erwiderte Haluin inbrünstig, »das will ich tun.«

Am Altar der heiligen Winifred wiederholte Bruder Haluin am Abend nach der Vesper seinen feierlichen Schwur, um sich selbst keinen Ausweg mehr zu lassen. Bleich war sein Gesicht, und er sprach mit einer Inbrunst, die Cadfael, der auf Haluins Wunsch zugegen war, sofort erkennen ließ, daß dieser unerbittliche Büßer in seinem innersten Herzen um die Mühen und Schmerzen wußte, die er sich auferlegte. Leidenschaftlich und mit einer Entschlossenheit, die Cadfael lieber für ein praktischeres und nützlicheres Unternehmen verwendet gesehen hätte, nahm er die Bürde auf sich. Wer hätte etwas von dieser Reise, selbst wenn sie erfolgreich abgeschlossen würde, wer außer dem Büßer selbst, der sich wenigstens teilweise seine Selbstachtung zurückgeben würde? Sicher nicht das arme Mädchen, das keine schlimmere Sünde begangen hatte, als um der Liebe willen zuviel zu wagen und das gewiß schon lange in Gnade in den Himmel aufgenommen war. Nicht die Mutter, die sicher schon vor langer Zeit diesen schrecklichen Traum abgeschüttelt hatte, nur um heute, nach so vielen Jahren, noch einmal mit ihm konfrontiert zu werden. Cadfael war nicht der Ansicht, daß es die wichtigste Aufgabe jedes Menschen in dieser Welt sei, seine eigene Seele zu retten. Es gab genug andere bedürftige Seelen und leidende

Körper, die auf dem Weg in den Himmel unterstützt werden mußten.

Aber Haluins Bedürfnisse waren nicht die seinen. Die bitteren Jahre, die Haluin mit Selbstvorwürfen verbracht hatte, riefen sicherlich nach einem Heilmittel.

»Vor diesen heiligen Reliquien«, sagte Bruder Haluin, die Handfläche an die Tücher gepreßt, die den Schrein verhüllten, »wiederhole ich meinen Schwur: Ich werde nicht ruhen, bis ich zu Fuß zum Grab gegangen bin, in dem Bertrade de Clary liegt, bis ich eine Nachtwache im Gebet für ihre Seele verbracht und bis ich hierher, zum Ort, an dem ich diene, zu Fuß zurückgekehrt bin. Wen ich dabei scheitere, dann soll ich verdammt und ohne Vergebung sterben.«

Sie brachen am Morgen des vierten März gleich nach der Prim auf, wanderten durchs Tor und durch die Vorstadt nach St. Giles und nahmen die Hauptstraße nach Osten. Es war ein bewölkter, windstiller Tag, die Luft war kühl aber nicht mehr winterkalt. Cadfael sah vor seinem inneren Auge den Weg, der vor ihnen lag, und fand ihn nicht allzu schwer. Nachdem sie die Hügel im Westen hinter sich gelassen hatten, würde das Land mit jeder Meile, die sie weiter nach Osten kamen, zu einer grünen Ebene abfallen. Die Straße war trocken, denn es hatte eine Weile nicht mehr geregnet, und die Wolkendecke war hoch und bleich, also drohte auch kein Regen. Die Straße war mit Gras gesäumt, wie es die Hauptstraßen des Königs sind, und dort konnte ein verkrüppelter Mann leicht laufen. Die ersten ein oder zwei Meilen mochten sie ohne Schwierigkeiten bewältigen, aber dann würden die Mühen beginnen. Seinem Urteil blieb es überlassen, wann sie eine Rast einlegen mußten, denn Haluin würde nur die Zähne zusammenbeißen und bis zum Umfallen weiterlaufen. Irgendwo in der Nähe des Wrekin würden sie ein Nachtlager finden, denn unter den Siedlern dort gab es einige Pächter der Abtei, und in jeder Hütte am Weg konnten sie für eine mittägliche Rast ein warmes Plätzchen am Feuer finden. Essen hatten sie genug, denn Cadfael trug einen gefüllten Ranzen.

Hoffnungsfroh am Morgen aufgebrochen, Haluin voller Energie und Begierde, legten sie zunächst ein gutes Tempo vor, um mittags angenehm beim Gemeindepriester von Attingham zu rasten. Am Nachmittag jedoch wurden sie langsamer, und Haluins bebenden Schultern waren die Mühen anzusehen. Die Knochen schmerzten bei jedem Schritt mit den Krücken, und als die Abendkälte kam, wurden seine Finger trotz der wollenen Polster auf den Griffen taub. Cadfael entschied sich anzuhalten, sobald das Tageslicht im windlosen Märzgrau zu verblassen begann, und wandte sich zum Dorf Uppington, um im Landgut ein Lager für die Nacht zu erbitten.

Haluin hatte verständlicherweise die ganze Zeit auf der Straße geschwiegen, denn er brauchte seinen ganzen Atem und seine ganze Entschlossenheit für die Anstrengungen des Laufens. Als sie am Abend gegessen hatten und ruhten, betrachtete er eine Weile Cadfael, der in gelassenem Schweigen neben ihm saß.

»Bruder«, begann er schließlich, »ich bin Euch dankbar, daß Ihr mich auf dieser Reise begleitet. Mit keinem anderen als Euch könnte ich ohne Vorbehalte über diesen alten Kummer sprechen, und bevor wir Shrewsbury erreichen, könnte es für mich bitter notwendig sein, darüber zu reden. Das Schlimmste wißt Ihr bereits, und ich will kein Wort der Entschuldigung sagen. Aber in den achtzehn Jahren habe ich nie mehr ihren Namen laut ausgesprochen, und wenn ich ihn jetzt sage, dann ist er mir wie das Essen einem Verhungernden.«

»Sprecht oder schweigt, wie es Euch gefällt«, gab Cadfael zurück, »und ich werde, wie Ihr es wünscht, hören oder taub sein. Heute nacht aber sollt Ihr Ruhe finden, denn wir haben schon ein Drittel des Weges geschafft. Ich muß Euch aber warnen, nachdem Ihr Euch heute so angestrengt habt, werden morgen Schmerzen kommen, wie Ihr sie noch nicht erlebt habt.«

»Ich bin müde«, räumte Haluin mit einem knappen, seltenen und berührenden Lächeln ein, das so kurz wie süß war. »Dann glaubt Ihr nicht, daß wir Hales morgen schon erreichen werden?«

»Auf keinen Fall! Nein, wir werden bis zu den Augustinern in Wombridge gehen und dort die nächste Nacht verbringen. Ihr habt Euch bisher wacker geschlagen, also laßt Euch nicht durch den einen Tag verdrießen.«

»Wie Ihr meint«, sagte Haluin nachgiebig und legte sich mit

der zutraulichen Einfachheit eines Kindes zum Schlaf, das sich durch seine Gebete geschützt und geborgen weiß.

Der nächste Tag war nicht ganz so erfreulich, denn es fiel ein dünner, sporadischer Regen, der sie manchmal sogar mit Hagelkörnern stach, und aus Nordosten wehte ein kälterer Wind, als ihnen der lange, grüne und zackige Rücken des Wrekin keinen Schutz mehr geben konnte, nachdem die Straße sich nach Norden gewandt hatte. Zwar erreichten sie vor der Dämmerung die Priorei, doch Haluins Lippen waren, als sie eintrafen, fest zusammengepreßt. Die Haut über seinen Wangenknochen war bleiern und vor Anstrengung straff gespannt, und Cadfael war froh, als er ihn in einen warmen Raum bekam, wo er mit eingeölten Händen die Sehnen in Armen und Schultern und die Schenkel bearbeiten konnte, die Haluin den Tag über so brav getragen hatten.

Am frühen Nachmittag des dritten Tages trafen sie in Hales ein.

Das Gutshaus lag ein Stück von Dorf und Kirche entfernt. Es war auf einem Steinfundament aus Holz gebaut und lag von ebenen, gut bewässerten Feldern umgeben zwischen sanften, bewaldeten Hängen. Stall, Scheune und Backhaus innerhalb des Holzzaunes waren gut unterhalten und sauber. Bruder Haluin blieb im offenen Tor stehen und betrachtete gebannt und mit unbewegtem Gesicht den Ort, an dem er einst gedient hatte. Nur seine Augen waren lebendig und verrieten seine Schmerzen.

»Vier Jahre«, sagte er, »diente ich hier als Schreiber. Bertrand de Clary war der Oberherr meines Vaters, und ich wurde schon vor meinem vierzehnten Jahr hergeschickt, um der Herrin aufzuwarten. Kaum zu glauben, daß ich den Herrn selbst nie sah, denn er war schon, bevor ich kam, ins Heilige Land aufgebrochen. Dies ist nur eines seiner Anwesen, das einzige in dieser Gegend. Sein Sohn hatte bereits seine Nachfolge angetreten und sich in Staffordshire niedergelassen. Sie aber fühlte sich immer in Hales am wohlsten, sie überließ ihrem Sohn die Verwaltung und lebte hier, und hierher kam auch ich. Es wäre besser für sie gewesen, wenn ich nie ihr Haus betreten hätte, und besser für Bertrade!«

»Es ist zu spät«. wandte Cadfael milde ein, »um zu richten, was damals begangen wurde. Dieser Tag ist der Tag, an dem Ihr das tun könnt, was Ihr Euch geschworen habt, und dafür ist es nicht zu spät. Ihr werdet vielleicht freier mit ihr reden können, wenn ich draußen warte.«

»Nein«, sagte Haluin. »Kommt mit mir! Ich brauche Euch als Zeugen, ich weiß, daß es recht ist.«

Ein strohblonder Junge kam mit einer Mistgabel in der Hand, die in der kalten Luft leicht dampfte, aus dem Stall. Als er die beiden Benediktiner in ihren schwarzen Kutten am Tor sah, wandte er sich zu ihnen und kam ihnen gemächlich und mit freundlicher Miene entgegen.

»Wenn Ihr Bett und Brot wollt, Brüder, dann kommt nur herein, Eure Kutte ist hier stets willkommen. Im Dachstuhl ist gut schlafen, und in der Küche wird man Euch speisen, wenn Ihr hereinkommen wollt.«

»Ich erinnere mich«, sagte Haluin, die Augen immer noch auf die ferne Vergangenheit gerichtet, »Eure Herrin hält ihr Haus für Reisende stets offen. Aber ich werde heute nacht hier kein Bett brauchen. Wenn aber die Herrin Adelais de Clary mich empfangen will, dann will ich ihr mein Anliegen vortragen. Ein paar Minuten ihrer Zeit, um mehr bitte ich nicht.«

Der Junge zuckte die Achseln, starrte sie mit grauen, undurchdringlichen Sachsenaugen an und winkte sie zur Steintreppe, die zur Halle hinaufführte.

»Geht hinein und fragt die Hausdame Gerta. Sie wird nachfragen, ob die Herrin mit Euch sprechen will.« Er blieb stehen und sah ihnen nach, wie sie den Hof überquerten. Dann wandte er ihnen den Rücken und kehrte zu seiner Arbeit bei den Pferden zurück.

Aus der Küche trat gerade ein Diener in die Halle, als sie die Tür erreichten. Er fragte nach ihrem Begehr und schickte, als er genug erfahren hatte, einen Küchenjungen zur Hausdame, die sogleich aus dem Flur herbeikam, um die beiden Brüder in Empfang zu nehmen. Sie war eine energische, saubere Frau von etwa vierzig Jahren, schlicht gekleidet und nicht sehr hübsch, denn sie hatte Pockennarben. Doch an ihrem Selbstbewußtsein kam kein Zweifel auf. Sie beäugte die Gäste ein wenig hochnäsig, hörte Haluins zaghaft vorgebrachte Bitte ohne aufmunterndes Lächeln an und schien es nicht eilig zu haben, eine Tür zu öffnen, deren einzige Hüterin sie war.

»Aus der Abtei zu Shrewsbury kommt Ihr? Und im Auftrage des Abtes, nehme ich an?«

»Auf einem Gang, den der Abt erlaubte«, sagte Haluin.

»Das ist nicht dasselbe«, sagte Gerta scharf. »Was sonst außer Angelegenheiten der Abtei könnte einen Mönch aus Shrewsbury zu uns führen? Wenn es aber eine persönliche Angelegenheit ist, dann laßt meine Herrin wissen, mit wem sie es zu tun hat.«

»Sagt ihr«, erwiderte Haluin geduldig, während er sich schwer auf die Krücken stützte und den unfreundlichen Blicken der Hausdame auswich, »daß Bruder Haluin, Benediktinermönch aus der Abtei zu Shrewsbury, demütig um die Gunst bittet, von ihr empfangen zu werden.«

Der Name sagte ihr nichts. Offenbar hatte sie vor achtzehn Jahren noch nicht in Adelais de Clarys Diensten gestanden oder zumindest nicht ihr Vertrauen genossen. Eine andere Dame, im Alter der Herrin näher, hatte damals dieses wichtige Amt bekleidet. Leibdiener, die das Vertrauen ihrer Herren genießen und rechtfertigen, tragen eine große Last von Geheimnissen, die sie oft mit in den Tod nehmen. Irgendwo, dachte Cadfael, lauschte jetzt schweigend eine Frau, die erschrocken zusammengefahren war, als der Name fiel, auch wenn sie das von der Zeit gezeichnete und veränderte Gesicht nicht sofort erkannt hatte.

»Ich werde sie fragen«, sagte die Zofe, immer noch mit einem Hauch Herablassung, und ging durch die Halle zu einer mit Leder verhangenen Tür am anderen Ende. Einige Minuten später trat sie wieder heraus, zog den Vorhang zurück und rief, ohne sich die Mühe zu machen, ihnen entgegenzukommen, von der Türe herüber: »Meine Herrin sagt, daß Ihr eintreten dürft.«

Die Kemenate, die sie nun betraten, war klein und düster, denn das dem Wind zugewandte der beiden Fenster war bei diesem Wetter fest verschanzt. Die Wandbehänge waren alt und hatten dunkle Farben. Einen Kamin gab es nicht, nur einen steinernen Ofen in der am besten geschützten Ecke des Raumes, in dem Holzkohle glühte. Eine Frau saß mit einem kleinen Stickrahmen zwischen dem Ofen und dem einzigen Fenster, das

Licht gab. In diesem Gegenlicht erschien sie als große, aufrechte Gestalt in dunklen Kleidern. Der Schein der Holzkohle schimmerte kupfern auf ihrer beschatteten Stirn. Sie hatte die Nadel ins gespannte Tuch gestoßen und die Hände um die Armlehnen des Stuhls geklammert. Die Augen hatte sie auf die Türe gerichtet, durch die Bruder Haluin mühsam mit seinen Krücken schlurfte. Der noch brauchbare Fuß war wund vom Laufen, so daß Haluin bei jedem Schritt zusammenzuckte. Der linke Fuß berührte kaum mit der Spitze den Boden und trug nur wenig zu seinem Gleichgewicht bei. Nachdem er sich so lange auf die Krücken gestützt hatte, waren seine Schultern hochgezogen und der einst gerade Rücken krumm. Nachdem sie seinen Namen gehört hatte, mußte sie einen Gast erwartet haben, der dem lebhaften, hübschen jungen Mann, den sie vor so vielen Jahren hinausgeworfen hatte, etwas ähnlicher sah. Was dachte sie nun, da sie den Krüppel erblickte?

Er hatte kaum den Raum betreten, da erhob sie sich abrupt und stand stocksteif. Über die Köpfe der Gäste hinweg wandte sie sich zuerst an ihre Zofe, die Anstalten machte, den Brüdern in die Kammer zu folgen.

»Laß uns allein!« sagte Adelais de Clary. Und als der Ledervorhang zwischen Kemenate und Halle wieder an Ort und Stelle gefallen war, sagte sie zu Haluin: »Was ist geschehen? Was hat man Euch nur angetan?«

4

Sie war, dachte Cadfael, als sich seine Augen an das Spiel von Licht und Schatten in der Kammer gewöhnt hatten, höchstens zehn Jahre jünger als er, doch sie sah jünger aus. Das dunkle Haar, das zu beiden Seiten des Kopfes in schweren Zöpfen herabhing, zeigte kaum eine Spur von Grau, und die herrischen, feinen Gesichtszüge hatten ihre unerschütterliche Eleganz bewahrt, auch wenn das Fleisch, das die Knochen bedeckte, ein wenig eingefallen und schlaff wirkte. Ihr Körper war eckig und mager geworden, als der Saft der Jugend geschwunden war. Ihre Hände, obwohl immer noch wohlgeformt, wiesen doch einige geschwollene Knöchel und hervortretende Adern auf, und auf Kehle und Handgelenken, wo einst der strahlende Glanz der Jugend gewesen war, lag nun ein stumpfer Schein. Dennoch erkannte man in ihrem ovalen Gesicht, in den breiten Lippen und den großen Augen die Asche einstiger Schönheit. Nein, Asche war es noch nicht, sondern eine stille Glut, die so lebendig und heiß war wie die Kohle in der Kohlenpfanne.

»Kommt näher!« lud sie ihre Gäste ein. Und als Haluin vor ihr stand und das Licht auf sein Gesicht fiel, das kalte und bleiche Licht, das durchs Fenster drang, und der rötliche Schein des Feuers, sagte sie: »Ihr seid es wirklich! Ihr seid so verändert. Wie habt Ihr Euch die Verletzungen zugezogen?«

Ihre Stimme war tief, voll und befehlsgewohnt, und die anfänglichen Anzeichen von Entsetzen und Sorge waren verschwunden. Sie betrachtete ihn weder mitfühlend noch abweisend, sondern mit einer gewissen Gleichgültigkeit, allenfalls mit einer Neugierde, die keine tiefere Ursache hatte.

»Das war ganz allein meine Schuld«, sagte Haluin. »Achtet nicht darauf! Ich habe nur bekommen, was ich verdiente. Ich bin tief gestürzt, aber durch Gottes Gnade lebe ich noch, obwohl ich schon vor längerer Zeit hätte sterben können. Und nachdem ich vor Gott und meinem Beichtvater meine Seele erleichtert hatte, kam ich zu Euch, um auch Euch um Vergebung zu bitten.«

»War das denn wirklich nötig?« sagte sie verwundert. »Nach all den Jahren einen so weiten Weg zu gehen?«

»Doch, es war nötig. Es liegt mir viel daran, von Euch zu hören, daß Ihr mir vergebt, was ich getan habe. Ich habe Euch großen Kummer bereitet, und ich kann keine Ruhe finden, solange meine Taten mein Gewissen drücken.«

»Und so habt Ihr die ganze alte Geschichte erzählt«, sagte Adelais mit einiger Verbitterung, »alles, was geheim und beschämend war, habt Ihr erzählt. Eurem Beichtvater? Und wie vielen anderen noch? Diesem guten Bruder, der Euch begleitet? Dem ganzen Haushalt beim Kapitel? Konntet Ihr es nicht ertragen, als unerkannter Sünder zu leben? Mußtet Ihr aller Welt den Namen meiner Tochter sagen, nachdem sie schon so lange im Grab liegt? Ich wäre lieber als Sünder ins Fegefeuer gegangen!«

»Das wäre ich auch!« rief Haluin verletzt. »Aber nein, so ist es nicht. Bruder Cadfael, der mich begleitet hat, ist außer Abt Radulfus, der meine Beichte hörte, der einzige, der es weiß. Niemand sonst wird es erfahren. Bruder Cadfael habe ich durch meine Tat ebenfalls Unrecht getan, und er hatte das Recht, seine Vergebung zu spenden oder zu verwehren. Die Arznei, die ich Euch gab, stahl ich aus seinem Lager, nachdem ich von ihm gelernt hatte, sie anzuwenden.«

Sie warf Cadfael einen langen, beständigen Blick zu, und ihr Gesicht, das nun erst deutlich zu sehen war, schien aufmerksam und ruhig. »Nun«, sagte sie, wieder in die alte Gleichgültigkeit verfallend, »es ist schon sehr lange her. Wer würde sich heute noch daran erinnern? Und ich liege noch lange nicht im Sterben. Was weiß ich! Eines Tages werde ich selbst einen Priester brauchen, und so will ich Eure Bitte erfüllen. Wenn Ihr es auf diese Weise zu Ende bringen wollt… dann sollt Ihr bekommen, was Ihr erbittet. Ich vergebe Euch. Ich will Euer Leiden nicht noch vergrößern. Kehrt in Frieden zu Eurem Kloster heim. Ich vergebe Euch, wie ich auf Vergebung hoffe.«

Ohne innere Beteiligung sprach sie, der kurz aufgeflammte Zorn war schon lange verschwunden. Es hatte sie keine Mühe gekostet, ihn freizusprechen, sie tat es anscheinend ebenso unbeteiligt und mit ebensowenig Gefühl, als hätte sie einem Bettler ein Stück Brot gegeben. Von einer adeligen Frau ihres Standes konnte man Almosen erbitten, und sie zu geben war ein Akt jener Großzügigkeit, die zu den Pflichten der Adligen gehörte. Doch was sie ohne Mühe gab, war für Haluin eine große, Erleichterung spendende Gnade. Die Spannung wich aus seinen gebeugten Schultern und den steifen Händen. Er neigte demütig vor ihr den Kopf und bedankte sich mit leiser, zögernder Stimme, als wäre er nicht ganz bei sich.

»Mylady, Eure Gnade nimmt eine schwere Last von mir. Ich bin Euch aus ganzem Herzen dankbar.«

»Kehrt zu dem Leben zurück, das Ihr gewählt habt, und zu den Pflichten, die Ihr auf Euch genommen habt«, sagte sie, während sie sich wieder setzte. Das Stickzeug blieb einstweilen noch liegen. »Denkt nicht mehr an das, was vor so langer Zeit geschehen ist. Ihr sagtet, Euer Leben wurde verschont. Nutzt es, so gut Ihr könnt, und ich will das gleiche tun.«

Damit waren sie entlassen, und Haluin akzeptierte es. Er verneigte sich tief, machte vorsichtig auf seinen Krücken kehrt, und Cadfael gab ihm eine Hand, um ihn zu stützen. Sie hatte ihnen keinen Platz angeboten, vielleicht, weil sie durch den überraschenden Besuch zu erschüttert war, doch als die beiden die Türe erreichten, rief sie ihnen hinterher: »Ihr könnt bleiben, wenn Ihr wollt, und Euch in meinem Haus ausruhen und stärken. Meine Diener werden Euch alles geben, was Ihr braucht.«

»Danke«, erwiderte Haluin, »aber wir müssen nun, da meine Pilgerschaft hier abgeschlossen ist, so rasch wie möglich zurückkehren.«

»Dann möge Gott Eure Schritte auf dem Heimweg beflügeln«, sagte Adelais de Clary, während sie mit ruhiger Hand zur Nadel griff.

Die Kirche war nicht weit vom Anwesen entfernt. Zwei Wege kreuzten sich dort, und einige kleine Häuser drängten sich eng an die Mauer des Kirchhofs.

»Die Gruft ist dort drinnen«, sagte Haluin, als sie durch das Tor traten. »Während ich hier war, wurde sie nicht geöffnet, aber Bertrands Vater ist hier begraben, und für Bertrade wurde sie sicherlich geöffnet. Sie starb hier. Es tut mir leid, Cadfael, daß ich auch für Euch die Gastfreundschaft ausschlug, ich hatte nicht rechtzeitig an Euch gedacht. Ich selbst werde ja heute nacht kein Bett brauchen.«

»Ihr habt kein Wort davon zur Herrin gesagt«, warf Cadfael ein.

»Nein. Ich weiß selbst nicht warum. Als ich sie wiedersah, kam mir in den Sinn, daß es nicht recht von mir war, die alten Schmerzen wieder wachzurufen. Schon mein Anblick muß sie geschmerzt haben. Dennoch hat sie mir vergeben. Mir geht es nun besser, und ihr geht es sicher nicht schlechter. Aber Ihr hättet heute nacht bequem schlafen können. Es ist nicht nötig, daß wir beide wachen.«

»Ich bin für eine Nacht auf den Knien besser gerüstet als Ihr«, wandte Cadfael ein. »Und ich bin nicht sicher, ob wir wirklich willkommen gewesen wären. Sie wollte uns loswerden. Nein, es ist gut so, wie es ist. Wahrscheinlich denkt sie, wir seien bereits auf dem Heimweg und hätten ihr Land und ihr Leben verlassen.«

Haluin blieb, die Hand auf den schweren Eisenring am Verschlag der Kirchentür gelegt, mit dem Gesicht im Schatten einen Augenblick stehen. Die Tür schwang knirschend auf, und er packte seine Krücken, um die beiden weiten, flachen Stufen ins Kirchenschiff hinunterzusteigen. Drinnen war es düster und steinkalt. Cadfael wartete einen Moment auf der Treppe, bis sich seine Augen an das veränderte Licht gewöhnt hatten, doch Haluin machte sich sofort auf zum Altar. In den achtzehn Jahren hatte sich nicht viel verändert, und er hatte nichts vergessen. Selbst die rauhen Kanten der Kacheln auf dem Boden waren ihm noch vertraut. Er wandte sich mit hohl tappenden Krücken zur rechten Seite. Als Cadfael ihm folgte, fand er ihn neben einer steinernen Gruft zwischen zwei Säulen. Das eingravierte Bild auf der Deckplatte zeigte einen Ritter im Kettenpanzer, der ein Bein über das andere geschlagen und eine Hand auf den Schwertgriff gelegt hatte. Ein Kreuzfahrer, wahrscheinlich der Vater von Bertrand, der wie der Sohn im Heiligen Land gewesen war. Dieser hier, überlegte Cadfael, war vielleicht zu meiner Zeit bei der Armee von Robert von der Normandie, als sie Jerusalem einnahmen. Die de Clarys waren offensichtlich stolz auf ihre Kriegszüge im Osten.

Aus der Sakristei kam ein Mann herbei, der sich, als er die unverwechselbaren Benediktinerkutten sah, freundlich an die Ankömmlinge wandte. Er war in mittleren Jahren, in eine dunkelbraune oder schwarze Soutane gekleidet, und näherte sich mit fragendem Blick und einladendem Lächeln. Haluin hörte seine Schritte, so leicht sie auch waren, und drehte sich in Erwartung eines alten Bekannten erfreut um, nur um angesichts des Fremden sofort wieder zurückzufahren.

»Guten Tag, Brüder! Gott sei mit Euch!« sagte der Priester von Hales. »Reisenden mit Eurer Kutte steht mein Haus immer offen, ebenso wie dieses Gotteshaus. Kommt Ihr von weit her?«

»Aus Shrewsbury«, sagte Haluin, der sich mühsam wieder faßte. »Verzeiht mir, Vater, wenn ich so erschrak. Ich hatte erwartet, Vater Wulfnoth zu sehen. Natürlich war das dumm von mir, denn ich war viele Jahre nicht mehr hier, und er war schon grau, als ich ihn damals kannte. Mir als jungem Menschen schien es damals, als würde er ewig bleiben. Jetzt wage ich kaum zu fragen!«

»Vater Wulfnoth hat die ewige Ruhe gefunden«, erwiderte der Priester. »Es muß jetzt sieben Jahre her sein. Vor zehn Jahren kam ich, als er nach einem Schlaganfall bettlägerig wurde. Drei Jahre sorgte ich für ihn, bis er starb. Ich war damals gerade erst zum Priester geweiht worden, und ich lernte viel von Wulfnoth. Sein Geist war klar und offen, auch wenn das Fleisch ihn im Stich gelassen hatte.« Sein gutmütiges, rundes Gesicht zeigte offene Neugierde. »Dann kennt Ihr diese Kirche und das Landgut? Seid Ihr in Hales geboren?«

»Nein, aber ich diente einige Jahre bei der Herrin Adelais auf dem Anwesen. Kirche und Dorf kannte ich gut, bevor ich in Shrewsbury die Kutte anzog.«

Haluin, der bemerkte, wie genau er betrachtet wurde, hielt es für nötig, eine Erklärung für seine Rückkehr zu geben. »Nun«, meinte er, »ich habe allen Grund, dankbar zu sein, weil ich einem Unglück entging, das mich das Leben hätte kosten können, und bei dieser Gelegenheit beschloß ich, mein Gewissen von aller Schuld zu entlasten. Aus diesem Grund stehe ich hier an diesem Grab. In der Familie de Clary gab es eine Dame, die ich verehrte und die viel zu früh starb. Ich möchte eine Nacht an ihrem Grab beten. Es war lange vor Eurer Zeit, es ist jetzt achtzehn Jahre her. Ich werde Euch doch nicht stören, wenn ich die Nacht hier verbringe?«

»Nein, gewiß nicht, Ihr seid willkommen«, sagte der Priester herzlich. »Ich kann Euch eine Kohlenpfanne anzünden, damit Ihr es nicht so kalt habt. Aber Ihr müßt Euch irren, Bruder. Gewiß, es war vor meiner Zeit, aber Vater Wulfnoth erzählte mir viel über die Kirche und das Landgut, denn er hatte sein Leben lang in den Diensten der Herren von Hales gestanden. Sie bezahlten sein Studium und setzten ihn hier als Priester ein. Es gab in dieser Gruft keine Bestattung, seit der alte Herr von Hales starb, dessen Abbild hier in den Stein gemeißelt ist. Das muß jetzt mehr als dreißig Jahre her sein. Heute herrscht sein Enkelsohn. Eine Dame aus der Familie, sagt Ihr? Und jung gestorben?«

»Eine Verwandte«, gab Haluin mit leiser Stimme und erschüttert zurück. Er ließ den Stein nicht aus den Augen, der seit dreißig Jahren nicht bewegt worden war. »Sie ist hier in Hales gestorben, und ich dachte, sie müßte hier beerdigt sein.« Er wollte ihren Namen nicht nennen und nicht mehr als unbedingt nötig über sich selbst und seine Beweggründe verlauten lassen. Cadfael wartete ein wenig abseits und sah schweigend zu.

»Vor achtzehn Jahren erst? Dann kann ich Euch mit Gewißheit sagen, Bruder, daß sie nicht hier ist. Wenn Ihr Vater Wulfnoth kanntet, dann wißt Ihr, daß Ihr Euch auf das verlassen könnt, was er mir sagte. Und ich weiß, daß sein Verstand bis zu seinem letzten Tag klar und scharf war.«

»Ich glaube Euch«, sagte Haluin, der unter der Kälte der Enttäuschung zitterte. »Er hat sich nicht geirrt. Dann ist sie also nicht hier.«

»Aber dieses Landgut ist ja nicht der Hauptsitz der de Clarys«, meinte der Priester freundlich. »Der Hauptsitz ist in Elford in Staffordshire. Der jetzige Herr, Audemar heißt er, ließ seinen Vater dort bestatten, denn die Familie hat dort eine große Gruft. Wenn in den letzten Jahren enge Angehörige gestorben sind, dann dürften sie dort beerdigt sein. Zweifellos wird auch die Dame, von der Ihr gesprochen habt, dort bei ihrer Familie liegen.«

Haluin nahm den Hoffnungsfunken begierig auf. »Ja... ja, so kann es sein, so muß es sein. Dann werde ich sie finden.«

»Ich zweifle nicht daran«, sagte der Priester. »Aber es ist ein weiter Weg zu Fuß.« Er hatte die Eile gespürt, die auf Vernunft nicht hören wollte, und mühte sich, sie zu dämpfen. »Ihr solltet Euch Pferde beschaffen, wenn Ihr schon diese Reise machen müßt, oder sie wenigstens verschieben, bis das Wetter besser wird. Aber kommt doch zuerst einmal in mein Haus, eßt mit mir und ruht Euch über Nacht aus.«

Dazu war Haluin aber nicht bereit, das erkannte Bruder Cadfael sofort. Und wenn sich das Tageslicht nur noch eine Stunde halten würde, er hatte die Kraft, noch eine Meile zu laufen. Fast schuldbewußt sagte er dem guten Mann seinen Dank und verabschiedete sich. Der Priester sah ihnen verwundert und grübelnd nach, bis sie die Stufen hinaufgestiegen waren und die Tür hinter sich geschlossen hatten.

»Nein!« sagte Cadfael energisch, sobald sie den Kirchhof verlassen hatten und über den Weg zwischen den Häusern des Dorfs zur Hauptstraße gingen. »Das könnt Ihr nicht tun!«

»Ich kann und ich muß!« erwiderte Bruder Haluin nicht weniger entschlossen. »Warum auch nicht?«

»Weil Ihr zuerst einmal nicht wißt, wie weit es bis Elford ist. So weit, wie wir bisher schon gewandert sind, und noch einmal die Hälfte dazu. Und Ihr wißt, wie sehr Ihr Euch jetzt schon geschunden habt. Zweitens erhieltet Ihr die Erlaubnis zur Reise im Glauben, daß sie hier sei, und von hier aus müssen wir zwei zurückkehren. Und das werden wir auch tun. Nein, schüttelt mir nicht den Kopf, Ihr wißt genau, daß der Vater Abt nicht an eine solche Ausweitung gedacht hat und daß er Euch die Erlaubnis dazu nicht gegeben hätte. Dies ist der Punkt, an dem wir umkehren müssen.«

»Wie kann ich umkehren?« Haluins Stimme war ebenso unerbittlich wie vernünftig, sogar gelassen. Ihm selbst war alles klar, und so konnte er Geduld mit anderen Ansichten zeigen. »Wenn ich umkehre, habe ich mein Gelübde gebrochen. Ich habe nicht getan, was zu tun ich geschworen habe, wenn ich so verächtlich und elend zurückkehre. Der Vater Abt würde auch das nicht wünschen, selbst wenn keiner von uns wissen konnte, daß der Bußgang so lang werden würde. Er gab mir die Erlaubnis zu tun, was ich geschworen hatte. Ich sagte, ich würde nicht ruhen, bis ich zu Fuß zu Bertrades Grab gewandert sei, bis ich eine Nacht betend und wachend am Grab verbracht hätte. Das habe ich noch nicht getan.«

»Doch es ist nicht Eure Schuld«, wandte Cadfael mühsam ein.

»Ist das eine Entschuldigung? Es ist ein Urteil für mich, daß ich den doppelten Weg gehen muß. Wenn ich aufgebe, so sagte ich, dann will ich verdammt und ohne Vergebung sterben. Vor den heiligen Reliquien der St. Winifred, die zu uns allen so gut war, habe ich es geschworen. Wie könnte ich umkehren? Ich würde lieber auf der Straße sterben, auf dem Weg zur Erfüllung meines Schwurs, als meinen Glauben und meine Ehre aufgeben und in Schande zurückgehen.«

Wer sprach da nur, fragte Cadfael sich – der pflichtbewußte Mönch oder der Sohn eines guten normannischen Hauses, der Sohn einer Familie, die mindestens so alt war wie die des Königs William, und obendrein noch ohne Beimischung von fremdem Blut. Natürlich war Stolz eine Sünde, die gerade ein Benediktinerbruder nicht begehen sollte, aber so etwas läßt sich nicht so leicht ablegen wie Abzeichen und Adelstitel.

Auch Haluin war seine leichte Überheblichkeit aufgefallen. Er errötete, als er es erkannte, doch er nahm kein Wort zurück. Er blieb abrupt stehen, schwang seine Krücken herum und packte Cadfaels Handgelenk. »Scheltet nicht mit mir! Ich weiß, daß Ihr es könntet, und Euer Gesicht zeigt mir, daß ich es verdient habe, aber verschont mich. Ich kann nicht anders. Oh, Cadfael, ich kenne alle Argumente, die Ihr mir mit Recht entgegenhalten könntet, ich selbst habe an sie gedacht, ich denke immer noch an sie, aber dennoch bin ich gebunden. Gebunden durch Gelübde, die ich nicht brechen kann noch will. Mein Abt mag mich für rebellisch und ungehorsam halten, meine Abtei mag mich hinauswerfen, das muß ich ertragen. Aber zurücknehmen, was ich im Gedenken an Bertrade gelobt habe, das könnte ich nicht verwinden.«

Die Röte, die nun sein bislang so bleiches Gesicht überzog, stand ihm gut, denn sie vertrieb den ausgemergelten, kranken

Eindruck und ließ ihn sogar einige Jahre jünger erscheinen. Schweigend stand er, hielt sich aufrecht und streckte den Rücken zwischen den fest aufgestemmten Krücken. Er war nicht umzustimmen, man mußte es akzeptieren.

»Aber Ihr, Cadfael«, sagte er, indem er das Handgelenk, das er schon hielt, noch fester packte, »Ihr habt keinen solchen Schwur abgelegt, Ihr seid nicht gebunden. Ihr braucht nicht weiterzugehen, Ihr habt alles getan, was von Euch erwartet wurde. Geht jetzt zurück und legt beim Abt ein gutes Wort für mich ein.«

»Mein Sohn«, sagte Cadfael mit einer Mischung aus Mitgefühl und Verzweiflung, »ich bin so fest gebunden wie Ihr, und das wißt Ihr genau. Ich habe den Auftrag, Euch zu begleiten, falls Ihr strauchelt, und Euch zu versorgen, wenn es dazu kommt. Ihr geht aus eigenem Entschluß, ich gehe im Auftrag des Abtes. Wenn Ihr nicht mit mir zurückkommen wollt, dann kann ich nicht allein zurückgehen.«

»Aber Eure Arbeit«, protestierte Haluin erschrocken, aber unnachgiebig. »Die meine kann warten, aber Euch wird man vermissen. Wie wird man so lange ohne Euch zurechtkommen?«

»So gut, wie man eben kann. Es gibt keinen lebenden Menschen, der nicht zu ersetzen wäre«, sagte Cadfael entschlossen, »und das ist gut so, weil die Lebenszeit der Menschen begrenzt ist. Nein, sagt nichts weiter. Wenn Ihr entschlossen seid, dann bin ich es auch. Wohin Ihr geht, werde ich Euch folgen. Da wir nur noch knapp eine Stunde Tageslicht haben und Ihr wohl nicht hier in Hales eine Bleibe suchen wollt, sollten wir allmählich aufbrechen, um unterwegs ein Nachtlager zu finden.«

Als Adelais de Clary am nächsten Morgen aufgestanden war, ging sie wie gewohnt zur Messe. Sie war, was ihre religiösen Pflichten und das Geben von Almosen anging, sehr gewissenhaft und hielt sich an die alten Bräuche des Hauses ihres Mannes. Wenn auch ihre Gaben manchmal ein wenig kalt und unbeteiligt schienen, so kamen sie doch beständig und zuverlässig. Wann immer der Gemeindepriester ein besonderes Anliegen hatte, konnte er sich an sie wenden.

In pflichtbewußter Aufmerksamkeit begleitete er sie nach dem Gottesdienst zum Tor. »Gestern suchten mich zwei Benediktiner auf«, sagte er, während sie den Mantel im frischen Märzwind enger um sich raffte. »Es waren zwei Brüder aus Shrewsbury.«

»Wirklich?« erwiderte Adelais. »Was wollten sie bei Euch?«

»Einer von ihnen war verkrüppelt und ging mit Krücken. Er sagte, er habe einst in Euren Diensten gestanden, bevor er die Kutte anzog. Er erinnerte sich noch an Vater Wulfnoth, und ich dachte, sie hätten Euch ihre Aufwartung gemacht. Waren sie denn nicht bei Euch?«

Darauf antwortete sie nicht, sondern sagte gedehnt und mit einem Blick in die Ferne, als sei sie nur halb bei der Sache: »Ja, richtig, ich hatte einmal einen Schreiber, der ins Kloster von Shrewsbury eintrat. Was hatte er denn bei Euch in der Kirche zu suchen?«

»Er meinte, der Tod habe ihn noch einmal verschont, und er wolle alle alten Sünden begleichen, um für ihn bereit zu sein. Ich fand die beiden am Grab Eures Vaters. Sie waren der irrigen Annahme, dort müsse vor achtzehn Jahren eine Frau aus Eurem Hause bestattet worden sein. Der Lahme wollte an ihrem Grab Nachtwache halten und beten.«

»Ein eigenartiger Irrtum«, erwiderte Adelais mit nachsichtigem Desinteresse. »Ihr habt sie doch sicher aufgeklärt?«

»Ich sagte ihnen, daß sie sich irrten. Natürlich war ich damals noch nicht hier, aber ich wußte von Vater Wulfnoth, daß die Gruft seit vielen Jahren nicht geöffnet worden war, und daß deshalb nicht zutreffen konnte, was der jüngere der Brüder vermutete. Ich erklärte ihm, daß alle Angehörigen Eures Hauses in Elford begraben liegen, wo ja auch der Hauptsitz Eurer Familie ist.«

»Das wäre eine lange, beschwerliche Fußreise für einen Lahmen«, sagte Adelais mitfühlend. »Hoffentlich hatte er nicht die Absicht, in diesem Zustand so weit zu reisen?«

»Ich fürchte doch, Mylady. Sie lehnten es ab, mit mir zu speisen und bei mir zu übernachten, und brachen sofort wieder auf. Er werde sie dort finden, meinte der Jüngere. Ja, ich bin sicher, daß sie sich auf der Hauptstraße nach Osten gewandt haben. Eine lange, beschwerliche Reise, aber er schien fest entschlossen, sie zu unternehmen.«

Sein Verhältnis zur Herrin war entspannt und freundschaftlich, und so konnte er ohne Hemmungen unumwunden fragen: »Wird er in Elford die Adelsfrau finden, die er sucht?«

»Durchaus möglich«, gab Adelais zurück, während sie gleichmäßig und unbeschwert neben ihm schritt. »Achtzehn Jahre, das ist eine lange Zeit, und ich kann nicht in seinen Kopf sehen. Ich war damals jünger, der Haushalt war größer. Es gab einige Cousinen, die keinen Anteil am Erbe bekamen. Mein Gatte wachte wie ein Vater über alle von seinem Blut. So wie ich es in seiner Abwesenheit als seine Regentin tat.«

Sie hatten das Tor des Kirchhofs erreicht und blieben stehen. Es war ein sanfter, grüner und sehr stiller Morgen. Die Wolken hingen schwer und tief.

»Es wird noch einmal Schnee geben«, meinte der Priester, »wenn es nicht als Regen herunterkommt.« Das Thema wechselnd, fuhr er fort: »Achtzehn Jahre! Vielleicht fühlte sich der Mönch damals, als er bei Euch war, zu einer dieser jungen Cousinen hingezogen, wie es bei jungen Menschen eben geschieht, und ihr früher Tod bereitete ihm mehr Kummer, als er sich Euch gegenüber anmerken ließ.«

»So mag es ein«, sagte Adelais abwesend und zog die Kapuze ihres Mantels hoch, um sich vor den winzigen Eisspeeren, die aus der stillen Luft heruntertrieben und sie in die Wange stachen, zu schützen. »Guten Tag, Vater!«

»Ich werde darum beten«, rief der Priester ihr nach, »daß die Pilgerschaft zu ihrem Grab dem lebenden Mann und der toten Frau Trost und Ruhe schenkt.«

»Tut das, Vater«, gab Adelais zurück, ohne sich umzudrehen. »Und sprecht auch ein Gebet für mich und all die Frauen im Haus, daß wir es nicht zu schwer haben, wenn unsere Zeit kommt.«

Cadfael lag wach im Heuschober eines Waldbauern im königlichen Wald zu Chenet und lauschte den gleichmäßigen Atemzügen seines Gefährten, die für einen Schlafenden zu gezwungen und zu gespannt klangen. Es war die zweite Nacht, seit sie Hales verlassen hatten. Die erste Nacht hatten sie etwa eine Meile hinter dem Dörfchen Weston auf dem einsamen Hof eines Kleinbauern und seiner Frau verbracht. Der folgende Tag war lang gewesen, und dieser zweite Unterschlupf am Rande des Waldes war ihnen mit seiner Wärme sehr willkommen. Sie waren schon früh in ihre Betten auf dem Heuboden gekrochen, denn Haluin, der darauf bestanden hatte, so lange wie möglich zu wandern, war völlig erschöpft. Der Schlaf, dachte Cadfael, kam friedlich und willig zu ihm und schenkte einer Seele, die im Wachen besorgt und gequält war, etwas Ruhe. Gott kennt viele Wege, unsere Bürden zu erleichtern. Haluin stand jeden Morgen erfrischt und entschlossen auf.

Es war noch nicht hell, die Dämmerung würde erst in einer Stunde kommen. Dort, wo Haluin lag, war keine Bewegung zu hören, kein Hälmchen raschelte im Heu, aber Cadfael wußte, daß Haluin wach war. Die Stille war ein gutes Zeichen, denn sie bedeutete, daß er schläfrig und entspannt ruhte, während sein Geist frei schweifen konnte.

»Cadfael?« sagte eine leise, vorsichtige Stimme in der Dunkelheit. »Seid Ihr wach?«

»Ja«, gab er ebenso leise zurück.

»Ihr habt mich nie gefragt. Nach dem, was ich tat, meine ich. Und nach *ihr*...«

»Es ist nicht nötig«, erwiderte Cadfael. »Was Ihr mir sagen wollt, das sagt Ihr auch ohne meine Fragen.«

»Ich hatte nie die Freiheit, über sie zu sprechen«, sagte Haluin. »Erst heute habe ich sie, und auch nur zu Euch, der eingeweiht ist.« Er schwieg eine Weile. Die Worte kamen langsam und schmerzhaft wie Blutstropfen, wie zurückhaltende und einsame Menschen eben sprechen. Nach einer Weile fuhr er leise fort: »Sie war nicht so schön wie ihre Mutter. Sie hatte nicht dieses dunkle Strahlen, sie war freundlicher. An ihr war nichts Dunkles oder Geheimnisvolles, sie war offen wie eine Blume im Sonnenschein. Sie hatte keine Angst – damals noch nicht. Sie vertraute jedem, und sie war niemals betrogen worden – damals noch nicht. Nur einmal wurde sie betrogen, und daran starb sie.«

Wieder gab es ein langes Schweigen. Diesmal raschelte es leicht im Heu wie ein Seufzen. Dann fragte er fast schüchtern: »Cadfael, Ihr habt die Hälfte Eures Lebens in der Welt verbracht. Habt Ihr je eine Frau geliebt?«

»Ja«, sagte Cadfael. »Ich habe geliebt.«

»Dann wißt Ihr, wie es mit uns war. Denn wir liebten uns, sie und ich. Es schmerzt am meisten«, sagte Bruder Haluin, während er resigniert und in wehmütiger Verwunderung zurückblickte, »wenn man jung ist. Man kann sich nicht verstecken, man kann keine Schutzwälle hochziehen. Sie jeden Tag zu sehen... und zu wissen, daß sie fühlte wie ich...«

Auch wenn er in all den Jahren versucht hatte, die Erinnerung abzustreifen, wenn er versucht hatte, seine Hände, seinen Geist und seine Seele auf die Pflichten zu konzentrieren, die er übernommen hatte, er hatte nichts vergessen, alles war noch in ihm und brach im Nu hervor wie ein schlafendes Feuer, wenn die Tür geöffnet wird. Wenigstens konnte er sich jetzt Luft machen und mit einem Mann darüber sprechen, der ebenfalls gelitten hatte und sein Mitgefühl ausdrücken konnte. Von Cadfael wurden keine Worte erwartet, es war genug, wenn er schwieg und aufmerksam lauschte.

Haluin schlief, die letzten Worte kaum ausgesprochen, wieder ein und murmelte hin und wieder, von längerem Schweigen unterbrochen, ein fast unhörbares Wort. Es konnte ihr Name sein, Bertrade, es konnte aber auch das Wort ›begraben‹ sein. Egal! Wichtig war nur, daß er es kurz vor dem Einschlafen gesagt hatte, denn nachdem er sich beim Wandern so angestrengt hatte, konnte er sich nun noch eine Weile ungestört und vielleicht bis weit in den Morgen hinein ausruhen. Gut so! Der Tag, um den die Pilgerschaft verlängert wurde, mochte seinem ungeduldigen Geist zusetzen, seinem geschundenen Körper aber würde er sicherlich guttun.

Cadfael erhob sich leise und ließ seinen tief schlafenden Gefährten zurück, der im Heuschober praktisch gefangen war, weil er ohne Hilfe nicht aufstehen und die Leiter herunterklettern konnte. Da die Falltür offenstand, konnte man es unten hören, wenn sich der Schlafende regte, aber nach dem Eindruck, den sein entspannter Körper und das schmale, glatte Gesicht machten, aus dem die Spannungen verschwunden waren, würde er noch eine ganze Weile schlafen.

Cadfael trat in den klaren, frischen Morgen hinaus und schnüffelte in der unbewegten Luft, die nach dem weichenden Winter und dem noch halb im Schlaf liegenden Waldland roch.

Von der kleinen Hütte des Waldbauern aus konnte er zwischen den Bäumen einige Stücke des grauen Weges erkennen. Der Wald war so dicht, daß sich hier kaum Unterholz halten konnte. Auf der Straße zuckelte ein Handwagen dahin, beladen mit im Herbst abgestorbenen Ästen, die als Feuerholz dienen würden. Auffliegende und zwitschernde Vögel, die zwischen den Bäumen und den wehenden Blättern aufgescheucht wurden, begleiteten seinen Weg. Der Waldbauer war schon aufgestanden und ging seinen morgendlichen Arbeiten nach. Die Kuh kam herbeigetrottet, um sich melken zu lassen, der Hund sprang dem Mann schwanzwedelnd hinterdrein. Ein trockener Tag, der Himmel war bedeckt aber hoch, das Licht war gut. Ein schöner Tag zum Wandern. Bis zum Abend konnten sie Chenet erreichen, wo sie im Landgut des Königs übernachten würden. Morgen dann weiter nach Lichfield, und dort mußten sie, nahm Cadfael sich vor, noch einmal eine ausgiebige Rast einlegen, so sehr auch Haluin darauf drängen mochte, die paar Meilen bis Elford sofort in Angriff zu nehmen. Nach einem guten Nachtschlaf in Lichfield wäre Haluin besser für die Nachtwache gerüstet, die er im Gedenken an Bertrade zu halten gelobt hatte. Danach konnten sie sich dann auf den Rückweg machen, auf dem sie, Gott sei Dank, keine Eile mehr haben würden. Dann hatte Haluin keinen Grund mehr, sich bis an die Grenzen seiner Kräfte anzutreiben.

Auf der festgestampften Erde der Straße waren gedämpfte Geräusche zu hören, und zugleich spürte Cadfael das Zittern von Hufen im Boden. Zwei Reiter kamen rasch von Westen heran, die Geräusche waren nicht gleichmäßig, also liefen die Tiere in raschem Trab, ausgeruht nach einer Rast und für den Tag bereit. Reisende, die möglicherweise nach Lichfield wollten, nachdem sie die Nacht im Anwesen von Stretton verbracht hatten, das zwei Meilen die Straße hinunter lag. Cadfael blieb stehen und sah ihnen nach.

Zwei Männer in graubraunen Kleidern und Lederzeug waren es, die leicht im Sattel saßen, im Umgang mit ihren Pferden einander so ähnlich, da sie entweder in der Kindheit gemeinsam oder einer vom anderen das Reiten gelernt hatten. Und wirklich, der eine war doppelt so breit wie der andere und offensichtlich eine Generation älter; auch wenn sie für Cadfael zu weit entfernt und zu rasch vorbei waren, als daß er die Gesichter hätte erkennen können, alles an ihnen verriet, daß sie verwandt waren. Zwei adlige Reiter auf edlen Pferden, beide mit Damensitzen hinter sich. Für die Reise warm eingehüllte Frauen sehen einander sehr ähnlich, und doch starrte Cadfael der ersten aufmerksam nach und behielt sie im Auge, bis Pferde und Reiter auf der Straße verschwunden waren und das leise Trommeln der Hufe in der Ferne verklang.

Er hatte sie immer noch vor Augen, als er zur Strohhütte zurückkehrte. Unruhig forschte er in seiner Erinnerung und glaubte wider aller Vernunft, daß er sie schon einmal gesehen habe, und daß er im Grunde auch genau wußte, bei welcher Gelegenheit.

Ob es die Wahrheit war oder nicht und was man auch folgern mußte, wenn es die Wahrheit war, in diesem Augenblick konnte er nichts weiter tun. Er schob die Gedanken beiseite und trat in die Hütte, um zu lauschen und zu warten, bis Haluin erwachte und ihn brauchte.

Sie ließen die Baumreihen hinter sich und betraten weite Weiden, ein wenig gebleicht und grau in der kalten Luft, aber fruchtbar und gut bestellt, eine kleine reiche Insel in einer Grafschaft, die sich noch nicht ganz von der gewaltsamen Befriedung vor fünfzig Jahren erholt hatte. Vor sich sahen sie die Windungen des Tame, das spitze Dach einer Mühle und die dicht gedrängten Häuser von Elford jenseits des Wassers.

Dank der warmen, offenen Gastfreundschaft der Priester in Lichfield hatten sie eine angenehme Nacht verbracht und Hinweise für den besten Weg nach Elford bekommen. Im ersten Morgengrauen hatten sie die letzten etwa vier Meilen der Bußfahrt in Angriff genommen. Vor ihnen lag nun das Ziel von Haluins Pilgerschaft, fast schon in Reichweite jenseits der friedlich liegenden Felder. Nur eine hölzerne Fußbrücke trennte ihn noch von seiner Absolution. Ein gesegneter Ort, wohlhabend, während so viele andere verarmt waren. Nicht nur eine, sondern gleich zwei Mühlen standen am Wasserlauf, die zweite ein wenig weiter stromauf inmitten satter Wiesen und fruchtbaren Ackerlandes. Ein Ort, der Segen und Seelenfrieden nach Mühen und Schmerzen versprach.

Der helle Faden des Weges führte sie weiter, und schließlich erhoben sich vor ihnen die Häuser des Ortes Elford, umgeben von Bäumen und Büschen, die aus dieser Entfernung noch nackt und dunkel wirkten, noch nicht weit genug im Saft, um die ersten zarten grünen Spitzen zu zeigen. Sie überquerten die Brücke, Haluin mußte auf den unebenen Planken aufpassen, wohin er die Krücken setzte, und betraten den Weg zwischen den Häusern. Ein sauberes Dorf, dessen Männer und Frauen fröhlich und zuversichtlich ihren Tagesgeschäften nachgingen, wachsam gegenüber Fremden, aber freundlich und wohlwollend, als sie die Benediktinerkutten erkannten. Unterwegs wurden sie mehrmals gegrüßt, und Haluin, aufgemuntert und gestärkt angesichts des erfolgreichen Endes seiner Reise, bekam Farbe im Gesicht und erwiderte lebhaft die freundlichen, Erleichterung versprechenden Grüße.

Sie brauchten nicht zu fragen, wo die Kirche zu finden war, denn sie hatten den niedrigen Turm schon gesehen, bevor sie die Brücke überquert hatten. Die Kirche war erst nach dem Einfall der Normannen gebaut worden, massiv und aus grauem Stein mit geräumigem Kirchhof und für alle Fälle von einem stabilen Zaun umgeben, hinter dem ein paar alte, schöne Bäume aufragten. Sie traten durch den Torbogen und standen im vertrauten kühlen und hallenden Halbdunkel, das alle aus Stein gebauten Kirchen an sich haben. Es roch leicht nach Staub und Wachskerzen und stark und beruhigend nach der Heimat, die sie beide für sich gewählt hatten.

Haluin hielt im gekachelten Mittelgang des Kirchenschiffes inne, um sich zu orientieren. Es gab hier keine Kapelle der Jungfrau Maria, in der zwischen den Altären Platz für die Gruft des Stifters war. Die Herren von Elford mußten an der Seite liegen, begraben in den Steinen der Mauern, die sie erbaut hatten. Das rote Auge einer Altarlampe zeigte ihnen, wo die Gruft lag. Es war eine große Steinplatte, in einer Nische vor der rechten Wand. Ein toter de Clary, vielleicht der erste, der mit König William herübergekommen und später belohnt worden war, schlief in Stein gehauen auf der Deckplatte. Haluin wollte hinüber, doch dann hielt er sich zurück, nachdem er einen hallenden Schritt getan hatte. Neben dem Grab kniete eine Frau.

Sie sahen sie nur als Schattenriß, denn der Mantel, den sie trug, war in diesem trüben Licht grau wie der Stein. Da die Kapuze des Mantels zurückgeworfen war, konnten sie sie an der weißen Leinenhaube und am Gazeschleier über dem Haar als Frau erkennen. Sie wollten sich in den Vorraum zurückziehen, um die Frau in Frieden beten zu lassen, doch sie hatte den Aufprall der Krücken auf den Kacheln gehört und wandte sich abrupt zu ihnen um. Mit einer einzigen anmutigen, raschen Bewegung stand sie auf, kam ihnen entgegen und trat ins Licht eines Fensters. Sie erkannten das Stolze, gealterte aber immer noch schöne Antlitz der Adelais de Clary.

5

»Ihr?« rief sie, starrte die Mönche an und blickte erschrocken von einem zum andern, doch ihre Stimme klang neutral, weder willkommen heißend noch ablehnend. »Ich hätte nicht damit gerechnet, Euch so bald schon wiederzusehen. Habt Ihr noch etwas von mir zu erbitten, Haluin, daß Ihr mir gefolgt seid? Ich sagte Euch bereits, daß ich Euch verzeihe.«

»Mylady«, sagte Haluin, erschüttert und zitternd, da er seine frühere Herrin an diesem unerwarteten Ort wiedersah, »wir sind Euch nicht gefolgt. Ich habe keinen Augenblick daran gedacht, Euch hier wiederzusehen. Für Eure Vergebung bin ich dankbar, und ich hatte um keinen Preis die Absicht, Euch weitere Ungelegenheiten zu bereiten. Ich bin hergekommen, um ein Gelübde zu erfüllen, das ich ablegte. Ich wollte in Hales eine Nacht im Gebet verbringen, weil ich glaubte, daß Ihr Eure Tochter dort beerdigt habt. Doch dann erfuhren wir vom Priester, daß dem nicht so ist. Hier in Elford liegt sie, in der Gruft ihrer Vorfahren. Deshalb kam auch ich hierher. Alles, was ich von Euch jetzt noch zu erbitten habe, ist Eure Erlaubnis, in der kommenden Nacht hier Nachtwache halten zu dürfen, um zu vollbringen, was ich geschworen habe. Dann werden wir abreisen, und ich werde Euch nicht mehr in Anspruch nehmen.«

»Ich kann nicht leugnen«, gab sie, allerdings in etwas sanfterem Ton, zurück, »daß ich froh sein werde, wenn Ihr wieder fort seid. Es richtet sich nicht gegen Euch selbst, aber die Wunde, die Ihr in mir wieder aufgerissen habt, würde ich gern vergessen, bis sie verheilt ist. Euer Gesicht ist wie ein Gift, das sie aufreißt und die Blutung wieder beginnen läßt. Glaubt Ihr, ich hätte ein Pferd genommen und wäre so schnell hergeritten, wenn Ihr nicht den alten Kummer in meiner Seele wieder aufgerührt hättet?«

»Ich vertraue darauf, Mylady«, sagte Haluin mit leiser, bebender Stimme, »daß Ihr, wie ich es für mich selbst hoffe, durch diese Buße Eure Wunde von allen Schwären befreit finden werdet. Ich bete darum, daß dieses Mal Eure Heilung angenehm und zu Eurem Besten verlaufen wird.«

»Und für Euch selbst?« fragte sie scharf zurück und wandte sich ein wenig von ihm ab, während sie eine Handbewegung machte, die jeden Widerspruch im Keime erstickte. »Angenehm und zu meinem Besten! Ihr erwartet viel von Gott und noch mehr von mir.« Im schräg aus den Fenstern einfallenden Licht war ihr Gesicht grimmig und traurig zugleich. »Ihr habt gelernt, wie ein richtiger Mönch mit Worten umzugehen«, sagte sie. »Nun, es ist lange her! Eure Stimme war damals unbeschwerter, genau wie Euer Schritt. Eins will ich Euch sagen, Eure Anwesenheit hier kommt mich teuer zu stehen. Aber schlagt nicht meine Gastfreundschaft aus, wenn ich Euch dieses Mal ein Nachtlager und eine Mahlzeit anbiete. Ich habe hier auf dem Anwesen meines Sohnes ein eigenes Haus. Kommt mit mir und ruht bis zur Vesper, wenn Ihr schon in der Nacht auf den Steinen Euer Fleisch peinigen müßt.«

»Dann darf ich hier die Nacht im Gebet verbringen?« fragte Haluin begierig.

»Warum nicht? Habt Ihr nicht gerade von Gott für mich dasselbe wie für Euch erbeten?« sagte sie. »Ich sehe, daß Ihr gebrochen seid. Ich will Euch nicht verdammen. Ja, Ihr sollt Eure nächtliche Buße bekommen, aber zuerst sollt Ihr in meinem Haus etwas essen. Ich schicke meine Burschen, die Euch begleiten können, nachdem Ihr hier Eure Gebete gesprochen habt.«

Sie war schon fast zur Tür hinaus und achtete nicht auf Haluins stockende Dankesworte, ließ ihm nicht die Chance, ihre Gastfreundschaft auszuschlagen. Dann aber blieb sie plötzlich stehen und drehte sich noch einmal zu ihnen um.

»Aber sagt über Euer Tun hier kein Wort«, meinte sie ernst, »zu irgend jemand sonst. Der Name und das Ansehen meiner Tochter sind ohne Makel, also laßt sie in Frieden unter dem Stein hier ruhen. Ich will nicht, daß ein anderer erinnert wird, wie ich erinnert wurde. Es soll zwischen uns beiden und diesem guten Bruder bleiben, der Euch begleitet.«

»Mylady«, sagte Haluin ergeben, »zu niemand wollen wir sprechen außer unter uns dreien, weder jetzt noch zu einer anderen Zeit, weder hier noch an einem anderen Ort.«

»Ihr nehmt mir einen Stein vom Herzen«, erklärte sie, ging hinaus und zog hinter sich leise die Türe zu.

Haluin konnte ohne Stütze, an der er sich festhalten konnte, nicht knien. Cadfael mußte den Arm um ihn legen, während Haluin sich vorsichtig niederließ, um den einzigen noch brauchbaren Fuß zu entlasten. Sie sprachen Seite an Seite ihre Gebete am Altar. Cadfael ließ die Augen geöffnet und betrachtete, als Haluin schon lange kniete, mit einiger Sorge die Falten im Gesicht des jungen Mannes. Er hatte die mühsame Fußreise überstanden, aber er hatte einen hohen Preis dafür bezahlt. Die Nacht auf den Steinen würde kalt werden, eine lange und peinigende Nacht, aber Haluin würde darauf bestehen, sich selbst mit äußerster Härte zu bestrafen. Und danach hatten sie noch den langen Rückweg vor sich. Vielleicht konnte ihn die Herrin überreden, noch eine zweite Nacht zu bleiben, und sei es nur als Zugeständnis und freundliche Geste ihr gegenüber, da beide nun in gewisser Weise mit ihrer gemeinsamen, unglücklichen Vergangenheit abgeschlossen hatten.

Es war durchaus möglich, daß Haluins überraschender Besuch sie auf eine ganz eigene Pilgerschaft geschickt hatte, war sie doch stehenden Fußes herbeigeeilt, um sich mit ihrem Anteil an der alten Tragödie zu konfrontieren. In scharfem Trab war sie an der Hütte des Waldbauern nahe Chenet vorbeigeritten, mit nur einem Mädchen und zwei Burschen im Gefolge, und hatte in Cadfaels Gedächtnis einen Funken entzündet. Es war nicht ausgeschlossen, aber warum hatte sie sich so beeilt? Cadfael sah abermals die beiden doppelt beladenen Pferde, die am frühen Morgen gleichmäßig und zielstrebig vorbeigetrabt waren. In aller Eile, um eine halb vergessene Schuld zu begleichen? Oder um einem anderen zuvorzukommen und für seine Ankunft gewappnet und bereit zu sein? Sie hatte seine Bitte erfüllt und wollte ihn rasch wieder loswerden, aber das war verständlich. Sie hatten ihren Frieden gebrochen und ihr einen alten, fleckigen Spiegel vors schöne Gesicht gehalten.

»Helft mir auf!« sagte Haluin und hob die Arme wie ein Kind, das auf die Füße gehoben werden will. Es war das erste Mal, daß er offen um Hilfe bat. Was ihm zuvor an Hilfe angeboten worden war, hatte er eher demütig und resigniert als dankbar angenommen.

»Ihr habt die ganze Zeit kein Wort gesagt«, meinte er plötzlich verwundert, als sie sich zur Kirchentür wandten.

»Ich brauchte kein Wort zu sprechen«, erwiderte Cadfael. »Aber ich hörte viele Worte, und selbst das Schweigen zwischen den Worten sagte mir etwas.«

Adelais de Clarys Bursche erwartete sie bereits im Vorraum, wie sie versprochen hatte. Er lehnte lässig in der Türe, als hätte er schon eine Weile gewartet, doch er zeigte keine Ungeduld. Seine Erscheinung bestätigte, was Bruder Cadfael sich schon zurechtgelegt hatte, nachdem er die Reiter ein paar Augenblicke durch die Bäume gesehen hatte. Dieser hier, der jüngere der beiden, war ein kräftiger junger Mann von etwa dreißig Jahren, schwer gebaut und mit einem Stiernacken, unverkennbar von normannischer Abstammung. Vielleicht die dritte oder vierte Generation, Nachkomme eines Ahnen, der als Bewaffneter mit dem ersten de Clary herübergekommen war. Der Körperbau seiner Väter war noch zu erkennen, auch wenn die Heiraten mit englischen Frauen das Haar zu einer mittelblonden Farbe verdunkelt und die sonst fast brutalen Knochen der Normannen etwas geglättet hatten. Das Haar trug er nach Art der Normannen kurz geschnitten wie eine Kappe, das kräftige Kinn war glatt rasiert, und er hatte die hellen, strahlenden aber undurchdringlichen Augen der Leute aus dem Norden. Als sie kamen, richtete er sich sofort mit fließenden Bewegungen auf.

»Meine Herrin schickt mich, Euch zu begleiten.«

Seine Stimme war flach, die Worte kamen abgehackt. Er wartete nicht auf ihre Antwort, sondern ging vor ihnen zum Kirchhof hinaus. Dabei legte er ein Tempo vor, das Haluin nicht halten konnte. Am Tor blickte der Bursche zurück und wartete, danach ging er langsamer weiter, obwohl es ihm offensichtlich Mühe bereitete, seinen Schritt zu zügeln. Von sich aus sprach er kein Wort und antwortete auf Fragen oder höfliche Bemerkungen freundlich aber knapp. Ja, Elford war ein schönes Anwesen, gutes Land und ein guter Herr. Audemar, erklärte er leidenschaftslos, wußte das Gut zu regieren. Der Bursche schien eher

Adelais als ihrem Sohn verpflichtet. Ja, sein Vater stand auch in Diensten der Familie, genau wie der Vater seines Vaters. Wenn er neugierig auf die Mönche war, dann zeigte er seine Neugierde nicht. Die hellgrauen, fremdartigen Augen verbargen seine Gedanken, falls er überhaupt einen Gedanken auf sie verschwendete.

Er führte sie über einen mit Gras bewachsenen Weg zum Tor der Einfriedung, die das Haupthaus schützte. Audemar de Clarys Haus stand breit inmitten des Hofes. Der Wohnbereich war über ein steinernes Fundament gebaut, und nach den hohen kleinen Fenstern zu urteilen, gab es über der Kemenate noch mindestens zwei weitere Zimmer. Rundherum waren weitere Wohngebäude errichtet, dazu die Ställe, die Waffenkammer, das Backhaus und das Brauhaus, die Lager und Werkstätten, und überall waren die Aktivitäten eines großen, geschäftigen Haushalts zu sehen.

Vor einem kleinen Holzhaus am Zaun blieb der Bursche stehen.

»Meine Herrin ließ diese Kammer für Euch vorbereiten. Ihr sollt Euch wie zu Hause fühlen, sagte sie, und der Türhüter hat Anweisung, Euch nach Belieben kommen und gehen zu lassen, damit Ihr die Kirche besuchen könnt.«

Ihre Gastfreundschaft war gewissenhaft aber distanziert und unpersönlich. Sie hatte Wasser zum Waschen und bequeme Lager vorbereiten lassen, sie hatte Essen von ihrem eigenen Tisch geschickt und ließ fragen, ob die Mönche sonst noch etwas brauchten oder ob sie etwas vergessen habe, doch sie beehrte sie nicht mit ihrer Gegenwart. Vielleicht reichte ihre Vergebung doch nicht so weit, daß sie den bereuenden Haluin in ihrer Nähe hätte dulden können. Auch warteten ihnen nicht die Diener des Hauses auf, sondern die beiden Burschen, mit denen sie aus Hales hergeritten war. Der ältere der beiden brachte ihnen Fleisch, Brot und Käse und Dünnbier aus der Küche. Cadfael erkannte sofort, in welchem Verhältnis die beiden Männer standen. Dieser hier war sicherlich der Vater des anderen, ein zäher, vierschrötiger Kerl von etwa fünfzig Jahren, wortkarg wie sein Sohn, in den Schultern etwas breiter und mit krummen Beinen, nachdem er bald mehr Jahre auf dem Pferderücken als auf seinen eigenen Füßen verbracht hatte. Er hatte die gleichen kalten, undurchdringlichen Augen wie sein Sohn, die gleichen kühnen und blank rasierten Wangenknochen, doch seine Haut zeigte eine dauerhafte, tiefe Bräune, die, das wußte Cadfael aus eigener Erfahrung, in England nicht entstehen konnte. Sein Herr war Kreuzfahrer gewesen, und dieser Mann hatte ihn sicher ins Heilige Land begleitet: dort unter der grimmigen, heißen Sonne war ihm die Bräune in die Gesichtshaut eingebrannt worden.

Der ältere Bursche kam am Nachmittag noch einmal zu ihnen. Nicht für Haluin, sondern für Cadfael hatte er eine Nachricht. Haluin war auf seiner Matte eingeschlafen, und der Mann, der leise und geschmeidig eintrat wie eine Katze auf der Pirsch, weckte ihn nicht. Cadfael war ihm dafür dankbar. Sie hatten eine lange Nacht ohne Schlaf vor sich. Er winkte dem Burschen, einen Augenblick zu warten, und ging, nachdem er die Türe geschlossen hatte, zu ihm in den Hof hinaus.

»Laßt ihn liegen, er muß später noch wachen.«

»Meine Herrin erzählte uns, wie er die Nacht verbringen will«, sagte der Bursche. »Sie bittet Euch zu sich, wenn Ihr mir folgen wollt. Laß den anderen Bruder ruhen, sagte sie, denn er ist sterbenskrank. Mut hat er, sonst wäre er auf diesen Füßen nicht so weit gekommen. Hier entlang, Bruder!«

Ihr Witwenhaus war in einer Ecke der Einfriedung errichtet worden, geschützt vor den schneidenden Winden, im Grunde klein, aber dennoch groß genug für die gelegentlichen Besuche auf dem Hof ihres Sohnes. Eine schmale Halle, eine Kammer und eine Küche waren dicht vor die Außenwand gebaut. Der Bursche schritt selbstbewußt durch die Halle, als sei er hier der Gebieter, und betrat den Raum seiner Herrin wie ein Sohn oder Bruder, vertrauend und als Vertrauter. Adelais de Clary wurde gut aber ohne Unterwürfigkeit bedient.

»Hier ist Bruder Cadfael aus Shrewsbury, Mylady. Der andere schläft.«

Adelais saß an einem Spinnrocken mit dunkelblauer Wolle und drehte die Spindel mit der linken Hand. Als die Männer eintraten, hörte sie mit ihrer Arbeit auf und klemmte die Spindel sorgfältig unter dem Fuß des Spinnrockens ein, damit sich das Garn nicht wieder abwickelte.

»Gut! Das soll er auch. Laß uns jetzt allein, Lothair. Unser Gast findet den Rückweg allein. Ist mein Sohn schon daheim?«

»Noch nicht. Ich werde nach ihm Ausschau halten.«

»Er hat Roscelin und die Hunde mitgenommen«, sagte sie. »Wenn sie alle daheim und versorgt sind, kannst du dich auch zur Ruhe begeben.«

Er nickte nur und ging schweigend und unaufdringlich hinaus. Ihr Wortwechsel hatte eine unerschütterliche Sicherheit verraten, fest gefügt und tragfähig wie Fels. Adelais begann erst zu sprechen, als ihr Diener den Raum verlassen und die Tür geschlossen hatte. Sie betrachtete Cadfael schweigend und aufmerksam und lächelte leicht.

»Ja«, sagte sie, als hätte er gefragt, »er ist mehr als ein alter Diener. Er war all die Jahre in Palästina bei meinem Mann. Mehr als einmal tat er Betrand den nicht kleinen Gefallen, ihm das Leben zu retten. Das ist eine ganz andere Art von Verbundenheit als die zwischen Herr und Diener. Ich habe geerbt, was mein Herr vor mir genießen konnte. Lothair heißt er, sein Sohn heißt Luc, sie stammen aus der gleichen Familie, Ihr habt die Ähnlichkeit ja gesehen.«

»Ich habe sie bemerkt«, sagte Cadfael, »und ich sah sofort, wo Lothair seine Kupferhaut bekommen hat.«

»Wirklich?« Sie musterte ihn jetzt mit stärkerem Interesse, machte sich zum erstenmal die Mühe, ihn wirklich zu betrachten.

»Ich verbrachte vor dem Eintritt ins Kloster selbst einige Jahre im Osten. Wenn er alt genug wird, verblaßt sein Braun wie das meine, aber es dauert sehr lange.«

»Ah! Also wurdet Ihr nicht schon als Kind zu den Mönchen gegeben. Ihr habt mir auch nicht unbedingt nach kindlicher Unschuld ausgesehen«, meinte Adelais.

»Ich trat aus freiem Willen ein«, sagte Cadfael, »als meine Zeit gekommen war.«

»Das tat Haluin auch – er trat aus eigenem Willen ein, selbst wenn ich glaube, daß es nicht die richtige Zeit war.« Sie machte eine unbestimmte Geste und seufzte. »Ich habe nur nach Euch schicken lassen, um zu fragen, ob Ihr alles habt und ob meine Männer sich, wie es sich gehört, um Euch gekümmert haben.«

»Ausgezeichnet haben sie uns versorgt, und wir sind Euch für Eure Freundlichkeit zu Dank verpflichtet.«

»Ich würde gern etwas über Haluin erfahren. Ich habe gesehen, in welch traurigem Zustand er sich befindet. Wird es ihm je wieder besser gehen?«

»Er wird nie wieder laufen können wie früher«, erklärte Cadfael, »aber wenn seine Sehnen mit der Zeit stärker werden, wird er es etwas leichter haben. Er glaubte, er müßte sterben, wir alle glaubten es, aber er überlebte und wird noch viel Gutes im Leben finden, sobald seine Seele ihren Frieden hat.«

»Wird dieser Friede nach der kommenden Nacht beginnen? Ist es das, was er braucht?«

»Ich glaube schon, ich glaube, so ist es.«

»Dann hat er meinen Segen. Und dann werdet Ihr mit ihm nach Shrewsbury zurückkehren? Ich kann Euch für den Rückweg Pferde geben. Lothair kann sie nach Hales holen, wenn wir zurückgekehrt sind.«

»Diese Freundlichkeit wird er sicher zurückweisen«, erklärte Cadfael. »Er hat geschworen, seinen Bußgang zu Fuß zu unternehmen.«

Sie nickte verständnisvoll. »Ich will ihn dennoch fragen. Nun, das war alles, Bruder. Wenn er nicht annimmt, dann kann ich nichts weiter tun. Doch halt, eines kann ich noch tun! Wenn ich heute abend zur Vesper gehe, will ich mit dem Priester sprechen und dafür sorgen, daß niemand seine Nachtwache stört oder ihm Fragen stellt. Ihr wißt ja, keine Menschenseele außer uns, die schon eingeweiht sind, soll etwas erfahren. Sagt es ihm noch einmal. Was nun noch bleibt, geht nur ihn selbst und Gott etwas an.«

Der Herr des Hauses ritt gerade zum Tor herein, als Cadfael zu der Hütte zurückkehrte, in der Haluin schlief. Das Klirren von Geschirr und Hufen und die Stimmen eilten der Kavalkade voraus, ein lebhaftes Geräusch, das die Burschen und Diener aufscheuchte wie einen Bienenschwarm. Sie hielten sich bereit, ihm aufzuwarten, und da kam er auch schon, Audemar de Clary, auf einem großen Braunen hereingeritten. Er war ein großer Mann, in schlichte, dunkle und schmucklose Reitkleider gehüllt.

Er brauchte keine Abzeichen, um seine Autorität zu unterstreichen. Er ritt mit unbedecktem Kopf, die Kapuze seines kurzen Mantels war auf die Schultern zurückgeworfen. Das volle Kraushaar war dunkel wie das seiner Mutter, die kräftigen Gesichtsknochen dagegen, die große Nase, die vorspringenden Wangenknochen und die hohe Stirn hatte er von seinem Kreuzfahrervater.

Er war, dachte Cadfael, bestimmt noch keine vierzig Jahre alt. Die kraftvollen Bewegungen, mit denen er abstieg, die federnden Schritte, die Gesten, mit denen er die Handschuhe abstreifte, all dies verriet seine Jugend. Doch sein beeindruckendes Gesicht, der Eifer, mit dem ihm alle dienten, die Effizienz seiner Regentschaft hier und die prompte, kundige Hilfe, die er erwartete und bekam, all dies ließ ihn älter scheinen, als er an Jahren war. Während der langen Abwesenheit seines Vaters, erinnerte Cadfael sich, war er hier der Herr gewesen. Schon früh, vermutlich vor seinem zwanzigsten Lebensjahr, hatte er diese Aufgabe übernommen, und die de Clarys hatten viele und weit verstreute Landgüter. Er hatte sein Geschäft gut gelernt. Kein Mann, dem man gern im Weg stehen wollte, aber niemand hier schien ihn zu fürchten. Fröhlich näherten sich ihm die Bediensteten und sprachen ihn ohne Furcht an. Sein Zorn, wenn er berechtigt war, mochte beängstigend und sogar gefährlich sein, aber er war zweifellos ein gerechter Mann.

Ein junger Mann, ein Page oder ein Knappe, ritt dicht an seiner Seite. Es war ein siebzehn- oder achtzehnjähriger Bursche mit frischem, von der Luft und der Anstrengung gerötetem Gesicht. Nach ihnen kamen zwei Treiber zu Fuß, die Jagdhunde an der Leine führten. Audemar gab einem Burschen, der herbeigerannt kam, seine Zügel, und stampfte mit den Stiefeln auf, während er dem jungen Mann auch seinen Mantel reichte. Nach wenigen Minuten war alles vorbei, die Pferde wurden über den Hof in die Ställe geführt, die Hunde wurden in ihren Zwingern untergebracht. Der junge Luc kam aus dem Ställen herbei und sprach mit Audemar, anscheinend überbrachte er ihm eine Nachricht von Adelais, denn Audemar blickte sofort zu den Gemächern der Dame, nickte verstehend und ging zu ihrer Türe hinüber. Unterwegs fiel sein Blick auf Cadfael, der diskret zur

Seite getreten war. Einen Moment hielt er inne, als wollte er stehenbleiben und mit Cadfael reden, doch dann überlegte er es sich anders und ging weiter zum Haus seiner Mutter.

Wenn man berücksichtigte, um welche Zeit Cadfael sie, die beiden Burschen und ihr Mädchen im Wald beobachtet hatte, mußte Adelais vor zwei Tagen hier angekommen sein. Sie hatten nicht zwischen Chenet und Elford übernachten müssen, weil sie die Distanz mit ihren Pferden mühelos an einem Tag bewältigen konnten. Deshalb hatte sie wahrscheinlich ihren Sohn schon einmal gesehen und gesprochen. Was sie ihm nun zu sagen hatte, nachdem er von seinem Ausritt zurückgekehrt war, mußte sich auf die Neuigkeiten beziehen, die erst an diesem Tag Elford erreicht hatten. Und was gab es Neues außer den beiden Mönchen aus Shrewsbury, die in der Kirche ihre Nachtwache halten wollten – ein Thema, das sie natürlich sehr diskret mit ihm besprechen mußte. Denn er war hier in Elford gewesen, als seine Schwester in Hales angeblich – auch für ihn? – an einem Fieber starb. Mehr hatte er wahrscheinlich nie darüber erfahren, ein trauriger Tod mit klarer Ursache, der auch junge Menschen treffen konnte. Nein, diese starke, entschlossene Frau hatte ihren Sohn sicher nicht eingeweiht. Eine alte, vertraute und verschwiegene Dienerin vielleicht. Sie hatte gewiß eine solche Dienerin gebraucht und auch gehabt, die heute vermutlich tot war. Aber ihr junger Sohn, nein, niemals.

Und wenn dem so war, dann war es kein Wunder, daß Adelais mit aller Vorsicht und möglichst elegant Haluin Gelegenheit zu seiner Buße gab und danach trachtete, ihn so rasch wie möglich wieder loszuwerden. Sie wollte allen Nachfragen, selbst vom Priester, aus dem Wege gehen und hatte ihnen sogar Pferde angeboten, nur damit sie schnell wieder verschwanden. Und sie hatte die beiden Pilger gebeten, mit niemand über die Vergangenheit zu sprechen und keinesfalls den Namen Bertrades fallenzulassen.

Allmählich, dachte Cadfael, beginne ich zu verstehen. Wo immer wir auftauchen, steht Adelais zwischen uns und allen anderen. Sie beherbergt uns, sie speist uns, sie schickt uns ihre treuesten Diener, die uns aufwarten, nicht etwa Helfer aus dem Haushalt ihres Sohnes. Der Name und das Ansehen meiner

Tochter sind ohne Makel, also laßt sie in Frieden unter dem Stein hier ruhen, hatte sie gesagt. Kein Wunder, daß sie dafür sorgen wollte, daß es auch so blieb, kein Wunder, daß sie in aller Eile nach Elford geritten war, um vor ihnen einzutreffen und bereit zu sein.

Wenn Haluin morgen früh dazu in der Lage ist, werden wir tatsächlich sofort aufbrechen, damit sie ihren Frieden findet. Wir können ein oder zwei Meilen entfernt Rast machen, wenn es nötig wird, aber wir müssen um jeden Preis diese Mauern hier verlassen, und dann kann sie Haluin vergessen und braucht ihn nie wiederzusehen.

Der junge Knappe war zurückgeblieben, als sein Herr zur Türe seiner Mutter hinüberging, Audemars Mantel über die Schultern geworfen, der bloße Kopf flachsblond vor dem dunklen Tuch. Er hatte noch das unschuldige, klare Gesicht der Jugend. In ein oder zwei Jahren würde der schlanke Bursche zu einem kräftigen, wohlgestalteten Mann heranwachsen, doch im Augenblick zeigte er noch die verletzliche Unsicherheit eines Knaben. Er sah Audemar überrascht und verwundert nach, starrte Cadfael mit unverhohlener Neugierde an und wandte sich schließlich langsam zu Audemars Haus um.

Das war also Roscelin, den Adelais erwähnt hatte, dachte Cadfael, während er ihm nachsah. Nach Aussehen und Hautfarbe kein Sohn des Hauses, aber auch kein Diener. Zweifellos der Sohn eines Pächters, zu seinem Herrn geschickt, um im Gebrauch der Waffen unterwiesen zu werden, um die Fertigkeiten und Dinge zu lernen, die man an einem kleinen Adelshof brauchte und um auf die große Welt vorbereitet zu werden. Solche Schüler gab es in jedem großen Anwesen, und so mochte es auch auf dem Gebiet der de Clarys ein oder zwei von dieser Sorte geben.

Schon früh am Abend wurde es kalt, und ein schneidender Wind erhob sich, der feine Eisnadeln mit sich brachte. Die Stunde der Vesper war fast gekommen, und Cadfael floh rasch vor der Kälte ins Haus. Bruder Haluin war bereits erwacht und wartete schweigend und gespannt auf die Stunde seiner Erfüllung.

Adelais hatte offensichtlich alles gründlich vorbereitet. Niemand störte sie in ihrer Abgeschiedenheit, niemand stellte Fragen, niemand begegnete ihnen mit Neugierde. Der junge Bursche Luc brachte ihnen vor der Vesper noch etwas zu essen, und nach dem Gottesdienst blieben sie allein in der Kirche zurück und konnten ihre Nachtwache beginnen. Es war zu bezweifeln, daß sich überhaupt jemand im Haus Gedanken über sie machte, denn man war hier an ganz unterschiedliche Besucher mit ebenso unterschiedlichen Bedürfnissen gewöhnt, und die Andacht zweier zufällig hereingeschneiter Benediktiner war beileibe keine Sensation. Wenn zwei Mönche aus der Abtei von St. Peter und St. Paul auf die Idee kamen, in einer Kirche von St. Peter eine Nacht im Gebet zu verbringen, dann war dies nichts Ungewöhnliches, und jedenfalls ging es niemand etwas an.

Also bekam Haluin seinen Willen und konnte sein Gelübde erfüllen. Er wollte keine weiche Unterlage auf dem Stein haben, er wollte keinen zusätzlichen Mantel, um die Kälte der Nacht abzuwehren, er wollte nichts annehmen, was die Härte seiner Buße gemildert hätte. Cadfael half ihm, sich unmittelbar vor dem Grab auf die Knie niederzulassen. Falls er schwach oder benommen wurde, konnte er sich wenigstens am Stein festhalten und seinen Sturz abfangen. Die Krücken wurden am Fußende des Steins abgelegt. Haluin ließ nicht zu, daß sonst noch irgend etwas für ihn getan wurde. Cadfael kniete sich neben ihn, ein wenig abseits im Schatten, um ihn mit seiner toten Bertrade und einem Gott allein zu lassen, der ihm zweifellos ein wohlwollendes Ohr schenken würde.

Es war eine lange, kalte Nacht. Die Altarlampe war wie ein helles Auge im Dunkel, ein kleines, rotes Feuer, das jedoch keine Wärme spendete. Die Stille schleppte sich Stunde um Stunde dahin, ab und zu durch winzige Geräusche unterbrochen, wenn Haluin schwer atmete oder seine Gebete flüsterte, doch waren diese Bewegungen eher zu spüren als wirklich mit den Ohren zu hören. Aus einer unerschöpflichen Quelle in seinem Innern drang ein unablässiger Strom von Worten hervor, die im Gedenken an seine tote Bertrade gesagt werden wollten. Spannung und Leidenschaft hielten ihn aufrecht und ließen ihn zunächst die Schmerzen vergessen. Schon vor Mitternacht aber wurden die

Schmerzen stärker und hielten ihn in ihrem Bann, bis seine Meditation und sein Opfergang am Morgen im ersten Tageslicht beendet waren.

Als er endlich dem frostigen Morgen die Augen öffnete und mühsam die kalten, verkrampften Hände voneinander löste, waren draußen schon die üblichen frühen Geräusche eines Landgutes zu hören. Haluin starrte benommen in den erwachenden Tag hinaus und kehrte allmählich von einem weit entfernten Ort tief in ihm selbst in die Welt zurück. Er wollte sich bewegen, wollte die Kante des Steins fassen, doch seine Finger waren taub und gefühllos und seine Arme so steif, daß sie ihm beim Aufstehen keine Hilfe waren. Cadfael legte einen Arm um ihn und wollte seinem Bruder helfen, aber Haluin konnte die steifen Knie nicht bewegen und vermochte nicht den besseren Fuß auf den Boden zu stemmen. Wie ein totes Gewicht hing er in Cadfaels Armen. Doch plötzlich waren leichte Schritte zu hören, ein weiterer Arm, jung und kräftig, legte sich von der anderen Seite um den hilflosen Körper, und neben Haluins Schultern tauchte ein heller Schopf auf. Von beiden Seiten gestützt, kam Haluin auf die Beine und wurde aufrecht gehalten, bis das Blut schmerzhaft in seine tauben Beine geströmt war.

»In Gottes Namen, Mann«, sagte der junge Roscelin ungeduldig, »müßt Ihr denn wirklich so hart mit Euch sein, wo Ihr doch schon mehr zu tragen habt als mancher andere?«

Haluin war zu erschrocken und innerlich noch zu entrückt, um zu begreifen, was ihm da gesagt wurde, ganz zu schweigen davon, eine Antwort zu geben. Und auch wenn Cadfael dem jungen Mann innerlich zustimmen mußte, sagte er laut: »Haltet ihn nur gut fest, während ich seine Krücken hole. Gott sei Dank, daß Ihr im rechten Augenblick gekommen seid, aber scheltet ihn nicht, Ihr würdet nur Euren Atem verschwenden. Er hat ein Gelübde abgelegt.«

»Ein närrisches Gelübde!« sagte der Junge mit der Hoffart der Jugend. »Wem ist damit gedient?« Trotz der Mißbilligung hielt er Haluin freundlich fest und warf ihm einen schrägen Blick zu, der zugleich ängstlich und verzweifelt schien.

»Ihm selbst«, gab Cadfael zurück, während er die Krücken in Haluins Achselhöhlen schob und die kalten Hände zu massieren begann, die immer noch nicht zupacken konnten. »Kaum zu glauben, aber Ihr müßt es respektieren. So, jetzt kann er sich auf die Krücken stützen, aber Ihr müßt ihn noch halten. Seid froh über Eure jungen Jahre, Ihr könnt ruhig schlafen, Ihr habt nichts zu bedauern und nichts, wofür Ihr um Vergebung bitten müßtet. Wie kommt es überhaupt, daß Ihr im richtigen Augenblick an Ort und Stelle wart?« fragte er, indem er den jungen Mann interessiert und eingehend musterte. »Wurdet Ihr geschickt?«

Unwahrscheinlich, denn Adelais würde kaum einen so jungen, offenen und unschuldigen Helfer benutzen, um sich ihrer unwillkommenen Gäste möglichst schnell zu entledigen.

»Nein«, sagte Roscelin kurz angebunden, fügte dann aber etwas freundlicher hinzu: »Ich war einfach neugierig.«

»Das ist menschlich und verständlich«, gab Cadfael zu, der sich diese Sünde auch selbst oft zuschulden kommen ließ.

»Heute morgen hatte Audemar für mich nichts weiter zu tun, er unterhält sich mit seinem Verwalter. Sollten wir Euren Mitbruder nicht in Eure Gemächer bringen, wo er es wärmer hat? Aber wie? Wenn wir ihn hinaufbekommen, kann ich ein Pferd besorgen.«

Haluin war inzwischen von seinem entfernten Ort zurückgekehrt. Behandelt, als hätte er keinen eigenen Willen und sei sich seiner Umgebung nicht bewußt, setzte er sich nun instinktiv gegen diese Demütigung zur Wehr. »Nein«, sagte er. »Ich danke Euch, aber ich kann jetzt gehen. Ich will Eure Freundlichkeit nicht weiter in Anspruch nehmen.« Er beugte die Hände, packte die Griffe der Krücken und machte die ersten vorsichtigen Schritte zum Ausgang.

Sie hielten sich dicht an seiner Seite, falls er stürzte. Roscelin ging als erster die flachen Stufen hinauf, um ihm hinaufzuhelfen, Cadfael ging dicht hinter ihm, um ihn aufzufangen, falls er rückwärts fiele. Doch Haluin war von neuer Willenskraft erfüllt, nachdem er sein Vorhaben erfolgreich abgeschlossen hatte, und er schien fest entschlossen, diesen Gang allein zu tun, wie hoch der Preis auch wäre. Außerdem hatten sie keine Eile. Wann immer er wollte, konnte er auf seinen Krücken ausruhen und Atem holen, und genau dies tat er dreimal, bis sie Audemars Hof erreichten, auf dem schon viele Menschen zwischen Bäckerei und Ställen und Brunnen unterwegs waren. Es sprach sehr für die Klugheit und den Charakter des jungen Roscelin, daß er die Pausen, die Haluin einlegte, ohne Kommentar oder Ungeduld hinnahm und erst dann seine Hand zur Hilfe reichte, wenn er darum gebeten wurde. So erreichte Haluin, wie er es gewünscht hatte, auf seinen eigenen, mißgestalteten Füßen die Unterkunft, die man ihnen in Audemars Hof zugewiesen hatte, und konnte sich mit dem Gefühl ins Bett legen, erreicht zu haben, was er erreichen wollte.

Roscelin folgte ihnen, immer noch neugierig, und hatte es nicht eilig, sich seinen sonstigen Pflichten zuzuwenden. »Ist das nun alles?« fragt er, als Haluin seine noch tauben Glieder dankbar auf dem Bett ausstreckte und von Cadfael zugedeckt wurde. »Wohin geht Ihr, wenn Ihr uns verlaßt? Und wann wollt Ihr aufbrechen? Doch nicht etwa heute noch?«

»Wir müssen nach Shrewsbury zurück«, erklärte Cadfael, »aber heute wohl nicht mehr. Es wäre sicher klug, einen Tag auszuruhen.« Haluins müdes, entspanntes Gesicht und der weiche, nach innen gekehrte Blick sagte ihm, daß sein Gefährte bald einschlafen würde, und es würde der ruhigste und verdienteste Schlaf seit seiner Beichte werden.

»Ich sah Euch gestern mit Eurem Herrn Audemar hereinreiten«, fuhr Cadfael fort, während er das junge Gesicht betrachtete. »Die Herrin erwähnte übrigens Euren Namen. Seid Ihr mit den de Clarys verwandt?«

Der Junge schüttelte den Kopf. »Nein. Mein Vater ist Pächter und Vasall, sie sind schon lange gute Freunde, und vor einiger Zeit gab es auch eine eheliche Verbindung. Nein, ich kam auf Befehl meines Vaters in Audemars Dienste.«

»Aber nicht auf eigenen Wunsch«, sagte Cadfael, der den Widerwillen des Jungen spürte.

»Nein! Sogar gegen meinen Wunsch!« sagte Roscelin heftig. Er starrte düster auf die Dielenbretter zwischen seinen Stiefeln.

»Allem Anschein nach ist er aber ein so guter Herr, wie man ihn sich nur wünschen kann«, wandte Cadfael freundlich ein. »Sicher besser als die meisten anderen.«

»Das ist er«, räumte der Junge gerechterweise ein. »Über *ihn* kann ich mich nicht beklagen. Aber ich bin zornig, weil mein Vater mich herschickte, um mich aus dem Haus zu bekommen, und das ist die Wahrheit.«

»Warum nur«, wunderte sich Cadfael, seine Neugierde zeigend, ohne eine direkte Frage zu stellen, »sollte ein Vater auf die Idee kommen, Euch loswerden zu wollen?« Immerhin war der Junge ein sehr ansehnlicher Sohn, aufrecht, gut gebaut, gut erzogen und gewinnend mit seinem schönen Haar und seinem glatten Gesicht. Ein Sohn, den jeder Vater gern vor Freunden hergezeigt hätte. Selbst so düster, wie es jetzt war, wirkte sein Gesicht noch angenehm. Aber es war klar, daß der Junge in seinem Dienst keine Freude fand.

»Er hat seine Gründe«, erwiderte Roscelin traurig. »Gute Gründe, würdet Ihr sogar sagen, das weiß ich. Und ich bin ihm nicht so entfremdet, daß ich ihm den gebührenden Gehorsam verweigern könnte. Also bin ich hier und muß bleiben, bis mein Herr und mein Vater mir erlauben, meinen Abschied zu nehmen. Ich bin nicht so dumm, daß ich nicht wüßte, ich könnte es schlimmer treffen. Also mache ich das Beste daraus, während ich hier bin.«

Anscheinend wandte sich sein Geist nun anderen, ernsteren Dingen zu, denn er schwieg eine Weile und starrte mit gerunzelter Stirn seine gefalteten Hände an. Dann blickte er auf, sah Cadfael offen ins Auge und betrachtete die schwarze Kutte und die Tonsur.

»Bruder«, sagte er plötzlich, »ich habe mir hin und wieder Gedanken über das Leben der Mönche gemacht. Manche Männer nahmen dieses Leben doch auf sich, weil sie das, was ihnen am wichtigsten war, nicht bekommen konnten, weil es ihnen verboten war. Ist das wahr? Kann es ein Leben sein, wenn... wenn das Leben einen Mann verstößt?«

»Ja«, sagte Bruder Haluin, leise aber vernehmlich in seinem Halbschlaf, der schon fast in einen Traum übergegangen war. »Ja, das ist möglich.«

»Ich würde allerdings nicht empfehlen, dieses Leben als zweitbeste Lösung zu wählen«, widersprach Cadfael energisch. Doch genau dies hatte Haluin vor langer Zeit getan, und er sprach, als teilte er eine Offenbarung mit, als hätte sich sein inneres Auge genau in dem Augenblick, in dem es schwer vor Schlaf war, weit geöffnet.

»Die Zeit kann lang werden, der Preis ist manchmal hoch«, fuhr Haluin sanft aber bestimmt fort, »aber am Ende ist es dann mehr als das Zweitbeste.«

Er holte tief Luft, atmete mit einem langen und befreienden Seufzen aus und wandte auf seinem Kissen den Kopf von ihnen ab. Sie waren zweifelnd und verwundert so auf ihn konzentriert, daß sie die leichten, schnellen Schritte draußen überhört hatten. Als nun die Türe weit geöffnet wurde, fuhren sie überrascht herum. Lothair kam mit einem Korb Essen und einem Krug Dünnbier für die Gäste. Als er Roscelin gemütlich auf Cadfaels Bett und anscheinend auf gutem Fuße mit den Brüdern vorfand, spannte sich das wettergegerbte Gesicht des Burschen sichtlich, fast unheildrohend, und einen Moment war in seinen hellen Augen ein Funke zu sehen.

»Was tut Ihr hier?« fragte er mit der Direktheit eines Ebenbürtigen und der sicheren Autorität des Älteren. »Master Roger sucht nach Euch, und mein Herr braucht Euch sofort nach dem Frühstück. Geht am besten sofort, und zwar schnell.«

Man konnte nicht behaupten, daß Roscelin über diese Neuigkeit besonders beunruhigt gewesen wäre oder Einwände gegen die Art und Weise erhob, auf die sie vorgetragen wurden. Die Selbstsicherheit des Mannes schien ihn eher zu amüsieren. Er stand dennoch sofort auf, sagte Lebewohl, nickte und ging gehorsam aber ohne Hast an seine Pflichten. Lothair stand mit zusammengekniffenen Augen in der Tür und sah ihm nach. Erst als der Junge die Treppe vor dem Haupthaus erreicht hatte, kam er mit seiner Last ganz herein.

Unser Wachhund, dachte Cadfael, hat Befehl, alle abzuweisen, die uns zu nahe kommen, aber mit dem jungen Roscelin hatte er wohl nicht gerechnet. Welchen Grund, grübelte er, mochte es dafür geben, daß er gerade diese Begegnung so empörend fand? Denn dies war der erste Funke, den ich aus seinem Stahl geschlagen sah.

6

Adelais erwies ihren Gästen nach der Messe die Gunst eines persönlichen Besuchs und erkundigte sich mitfühlend nach ihrer Gesundheit und ihrem Wohlbefinden. Gut möglich, überlegte Cadfael, daß Lothair das ebenso unschuldige wie unerwünschte Eindringen des jungen Roscelin in eine Sphäre gemeldet hatte, die sie eindeutig als ihre private verstanden wissen wollte. Sie erschien, ihr Gebetbuch in der Hand, allein in der Türe ihrer kleinen Kammer, nachdem sie ihr Mädchen schon ins Witwenhaus vorausgeschickt hatte. Haluin war schon wach und machte Anstalten, sich zur Begrüßung artig von seiner Matratze zu erheben. Er wollte nach seinen Krücken langen, doch sie unterbrach ihn mit einem raschen Winken.

»Bleibt nur liegen! Zwischen uns sind keine Förmlichkeiten nötig. Wie geht es Euch jetzt – da Ihr Euren Schwur erfüllt habt? Ich hoffe doch, Ihr habt die ersehnte Gnade gefunden und könnt in Frieden in Euer Kloster zurückkehren. Ich wünsche Euch diese Gnade – und eine leichte Reise und sichere Ankunft.«

Und vor allem, dachte Cadfael, einen unverzüglichen Aufbruch. Man kann es ihr nicht verdenken, das will ich ja auch, und Haluin empfindet wohl ähnlich. Sauber und ordentlich hatte er seine Reise beendet, kein weiterer Schaden war angerichtet worden, man hat sich gegenseitig verziehen und sich ausgesprochen, und nun wird man schweigen.

»Ihr habt die Nacht nicht geruht«, sagte sie, »und Ihr habt einen langen Rückweg bis nach Shrewsbury vor Euch. Meine Küche wird Euch Wegzehrung für die ersten paar Etappen mitgeben. Aber ich glaube, Ihr solltet auch Pferde nehmen. Bruder Cadfael habe ich es bereits gesagt. Wir können hier einige Pferde erübrigen, und ich kann einen Burschen aus Hales schikken und sie holen lassen, wenn ich zurück bin. Ihr solltet nicht versuchen, den ganzen Rückweg zu Fuß zu gehen.«

»Für das Angebot und Eure Freundlichkeit sind wir Euch dankbar«, erwiderte Haluin hastig und protestierend. »Aber die

Pferde kann ich nicht annehmen. Ich schwor, zu Fuß zu gehen und zurückzukehren, und ich muß halten, was ich gelobte. Es ist auch eine Frage des Glaubens daran, daß ich hernach für Gott und die Menschen doch nicht zu verkrüppelt und nutzlos bin und nichts mehr geben könnte. Ihr wollt doch nicht, daß ich beschämt und wortbrüchig heimkehre.«

Sie schüttelte angesichts seines Starrsinns resigniert den Kopf. »Euer Gefährte hier warnte mich bereits, daß Ihr auf diese Weise antworten würdet, aber ich hoffte, Ihr wärt vernünftigen Einwänden zugänglich. Sicherlich habt Ihr auch gelobt, so bald wie möglich zu Euren Pflichten in der Abtei zurückzukehren. Hat das kein Gewicht? Wenn Ihr darauf besteht, zu Fuß zu gehen, könnt Ihr frühestens morgen aufbrechen, nachdem Ihr die Nacht auf den harten Steinen verbracht habt.«

Für Haluin klang dies zweifellos wie echte Anteilnahme und eine Einladung zu bleiben, bis er erholt war. Cadfael hörte jedoch den leisen Unterton der Entlassung.

»Ich habe nie geglaubt, daß es leicht wäre zu tun, was ich geschworen habe. Das sollte es auch nicht sein. Der Sinn, wenn es überhaupt einen hat, ist es, die Mühen zu ertragen und zu büßen. Und das kann und will ich tun. Ihr habt recht, ich bin es meinem Abt und den Brüdern schuldig, so bald wie möglich zu meinen Pflichten zurückzukehren, und deshalb müssen wir heute schon aufbrechen. Wenn es noch einige Stunden Tageslicht gibt, dann dürfen wir sie nicht verschwenden.«

Um ihr Gerechtigkeit widerfahren zu lassen, muß man einräumen, daß sie angesichts einer so raschen Erfüllung eines Wunsches, den sie nicht einmal offen vorgetragen hatte, erschrocken zurückfuhr. Sie drängte ihn, wenn auch ohne Wärme, sich noch etwas Ruhe zu gönnen, gab sich schließlich aber dem störrischen Haluin geschlagen. Die Dinge waren verlaufen, wie sie es gewünscht hatte, und nun konnte sie sich im letzten Augenblick einen Anflug von Mitleid und Bedauern erlauben.

»Dann soll es sein, wie Ihr es haben wollt«, sagte sie. »Also gut. Luc wird Euch Essen und Trinken bringen, bevor Ihr geht, und Euren Ranzen füllen. Ich scheide in gutem Willen von Euch, und für heute und alle Zeit wünsche ich Euch alles Gute.«

Als sie fort war, blieb Haluin eine Weile schweigend sitzen. Er schauderte ein wenig, als ihm bewußt wurde, wie endgültig dieser Abschied gewesen war. So hatte er es sich erhofft, und dennoch war er erschüttert.

»Ich habe es Euch unnötig schwer gemacht«, sagte er traurig. »Ihr müßt so müde sein wie ich, und ich habe für uns beide entschieden, daß wir jetzt gleich ohne Schlaf aufbrechen. Sie wollte uns loswerden, und ich für meinen Teil wünsche von Herzen, so schnell wie möglich zu gehen. Je eher die Bande zertrennt werden, desto besser für uns alle.«

»Es war recht so«, erwiderte Cadfael. »Wir brauchen ja nicht weit zu gehen, wenn wir erst hier heraus sind, denn Ihr seid nicht in der Verfassung, weit zu wandern. Aber mehr als herauskommen ist für den Augenblick auch nicht nötig.«

Am Nachmittag traten sie durch Audemar de Clarys Tore hinaus unter einen Himmel, der schwer von grauen Wolken war, und wandten sich auf dem Weg, der durch Elford führte, nach Westen. Ein kalter, beißender Wind blies ihnen in die Gesichter. Es war vorbei. Von nun an kamen sie mit jedem Schritt der Normalität und Sicherheit näher, dem Stundenplan des mönchischen Lebens und dem gesegneten Tagesablauf von Arbeit, Andacht und Gebet.

Auf der Hauptstraße drehte Cadfael sich einmal um und sah die beiden Burschen im Tor stehen, die den scheidenden Gästen nachblickten. Zwei kräftige, stämmige Gestalten waren es, schweigsam und nicht voneinander zu unterscheiden, die mit ihren hellen, harten Normannenaugen den Störenfrieden nachsahen. Sie wollten sichergehen, dachte Cadfael, daß die Unruhe, die wir ihrer Herrin bereitet haben, mit uns zieht und kein Schatten zurückbleibt.

Sie sahen sich nicht noch einmal um. Es kam jetzt darauf an, mindestens eine trennende Meile zwischen sich und das Witwenhaus von Elford zu bringen. Danach konnten sie sich beizeiten nach einem Nachtlager umsehen, denn trotz seiner Entschlossenheit war klar, daß der ausgemergelte und vor Erschöpfung graue Haluin nicht weit laufen konnte, ohne einen Zusammenbruch zu riskieren. Sein Gesicht war zusammengekniffen, er ging gleichmäßig aber schwer auf seinen Krücken, die Augen waren geweitet und lagen dunkel in tiefen Höhlen. Es war zu bezweifeln, daß er den Frieden genoß, den er an Bertrades Grab hätte finden sollen, aber vielleicht war es auch nicht Bertrade, die ihn heimsuchte.

»Ich werde sie nie wiedersehen«, sagte Haluin eher zu Gott, zu sich selbst und zur aufziehenden Dämmerung als zu Cadfael. Es war schwer zu erkennen, ob es Erleichterung oder das Bedauern war, doch noch etwas unbeendet zurückzulassen.

Der erste Schnee des unberechenbaren Märzwetters platzte mit einemmal aus dem niedrigen Himmel, als sie noch etwa zwei Meilen von Elford entfernt waren. Eine Spur Frost lag noch in der Luft und es würde kein starker oder ausgedehnter Schneefall werden, doch während er andauerte, kamen die Flocken dick und blendend herunter, stachen ihnen in die Gesichter und ließen den Weg vor ihren Augen verschwimmen. Die vorzeitige Dämmerung senkte sich fast auf einen Schlag, und eine trübe Dunkelheit entstand, in der wirbelnde Wolken weißer Flocken um sie tanzten und die wenigen Landmarken verschleierten, die es auf diesem offenen, dem Wind ausgelieferten und baumlosen Wegstück gab.

Haluin begann zu stolpern, denn der Wind wehte ihm die Schneeflocken in die Augen, doch er hatte keine Hand frei und konnte nicht die Falten seiner Kapuze vor dem Gesicht zusammenraffen, um sich zu schützen. Zweimal setzte er die Krücke neben den ausgetretenen Weg und wäre beinahe gestürzt. Cadfael blieb stehen und hielt sich dicht vor ihm, den Rücken in den Wind gekehrt, damit sein Gefährte Atem schöpfen konnte und einige Augenblicke geschützt war, während er überlegte, wo sie waren und an welche Punkte in der Landschaft er sich noch von der Herreise erinnern konnte. Jedes Gebäude, so bescheiden es auch sei, wäre ihnen willkommen gewesen, bis der Schneefall vorbei war. Irgendwo in der Nähe, überlegte er, mußte ein Seitenweg nach Norden abzweigen und zu einer Gruppe kleiner Häuser führen, in deren Nähe er den langen Zaun eines Anwesens gesehen hatte. Dort war der einzige Schutz, den sie auf diesem Abschnitt der Straße finden konnten.

Seine Erinnerung trog ihn nicht. Er ging vorsichtig voran,

Haluin dicht hinter sich, und erreichte schließlich einen kleinen Hain aus Büschen und niedrigen Bäumen, die ihm in dieser kaum von Bäumen bestandenen Ebene gut im Gedächtnis geblieben waren. Ein Stück hinter dem Gebüsch zweigte tatsächlich der Weg ab. Durch den wirbelnden Schnee konnte er hin und wieder sogar eine flackernde Fackel erkennen, die ihm den kürzesten Weg zu den Gebäuden wies. Wenn der Hausherr späten Reisenden mit einem Leuchtturm half, konnten sie mit einer warmen Begrüßung rechnen.

Sie brauchten länger, als Cadfael vermutet hatte, um den Weiler zu erreichen, denn Haluin humpelte schwer und kam nur noch langsam voran. Cadfael blieb immer wieder stehen, um ihn nicht zurückzulassen. Hier und dort erhoben sich links und rechts einsame Bäume aus dem wirbelnden Weiß, die ebenso schnell wieder verschluckt wurden. Die Schneeflocken waren größer und feuchter geworden, ein Anzeichen, daß der Frost nachließ. Dieser Schnee würde nicht einmal bis zum Morgen liegenbleiben. Die Wolken über ihnen wurden vom aufkommenden Wind aufgebrochen und zerfetzt, hier und dort lugten sogar schon Sterne hervor.

Die Fackel war, hinter dem Zaun des Anwesens verborgen, nicht mehr zu sehen. Nun erhob sich vor ihnen ein massiver, hölzerner Torpfosten aus der Dunkelheit. Links von ihm erstreckte sich der hohe Zaun, rechts war das offene Tor, und plötzlich konnten sie auch die Fackel wieder sehen. Jenseits eines großen Hofes steckte sie in einem Wandhalter unter der Traufe und beleuchtete die Treppe, die zur Tür der Halle hinaufführte. Rings um den Zaun standen die üblichen Gebäude der Dienstboten. Cadfael kündigte ihre Ankunft mit einem kurzen Ruf an, und sofort kam ein Mann aus einer Stalltür durch den Schnee herbeigestapft, der im Gehen andere zu sich rief. Über der Treppe öffnete sich die Tür der Halle und gab den Blick auf ein willkommenes Kaminfeuer frei.

Cadfael führte Haluin am Arm durch das offene Tor, und ein zweiter bereitwilliger Arm faßte ihn von der anderen Seite um die Hüfte und hob ihn beinahe mit Gewalt in den schützenden Hof. Eine laute Stimme war durch den Schnee zu vernehmen: »Brüder, Ihr habt Euch eine schlimme Nacht für Eure Reise ausgesucht. Aber kommt nur, Eure Sorgen sind vorbei. Euch steht unser Tor stets offen.«

Inzwischen strömten noch andere herbei, um die späten Reisenden ins Haus zu geleiten. Ein junger Bursche kam, einen Sack als Kapuze über Kopf und Schultern gezogen, aus dem Gewölbe herauf, ein bärtiger und besser gekleideter älterer Mann kam halb die Treppe herunter, um sie zu begrüßen. Haluin wurde die Treppen zur Halle mehr hinaufgehoben, als daß er selbst lief, und unterdessen eilte der Herr des Hauses aus seiner Kammer herbei, um die unerwarteten Gäste zu begrüßen.

Es war ein schöner Mann mit langen Gliedern und wenig Fleisch auf den Knochen. Sein kurzer, sauber getrimmter Bart hatte die Farbe von Weizenstroh, und auf dem Kopf trug er eine dicke Haarkappe von derselben Farbe. Ende der Dreißig mußte er sein, dachte Cadfael, während er das offene, rötliche Gesicht musterte, in dem die blauen Sachsenaugen hell, offen und etwas besorgt funkelten.

»Kommt herein, Brüder! Daß Ihr uns gefunden habt! Hier, bringt ihn hierher, nahe ans Feuer.« Er hatte nicht nur die Benediktinerkutten sofort gesehen, in deren Falten sich Schneeflocken gesammelt hatten, sondern auch die verkrüppelten Füße und das vor Erschöpfung graue Gesicht des jüngeren Besuchers. Als der Schnee nun abgeschüttelt wurde, flogen die Flocken zischend ins gleichmäßig brennende Herdfeuer in der Mitte der Halle. »Edgytha, lasse in der hinteren Kammer Betten bereiten und sage Edwin, er soll noch etwas Wein erwärmen.«

Seine Stimme war laut, tröstlich und warm. Ohne Eile schickte er seine Diener hierhin und dorthin, damit die Gäste bedient wurden, und sorgte selbst dafür, daß Haluin auf einer Bank an der Wand zu sitzen kam, wo die Wärme des Feuers ihn erreichen konnte.

»Euer junger Bruder ist in traurigem Zustand«, sagte der Gastgeber etwas abseits zu Cadfael. »Und daß er so weit von daheim reisen muß. Hier gibt es keine anderen Eures Ordens, abgesehen von den Schwestern in Farewell, wo der Bischof unlängst ein Kloster gründete. Aus welchem Haus kommt Ihr?«

»Aus Shrewsbury«, erklärte Cadfael, während er Haluins Krücken an die Bank lehnte, damit dieser sie erreichen konnte,

wenn er sie brauchte. Haluin hatte sich mit geschlossenen Augen
zurückgelehnt, und seine grauen Wangen bekamen in der behag-
lichen Wärme allmählich wieder Farbe.

»Von so weit her? Konnte der Abt nicht einen gesunden Mann
auf diesen Botengang schicken, wenn er schon in einer anderen
Grafschaft etwas zu erledigen hatte?«

»Haluin ging aus eigenem Antrieb«, sagte Cadfael. »Kein
anderer außer ihm hätte es tun können. Nun ist es aber getan,
und wir sind auf dem Heimweg, den wir in kleinen Etappen
hinter uns bringen wollen. Immer dank der Hilfe gastfreundlicher Menschen wie Euch. Darf ich fragen, wo wir hier sind? Wir
kennen uns hier nicht aus.«

»Mein Name ist Cenred Vivers. Ich nahm den Namen nach
dem Landgut an. Euer Bruder da heißt Haluin, sagt Ihr? Und
wie ist Euer Name?«

»Mein Name ist Cadfael. Als Waliser geboren und an der
Grenze mit einem Fuß auf jeder Seite aufgewachsen. Ich bin jetzt
seit mehr als zwanzig Jahren Bruder in Shrewsbury. Meine
Aufgabe auf dieser Reise ist es einfach, Haluin Gesellschaft zu
leisten und dafür zu sorgen, daß er sicher dorthin kam, wo er
hinwollte, und ebenso sicher wieder zurück.«

»Keine leichte Aufgabe«, erklärte Cenred mit leiser Stimme,
während er traurig Haluins verformten Fuß betrachtete, »bei
seinem Zustand. Aber wenn Euer Werk getan ist und Ihr nun auf
dem Heimweg seid, dann werdet Ihr es gewiß schaffen. Wie hat
er sich diese Verletzungen zugezogen?«

»Er stürzte vom Dach. Wir mußten mitten im Winter vor
Weihnachten das Dach flicken, und die Schieferplatten, die ihm
hinterherfielen, schnitten seine Füße in Fetzen. Wir sind froh,
daß er es überlebt hat.«

Sie sprachen leise und ein wenig abseits über ihn, doch er lag
zurückgelehnt und entspannt, als wäre er eingeschlafen. Die
Augen hatte er geschlossen, die langen dunklen Wimpern warfen
kleine Schatten auf seine eingefallenen Wangen. Die Halle hatte
sich mittlerweile wieder geleert, die Aktivitäten hatten sich in
andere Räume verlagert, denn die Diener waren mit Kissen und
Decken und mit dem Essen für die Gäste in der Küche beschäftigt.

»Sie lassen sich Zeit mit dem Wein«, bemerkte Cenred. »Ihr braucht beide etwas Warmes zu trinken. Wenn Ihr mich entschuldigen wollt, Bruder, will ich nachsehen und dafür sorgen, daß man sich in der Küche etwas beeilt.«

Damit ging er hinaus, und im Luftzug, als er vorüberging, begannen Haluins geschlossene Lider zu beben. Einen Moment später schlug er die Augen auf und sah sich langsam und benommen um. Er betrachtete die warme, halbdunkle Halle mit der hohen Decke, das Glühen des Feuers, die schweren Vorhänge, die zwei Alkoven vom allgemein zugänglichen Bereich abtrennten, und die halb geöffnete Tür der Kammer, aus der Cenred getreten war. Drinnen war der bleiche, gleichmäßige Schein einer Kerze zu sehen.

»Habe ich geträumt?« wunderte Haluin sich mit großen Augen. »Wie sind wir hergekommen? Wo sind wir hier?«

»Keine Sorge«, sagte Cadfael, »gekommen seid Ihr auf Euren beiden Füßen, nur ein hilfreicher Arm hat Euch die Treppen des Hauses hinaufgeholfen. Vivers heißt das Anwesen, und der Herr heißt Cenred. Wir sind in gute Hände geraten.«

Haluin holte tief Luft. »Ich bin doch nicht so stark, wie ich glaube«, sagte er traurig.

»Das spielt keine Rolle, Ihr könnt jetzt ruhen. Wir haben Elford verlassen.«

Sie sprachen mit gedämpfter Stimme, ein wenig eingeschüchtert von der tiefen Stille, die trotz der Geschäftigkeit im Haus hier vorherrschte. Als beide zu sprechen aufhörten, schien die Stille fast erwartungsvoll. Bald darauf trat eine Frau in die Tür der halb geöffneten Kammer und öffnete sie ganz, bis das Kerzenlicht bleich und golden hindurchfiel. Einen Moment war sie als Schattenriß vor dem weichen Licht zu sehen, eine schlanke, aufrechte Gestalt, reif und würdevoll in ihren Bewegungen, sicher die Herrin des Hauses und Cenreds Frau. Mit zwei, drei leichten, raschen Schritten trat sie mitten in die Halle, und das Licht einer Kerze vertrieb die Schatten aus ihrem Gesicht, gab ihm Konturen und schälte aus dem Halbdunkel eine ganz andere Person heraus. Alles hatte sich verändert. Keine anmutige Schloßherrin von über dreißig Jahren war es, sondern ein rundliches Mädchen mit frischem Gesicht, höchstens siebzehn oder achtzehn Jahre alt, mit einer hohen Stirn, weiß und glatt wie Perlmutt, über zwei weit aufgerissenen Augen.

Haluin gab ein seltsames, weiches Geräusch von sich, halb Keuchen und halb Seufzen, packte seine Krücken und hob sich auf die Füße, um die plötzlich hell erleuchtete Erscheinung anzustarren. Das Mädchen, das sich unerwartet Fremden gegenübersah, zog sich, den Blick unverwandt auf die Gäste gerichtet, ein wenig zurück. Einen Moment verharrte sie stumm und reglos, dann fuhr sie herum und verschwand in der Kammer, die Türe fast verstohlen hinter sich zuziehend.

Jegliche Kraft wich aus Haluins Händen. Sie baumelten schlaff herab, die Krücken glitten aus und fielen aus seinen Achselhöhlen. Er ging langsam zu Boden, sackte in sich zusammen und blieb bewußtlos auf dem Binsenteppich liegen.

Sie trugen ihn ins Bett, das man ihm in einer stillen Kammer, ein Stück von der Halle entfernt, bereitet hatte, und legten den immer noch tief Bewußtlosen zur Ruhe.

»Es ist die Erschöpfung«, beruhigte Cadfael den besorgten Cenred. »Ich wußte, daß er sich zu hart antrieb, aber damit ist es nun vorbei. Von nun an können wir uns Zeit lassen. Er soll die Nacht über schlafen, und morgen wird es ihm besser gehen. Seht doch, er kommt zu sich. Er öffnet die Augen.«

Haluin regte sich, die Augenlider zitterten, bevor sie sich hoben und die dunklen, wach blickenden Augen freigaben. Er sah den Kreis besorgter Gesichter an, war sich seiner Umgebung bewußt und wußte noch, was ihm geschehen war, bevor man ihn ins Bett getragen hatte. Die ersten Worte, die er sprach, waren eine schwache Entschuldigung, weil er ihnen solche Mühen gemacht habe, und ein Dank für die Sorge.

»Meine Schuld!« sagte er. »Es war überheblich, mich zu übernehmen. Aber jetzt ist alles gut. Alles ist gut.«

Da er jetzt vor allem zur Ruhe kommen mußte, ließ man sie allein, damit sie sich in ihrer kleinen Kammer bequem einrichten konnten. Der bärtige Verwalter brachte ihnen heißen, gewürzten Wein und schickte ihnen die alte Frau Edgytha herein, die ihnen Wasser für Hände und Füße und eine Lampe brachte und fragte, ob sie sonst noch etwas benötigten.

Sie war eine große, drahtige und bewegliche Frau von etwa sechzig Jahren mit dem freien Gebaren und jener Aura von Autorität, die alle Diener umgab, die viele Jahre das Vertrauen ihres Herrn oder ihrer Herrin genießen durften und die sich dank dieses Vertrauens gewisse Privilegien erworben hatten. Die jüngeren Dienerinnen behandelten sie mit Hochachtung. Sie fürchteten sie nicht, doch Edgythas sauberes schwarzes Kleid mit der gestärkten weißen Haube und die Schlüssel, die an ihrer Hüfte baumelten, unterstrichen ihre Stellung.

Spät am Abend kam sie noch einmal in Begleitung einer rundlichen, freundlichen Dame, die höflich und mit leiser Stimme sprach und sich erkundigte, ob die verehrten Brüder alles hätten, was sie für die Nacht brauchten, und ob sich der Bruder, der bewußtlos geworden war, inzwischen von seiner Schwäche erholt habe. Cenreds Frau war eine hübsche, rosige Frau mit braunen Haaren und Augen, ganz anders als das große, schlanke und zierliche Mädchen, das aus der Kemenate getreten und angesichts der unerwarteten Fremden geflohen war.

»Haben der Herr Cenred und seine Frau eigentlich Kinder?« fragte Cadfael, als ihre Gastgeberin wieder gegangen war.

Edgytha war wortkarg und wachte eifersüchtig über ihre Familie und alles, was ihr gehörte; sie hielt im Grunde sogar eine solche Frage schon für verdächtig. Doch nach kurzem Zögern antwortete sie höflich: »Sie haben einen erwachsenen Sohn.« Dann, ganz gegen ihre Art, befriedigte sie die unerwünschte Neugierde des Gastes und fuhr fort: »Er ist nicht hier, er dient beim Oberherrn meines Herrn Cenred.«

Sie sprach mit einem eigenartigen, reservierten Unterton, es klang sogar fast nach Mißbilligung, auch wenn sie es niemals zugegeben hätte. Cadfael wäre beinahe von seinem wichtigsten Anliegen abgelenkt worden, doch nun fragte er vorsichtig weiter:

»Keine Tochter? Ein junges Mädchen sah einen Augenblick in die Halle herein, als wir warteten. Demnach ist sie keine Tochter des Hauses?«

Sie warf ihm einen langen, gleichmütigen und forschenden Blick zu, hob die Augenbrauen und preßte die Lippen zusammen, da sie ein solches Interesse an einem jungen Mädchen, zumal von einem Mönch, nur mißbilligen konnte. Doch die Gäste des Hauses mußten mit makelloser Höflichkeit behandelt werden, auch wenn sie sie nicht verdienten.

»Das war die Schwester des Herrn Cenred«, erklärte sie. »Der alte Herr Edric, sein Vater, heiratete in hohem Alter noch einmal. Sie ist Cenred eher eine Tochter als eine Schwester, wegen des großen Altersunterschieds. Ich glaube nicht, daß Ihr sie noch einmal sehen werdet. Sie wünscht sicherlich nicht, die Ruhe von Männern mit Eurer Kutte zu stören. Sie wurde gut erzogen«, schloß Edgytha mit sichtlichem Stolz auf die Erfolge ihrer eigenen Erziehung. Zugleich war es eine unverhohlene Warnung, daß die schwarzgewandeten Mönchen, die der Zufall ins Haus geweht hatte, in Gegenwart der Jungfrau die Augen zu senken hatten.

»Wenn Ihr sie erzogen habt«, erwiderte Cadfael liebenswürdig, »dann macht Sie Euch zweifellos alle Ehre. Wart Ihr auch für Cenreds Jungen verantwortlich?«

»Meine Herrin hätte nicht im Traum daran gedacht, ihr Kind einer anderen anzuvertrauen.« Die alte Frau taute auf und wurde lebhafter, als sie an die Kinder dachte, die sie großgezogen hatte. »Niemand hätte besser für die Kinder sorgen können«, sagte sie, »und ich liebe sie wie meine eigenen.«

Als sie fort war, blieb Haluin eine Weile schweigend liegen, doch seine Augen waren offen und klar, sein Gesicht schien wachsam und gespannt.

»Ist da wirklich ein Mädchen hereingekommen?« sagte er schließlich und runzelte die Stirn, während er versuchte, die Situation zu erinnern, die bisher nur verschwommen und unscharf vor seinem inneren Auge stand. »Seit ich hier liege, versuche ich mich zu erinnern, warum ich so auffuhr. Ich weiß noch, wie die Krücken unter mir wegrutschten, aber viel mehr leider nicht. Als ich in die Wärme kam, wurde mir schwindlig.«

»Ja«, sagte Cadfael, »es kam ein Mädchen herein. Anscheinend Cenreds Halbschwester, aber etwa zwanzig Jahre jünger. Wenn Ihr glaubt, Ihr hättet sie geträumt – nein, es war kein Traum. Sie kam aus der Kemenate in die Halle, sie hatte nicht mit uns gerechnet, vielleicht machten wir ihr auch keinen angenehmen Eindruck, denn sie zog sich hastig wieder zurück und schloß die Tür. Könnt Ihr Euch erinnern?«

Nein, er konnte sich nicht erinnern, nur an einige Fetzen, die heraufkamen wie nach einem Traum und sofort wieder verschwanden. Er runzelte die Stirn und schüttelte den Kopf, als wollte er damit die Müdigkeit aus den Augen vertreiben. »Nein... ich habe keine klare Erinnerung. Ich weiß noch, wie die Türe geöffnet wurde, und ich nehme Euch beim Wort, daß sie hereinkam... aber ich kann mich an nichts erinnern, kein Gesicht... vielleicht morgen.«

»Wir werden sie nicht mehr sehen«, erwiderte Cadfael, »wenn ihr ergebener Drache in dieser Hinsicht etwas zu sagen hat. Ich glaube, Edgytha hat keine sehr hohe Meinung von Mönchen. Nun, seid Ihr für den Schlaf bereit? Soll ich die Lampe löschen?«

Haluin hatte keine klare Erinnerung an die Tochter des Hauses, kein Bild war ihm nach dem kurzen Anblick geblieben, nur ein dunkler Umriß im Kerzenschein. Doch Cadfael hatte ein sehr klares Bild vor seinem inneren Auge, wie sie im rötlichen Schein der Fackel vor ihnen stand. Es war ein Bild, das noch klarer wurde, als die Lampe gelöscht war und er neben seinem schlafenden Gefährten in der Dunkelheit lag. Und über die Erinnerung hinaus hatte er das starke, beunruhigende Gefühl, daß dieses Bild eine besondere Bedeutung hatte, auch wenn er es im Augenblick noch nicht ganz zu fassen vermochte. Es war ihm im Augenblick noch ein Geheimnis. In der Dunkelheit grübelnd, rief er sich ihr Gesicht vor Augen, ihre Bewegungen, als sie ins Licht getreten war, doch er fand nichts, was ihm hätte etwas sagen können, keine Ähnlichkeit mit einer Frau, die er bisher gesehen hatte, abgesehen davon, daß alle Frauen Schwestern sind. Dennoch blieb das unbestimmte Gefühl, sie sei ihm vertraut und nicht völlig unbekannt.

Ein groß gewachsenes Mädchen, oder vielleicht doch nicht so groß, sondern eher gertenschlank und deshalb größer wirkend, das im Begriff war, zur Frau zu werden. Sie hielt sich aufrecht und anmutig, zeigte aber noch das Zögern, die Verletzlichkeit und Impulsivität eines Kindes, eines Lammes oder Rehkitzes, das bei jedem Geräusch und jeder Bewegung erschrak. Denn erschrocken war sie davongesprungen, hatte aber dennoch die

Tür leise geschlossen, um nicht ihrerseits die Gäste aufzuschrekken. Ihr Gesicht – wirklich schön war sie eigentlich nicht, auch wenn Jugend und Unschuld und Anmut immer schön anzusehen sind. Ein ovales Gesicht hatte sie gehabt, von der breiten Stirn und den weit auseinanderliegenden Augen nach unten, zum runden Kinn hin zulaufend. Ihr Kopf war unbedeckt gewesen, das braune Haar hinter dem Kopf zu einem Zopf geflochten, was die hohe weiße Stirn und die großen Augen unter den ebenmäßigen dunklen Augenbrauen und den dunklen Wimpern nur noch deutlicher hervortreten ließ. Die Augen schienen die Hälfte des Gesichts auszumachen. Es war kein reines Braun, dachte Cadfael, denn obwohl dunkel, waren ihre Augen klar und tief und leuchtend erschienen. Haselnußbraun mit einer Spur Grün, so klar und tief, daß man glaubte, man könnte hineintauchen und ertrinken. Offene und verletzliche Augen ohne Angst. Ein junges, wildes Tier im Wald, das noch nie gejagt oder verletzt worden war, mochte diesen Ausdruck in den Augen haben. Auch an die klaren, feinen Linien ihrer Wangenknochen erinnerte Cadfael sich, elegant und zugleich kräftig und nach den Augen ihr wichtigstes Merkmal.

Was an diesem Gesicht, das er so deutlich vor sich sah, sollte ihn beunruhigen und verfolgen wie die flüchtige Erinnerung an eine Frau, die er einst gekannt hatte? Nach und nach erinnerte er sich an alle Frauen, an alle Gefährtinnen seines langen, unruhigen Lebens, und grübelte, ob die Gesichtszüge oder Gesten einer dieser Frauen eine Saite zum Schwingen brachten und ihm etwas verrieten. Doch es paßte nichts zusammen, kein Echo kam. Cenreds Schwester blieb einzigartig und abseits, und vielleicht verfolgte sie ihn nur, weil sie so plötzlich erschienen und wieder verschwunden war. Vermutlich würde er sie nie wiedersehen.

Dennoch war das letzte Bild, das er bewußt sah, bevor er einschlief, ihr erschrockenes Gesicht.

Am Morgen hatte die Luft ihre frostige Schärfe verloren; der größte Teil des Neuschnees war über Nacht getaut und verschwunden. Nur hier und dort, am Fuße der Mauern und an den Stämmen der Bäume, waren noch einige vereinzelte Spuren zu sehen. Cadfael blickte von der Hallentür hinaus und wünschte fast, der Schnee hätte sich gehalten und Haluin daran gehindert, sich sofort wieder auf den Weg zu machen. Doch es stellte sich heraus, daß er sich nicht zu sorgen brauchte, denn sobald die Menschen im Haus aufgestanden waren und mit ihren Alltagsverrichtungen begannen, kam Cenreds Verwalter zu ihnen und bat sie, nach dem Frühstück in die Kammer seines Herrn zu kommen, weil dieser etwas von ihnen erbitten wolle.

Cenred war allein, als sie sein Zimmer betraten. Haluins Krücken hallten hohl auf den Dielenbrettern. Der Raum wurde von zwei tiefen, schmalen Fenstern, in die gepolsterte Sitze eingepaßt waren, erhellt. Möbliert war er mit schönen Sitzbänken an einer Wand, einem geschnitzten Tisch und einem königlichen Stuhl, den der Hausherr benutzte. Emma, die Herrin, führte ihren Haushalt offenbar sehr gut, denn die Wandbehänge und Polster waren fein bestickt, und der Webrahmen in der Ecke, auf dem ein halb fertiggestelltes Tuch mit schönen Farben zu sehen war, bewies, daß alles aus eigener Fertigung stammte.

»Ich hoffe, Ihr habt gut geschlafen, Brüder«, sagte Cenred, indem er sich erhob und sie begrüßte. »Habt Ihr Euch von Eurer Schwäche gestern abend gut erholt? Wenn es etwas in meinem Haus gibt, das Euch nicht angeboten wurde, dann fragt nur danach. Benutzt mein Haus wie Euer eigenes. Und ich hoffe, Ihr werdet bereit sein, noch ein oder zwei Tage zu bleiben, bevor Ihr wieder aufbrecht.«

Cadfael teilte diese Hoffnung mit ihm, aber er befürchtete, der manchmal allzu gewissenhafte Haluin könnte Einwände erheben. Er hatte jedoch noch nicht einmal den Mund geöffnet, als Cenred schon fortfuhr:

»Denn ich habe eine Bitte an Euch... ist einer von Euch ein geweihter Priester?«

7

»Ja«, sagte Haluin nach kurzem, überraschtem Schweigen. »Ich bin Priester. Ich absolvierte, als ich ins Kloster kam, die Studien für die niederen Weihen und wurde, als ich dreißig war, zum Priester geweiht. Wer jung in den Orden kommt und bereits lesen kann, wird zu diesem Weg ermuntert. Was kann ich denn als Priester für Euch tun?«

»Ihr sollt eine Ehe schließen«, erklärte Cenred.

Diesmal währte das Schweigen noch länger, und etwas beunruhigt und nachdenklich betrachteten sie ihn. Denn wenn in diesem Haus eine Heirat bevorstand, dann hätte man sich doch sicherlich schon um einen Priester bemüht, der die Umstände und die Beteiligten kannte, und brauchte nicht auf einen Benediktiner zurückzugreifen, den der Schnee hierher verschlagen hatte. Cenred bemerkte Haluins zweifelnden Gesichtsausdruck.

»Ich weiß, was Ihr denkt – daß es die Sache meines eigenen Gemeindepriesters sei. Doch hier in Vivers gibt es keine Kirche. Ich habe zwar die Absicht, eines Tages eine Kirche zu stiften und bauen zu lassen, aber im Augenblick sogar ist die nächstgelegene Gemeindekirche ohne Priester, weil der Bischof, der das Recht zur Ernennung hat, noch keinen Nachfolger benannt hat. Ich wollte eigentlich einen Vetter holen lassen, der in einem Orden lebt, aber wenn Ihr bereit seid, können wir ihm die Winterreise ersparen. Ich kann Euch versichern, daß nichts Anrüchiges dabei ist, und es gibt gute Gründe, die Eheschließung mit einiger Eile zu vollziehen. Setzt Euch zu mir, dann will ich Euch alles berichten, was Ihr wissen müßt, und dann sollt Ihr selbst urteilen.«

Mit der Heftigkeit und den großzügigen Gesten, die seinem Wesen zu entsprechen schienen, kam er ihnen entgegen und stützte Haluin am Unterarm, während dieser sich auf die gepolsterte Bank vor der holzvertäfelten Wand setzte. Cadfael ließ sich neben seinem Freund nieder und war es zufrieden, zuzusehen und zu lauschen, da er kein Priester war. Er mußte keine

Entscheidung treffen, und die Verzögerung kam ihm um Haluins willen gerade recht.

»Auf seine alten Tage«, erklärte Cenred, indem er unmittelbar zur Sache kam, »heiratete mein Vater ein zweites Mal, eine dreißig Jahre jüngere Frau. Ich war bereits selbst verheiratet und mein erster Sohn war ein Jahr alt, als meine Schwester Helisende zur Welt kam. Die beiden Kinder, Mädchen und Junge, wuchsen zusammen in meinem Haus auf wie Bruder und Schwester, so nahe standen sie einander. Und wir Älteren nahmen es für selbstverständlich und waren froh, daß die beiden einander hatten. Die Schuld trifft vor allem mich. Ich bemerkte es nicht, als sie plötzlich mehr als Spielgefährten waren. Ich hätte nicht gedacht, daß sich kindliche Freundschaft und Zuneigung nach so vielen Jahren noch in etwas Gefährliches verwandeln könnte. Aber ich konnte den Tatsachen nicht ausweichen, Brüder, sobald ich sie gesehen hatte und gezwungen wurde, sie zu sehen. Man ließ die beiden viel zu lange und viel zu liebevoll allein miteinander spielen. Sie entwickelten direkt unter meiner Nase eine ungehörige Zuneigung, und ich war mit Blindheit geschlagen, bis es fast zu spät war. Sie lieben einander auf eine Art und in einem Maße, das für so nahe Verwandte unmöglich ist. Gott sei Dank haben sie nicht im Fleische gesündigt, noch nicht. Ich hoffe, ich bin rechtzeitig erwacht. Gott weiß, was für die beiden am besten ist, ich will sie glücklich sehen, aber welches Glück kann es in einer Liebe geben, die eine Abscheulichkeit ist? Besser, sie auseinanderzureißen und darauf zu vertrauen, daß die Zeit die Wunden heilt. Ich habe meinen Sohn zu meinem Oberherrn gegeben, wo er im Gebrauch der Waffen unterwiesen wird. Wir sind befreundet, und er kennt den Grund und die Notwendigkeit. So traurig er auch über seine Verbannung ist, mein Sohn hat gelobt, erst zurückzukehren, wenn ich ihm die Erlaubnis gebe. Habe ich damit recht getan?«

»Ich glaube«, erwiderte Haluin, »etwas anderes hättet Ihr nicht tun können. Aber es ist eine Schande, wenn es so lange unentdeckt blieb.«

»So ist es. Wenn zwei kleine Kinder wie Bruder und Schwester aufwuchsen, kommen sie ohne das geringste Gefühl eines

Verzichts gewöhnlich nicht auf die Idee, sie könnten einander heiraten. Ich habe mich oft gefragt, wieviel mehr als ich Edgytha bemerkte. Sie war immer großzügig mit den Kindern. Aber nie, niemals sagte sie ein Wort zu mir oder meiner Frau, und ob wir uns richtig verhalten haben oder nicht, wir können nicht zurück.«

»Sagt mir«, warf Cadfael ein, der sich zum erstenmal einmischte, »heißt Euer Sohn vielleicht Roscelin?«

Cenred starrte Cadfael erschrocken an. »So ist es. Aber woher wißt Ihr das?«

»Und Euer Oberherr ist Audemar de Clary. Sir, wir kamen direkt aus Elford hierher, wir haben mit Eurem Sohn dort gesprochen, und er hat Bruder Haluin gestützt, als dieser Hilfe brauchte.«

»Ihr habt mit ihm gesprochen? Was hatte mein Sohn dort in Elford nur zu sagen? Und was hatte er über mich zu sagen?« Er war wachsam und bereit, bittere Klagen und Vorwürfe zu hören und den Kummer zu schlucken, wenn er mußte.

»Sehr wenig und gewiß nichts, was Ihr nicht ruhigen Gewissens selbst hättet anhören können. Kein Wort jedenfalls über Eure Schwester. Er erwähnte, er habe das Haus auf den Wunsch seines Vaters verlassen, dem er seinen Gehorsam nicht verweigern konnte. Wir hatten, es war ohnehin ein Zufall, nur wenige Minuten, um uns zu unterhalten. Aber ich sah nichts, auf das Ihr nicht stolz sein könntet. Bedenkt, er ist kaum drei Meilen entfernt, gegen seinen Willen, und hält sein Wort. Eines gibt es vielleicht noch, das Ihr als Vater erfahren solltet«, fügte Cadfael hinzu, der den Vater auf die Probe stellen wollte. »Er fragte uns sehr ernst, ob unser Orden einem Mann ein sinnvolles Leben bieten könne, wenn ihm das Leben, nach dem er sich am meisten sehnte, verwehrt bliebe.«

»Nein!« rief Cenred protestierend. »Nicht das! Nicht um alles in der Welt soll er die Waffen und das Ansehen aus der Hand geben und sich im Kloster verbergen. Dafür ist er nicht geschaffen! Ein so vielversprechender Junge! Bruder, das spricht für meine Bitte. Man darf nicht aufschieben, was getan werden muß. Sobald es aber geschehen ist, wird er es akzeptieren. Solange der Verlust nicht endgültig ist, wird er hoffen und sich nach dem

Unmöglichen sehnen. Deshalb will ich sie verheiraten, damit sie das Haus verläßt, bevor Roscelin zurückkommt.«

»Ich kann Eure Gründe sehr gut verstehen«, meinte Haluin, während er die Augen in den tiefen Höhlen weit öffnete, »aber was Ihr sagtet, ist kein rechter Grund für eine Heirat, wenn die Frau nicht bereit ist. So schwer Euer Los auch ist, Ihr könnt nicht den einen opfern, um den anderen zu retten.«

»Ihr mißversteht mich«, sagte Cenred ruhig. »Ich liebe meine jüngere Schwester, ich habe ganz offen mit ihr gesprochen. Sie weiß genau, welche Ungeheuerlichkeit ihnen beiden drohte, und sie weiß, daß eine solche Liebe unmöglich ist. Sie will, daß dieser schreckliche Knoten durchtrennt wird, genau wie ich. Sie will Roscelin als stolzen, ehrbaren Mann sehen, weil sie ihn liebt, und lieber, als ihm diese Chance zu nehmen, will sie in die Ehe mit einem anderen Mann fliehen. Ich habe sie nicht gezwungen, und auch die Wahl des Mannes geschah nicht willkürlich. Jean de Perronet ist ein wohlhabender, gut erzogener junger Mann aus gutem Hause. Er wird heute hier eintreffen, und dann könnt Ihr ihn selbst kennenlernen. Helisende kennt ihn bereits, und sie mag ihn, auch wenn sie ihn noch nicht lieben kann. Das mag mit der Zeit kommen, denn er ist ihr sehr ergeben. Sie hat in diese Heirat eingewilligt. Und de Perronet hat einen unschätzbaren Vorteil auf seiner Seite«, fügte er grimmig hinzu. »Sein Sitz ist weit entfernt. Er wird sie nach Buckingham mitnehmen, weit außerhalb Roscelins Reichweite. Aus dem Auge, aus dem Sinn, das will ich nicht gerade sagen, aber auch ein vertrautes Gesicht verblaßt im Laufe der Jahre, und auch eine tiefe Wunde kann heilen.«

Seine tiefe Unruhe und seine Sorgen machten ihn beredt. Ein guter Mann, der sich für das Wohl aller Menschen in seinem Haus einsetzte. Er hatte nicht wie Cadfael bemerkt, daß Haluins schmales Gesicht allmählich immer bleicher geworden war. Haluin preßte die Lippen schmerzlich zusammen und rang die Hände im Schoß seiner Kutte, bis die Knochen weiß durch die Haut schienen. Die Worte, die Cenred eher zufällig gewählt hatte, öffneten genau die alte Wunde, die zu heilen er einen so weiten Weg gegangen war. Die Linien eines vertrauten Gesichts, in achtzehn Jahren sicherlich etwas verblaßt, wurden nun für ihn wieder lebendig. Wunden, die noch schwären, können erst heilen, wenn sie ganz aufgebrochen und gereinigt sind, und wenn es sein muß, durch Feuer.

»Und Ihr sollt nicht fürchten«, fuhr Cenred fort, »wie ich es auch nicht fürchte, daß sie bei de Perronet nicht verehrt und geachtet würde. Vor zwei Jahren schon hielt er um ihre Hand an, und auch wenn sie weder ihn noch einen anderen Freier haben wollte, er hat gewartet.«

»Eure Frau ist einverstanden?« fragte Cadfael.

»Wir haben zu dritt darüber gesprochen. Und wir waren einer Meinung. Wollt Ihr es tun? Ich empfand es fast als Segen für unsere Absichten«, sagte Cenred einfach, »daß am Abend, bevor der Bräutigam eintrifft, ein Priester ungerufen zu mir kommt. Bleibt noch bis morgen, Bruder – Vater! – und verheiratet sie.«

Haluin löste langsam seine verkrampften Hände und holte Luft wie ein Mann, der große Schmerzen hat. Mit leiser Stimme sagte er: »Ich will bleiben, und ich will sie verheiraten.«

»Ich hoffe, das war richtig«, sagte Haluin, als sie wieder in ihrer Kammer waren. Aber anscheinend wollte er nicht in seiner Entscheidung bestätigt werden, sondern hielt sie sich nur als Verantwortung vor Augen, die er weder teilen noch abgeben konnte. »Ich weiß nur zu gut«, sagte er, »um die Übel, die zu große Nähe mit sich bringen kann, und dieser Fall ist noch verzweifelter, als meiner es je war. Cadfael, ich höre Stimmen, die ich schon vor langer Zeit verklungen glaubte. Es muß einen Sinn haben, nichts geschieht ohne Sinn. Vielleicht bin ich nur gestürzt, um zu sehen, wie tief ich schon gefallen war? Damit ich gezwungen bin, mich mit neuer Kraft zu erheben? Wie, wenn ich als Krüppel wiedergeboren wurde, um diese Reise in Körper und Geist zu unternehmen, vor der ich mich fürchtete, als ich noch stark und gesund war? Wie, wenn Gott mir die Gedanken an diese Pilgerschaft eingab, um einer anderen Seele zu Hilfe zu kommen? Wurden wir an diesen Ort geführt?«

»Eher getrieben«, meinte Cadfael trocken, als er sich an den blendenden Schnee und den kleinen Funken der Fackel im Dunkel erinnerte.

»Es ist wahr, am Abend bevor der Bräutigam kommt, in

diesem Haus einzutreffen, das ist mehr als ein Zufall. Ich kann nichts tun, als mich diesem Fingerzeig zu fügen«, sagte Haluin, »und zu hoffen, daß er mich in die richtige Richtung führt. Diese zweiten Ehen in hohem Alter, Cadfael, sie bringen allen Beteiligten nur Kummer. Wie können zwei Kinder, die in der Halle auf dem Boden zusammen spielen, wissen, daß sie Tante und Neffe und einander verboten sind? Eine Schande, wenn Liebe sinnlos vergeudet wird.«

»Ich bin nicht sicher«, sagte Cadfael, »ob Liebe überhaupt sinnlos vergeudet werden kann. Nun, wenigstens könnt Ihr jetzt noch ein oder zwei Tage ruhen, und das wird nicht schaden. Dies kommt auf jeden Fall sehr gelegen.«

Es war offensichtlich auch das Beste, was Haluin mit diesem Halt aus dem Heimweg beginnen konnte, denn er hatte sich bis an die Grenzen seiner Kräfte angetrieben. Cadfael ließ ihn in Frieden schlafen und ging hinaus, um sich noch bei Tageslicht auf dem Gut von Vivers umzusehen. Es war ein wolkiger Tag mit wechselnden Winden. Kein Frost lag mehr in der Luft. Ab und zu regnete es ein wenig, aber die Schauer dauerten nicht lange.

Er ging quer durch die Einfriedung bis zum Tor, um das Haus in seiner vollen Größe zu sehen. Im steilen Dach über der Kemenate waren Fenster zu sehen, wahrscheinlich lagen dort noch zwei stille Kammern. Haluin und er waren bequemerweise unten untergebracht. Zweifellos wurde in diesem Augenblick eine der oberen Kammern für den erwarteten Bräutigam vorbereitet. Die Alltagsgeschäfte, soweit er sie im Hof beobachten konnte, schienen ohne Hast oder Verwirrung abzulaufen. Hier war alles gut geordnet.

Hinter dem Pfahlzaun erstreckte sich die leicht gewellte Landschaft. Cadfael sah Felder und Büsche und kaum mit Bäumen bestandenes Hochland, die Weiden noch gebleicht und getrocknet vom Winter, und an den schwarzen Ästen waren hier und dort schon die ersten Knoten der neuen Frühlingstriebe zu sehen. In Senken und an geschützten Orten lagen noch Reste von Schnee, doch ein Sonnenstrahl brach bereits durch die niedrige Wolkendecke, und bis Mittag wären alle Überbleibsel der letzten Schneefälle verschwunden.

Cadfael sah sich als nächstes in den Ställen und im Hundezwinger um und fand auch diese von Dienern, die den interessierten Besucher bereitwillig und stolz herumführten, gut versorgt. In einem abgetrennten Stall des Hundezwingers lag eine Hündin mit sechs Welpen, die höchstens fünf Wochen alt waren. Er konnte nicht widerstehen, ins Halbdunkel zu treten und ein Junges aufzuheben, und die Hündin zeigte sich freundlich und schien erfreut über die Bewunderung, die er ihren Nachkommen zollte. Der warme kleine Körper in seiner Hand roch wie frisches Brot. Er wollte sich gerade bücken und den Welpen zu seinen Geschwistern zurücklegen, als er hinter sich eine klare, kühle Stimme hörte:

»Seid Ihr der Priester, der mich verheiraten wird?«

Und da stand sie in der Tür, abermals ein Schattenriß vor dem Licht, so gefaßt und so selbstsicher, daß man sie ohne weiteres für eine reife, stattliche Frau von dreißig Jahren hätte halten können, wenn auch die frische, muntere Stimme ihr wirkliches Alter verriet. Helisende Vivers war es, noch nicht herausgeputzt, um ihren Bräutigam zu empfangen, sondern wie eine Hausfrau in dunkelblaue Wolle gekleidet und mit einem dampfenden Eimer mit Fleisch und Getreide für die Hunde in der Hand.

»Seid Ihr der Priester, der mich verheiraten soll?«

»Nein«, erwiderte Cadfael, während er sich langsam von den wimmelnden Welpen und der lockenden Hündin abwandte. »Bruder Haluin wird Euch trauen. Ich habe mich nie um die Weihen bemüht, das wäre nichts für mich.«

»Der Lahme ist es also«, sagte sie mit distanziertem Mitgefühl. »Es tut mir leid, daß er es so schwer hat. Ich hoffe, man hat ihn hier in unserem Haus bequem untergebracht. Wißt Ihr von meiner Heirat? Wißt Ihr, daß Jean heute kommen soll?«

»Euer Bruder hat es uns erzählt«, sagte Cadfael, während er das ovale Gesicht beobachtete, das sich allmählich aus den Schatten herausschälte und mit jeder klagenden, traurigen Linie ihre Jugend verriet. »Aber es gibt Dinge, die er uns nicht sagen konnte«, fuhr er fort, während er sie unverwandt beobachtete, »außer vom Hörensagen. Nur Ihr selbst könnt uns sagen, ob diese Verbindung Eure Zustimmung findet, die aus freiem Willen gegeben wurde, oder nicht.«

Ihr kurzes Schweigen ließ nicht etwa auf Zweifel in der Sache selbst schließen, sondern zeigte nur, daß sie den Mann, der die Frage gestellt hatte, einer eingehenden Prüfung unterzog. Ihre großen, aufrichtig blickenden Augen schienen in Cadfael einzudringen und zeigten keine Angst, als Cadfael in sie eindrang. Wenn sie ihn als feindlich oder als einen betrachtet hätte, der zu ihrem Unglück beitrug, dann wäre die Begegnung höflich beendet worden, ohne auf die in diesem Falle aufdringliche Neugierde einzugehen. Doch sie blieb.

»Soweit wir, wenn wir erwachsen sind, überhaupt etwas freiwillig tun können«, sagte sie, »dann muß ich sagen, ja, ich tue es freiwillig. Es gibt Regeln, an die man sich halten muß. Es gibt andere in der Welt, die uns gegenüber Rechte und Bedürfnisse haben, und wir sind alle gebunden. Ihr könnt Bruder Haluin ausrichten – Vater Haluin muß ich ihn ja nennen –, daß er sich meinetwegen nicht zu sorgen braucht. Ich weiß, was ich tue. Niemand zwingt mich.«

»Das will ich ihm sagen«, erwiderte Cadfael. »Aber ich glaube, Ihr tut es für einen anderen und nicht für Euch selbst.«

»Dann sagt ihm, daß ich mich freiwillig entschloß, es für andere zu tun.«

»Und was ist mit Jean de Perronet?« fragte Cadfael.

Einen Moment bebten ihre festen, vollen Lippen. Das einzige, was ihre Entschlossenheit und ihre Fassung störte, war das Wissen, daß sie gegenüber dem Mann, der ihr Ehemann werden sollte, nicht ganz offen war. Cenred hatte dem jungen Mann sicher nicht gesagt, daß er nur eine traurige Erinnerung an das bekam, was sein Herz begehrte. Auch sie selbst konnte es ihm nicht sagen, es war ein Geheimnis der Familie. Die einzige Hoffnung für das unglückliche Paar war, daß die Liebe mit der Zeit kommen würde, eine Art von Liebe vielleicht, die besser war als die in vielen anderen Ehen, aber dennoch weit von der Erfüllung entfernt.

»Ich will versuchen«, sagte sie gleichmütig, »ihm alles zu geben, was er will und erwartet. Er verdient es, und er soll das Beste bekommen, was ich zu geben vermag.«

Sinnlos, ihr zu sagen, daß es womöglich dennoch nicht reichte, denn sie wußte es schon und fühlte sich mit der Täuschung, die sie nicht vermeiden konnten, nicht wohl. Vielleicht hatte das, was hier im Hundezwinger gesprochen worden war, bereits einen Abgrund des Zweifels aufgerissen, den sie schon beinahe verschlossen hatte. Besser, er ließ sie in Frieden, wenn es keine Möglichkeit gab, die Bürde zu erleichtern, die sie auf sich nehmen wollte.

»Nun, ich bete darum, daß Ihr in allem, was Ihr tut, gesegnet werdet!« sagte Cadfael und machte ihr Platz. Die Hündin hatte sich von ihren Welpen befreit und stieß mit der Schnauze ans Gitter, während sie hungrig und erwartungsvoll mit dem buschigen Schwanz wedelte. Geburten, Heiraten, Todesfälle und Feiern, all dies kann die Alltagsgeschäfte nicht stören. Als er sich in der Türe noch einmal umdrehte, hatte Helisende sich gebückt, um den Napf der Hündin zu füllen. Der schwere braune Zopf pendelte über den kleinen Hunden. Sie blickte nicht auf, doch er hatte das Gefühl, daß sie sich seiner Gegenwart voll bewußt war und angespannt blieb, bis er sich umdrehte und sich leise entfernte.

»Ihr werdet Euer Pflegekind vermissen«, sagte Cadfael, als Edgytha ihnen mittags Essen und Trinken servierte. »Oder geht Ihr mit ihr in den Süden, wenn sie verheiratet ist?«

Die alte Frau zögerte, denn sie war von Natur aus schweigsam, doch andererseits mußte sie unbedingt ihr Herz ausschütten, weil sie ihr Pflegekind verlieren sollte. Unter den steifen Falten ihrer Haube bebten ihre verwitterten Wangen.

»Was sollte ich in meinem Alter noch an einem fremden Ort tun? Ich bin zu alt, ich kann nicht mehr viel ausrichten und werde hier bleiben. Hier kenne ich mich wenigstens aus, und alle anderen kennen mich. Welche Achtung würde ich in einem fremden Haus genießen? Aber sie wird gehen, das weiß ich! Sie wird gehen, sie muß gehen. Und der junge Mann wäre keine schlechte Partie – wenn mein Lamm nicht einen anderen im Auge und im Herzen hätte.«

»Und einen, der unerreichbar ist«, erinnerte Haluin sie sanft, doch sein Gesicht war bleich, und als sie sich umdrehte und ihn einen Moment schweigend ansah, schlug er die Augen nieder und wandte den Kopf ab.

Ihre Augen hatten das bleiche, ausgewaschene Blau von verblühten Glockenblumen. Einst von Wimpern beschattet, die jetzt ausgedünnt und schütter waren, mochten sie früher eher die Farbe von Immergrün gehabt haben. »Dann hat mein Herr es Euch erzählt«, sagte sei. »Alle sagen das, und wenn es keine Hilfe gibt, dann könnte es ihr noch schlechter gehen. Ich weiß es! Ich kam vor vielen Jahren her, um ihrer Mutter aufzuwarten, und auch damals war es keine Liebesheirat, wo sie doch so jung war und er fast dreimal so alt wie sie. Sie brauchte unbedingt jemand aus ihrer Heimat, die arme Lady, den sie kannte und dem sie trauen konnte. Wenigstens verheiraten sie mein Mädchen mit einem jungen Mann.«

Cadfael stellte nun endlich die Frage, die ihn schon eine Weile beschäftigt hatte und über die niemand ein Wort verloren hatte: »Ist Helisendes Mutter denn tot?«

»Nein, tot ist sie nicht. Aber sie ging vor etwa acht Jahren in die Klause von Polesworth, nachdem der alte Herr gestorben war. Sie gehört Eurem Orden an, sie ist Benediktinerin. Sie neigte schon immer in diese Richtung, und als ihr Mann starb, kam sie ins Gerede, wie es bei Witwen so geschieht, und man drängte sie, wieder zu heiraten. Aber sie verließ lieber diese Welt. Auch eine Flucht«, bemerkte Edgytha und kniff grimmig die Lippen zusammen.

»Und ließ die Tochter mutterlos zurück?« warf Haluin vorwurfsvoller ein, als er beabsichtigt hatte.

»Sie ließ die Tochter gut behütet zurück! Sie ließ sie bei Frau Emma und bei mir!« Edgytha schmollte einen Moment und löschte das kurz aufflammende Feuer, indem sie die Augen niederschlug. »Drei Mütter hatte das Kind, und alle waren ihm zugetan. Meine Herrin Emma war nicht streng mit den Kindern. Sie war sogar zu nachgiebig, die beiden bekamen immer ihren Willen. Aber meine Herrin neigte zur Einsamkeit und zur Melancholie, und als eine neue Heirat anstand, willigte sie nicht ein, sondern nahm lieber den Schleier.«

»Hat Helisende nicht auch einmal über diese Möglichkeit nachgedacht?« fragte Cadfael.

»Um Himmels willen, nein! So ist mein Mädchen nicht. Für die, denen es liegt, mag es ein Segen sein, aber die, die hineingedrängt werden, müssen die Hölle auf Erden ertragen. Verzeiht mir, Brüder! Ihr wißt um Eure eigenen Berufungen und zweifellos legtet Ihr aus den allerbesten Gründen die Kutte an, aber Helisende... nein, das würde ich ihr wirklich nicht wünschen. Da ist dieser Perronet noch besser, auch wenn er der Zweitbeste ist.« Sie hatte begonnen, die Teller und das Geschirr einzusammeln, nachdem sie gegessen hatten, und nahm den Krug, um ihre Becher nachzufüllen. »Wie ich hörte, wart Ihr auch in Elford und habt Roscelin dort gesehen.«

»Ja«, bestätigte Cadfael, »wir haben erst gestern Elford verlassen. Wie es der Zufall wollte, konnten wir sogar kurz mit dem jungen Mann sprechen, aber wir erfuhren erst heute morgen, daß er hier aus Vivers stammt.«

»Wie hat er ausgesehen?« fragte sie sehnsüchtig. »Geht es ihm gut? Oder war er niedergeschlagen? Ich habe ihn seit einem Monat oder länger nicht mehr gesehen, und ich weiß, wie schlimm er es aufnahm, daß er fortgeschickt wurde wie ein Diener, der sich etwas hat zuschulden kommen lassen, wo er doch keinen Fehler begangen hat oder sich dessen jedenfalls nicht bewußt war. Ein guter Junge, wirklich! Was hat er Euch gesagt?«

»Nun, er war jedenfalls bei bester Gesundheit«, berichtete Cadfael vorsichtig, »und guter Dinge, wenn man seine Lage bedenkt. Er beklagte sich über seine Verbannung und schien unzufrieden. Natürlich verriet er nichts über die Umstände, da wir Fremde waren und ihn nicht kannten, und ich glaube, er hätte auch sonst zu niemand etwas gesagt, der nichts mit der Sache zu tun hat. Er meinte, er habe sein Wort gegeben, dem Befehl seines Vaters zu folgen und die Erlaubnis abzuwarten, ehe er wieder heimkommt.«

»Aber er weiß nicht«, sagte sie in einer Mischung aus Wut und Hilflosigkeit, »was hier geplant wird. Oh, er wird die Erlaubnis bekommen, nach Hause zurückzukehren, sobald Helisende das Haus verlassen hat und weit im Süden auf dem Weg zum Anwesen ihres jungen Mannes ist. Was wird das für eine Heimkehr für den armen Jungen! Eine Schande, ihn so zu hintergehen!«

»Sie glauben, es sei das Beste für ihn«, meinte Haluin bleich und bewegt. »Auch in seinem Sinne. Es fällt allen nicht leicht. Wenn sie einen Fehler begehen, indem sie diese Eheschließung vor ihm geheimhalten, dann wird man ihnen sicher verzeihen.«

»Es gibt welche«, meinte Edgytha düster, »denen wird nie verziehen.« Sie nahm ihr Holztablett, und die Schlüssel an ihrem Gürtel klimperten leise, als sie zur Tür ging. »Ich wünschte, man hätte aufrichtig sein können. Ich wünschte, man hätte es ihm gesagt. Ob er sie haben konnte oder nicht, er hat das Recht, es zu erfahren und seinen Segen zu geben oder nicht. Wie kam es, daß Ihr mit ihm zu tun hattet und nur die Hälfte seines Namens hörtet?«

»Die Herrin dort erwähnte seinen Namen«, sagte Cadfael, »als de Clary von einem Ausritt heimkam. Der junge Mann begleitete ihn. Roscelin, so nannte sie ihn. Erst später sprachen wir mit ihm selbst. Er sah, daß mein Freund hier nach einer Nacht auf den Knien noch steif war und kam herbei, um ihn zu stützen.«

»So ist er!« sagte sie voller Wärme. »Jedem hilft er, der in Not ist. Die Herrin, sagt Ihr? Audemars Frau?«

»Nein, wir wollten auch nicht zu ihm selbst, und seine Frau haben wir nie gesehen. Nein, es war seine Mutter, Adelais de Clary.«

Das Geschirr klapperte einen Augenblick auf Edgythas Tablett. Vorsichtig balancierte sie es auf einer Hand, während sie die Türe öffnete. »Sie ist dort? In Elford?«

»Ja. Oder sie war es noch, als wir gestern aufbrachen, und bei dem Schneefall, der kurz darauf begann, wird sie immer noch dort sein.«

»Sie kommt nur selten her«, meinte Edgytha achselzuckend. »Man sagt, sie und die Frau seines Sohnes stehen nicht auf gutem Fuße. Das ist aber auch nicht ungewöhnlich, und so bleiben sie einander fern.« Sie stieß mit dem Ellbogen gewandt die Türe auf und bugsierte das große Tablett hindurch. »Hört Ihr die Pferde draußen? Das wird sicher Jean de Perronet mit seinen Begleitern sein.«

Nichts Heimliches oder Verstohlenes war an Jean de Perronets Eintreffen, allerdings auch nichts Zeremonielles. Er kam mit einem Leibdiener und zwei Burschen hereingeritten. Zwei Pferde ohne Reiter wurden für die Braut und ihre Dienerin mitgeführt, dazu Packpferde für ihr Gepäck. Praktisch und sinnvoll schien alles, und de Perronet selbst wirkte sehr offen, ohne übertriebenen Prunk in Kleidung und Verhalten. Cadfael musterte anerkennend die Pferde und das Zaumzeug. Der junge Mann wußte, wo er sein Geld ausgeben und wo er sparen mußte.

Haluin und Cadfael waren zusammen hinausgegangen, um den Gästen beim Absteigen und Abladen zuzusehen. Die Nachmittagsluft klarte auf, in der Nacht würde es Frost geben, aber droben am Himmel zogen vereinzelte Wolken, die vielleicht sogar noch ein wenig Schnee bringen mochten. Die Reisenden waren sicher froh, aus dem kalten Wind heraus und unter ein gutes Dach zu kommen.

De Perronet stieg vor der Tür der Halle von seinem scheckigen Braunen ab, und Cenred kam ihm auf der Treppe entgegen, um ihn zu empfangen und zu umarmen. Bei der Hand führte er ihn zur Tür hinauf, wo die Hausherrin Emma ihn ebenso warm begrüßte. Helisende, bemerkte Cadfael, ließ sich nicht blicken. Beim Abendessen am Tisch des Hauses mußte sie erscheinen, aber zu diesem Zeitpunkt schien es angemessen, die Aufnahme des Gastes ihrem Bruder und dessen Frau zu überlassen, die ohnehin über sie wachten und die Eheschließung angeregt hatten. Gastgeber, Gastgeberin und Gast verschwanden in der großen Halle. Cenreds Diener und de Perronets Burschen luden das Gepäck ab und brachten die Pferde unter. Sie gingen ihren Aufgaben so kundig nach, daß der Hof nach wenigen Minuten wieder verlassen war.

Das war also der Bräutigam! Cadfael überdachte, was er gesehen hatte. Bisher konnte er nichts Falsches daran finden, außer der Tatsache, daß er, wie Edgytha gesagt hatte, der Zweitbeste war. Ein junger Mann von fünfundzwanzig oder sechsundzwanzig Jahren, bereits an seine Autorität und an die Verantwortung für sein Verhalten gewöhnt und durchaus fähig, mit beidem umzugehen. Seine Männer, die ihn begleitet hatten, schienen mit ihm auf gutem Fuße zu stehen. Er kannte sein Geschäft wie sie das ihre, und zwischen ihnen herrschte eine Atmosphäre von gegenseitiger Achtung. Außerdem war er ein gutaussehender junger Mann, groß und gut gebaut, mit offenem, freundlichem Gesicht, und nach dem ersten Blick zu urteilen, war er am Vorabend seiner Heirat in bester Laune. Cenred hatte das Beste für seine junge Schwester getan, und dieses Beste war in der Tat nicht übel. Eine Schande, daß sie nicht bekommen konnte, was ihr Herz begehrte.

»Aber was sonst hätten sie tun können?« sagte Haluin und verriet mit wenigen Worten seine eigene tiefe Abscheu und seine Zweifel.

8

Am Spätnachmittag schickte Cenred seinen Verwalter zu den Benediktinerbrüdern und ließ fragen, ob sie das Abendessen gemeinsam mit allen anderen in der Halle einnehmen wollten, oder ob Vater Haluin die Ruhe seiner eigenen Kammer vorzöge und lieber dort bedient werden wolle. Haluin, der in ein dunkles, tiefes Grübeln verfallen war, wäre lieber für sich geblieben, aber er hielt es für unhöflich, sich länger zurückzuhalten, und mühte sich, sein besorgtes Schweigen zu brechen und sich der Tischgesellschaft anzuschließen. Sie hatten ihm, da er der Priester war, der die Trauung vornehmen würde, einen Platz in der Nähe des Brautpaares gegeben. Cadfael, der ein wenig abseits saß, hatte alle im Blick. Weiter unten am Tisch waren alle anderen Angehörigen des Haushalts, ihrem Rang entsprechend, im Fackelschein versammelt.

Nach Haluins ernstem Gesicht zu urteilen, schien es das erste Mal zu sein, daß er aufgerufen war, Gottes Werk zu tun. Natürlich wurden die jüngeren Brüder mehr denn je ermutigt, auf die Priesterweihen hinzuarbeiten, aber sie waren Priester ohne Gemeinde, die in ihrem langen Leben vermutlich nie eine Taufe vornehmen, eine Ehe schließen oder die letzte Ölung geben würden, sie würden nie andere weihen, damit diese dem gleichen geschützten Weg folgen konnten. Es ist eine schreckliche Verantwortung, dachte Cadfael, der nie die Weihen angestrebt hatte, wenn Gott seine Gnade in die Hände eines Menschen legt, der dann im Leben anderer Menschen eine so wichtige Rolle spielen muß. Durch die Taufe kann er ihnen die Erlösung versprechen, durch die Trauung kann er sie auf ewig verbinden, und bei ihrem Tod hält er den Schlüssel zum Fegefeuer in seinen Händen. Wenn ich mich eingemischt habe, dachte er ergeben – und Gott weiß, wie oft ich es getan habe, wenn es notwendig war und kein besserer zur Stelle war –, dann habe ich mich wenigstens als Sünder wie alle anderen eingemischt, ich bin auf der gleichen Straße gewandert und war kein Statthalter des

Himmels, der sich verbeugt, um aufzusteigen. Haluin ist nun mit dieser Verantwortung belastet, und es ist kein Wunder, daß er sich fürchtet.

Er blickte die lange Reihe der Gesichter an, zwischen denen Haluin kaum zu erkennen war, da sich die Profile gegenseitig überlagerten. Nur kurz waren sie zu sehen, wenn eine Bewegung durch die Tafel ging, nur hin und wieder wurden sie vom trügerischen Schein der Fackeln erfaßt. Cadfael sah Cenreds breites, offenes Gesicht, ein wenig angespannt unter der Belastung, aber immer noch freundlich, seine Frau, die der Tafel mit unerschütterlicher Liebenswürdigkeit und etwas ängstlichem Lächeln vorsaß, de Perronet in glücklicher Unschuld, breit strahlend, weil er Helisende an seiner Seite hatte und sie schon beinahe als die Seine betrachten konnte. Das Mädchen selbst, bleich und still, entschlossen und anmutig neben ihm, bemühte sich nach Kräften, auf seine fröhliche Stimmung einzugehen, da er an ihrem Kummer keine Schuld trug und sie anerkennen mußte, daß er etwas Besseres verdiente. Wie er sie so beisammen sah, hatte Cadfael keinen Zweifel, daß er ihr verfallen war, und wenn sie nicht so strahlte wie er, dann nahm er dies vielleicht als ganz normalen Beginn aller Ehen und war willens und bereit, Geduld zu üben, bis die Knospe blühte.

Es war das erste Mal, daß Haluin das Mädchen sah, seit er in der Halle erschrocken aufgefahren und zusammengebrochen war, nachdem er vom stechenden Wind und dem blendenden Schnee ohnehin schon halb benommen gewesen war. Diese stille junge Frau, vom Fackelschein vergoldet, mochte eine Fremde sein, die er noch nie gesehen hatte. Er sah sie zweifelnd und verwirrt an, als ihr Profil einen Augenblick erkennbar war, gedrückt von der Verantwortung, die neu und schwer zu tragen war.

Es war schon spät, als die Frauen sich von der Tafel zurückzogen und die Männer, die allerdings auch nicht mehr lange in der Halle bleiben wollten, beim Wein sitzen ließen. Haluin sah sich um und suchte Cadfaels Blick, und sie kamen wortlos überein, daß es auch für sie an der Zeit war, Gast und Gastgeber allein zu lassen. Haluin langte schon nach seinen Krücken und bereitete sich auf die Anstrengung des Aufstehens vor, als Emma mit besorgtem Gesicht und einer jungen Dienerin auf den Fersen aus der Kemenate geeilt kam.

»Cenred, etwas Seltsames ist geschehen! Edgytha ist ausgegangen und nicht zurückgekehrt, und jetzt beginnt es wieder zu schneien. Wohin soll sie so spät noch gegangen sein? Ich ließ nach ihr schicken, damit sie mir beim Zubettgehen aufwartete wie immer, aber sie ist nirgends zu finden, und nun sagt mir Madlyn hier, daß sie schon vor Stunden, als die Dämmerung kam, hinausgegangen sei.«

Cenred hatte Mühe, seine Gedanken von seinen Gastgeberpflichten zu lösen und sich um ein vermeintlich geringfügiges häusliches Problem zu kümmern, das eher Sache der Frauen als die seine war.

»Nun Edgytha kann doch hinausgehen, wenn sie es will«, meinte er freundlich. »Sie wird zurückkommen, wenn sie es für richtig hält. Sie ist eine freie Frau, sie weiß, was sie will; und wir können einmal darauf vertrauen, daß sie ihren Pflichten nachkommt. Wenn sie einmal nicht da ist, wenn sie gerufen wird, dann ist das doch nicht schlimm. Warum machst du dir dann Sorgen?«

»Aber sie hat es noch nie getan, ohne etwas zu sagen! Noch nie! Und jetzt schneit es wieder, und sie ist schon seit Stunden fort, wenn Madlyn hier die Wahrheit sagt. Wenn ihr nun etwas zugestoßen ist? So lange würde sie aus eigenem Willen bestimmt nicht ausbleiben. Und du weißt, wie ich sie schätze. Ich will um keinen Preis, daß ihr etwas zustößt.«

»Das will ich auch nicht«, meinte Cenred warm, »das wünsche ich keinem meiner Leute. Wenn sie verschwunden ist, dann müssen wir sie suchen. Aber wir brauchen uns nicht zu sorgen, ehe wir nicht sicher wissen, daß ein Unglück geschehen ist. Mädchen, sprich, was weißt du über die Angelegenheit? Du sagst, sie sei schon vor Stunden ausgegangen?«

»Sir, das tat sie!« Madlyn kam bereitwillig herbei. Ihre großen Augen verrieten, daß sie die Aufregung als keineswegs unwillkommene Abwechslung empfand. »Es war, nachdem wir alles vorbereitet hatten. Ich kam gerade aus der Milchkammer und sah sie aus der Küche kommen. Sie hatte ihren Mantel angezogen, und ich sagte zu ihr, daß wir an diesem Abend viel zu tun hätten und sie vermissen würden, und sie meinte, sie wäre zurück, wenn man sie brauchte. Es wurde da gerade erst dunkel, und ich wußte ja nicht, daß sie so lange ausbleiben wollte.«

»Hast du sie nicht gefragt, wohin sie wollte?«

»Das habe ich«, sagte das Mädchen, »aber sie sagt ja nie etwas über ihre eigenen Angelegenheiten, und ich hätte mir denken können, daß sie, wenn überhaupt, nur eine mürrische Antwort geben würde. Sie meinte, sie wollte eine Katze holen«, sagte Madlyn verwundert und unschuldig, »und zu den Tauben setzen.«

Auch wenn es ihr nichts sagte, für Cenred und seine Frau, die den Ausspruch sicher nicht zum ersten Mal hörten, hatte es eine Bedeutung. Emma blickte erschrocken ihren Mann an, der sofort aufgesprungen war. Den Blick, den sie wechselten, konnte Cadfael lesen, als hätte er ihre Worte in seinen Ohren gehört. Er hatte genug Hinweise bekommen, um zu verstehen, was hier vor sich ging. Edgytha hatte beide aufgezogen und gehegt, sie hatte sie wie ihre eigenen Kinder geliebt und unter der Trennung gelitten, was auch immer Kirche und Blutsbande sagten, und diese Trauung hätte die Trennung endgültig gemacht. Sie wollte Hilfe holen, um im letzten Augenblick noch zu verhindern, was sie bedauerte. Sie wollte Roscelin sagen, was hinter seinem Rücken geschah. Sie war nach Elford gegangen.

Kein Wort wurde hier, vor Jean de Perronet, laut gesprochen. Der junge Mann stand jetzt neben Cenred, blickte verwirrt und mitfühlend von einem Gesicht zum anderen und wunderte sich über das häusliche Problem, das nicht das seine war. Eine alte Dienerin verschwand am Abend, die Nacht kam, und der Schnee fiel. Also mußte man suchen. Er machte unschuldig einen Vorschlag und füllte ein Schweigen, das ihn durchaus hätte mißtrauisch machen können.

»Sollten wir sie nicht suchen, wenn sie schon so lange fort ist? Des Nachts sind die Straßen nicht immer sicher, und eine Frau, die sich allein hinauswagt...«

Die Ablenkung kam wie ein Segen. Cenred griff den Gedanken dankbar auf. »Das werden wir. Ich will einen Trupp auf dem wahrscheinlichsten Weg ausschicken. Vielleicht wurde sie nur vom Schnee aufgehalten, nachdem sie im Dorf einen Besuch gemacht hat. Aber macht Euch deshalb keine Sorgen, Jean. Ich wünsche nicht, daß Euer Aufenthalt hier irgendwie gestört wird. Überlaßt die Sache meinen Männern, wir haben genug zur Verfügung. Und ich kann Euch versichern, daß sie nicht weit entfernt ist. Wir werden sie bald finden und wohlbehalten wieder nach Hause bringen.«

»Ich würde Euch gern begleiten«, bot de Perronet an.

»Nein, nein, das kann ich nicht zulassen. Laßt hier nur alles geschehen wie geplant, nichts soll den feierlichen Anlaß stören. Benutzt mein Haus wie das Eure und schlaft ruhigen Gewissens, denn morgen wird die kleine Aufregung schon vorbei und vergessen sein.«

Es war nicht schwer, den hilfsbereiten Gast von seinem großzügigen Angebot abzubringen, das er möglicherweise ohnehin nur als höfliche Geste vorgebracht hatte. Was im Haus eines Mannes geschieht, geht nur ihn selbst etwas an und sollte ihm deshalb auch selbst überlassen bleiben. Es ist höflich, Hilfe anzubieten, aber klug, im richtigen Augenblick nachzugeben. Cenred wußte ganz genau, wohin Edgytha gegangen war, und es gab keinen Zweifel, auf welcher Straße man nach ihr suchen mußte. Allerdings mußte man sich allmählich wirklich Sorgen machen, denn in vier Stunden konnte sie selbst im Schnee Elford erreichen und zurückkehren. Cenred erhob sich vom Tisch und befahl seinen Männern, sich an der Tür der Halle zu versammeln. Freundlich wünschte er de Perronet eine gute Nacht, und de Perronet faßte dies als Entlassung aus der häuslichen Konferenz auf. Dann gab er denen seiner Diener, die sich auf die Suche begeben sollten – es waren sechs junge und kräftige Männer und sein Verwalter –, klare Anweisungen mit auf den Weg.

»Was sollen wir nun tun?« fragte Bruder Haluin halblaut, der mit Cadfael etwas abseits stand.

»Ihr«, sagte Cadfael, »müßt ins Bett, wie es jeder vernünftige Mann jetzt tun würde, und Ihr sollt schlafen, wenn Ihr könnt. Und ein oder zwei Gebete können auch nicht schaden. Ich werde sie begleiten.«

»Auf dem kürzesten Weg nach Elford«, sagte Haluin schwer.

»Um eine Katze zu finden, die zwischen die Tauben gesetzt wird. Natürlich, wohin sonst? Aber Ihr bleibt hier. Wenn schon etwas gesagt werden muß, dann gibt es nichts, was Ihr tun oder sagen könntet, das ich nicht auch sagen könnte.«

Die Tür der Halle stand offen, und die Gruppe stapfte gerade die Treppe in den Hof hinunter. Zwei Männer trugen Fackeln. Cadfael, der als letzter folgte, blickte in die frostig glitzernde Nacht hinaus. Der Boden war dünn mit kleinen, nadelscharfen Flocken bedeckt, die aus dem fast klaren Himmel herabrieselten. Die blinkenden Sterne zeigten, daß es für einen schweren Schneefall zu kalt war. Er blickte zur Tür zurück und sah die Frauen unbehaglich in der hinteren Ecke zusammenstehen. Aller Augen folgten den aufbrechenden Männern. Die Mädchen drängten sich dicht aneinander, Emma zupfte mit besorgtem Gesicht nervös an ihren dicken Fingern.

Helisende hielt sich etwas abseits. Sie war die einzige, die sich nicht an ihre Leute klammerte, um Trost zu finden. Sie stand ein Stück hinter einer Fackel, und ihr Gesicht war ohne tiefe Schatten voll beleuchtet. Alles, was Emma ihrem Mann erzählt hatte, alles, was Madlyn berichtet hatte, wußte inzwischen sicherlich auch Helisende. Sie wußte, wohin Edgytha gegangen war und was sie dort wollte. Sie starrte mit großen Augen in eine Zukunft, die sie nicht mehr voraussagen konnte. Die Aufregungen dieser Nacht mochten schließlich zu Verwirrung, zu Entsetzen und vielleicht sogar einer Katastrophe führen. Sie war für ihr Opfer bereit gewesen, doch sie war völlig unvorbereitet auf das, was jetzt geschah. Ihr Gesicht schien gleichmütig und gefaßt, aber sie hatte ihre Ruhe und Sicherheit verloren. Aus Entschlossenheit war Hilflosigkeit geworden, und ihre Resignation verwandelte sich in Verzweiflung. Sie hatte ein umkämpftes Gebiet erreicht, auf dem sie sich hatte behaupten wollen, welchen Preis sie auch dafür zahlen mußte. Doch nun war dieser Grund erschüttert, die Erde teilte sich unter ihren Füßen, und sie hatte keine Gewalt mehr über ihr eigenes Schicksal. All ihr Edelmut war am Ende doch umsonst gewesen. Entwaffnet und verletzlich stand sie im Licht, und dieses letzte Bild von ihr nahm Cadfael in die Dunkelheit und den Frost mit.

Cenred zog seinen Mantel zum Schutz vor dem Wind eng um sich und schlug vom Tor des Anwesens aus einen Weg ein, den Cadfael nicht kannte. Mit Haluin war er von der fernen Hauptstraße aus gekommen und hatte sich geradewegs dem kleinen Funken der Fackel genähert. Dieser Weg aber führte in eine andere Richtung und verband sich kurz vor Elford wieder mit der Hauptstraße, so daß sie mindestens eine halbe Meile abkürzen konnten.

Es war nicht völlig dunkel. Ein wenig Licht spendeten die Sterne, und auch von der dünnen Schneedecke ging ein leichter Schimmer aus, so daß sie in einer Reihe nebeneinander, zu beiden Seiten des Weges auseinandergezogen, schnell ausschreiten konnten. Das Land war hier offen, zuerst waren überhaupt keine Bäume zu sehen, dann kam ein dünner Streifen von Waldland und Büschen. Sie hörten nichts außer ihren eigenen Schritten, ihrem Atem und dem leisen Heulen des Windes in den Büschen. Zweimal ließ Cenred sie anhalten und gebot Ruhe. Laut rief er in die Nacht hinaus, bekam aber keine Antwort.

Einer, der diesen Weg kannte, dachte Cadfael, brauchte kaum mehr als zwei Meilen bis Elford zu laufen. Edgytha hätte schon lange wieder in Vivers sein müssen, und nach allem, was sie Madlyn gesagt hatte, hatte sie tatsächlich beabsichtigt, rechtzeitig zurückzukehren, um nach dem Abendessen ihrer Herrin zur Verfügung zu stehen. Ausgeschlossen war, daß sie in einer so klaren Nacht und bei diesem kaum wahrnehmbaren Schneefall von einem ihr bekannten Weg abgekommen war. Allmählich wurde Cadfael klar, daß sie auf ihrem Gang oder auf dem Rückweg auf irgendeine Weise aufgehalten worden war. Nicht das Wüten der Natur oder irgendein Zufall war es gewesen, sondern eine menschliche Hand. In einer Nacht wie dieser waren die Gesetzlosen, falls es in diesem offenen Land überhaupt welche gab, sicher nicht unterwegs, um Reisenden aufzulauern, denn es gab keine Reisenden, die der Mühe wert gewesen wären. Nein, wenn jemand Edgytha von ihrem Ziel abgehalten hatte, dann war es in voller Absicht geschehen. Natürlich gab es noch eine andere Möglichkeit. Wenn sie Roscelin wohlbehalten mit ihren Neuigkeiten erreicht hatte, mochte er sie überzeugt haben, nicht zurückzukehren, sondern in Elford zu übernachten und ihm den Rest zu überlassen. Cadfael glaubte aber selbst nicht ganz an diese Möglichkeit. Roscelin wäre schon empört in die Halle von Vivers gestürmt, ehe Edgytha überhaupt vermißt worden wäre.

Cadfael wanderte nun neben Cenred, der auf dem Weg in der Mitte der Reihe ging und die Männer antrieb. Ein dunkler, schräger Blick, und Cenred hatte ihn erkannt und grüßte ihn ohne große Überraschung. »Es war nicht nötig, Bruder«, sagte Cenred nur. »Wir sind genug.«

»Einer mehr kann nicht schaden«, gab Cadfael zurück.

Einen Schaden würde Cadfael sicher nicht anrichten, aber wahrscheinlich war er auch nicht besonders willkommen. Cenred wäre es lieber gewesen, wenn er diese Angelegenheit unter den Angehörigen des Hauses selbst hätte regeln können. Andererseits schien er durch die Gegenwart eines Benediktiners in seiner Suchgruppe auch nicht besonders beunruhigt. Er hatte die Absicht, Edgytha zu finden, am besten, bevor sie Elford erreichte, und wenn das nicht gelang, dann wollte er wenigstens das Unglück verhüten, das sie möglicherweise in Gang gebracht hatte. Vielleicht rechnete er damit, seinen Sohn irgendwo unterwegs zu treffen, der eilig herbeikam, um die Trauung zu verhindern, die ihm seine letzten vergeblichen Hoffnungen nehmen würde. Aber sie waren schon mehr als eine Meile gelaufen, und die Nacht war leer wie zuvor.

Sie zogen nun auf buschigem, unebenem Gras durch ein schütteres Wäldchen. Der Schnee war zu leicht, um die Blätter zu Boden zu drücken, und sie wären am kleinen Hügel neben dem Weg vorbeigelaufen, wäre da nicht die weiße Spitze auf einem Untergrund gewesen, der dunkler war als das gebleichte Braun des gefrorenen Grasbodens. Cenred war schon vorbei, doch als Cadfael innehielt und zu Boden starrte, blieb er sofort stehen.

»Schnell, bringt die Fackel her!«

Das gelbe Licht enthüllte vor ihren Augen die Umrisse eines Menschen, der flach und mit den Füßen zum Weg auf dem Boden lag, überzogen von einer Kruste aus Schnee. Cadfael bückte sich und zog den gefrorenen Schleier vom nach oben gewandten Gesicht. Die Augen waren offen, das Gesicht war erschrocken und erstaunt und wohl auch ängstlich verkrampft. Die Haube war während des Sturzes vom grauen Haar gerutscht. Die Frau lag auf dem Rücken, ein wenig zur rechten Seite gedreht. Die Arme hatte sie hochgeworfen, als wollte sie einen Schlag abwehren. Der schwarze Mantel war dunkel unter der weißen Spitze zu sehen. Auf der Brust hatte ein Fleck den Schleier verunstaltet, wo ihr Blut, ein kleiner Strom nur, die herabfallenden Schneeflocken aufgetaut hatte. Aus ihrer Stellung konnte man nicht schließen, ob sie auf dem Hinweg oder auf dem Rückweg gewesen war, doch Cadfael hatte den Eindruck, daß sie im letzten Augenblick gehört hatte, wie jemand hinter ihr einherschlich. Sie hatte sich umgedreht und die Arme gehoben, um sich zu schützen. Der Dolch, den der Angreifer ihr von hinten zwischen die Rippen schieben wollte, hatte statt dessen ihre Brust getroffen. Sie war tot und kalt. Der Frost vereitelte jede Mutmaßung über den Zeitpunkt ihres Todes.

»Um Gottes willen!« flüsterte Cenred. »Daran habe ich im Traum nicht gedacht. Was sie auch im Sinn hatte, warum mußte dies geschehen?«

»Wölfe jagen auch bei Frost«, sagte sein Aufseher schwer. »Auch wenn hier wahrlich nicht viel für sie zu holen ist. Aber seht nur, nichts wurde gestohlen, nicht einmal ihr Mantel. Herrenlose Männer hätten sie beraubt.«

Cenred schüttelte den Kopf. »Hier gibt es keine Gesetzlosen, das kann ich beschwören. Nein, das hier ist etwas anderes. Ich frage mich nur, ich frage mich, in welche Richtung sie ging, als sie erschlagen wurde!«

»Wenn wir sie umdrehen, finden wir es vielleicht heraus«, warf Cadfael ein. »Was nun? Wir können nichts weiter für sie tun. Wer immer das Messer für die Schandtat benutzte, er brauchte keinen zweiten Stich. Fußabdrücke werden wir auf diesem harten Boden selbst dort kaum finden, wo kein Schnee liegt.«

»Wir müssen sie nach Hause tragen«, sagte Cenred düster. »Es wird ein schwerer Schlag für meine Frau und meine Schwester sein. Sie hielten große Stücke auf die alte Frau. Sie war ihnen immer treu ergeben und vertrauenswürdig, all die Jahre, seit meine junge Schwiegermutter sie ins Haus brachte. Diese Tat muß geahndet werden! Wir werden einen Mann schicken und in Erfahrung bringen, ob sie Elford überhaupt erreichte und was man dort über sie weiß, und ob man etwas von Räubern auf diesem Weg gehört hat, die vielleicht aus einer anderen Gegend kommen. Aber das ist schwer zu glauben. Audemar achtet gut auf seine Ländereien.«

»Sollen wir jemand schicken und eine Trage holen, Mylord?« fragte der Verwalter. »Sie ist nicht schwer, wir könnten sie auch in ihrem Mantel tragen.«

»Nein, den Weg können wir uns sparen. Aber Ihr, Edred, Ihr nehmt Jehan mit Euch und geht nach Elford. Findet heraus, was man dort über sie weiß, fragt, ob jemand sie gesehen und gesprochen hat. Nein, nehmt zwei Männer mit Euch. Ich will Euch auf der Straße nicht gefährden, falls hier wirklich herrenlose Männer unterwegs sind.«

Der Verwalter nahm den Auftrag zur Kenntnis und nahm eine Fackel, die ihm den Rest des Weges leuchten sollte. Der harzige Funke wurde immer kleiner, als sie gen Elford gingen, und verschwand schließlich in der Nacht. Die Männer, die zurückgeblieben waren, wandten sich zur Leiche und hoben sie zur Seite, um den Mantel zu befreien und unter ihr auszubreiten. Als die Tote angehoben wurde, war eine Frage eindeutig beantwortet.

»Unter ihr liegt Schnee«, sagte Cadfael. Die kleine Gestalt war dunkel und feucht, wo durch die Körperwärme der Schnee getaut war. Wo aber die Säume und Falten ihrer Kleider nur leicht auf dem Boden gelegen hatten, war ein zackiger Rand von Schnee geblieben. »Sie stürzte nach Beginn des Schneefalls. Sie war auf dem Heimweg.«

Leicht und schlaff fühlte sie sich an. Die Kälte ihres Körpers war Frost, nicht Leichenstarre. Sie wickelten sie eng in ihren Mantel ein und sicherten sie mit zwei oder drei Gürteln und Cadfaels Cingulum, um Griffe zu bekommen. So trugen sie sie die Meile bis Vivers zurück.

Die Menschen im Haus waren noch wach und aufgeregt, sie konnten nicht schlafen, ehe sie nicht wußten, was geschehen war. Eines der Mädchen sah den kleinen Trauerzug zum Tor hereinkommen und rannte klagend zu Emma. Als sie Edgythas

Körper in die Halle hinauftrugen, waren alle Mädchen wieder wie ein Vogelschwarm versammelt und drängten sich zum Trost eng aneinander. Emma übernahm mit größerer Entschlossenheit, als man sie dieser sanften, zurückhaltenden Person zugetraut hätte, das Kommando. Sie scheuchte die Mädchen mit einer Grobheit, die ihnen die Tränen austrieb, ans Werk. In einer der kleinen Kammern sollte ein Tisch in eine Bahre umgewandelt werden, die Gliedmaßen der Toten mußten ausgebreitet werden, Wasser mußte erwärmt werden, man brauchte duftende und saubere Leintücher aus den Kisten in der Halle, um die Tote zu bedecken. Die Bestattungszeremonien dienen ebenso den Lebenden wie den Toten, denn mit ihnen sind Hände und Köpfe beschäftigt, und in ihnen findet man den Ausgleich für die Dinge, die zu Lebzeiten des Verstorbenen unterlassen oder in übler Absicht getan wurden. Kurz darauf hatte sich das Gemurmel halblauter Stimmen in der Totenkammer von Entsetzen und Empörung in einen sanften, fast harmonischen Trauergesang verwandelt.

Emma kam in die Halle heraus, wo sich die Männer am Feuer die ausgekühlten Füße wärmten und ihre tauben Hände rieben.

»Cenred, wie ist so etwas nur möglich? Wer sollte so etwas tun?«

Niemand wollte ihr antworten, aber sie hatte auch keine Antwort erwartet.

»Wo habt ihr sie gefunden?«

Darauf antwortete ihr Mann, während er sich müde die gefurchte Stirn rieb. »Ungefähr auf halbem Wege nach Elford auf der Nebenstraße. Sie lag neben dem Weg. Und sie konnte dort noch nicht lange gelegen haben, denn unter ihr war Schnee. Sie war auf dem Rückweg, als jemand sie niederschlug.«

»Dann glaubst du«, sagte Emma leise, »daß sie in Elford war?«

»Wo sonst, wenn wir sie auf diesem Weg fanden? Ich habe Edred nach Elford geschickt, um zu fragen, ob sie dort eintraf und wer mit ihr sprach. Die Männer müßten in etwa einer Stunde zurück sein, aber der Herr weiß, welche Neuigkeiten sie zu berichten haben.«

Vorsichtig wichen sie beide der entscheidenden Frage aus und ließen Roscelins Namen ebenso unerwähnt wie den Grund für Edgythas Gang in dieser Winternacht. Natürlich wußten inzwischen alle Dienstboten und Knechte in den Ställen Bescheid, und der ganze Haushalt von Vivers hatte sich unbehaglich versammelt. Hausdiener sammelten sich in ängstlichen Gruppen in den Ecken der Halle, andere kamen herbei, lugten über ihre Schultern und waren nicht imstande, sich ihren normalen Aufgaben zu widmen oder Ruhe zu finden, solange niemand sie auseinandertrieb. Nur wenige, wenn überhaupt einer, war in das Geheimnis um Roscelins ungesetzliche Liebe eingeweiht, aber viele machten sich ihre Gedanken, da Helisende so eilig die Ehe schließen wollte. Vorsicht war angebracht, wenn man vor so vielen Ohren sprach.

Und nun kam, um alles noch komplizierter zu machen, Jean de Perronet aus seiner Kammer herunter, wo er sich aus Höflichkeit, jedoch ohne Schlaf zu finden, niedergelegt hatte. Er trug immer noch seine Reisekleidung. Auch Bruder Haluin kam besorgt und schweigend herbei. Alle, die unter dem Dach von Vivers lebten, zog es allmählich und fast verstohlen in die Halle.

Nein, nicht alle. Cadfael sah sich in der Versammlung um und vermißte ein Gesicht. Alle waren versammelt, nur Helisende war nicht da.

De Perronet hatte anscheinend gründlich nachgedacht, seit er sich dem Wunsch des Gastgebers gefügt und auf die Teilnahme an der Suche verzichtet hatte. Gefaßt und ernst trat er in die Halle, gab nicht zu erkennen, was in seinem Kopf vorging. Er ließ sich Zeit, den stummen, traurigen Kreis anzusehen und warf schließlich einen langen, festen Blick zu Cenred, der die dampfenden Stiefel über das Herdfeuer hielt und mit gesenktem Kopf in die Glut starrte.

»Ich habe den Eindruck«, sagte de Perronet vorsichtig, »daß die Suche nicht gut ausging. Habt Ihr Eure Dienerin nicht gefunden?«

»Doch, wir haben sie gefunden«, erwiderte Cenred.

»Geschlagen? Etwa tot? Ihr wollt mir doch nicht sagen, daß sie tot ist?«

»Das ist sie, und nicht wegen der Kälte. Erstochen wurde

sie«, sagte Cenred offen heraus, »und am Wegesrand liegengelassen. Und kein Zeichen einer anderen Menschenseele haben wir auf dem Weg entdeckt, auch wenn es noch nicht lange her ist. Kurz nachdem der Schneefall begann, muß es geschehen sein.«

»Achtzehn Jahre war sie bei uns«, erklärte Emma, während sie elend die Hände rang. »Die arme Seele, die arme Seele. Daß sie so enden muß – niedergeschlagen von einem Vagabunden, um in der Kälte zu sterben. Nicht um alles in der Welt hätte ich ihr so einen Tod gewünscht.«

»Es tut mir leid«, sagte de Perronet, »daß so etwas in einem solchen Augenblick geschehen muß. Ob es eine Verbindung zwischen dem Grund für meine Anwesenheit hier und dem Tod dieser Frau gibt?«

»Nein!« riefen Mann und Frau gleichzeitig, die den Gedanken lieber vor sich selbst zurückwiesen, als den Gast anzulügen und zu täuschen. »Nein«, sagte Cenred leiser, »ich bete, daß es keine Verbindung gibt, ich vertraue darauf. Es ist ein unglückliches Ereignis, aber dennoch ein Zufall.«

»Solche unglücklichen Zufälle gibt es«, räumte de Perronet ein, offensichtlich nicht ganz überzeugt. »Nicht einmal Feier und Eheschließungen werden von ihnen verschont. Wollt Ihr die Trauung lieber aufschieben?«

»Nein, warum? Es ist unser Kummer, nicht der Eure. Aber es handelt sich hier um einen Mord, also muß ich nach dem Sheriff schicken und den Mörder jagen lassen. Soweit ich weiß, hat sie hier keine lebenden Verwandten, und es ist an uns, sie zu bestatten. Wir werden tun, was nötig ist. Aber das muß auf Euch keinen Schatten werfen.«

»Ich fürchte, auf Helisende ist schon ein Schatten gefallen«, sagte de Perronet. »Ich glaube, die Frau war ihre Amme und ihr sehr teuer.«

»Um so rascher solltet ihr sie von hier fortführen, damit sie in ihrem neuen Heim ein neues Leben beginnen kann.« Zum erstenmal, seit er hereingekommen war, sah er sich nach Helisende um und erschrak, als er sie nicht unter den Frauen entdeckte, schien andererseits aber erleichtert, daß sie nicht durch ihre Anwesenheit eine ohnehin schon komplizierte Angelegenheit noch schwieriger machte. Wenn sie tatsächlich eingeschlafen war, um so besser, dann sollte sie schlafen und erst am Morgen die schlimmen Neuigkeiten hören.

Die Dienerinnen huschten durch das Zimmer und brachten Edgytha in einen ansehnlichen Zustand. Weiter konnten sie nichts tun, und allmählich wurden die unruhigen Mädchen, die nur noch stumm und ängstlich in Gruppen beisammen standen, zur Bedrückung. Cenred überlegte, wie er sie am besten loswerden konnte.

»Emma, schick die Frauen ins Bett. Es gibt hier nichts mehr zu tun, sie brauchen nicht zu warten. Und ihr Burschen, ihr geht jetzt auch zu Bett. Es ist alles getan, was getan werden konnte, solange Edred nicht aus Elford zurück ist. Es ist nicht nötig, daß das ganze Haus auf ihn wartet.« Zu de Perronet sagte er: »Ich habe ihn mit zwei anderen Männern zu meinem Oberherrn geschickt, um diesen vom Todesfall in Kenntnis zu setzen. Dies hier ist sein Gebiet, und ein Mord ist ebenso seine Angelegenheit wie die meine. Kommt, Jean, mit Eurer Erlaubnis werden wir uns in die Kammer zurückziehen und die Halle den Schläfern überlassen.«

Zweifellos, überlegte Cadfael, während er Cenreds trauriges Gesicht betrachtete, wäre er glücklicher, wenn de Perronet sich von sich aus zurückzöge und abseits hielte, aber dazu ist es jetzt zu spät. Und so sehr er sich auch um die Wahrheit hinter dem herumredet, was sein Verwalter aus Elford an Neuigkeiten mitbringen wird, allein der Name des Ortes hat nun eine Bedeutung gewonnen, der man nicht mehr entgehen kann. Cenred ist kein Mensch, der Täuschungen liebt oder der inbrünstig und geschickt lügen könnte.

Die Frauen folgten den Befehlen sofort und zogen sich, immer noch ängstlich flüsternd, in ihre Quartiere zurück. Die Diener löschten die Fackeln und ließen nur noch zwei am großen Tor brennen, um den Eingang zu beleuchten. Dann versorgten und dämpften sie das Feuer, damit es die Nacht über leise weiterbrennen konnte. De Perronet folgte seinem Gastgeber zur Tür der Kemenate. Cenred blieb vor der Tür stehen, drehte sich um und winkte Cadfael herein.

»Bruder, Ihr wart Zeuge, Ihr könnt bezeugen, wie wir sie fanden. Ihr habt uns gezeigt, daß der Schnee schon vor ihrem

Tod zu fallen begonnen hatte. Wollt Ihr mit uns warten und hören, was mein Verwalter zu berichten hat?«

Kein Wort wurde darüber verloren, ob Bruder Haluin diese Einladung auch auf sich beziehen sollte. Als er aber Cadfaels eher abratendem als auffordemdem Blick begegnete, beschloß er, ihn einfach zu ignorieren. Genug war schon geschehen, um seine Gedanken in Gang zu bringen, und die bevorstehende Heirat schien zumindest indirekt mit dem Todesfall zusammenzuhängen. Er mußte wissen, was hinter dieser nächtlichen Wanderung steckte und sein Wort zurückziehen, falls es triftige Gründe gab. Er schürzte die Lippen und folgte der Gesellschaft in die Kemenate; die Krücken pochten schwer auf den Binsenteppich und hallten dumpf, als sie auf die Dielenbretter trafen. Er setzte sich, ein unaufdringlicher Zuhörer, in der dunkelsten Ecke auf eine Bank.

Cenred ließ sich müde am Tisch nieder, stemmte die Ellbogen auf die Platte und stützte den Kopf mit seinen kräftigen Händen.

»Sind Eure Männer zu Fuß gegangen?« fragte de Perronet.

»Ja.«

»Dann müssen wir möglicherweise lange warten, bis sie zurückkehren. Habt Ihr noch andere Gruppen auf anderen Straßen ausgeschickt?«

»Nein«, sagte Cenred einfach und ließ sich nicht zu einer Erklärung oder Entschuldigung bewegen. Vor kaum einer Viertelstunde, dachte Cadfael, wäre er noch ausgewichen oder hätte die Frage unbeantwortet gelassen. Jetzt geht es nicht mehr um Diskretion. Ein Mord bringt viele andere, nicht weniger schmerzliche Dinge ans Licht, auch dann schon, wenn der Mord selbst noch nicht aufgeklärt ist.

De Perronet hielt den Mund und verkniff sich jede weitere Frage. Schweigend warteten sie. Die Nacht hatte eine gedämpfte Stille über das Anwesen von Vivers gebracht, unheildrohend und bedrückend. Es war zu bezweifeln, daß irgend jemand in der Halle schlief, aber wenn sich jemand regte, dann verstohlen, und wenn jemand sprach, dann flüsternd.

Dennoch mußten sie nicht so lange warten, wie de Perronet prophezeit hatte. Das Schweigen wurde abrupt durch trommelnde Hufschläge eines galoppierenden Pferdes unterbrochen.

Eine wütende junge Stimme rief nach Bediensteten, Burschen rannten aufgeregt umher, und hastig regten sich alle wachenden Menschen in der Halle. Füße stolperten blind durch die Dunkelheit und raschelten in den Binsen, Feuerstein und Stahl wurden zu kurz und zu hastig geschlagen, um den Zunder zu entzünden. Die erste Fackel wurde ins gedämpfte Feuer gedrückt und in aller Eile an andere Fackeln gehalten, die mit ihr entzündet werden sollten. Bevor die Männer aus der Kemenate in die Halle hinauslaufen konnten, pochte es schon an der Außentür, und eine wütende Stimme verlangte Einlaß.

Zwei oder drei rannten, die Tür zu öffnen, denn sie hatten die Stimme erkannt. Sie wurden zurückgeworfen, als die schwere Türe gegen die Wand flog, und in das helle Kerzenlicht trat Roscelin mit unbedecktem Kopf und nach dem schnellen Ritt zerzaustem blondem Haar. Seine blauen Augen blitzen, die Kälte der Nacht wehte mit ihm herein, die Fackeln spuckten und qualmten. Cenred stürmte aus der Kemenate, wurde aber auf der Schwelle vom grimmigen Blick seines Sohnes aufgehalten.

»Was erzählt Edred mir da?« verlangte Roscelin zu wissen. »Was habt Ihr hinter meinem Rücken getan?«

9

In diesem Fall, das wußte Cenred ganz genau, vermochte seine väterliche Autorität nichts auszurichten. Ein Familientyrann war er ohnehin nicht, und so mußte er sich anstrengen, um die verlorene Initiative zurückzugewinnen.

»Was tust du hier?« verlangte er streng zu wissen. »Habe ich nach dir geschickt? Hat dein Herr dich entlassen? Hat einer von uns dich von deiner Pflicht entbunden?«

»Nein«, sagte Roscelin funkelnd. »Ich habe keine Erlaubnis bekommen und nicht um Erlaubnis gebeten. Und was die Verpflichtung angeht, so habt Ihr mich selbst aus ihr entlassen, als Ihr mich hintergehen wolltet. Nicht ich habe das Vertrauen gebrochen. Und was meine Pflichten bei Audemar angeht, so werde ich zu ihm zurückkehren, wenn ich muß, und seine Schelte ertragen, aber erst wenn Ihr mir offen erklärt, was Ihr im dunkeln hinter meinem Rücken vorhattet. Ich habe Euch gehorcht, ich mußte Euch recht geben, ich habe mich gefügt. Wart Ihr mir nicht zum Ausgleich auch etwas schuldig? Und wenn es nur Ehrlichkeit war?«

Jeder andere Vater hätte ihn für diese Frechheit verprügelt, aber Cenred stand diese Möglichkeit nicht offen. Emma zupfte ängstlich an seinem Ärmel, denn sie machte sich um beide Männer Sorgen. De Perronet, wachsam und mit scharfem Blick, baute sich neben ihm auf, beäugte den wütenden Jungen, der sie alle zur Rede stellte, und mußte sich mit dem Gedanken anfreunden, daß seine Pläne in Gefahr waren. Was sonst hätte diesen Jungen mitten in der Nacht ins Haus führen können? Und allem Anschein nach war er auf kürzestem Wege gekommen, was des Nachts nicht ungefährlich war, denn sonst hätte er nicht so schnell an Ort und Stelle sein können. Nichts, was in dieser Nacht geschah, war Zufall. Die Heirat der Helisende Vivers hatte diesen Knoten von Mord und Suche und Verfolgung geknüpft, und niemand wußte, was noch herauskommen würde.

»Ich habe nichts getan«, meinte Cenred, »dessen ich mich

schämen müßte, und nichts, was ich dir gegenüber rechtfertigen müßte. Da du wußtest, was dir bevorstand, und dich einverstanden erklärt hast, kannst du dich jetzt nicht beklagen. Ich bin Herr in meinem Hause, ich habe meiner Familie gegenüber Rechte und Pflichten. Ich werde ihnen zum Wohle aller nachkommen, wie ich es für richtig halte.«

»Ohne die Höflichkeit zu haben, mir ein Wort zu sagen!« fauchte Roscelin, der brannte wie ein geschürtes Feuer. »Nein, von Edred mußte ich es erfahren, nachdem der Schaden bereits angerichtet war, nachdem es einen Todesfall gab, der auch Euch hätte angerechnet werden können. War das zum Wohle aller? Oder wollt Ihr mir etwa sagen, daß Edgytha durch die Hand eines Fremden aus ganz anderen Gründen zu Tode kam? Das ist Unheil genug, und es könnte noch schlimmer kommen. Wessen Pläne veranlaßten sie, in der Nacht hinauszugehen? Wollt Ihr mir sagen, daß sie aus ganz anderen Gründen unterwegs war? Edred sagte, sie sei auf dem Weg nach Elford gewesen, als jemand sie niederstach. Ich bin hier, um Schlimmeres zu verhüten.«

»Euer Sohn spielt, wie ich vermute«, schaltete de Perronet sich laut und mit kalter Stimme ein, »auf die geplante Eheschließung zwischen mir und Helisende an. In diesem Fall habe ich wohl auch ein Wort zu sagen.«

Roscelin fuhr herum und starrte mit aufgerissenen blauen Augen den Gast an. Erst jetzt betrachtete er ihn, und er hielt den Blick des Gastes lang und schweigend. Sie waren einander nicht fremd, erinnerte Cadfael sich. Die beiden Familien waren einander bekannt, vielleicht sogar entfernte Verwandte, und vor zwei Jahren hatte de Perronet förmlich um Helisendes Hand angehalten. In Roscelins Blick war keine persönliche Feindschaft zu entdecken, nur eine verblüffte und ohnmächtige Wut auf die Umstände und nicht auf den Freier, dessen Rivale er nicht sein konnte und durfte.

»*Ihr* seid der Bräutigam?« fragte er direkt.

»Das bin ich, und ich will meinen Anspruch aufrechterhalten. Was habt Ihr dagegen vorzubringen?«

Feindseligkeit oder nicht, sie hatten das Gefieder gesträubt wie kampfbereite Hähne, aber Cenred legte nun beschwichtigend eine Hand auf de Perronets Arm und sah seinen Sohn finster an.

»Wartet, wartet! Es ist jetzt zu weit gekommen, um unausgesprochen zu bleiben. Willst du mir sagen, Junge, daß es Edred war, der dir von dieser Heirat und von Edgythas Tod berichtete?«

»Wer sonst?« gab Roscelin zurück. »Er kam mit seinen Neuigkeiten hereingeschnauft und weckte das ganze Haus, Audemar und alle anderen. Ich weiß nicht, ob er wollte, daß auch ich es hörte, als er alles erzählte, aber ich hörte es und bin sofort gekommen, um selbst zu sehen, was Ihr mir nicht verraten habt. Und wir werden schon sehen, ob wirklich dem Wohl aller genüge getan wird.«

»Dann hast du Edgytha nicht gesehen? Sie war nicht bei dir?«

»Wie konnte sie, wenn sie eine Meile oder weiter von Elford entfernt tot am Wegesrand lag?« erwiderte Roscelin ungeduldig.

»Sie ist erst nach dem Schneefall gestorben. Sie war einige Stunden fort, lange genug, um Elford zu erreichen und schon auf dem Rückweg zu sein. *Irgendwo* ist sie aber gewesen, und von irgendwo kehrte sie zurück. Wo sonst könnte sie gewesen sein?«

»Dann meint Ihr, sie war wirklich in Elford?« erwiderte Roscelin langsam. »Ich habe nur erfahren, daß sie tot ist und dachte, es sei auf dem Hinweg geschehen. Auf dem Weg zu mir! Dachtet Ihr daran? Daß sie mich warnen wollte, was hier in meiner Abwesenheit geschah?«

Cenreds Schweigen und Emmas unglückliches Gesicht waren Antwort genug.

»Nein«, sagte er langsam, »ich habe sie nicht gesehen. Soweit ich weiß, auch sonst niemand in Audemars Haus. Wenn sie überhaupt dort war, dann weiß ich nicht, wen sie aufgesucht hat. Sicherlich nicht mich.«

»So hätte es sein können«, sagte Cenred.

»Aber so war es nicht. Sie kam nicht. Dennoch«, fuhr Roscelin erbarmungslos fort, »hier bin ich, wie sie es wollte, nachdem ich es aus einem anderen Mund erfuhr. Gott weiß, wie mich Edgythas Tod bekümmert, aber was können wir nun tun, außer sie in aller Ehre zu bestatten und danach hoffentlich ihren Mörder zu finden und auch ihn zu begraben? Aber es ist nicht zu spät, um zu überdenken, was hier morgen geschehen soll, es ist nicht zu spät, die Pläne zu ändern.«

»Ich wundere mich«, sagte Cenred barsch, »daß du mir nicht gleich den Mord zur Last legst.«

Roscelin, der auf eine so ungeheuerliche Idee nicht gekommen war, riß schockiert den Mund auf, und seine Hände baumelten plötzlich wie bei einem Kind schlaff herab. Völlig verblüfft stammelte er eine wütende, kaum zu verstehende Antwort, unterbrach sich aber und wandte sich wieder an de Perronet.

»Aber Ihr – *Ihr* hattet allen Grund, sie aufzuhalten, wenn Ihr wußtet, daß sie unterwegs war, um mich zu warnen. *Ihr* hattet allen Grund, sie zum Schweigen zu bringen, damit sich keine Stimme gegen Eure Heirat erhebt. Doch nun erhebe ich meine. Wart Ihr es, der sie unterwegs umbrachte?«

»Das ist doch Dummheit«, sagte de Perronet voller Abscheu. »Jeder hier weiß, daß ich den ganzen Abend über ständig anwesend war.«

»Mag sein, aber Ihr habt Männer, die für Euch arbeiten.«

»Das Haus Eures Vaters kann für alle bürgen, die mit mir kamen. Außerdem habt Ihr bereits erfahren, daß die Frau nicht auf dem Hinweg, sondern auf dem Rückweg getötet wurde. Welchen Sinn hätte die Tat für mich noch gehabt? Und nun muß ich Euch fragen, Vater und Sohn gleichermaßen«, fuhr er scharf fort, »welches Interesse dieser Junge an der Heirat seiner Verwandten hat, daß er es wagt, die Rechte ihres Bruders und ihres zukünftigen Mannes in Frage zu stellen?«

Nun, dachte Cadfael, nun kommt alles heraus, auch wenn es niemand offen sagen wird. Denn de Perronet war klug genug, um die ganz besondere und verbotene Leidenschaft zu erfassen, die den unglücklichen Jungen trieb. Jetzt hängt es von Roscelin ab, ob die Sache anständig bereinigt werden kann oder nicht. Das erfordert natürlich viel von diesem aufgebrachten jungen Mann, der sich betrogen fühlt. Jetzt werden wir sehen, aus welchem Holz er ist.

Roscelin war erbleicht, kalkweiß war sein Gesicht, und die zarten Wangen- und Kieferknochen traten im Fackelschein deutlich hervor. Bevor Cenred Luft holen und sich Geltung verschaffen konnte, begann sein Sohn zu sprechen.

»Mein Interesse ist das eines Verwandten, der mit ihr sein Leben lang wie ein Bruder zusammenlebte und über alles in der Welt wünscht, daß Helisende glücklich wird. Das Recht meines Vaters stelle ich nicht in Frage, und ich zweifle nicht daran daß er die gleichen Wünsche hat wie ich. Aber wenn ich von einer Ehe höre, die in meiner Abwesenheit in aller Eile geplant und durchgeführt wird, wie kann ich da ruhig bleiben? Ich will nicht danebenstehen und zusehen, wie sie in eine Ehe gedrängt wird, die sie vielleicht selbst nicht will. Ich kann nicht zulassen, daß sie gezwungen oder überredet wird.«

»Das ist nicht der Fall«, wandte Cenred hitzig ein. »Sie wurde nicht gezwungen, sie stimmte aus freiem Willen zu.«

»Und warum wolltet Ihr es mir verschweigen? Bis alles geschehen war? Wie kann ich das glauben, wenn Euer Verhalten etwas anderes sagt?« Er fuhr, sein bleiches Gesicht mühsam unter Kontrolle haltend, zu de Perronet herum. »Sir, gegen Euch habe ich keine Einwände. Ich wußte nicht einmal, wer ihr Ehemann werden sollte. Aber Ihr müßt einsehen, daß sich Mißtrauen regt, wenn etwas nicht in Offenheit geschieht.«

»Jetzt ist es offengelegt«, meinte de Perronet knapp. »Was hindert Euch, es von Helisende selbst zu hören? Wird Euch das zufriedenstellen?«

Roscelin verzog gequält das Gesicht und wehrte sich einen Moment sichtlich gegen die Gefahr, endgültig zurückgewiesen zu werden und sie ein für allemal zu verlieren. Aber er mußte zustimmen.

»Wenn sie mir sagt, daß sie selbst es will, dann werde ich schweigen.« Er sagte allerdings nicht, daß er damit zufrieden sein würde.

Cenred wandte sich an seine Frau, die sich die ganze Zeit an seiner Seite gehalten und das gequälte Gesicht ihres Sohnes beobachtet hatte.

»Ruf Helisende. Sie soll selbst sprechen.«

Im drückenden, unbehaglichen Schweigen, das sich über die Gruppe senkte, nachdem Emma gegangen war, fragte Cadfael sich, warum sich kein anderer wie er darüber wunderte, daß Helisende nicht schon lange gekommen war, um herauszufinden, was diese nächtliche Unruhe zu bedeuten hatte. Er konnte den letzten Anblick nicht loswerden, den er von ihr erhascht hatte, wie sie einsam unter so vielen Menschen gestanden hatte, plötzlich verloren und von einem Weg abgekommen, den sie mit Entschlossenheit und Würde zu Ende gehen wollte. In einer so schrecklich veränderten Situation hatte sie die Orientierung verloren. Ein Wunder, daß sie nicht, um ihre Fassung zurückzugewinnen, heruntergekommen war, um zu erfahren, was die Sucher gefunden hatten. Wußte sie etwa noch nicht, daß Edgytha tot war?

Cenred war mitten in die halbdunkle Halle getreten und hatte die Kemenate verlassen, denn auch hinter geschlossenen Türen gab es jetzt keine Abgeschiedenheit mehr. Eine Frau seines Hauses war gestorben. Eine Familienangehörige fand ihre Heirat durch Konflikte und Tod bedroht. Jetzt gab es keinen Unterschied mehr zwischen Herren und Dienern, zwischen Dame und Dienerin. Sie warteten unbehaglich. Alle außer Helisende, die immer noch nicht unter ihnen war.

Bruder Haluin hatte sich in die Schatten zurückgezogen und saß stumm und still auf einer Bank an der Wand, steif und eingerahmt von seinen Krücken, die er an seinen Seiten hielt. Seine dunklen hohlen Augen glitten aufmerksam von einem Gesicht zum andern, prüften und blickten verwundert. Wenn er müde war, dann ließ er es sich nicht anmerken. Cadfael hätte ihn gern ins Bett geschickt, aber alle hier standen unter einem Zwang, der sie nicht gehen ließ. Nur eine hatte dem Zwang widerstanden, nur eine war geflohen.

»Was hält die Frauen auf?« sagte Cenred, als sich die Zeit dehnte. »Dauert es denn so lange, ein Kleid anzuziehen?«

Aber es vergingen noch einige Minuten, bis Emma wieder in der Türe stand, das runde, sanfte Gesicht entsetzt und empört verzogen, die Hände aufgeregt am Gürtel spielend. Hinter ihr lugte Madlyn besorgt und mit großen Augen durch die Türe. Doch von Helisende war nichts zu sehen.

»Sie ist fort«, sagte Emma, zu erschüttert und verwirrt, um viele Worte zu machen. »Sie ist nicht im Bett und nicht in ihrer Kammer, sie ist im ganzen Haus nicht zu finden. Ihr Mantel ist nicht da. Jehan war draußen bei den Ställen, und auch ihr Pferd und ihr Zaumzeug sind fort. Während ihr unterwegs wart, hat sie heimlich ihr Pferd gesattelt und ist allein davongeritten.«

Alle schwiegen sie, die Brüder, der Bräutigam, der enttäuschte Geliebte. Während sie über ihr Schicksal gestritten und gerungen hatten, hatte Helisende gehandelt und war vor ihnen allen geflohen. Ja, auch vor Roscelin, denn er stand erschüttert und erstaunt und ebenso verwirrt wie alle anderen in der Halle. Cenred mochte sich aufrichten und seinen Sohn finster ansehen, de Perronet mochte herumfahren und ihn mit tiefem Mißtrauen mustern, aber offensichtlich hatte Roscelin mit dieser panischen Flucht nichts zu schaffen. Mit ihrem heimlichen Gang, dachte Cadfael, hatte Edgytha Helisendes mühsam errungene Sicherheit zerstört. Ja, de Perronet war ein anständiger Mann und eine gute Partie, und sie hatte sich ihm versprochen, um mit Roscelin zu brechen und sich und ihn aus einer unerträglichen Situation zu befreien. Aber wenn dieses Opfer nur Wut, Gefahr und Konflikte und schließlich den Tod brachte, dann war alles verändert. Helisende war zurückgeschreckt und hatte sich befreit.

»Sie ist fortgelaufen!« sagte Cenred schnaufend. »Wie war ihr das möglich, ohne entdeckt zu werden? Und wohin kann sie geritten sein? Wo waren ihre Mädchen? War denn kein Bursche im Stall, der sie fragte, was sie wolle oder wenigstens uns warnen konnte?« Er fuhr sich hilflos mit der Hand durchs Gesicht und blickte düster zu seinem Sohn. »Und wohin sollte sie laufen, wenn nicht zu dir?«

Jetzt war es heraus und konnte nicht zurückgenommen werden.

»Hast du sie irgendwo versteckt und bist mit falscher Empörung zu uns geritten, um die Sünde zu vertuschen?«

»Das kann ich nicht glauben!« sagte Roscelin wütend. »Ich habe sie nicht gesehen, ich habe nichts von ihr gehört, ich habe ihr keine Nachricht zukommen lassen, und das wißt Ihr. Ich bin auf dem gleichen Weg von Elford hergeritten, auf dem Eure Männer kamen, und wenn sie auf diesem Weg gewesen wäre, dann wären wir uns begegnet. Glaubt Ihr, ich hätte sie allein in der Nacht weiterreiten lassen, ob nach Elford oder hierher zurück? Wenn wir uns getroffen hätten, dann wären wir jetzt beide hier, was auch geschehe.«

»Die Hauptstraße ist sicherer«, warf de Perronet ein. »Der Weg ist weiter, aber mit einem Pferd kommt man schnell und leicht voran. Wenn sie wirklich nach Elford wollte, dann hat sie vielleicht diesen Weg genommen. Sie würde kaum den gleichen Weg nehmen wie Eure Männer.«

Seine Stimme war kalt und trocken, sein Gesicht empört verzogen, aber statt Energie und Leidenschaft für die fehlgeleitete Zuneigung eines Jungen zu verschwenden, dachte er über praktische Dinge nach. Der Junge konnte seine Position nicht gefährden. Die Verbindung, die er anstrebte, war arrangiert und akzeptiert, und er brauchte nicht zurückzustecken. Jetzt kam es nur noch darauf an, das Mädchen unversehrt zurückzuholen.

»Das ist möglich«, sagte Cenred etwas zuversichtlicher. »Wahrscheinlich hat sie diesen Weg genommen. Wenn sie Elford erreicht, ist sie gut aufgehoben. Wir wollen Männer über die Hauptstraße schicken und nichts dem Zufall überlassen.«

»Ich reite auf diesem Weg zurück«, bot Roscelin eifrig an und war schon fast zur Halle hinaus, als de Perronet ihn am Ärmel festhielt.

»Nein, nicht Ihr! Ich bin nicht sicher, ob wir Euch zwei noch einmal wiedersehen, wenn Ihr Euch begegnet. Laßt Cenred seine Schwester suchen. Ich bin sicher, daß sie zurückkehren und für sich selbst sprechen wird, wenn die Unruhe vorbei ist. Und wenn sie das getan hat, Junge, dann haltet Euch zurück und haltet Euren Mund.«

Roscelin gefiel es nicht, so angefaßt und behandelt zu werden. Er ließ sich nicht gern ›Junge‹ von einem Mann nennen, dem er an Größe und Kraft gewachsen war, wenn auch nicht an Jahren und Selbstsicherheit. Er befreite mit einer kräftigen Bewegung seinen Arm und stellte sich mit gefurchter Stirn der Konfrontation.

»Wenn Helisende wohlbehalten gefunden wird und unbeeinflußt für sich selbst sprechen kann, nicht für Euch, Sir, nicht für meinen Vater und nicht für irgend jemand sonst, für keinen Oberherrn oder Priester oder König oder was auch sonst, dann will ich zufrieden sein. Aber vorher«, sagte er, während er sich mit einer Mischung aus Trotz und Flehen an seinen Vater wandte, »vorher müßt Ihr sie finden. Ich will sie wohlbehalten und gut behandelt sehen. Was sonst spielt jetzt noch eine Rolle?«

»Ich gehe selbst«, sagte Cenred, der seine Autorität zurückge-
wann. Er trat in die Kemenate, um den Mantel zu holen, den er
abgestreift hatte.

Doch in dieser Nacht sollte niemand mehr von Vivers ausreiten.
Cenred hatte kaum seine Stiefel wieder angezogen, seine Burschen hatten gerade erst Sattel und Zaumzeug in Händen, da ritt
ein halbes Dutzend Männer in den Hof ein. Sie wurden am Tor
angerufen, antworteten und kamen mit klingelndem Zaumzeug
und dumpfen Huftrampeln in den Hof.

Alle im Haus eilten, die Tür zu öffnen und zu sehen, wer so
spät in der Nacht noch käme. Edred und seine Gefährten waren
zu Fuß gegangen und würden auch zu Fuß zurückkehren, und
nun kam eine berittene Truppe an. Mit Fackeln zog man in die
Dunkelheit hinaus, und Cadfael schloß sich ihnen an, dichtauf
gefolgt von Roscelin und de Perronet, dahinter noch einige
Diener.

Im Hof flackerten und spuckten die Fackeln und beleuchteten
das grobknochige Gesicht von Audemar de Clary und seinen
massigen Körper, als er aus dem Sattel stieg und seine Zügel
einem herbeigeeilten Burschen übergab. Hinter ihm kamen
Edred der Aufseher, der jetzt auf einem Pferd aus de Clarys Stall
saß, und drei von Audemars Männer.

Cenred eilte die Treppe hinunter, um sie willkommen zu
heißen. »Mylord«, sagte er, ausnahmsweise förmlich mit seinem
Freund und Oberherrn umgehend. »Ich hätte nicht erwartet,
Euch heute nacht zu sehen, aber Ihr kommt im richtigen Augenblick und seid mehr als willkommen. Gott weiß, daß wir Euch
schon genug Umstände machen, denn ein Mord ist geschehen,
wie Edred Euch sicher berichtet hat. Ein Mord in eurem Bezirk,
das ist kaum zu glauben, aber so ist es.«

»Ich habe es gehört«, erwiderte Audemar. »Kommt herein
und laßt mich die Geschichte hören. Vor morgen früh können
wir nichts weiter tun.« Als er die Halle betrat, fiel sein Blick auf
den abtrünnigen Roscelin. Er bemerkte das grimmige und keineswegs schuldbewußte Gesicht des Jungen und sagte ohne
Vorwurf: »Du bist hier, Junge? Dich hätte ich nun wirklich nicht
erwartet.« Offenbar waren ihm die tieferen Gründe für Rosce-

lins Verbannung bekannt, und er empfand ein gewisses Mitgefühl für den Jungen, auch wenn er dessen überstürztes Handeln nicht gutheißen konnte. Er klopfte ihm herzhaft auf die Schulter, trat ein und zog den Jungen mit sich in die Kemenate. Roscelin aber wehrte sich und zupfte seinen Herrn drängend am Arm.

»Mylord, es gibt noch mehr zu erzählen. Sir«, wandte er sich leidenschaftlich an seinen Vater, »sagt es ihm! Wenn sie nicht nach Elford geritten ist, wo kann sie dann sein? Mylord, Helisende ist verschwunden, sie ist allein ausgeritten, und mein Vater glaubt, daß sie nach Elford wollte – meinetwegen! Aber ich ritt über die Nebenstraße hierher und sah sie nicht. Ist sie wohlbehalten bei Euch eingetroffen? Nehmt mir meine Sorgen – hat sie die Hauptstraße genommen? Ist sie jetzt sicher in Elford?«

»Das ist sie nicht!« Aufgebracht angesichts dieses neuen Problems sah Audemar zwischen Vater und Sohn hin und her und spürte die Spannungen zwischen den beiden. »Wir sind selbst über die Hauptstraße gekommen und haben keine Spur von ihr oder einer anderen Frau gesehen. Auf der einen oder anderen Straße hätte jemand sie treffen müssen. Kommt herein!« sagte er und drängte Cenred mit seinem freien Arm. »Laßt uns drinnen sehen, was wir wissen und zusammenfügen können, damit wir morgen das Richtige tun. Madam, Ihr solltet etwas ruhen, denn sonst könnt ihr weiter nichts ausrichten. Ich fühle mich hier verantwortlich, und Ihr braucht nicht die ganze Nacht zu wachen.«

Es war keine Frage, wer hier der Herr war. Emma faltete dankbar die Hände, warf ihrem Mann und ihrem Sohn noch einen liebevollen Blick zu und zog sich gehorsam zurück, um zu ruhen, soweit sie überhaupt Ruhe finden konnte. Audemar sah noch einmal aus der Kemenate heraus, ließ einen freundlichen Blick durch die Halle wandern, der allen Anwesenden zeigte, wer hier der Herr war, und entließ damit alle Bediensteten. Dann fiel sein Blick auf die Benediktiner, die unaufdringlich in einer Ecke warteten. Mit freundlichem Nicken begrüßte er sie und lächelte.

»Gute Nacht, Brüder!« sagte Audemar und zog hinter sich die Türe zu, um mit dem besorgten Hausherren von Vivers und dessen hitzigem Stammhalter zu sprechen.

10

»Er hat recht!« sagte Bruder Haluin, als er sich im Zwielicht vor der Dämmerung auf seinem Bett ausgestreckt hatte. Er war nicht müde und zudem von seinem langen Schweigen in Gegenwart der wirklich Betroffenen erlöst. »Gute Nacht, Brüder, und lebt wohl! Es wird keine Heirat geben. Ohne Braut keine Trauung. Und selbst wenn sie zurückkommt, diese Verbindung kann nicht mehr wie beabsichtigt geschlossen werden, als wäre nichts geschehen, das so bittere Zweifel aufwirft. Als ich die Aufgabe übernahm – auch so schon fand ich sie mühsam genug –, gab es keinen Grund zur Annahme, die Ehe werde nicht zum Besten aller gereichen, so bekümmert die Braut auch war. Nun gibt es gute Gründe zu zweifeln.«

»Ich glaube«, sagte Cadfael, der Haluins gedämpfter, vorsichtiger Stimme gelauscht hatte, während dieser sich zu einem Entschluß vortastete, »daß es Euch nicht leid tut, wenn Euer Versprechen hinfällig wird.«

»Nein, überhaupt nicht. Es tut mir leid, daß eine Frau gestorben ist und daß diese Kinder so unglücklich sind und keine Hoffnung auf Erlösung haben. Aber ich könnte jetzt nicht mehr im Namen Gottes das Mädchen mit einem Mann verbinden, solange ich nicht die Sicherheit zurückgewonnen habe, die ich verlor. Jetzt bleibt uns nur noch«, sagte Bruder Haluin, »unseren Abschied zu nehmen. Wir haben hier nichts mehr verloren. De Clary hat es uns in aller Deutlichkeit gesagt. Und Cenred wird froh sein, wenn wir aufbrechen.«

»Und Ihr habt ja noch Euer Gelübde zu erfüllen und keinen Grund, Euch weiter aufzuhalten. Es ist wahr«, stimmte Cadfael mit einer Mischung aus Erleichterung und Bedauern zu.

»Ich habe mich schon zu lange aufgehalten. Höchste Zeit«, meinte Haluin, »zu erkennen, wie klein mein eigener Kummer ist und wie wichtig ich mich nahm. Ich traf die Entscheidung wie ein Feigling nur für mein eigenes Seelenheil, doch das Leben, das ich noch habe, will ich einem besseren Zweck widmen.«

Dann war diese Reise, dachte Cadfael, also doch nicht vergeblich. Zum erstenmal seit seiner Flucht aus der Welt, krank vom Verlust und seinen Schuldgefühlen, hat er sich wieder in die Welt hineingewagt und sie voller Schmerzen gefunden. In diese Welt hinein fiel sein eigener Schmerz und verlor sich wie ein Regentropfen im Meer. All die Jahre war er äußerlich pflichtbewußt und hielt sich peinlich genau an die Regeln, doch innerlich litt er unter seiner Einsamkeit. Jetzt erst beginnt seine wahre Berufung. Endlich erleuchtet, mochte Haluin durchaus aus dem Holz geschnitzt sein, aus dem Heilige gemacht werden. Nur ich, ich bin ein Unverbesserlicher.

In seinem Herzen wollte er Vivers nicht verlassen, da alles noch in der Schwebe war. Haluin hatte natürlich mit jedem Wort recht, die Braut war fort, es würde keine Trauung geben, und sie hatten keinen Grund, auch nur einen Tag länger zu bleiben. Cenred hatte keine weitere Verwendung für sie und wäre sicherlich sogar froh, sie fortgehen zu sehen. Aber Cadfael war nicht glücklich damit, einem ungesühnten Mord den Rücken zu kehren, wenn keine Gerechtigkeit geübt und die Tat möglicherweise niemals aufgeklärt wurde.

Ebenso war es wahr, daß Audemar de Clary hier der Oberherr war, ein entschlossener und zielstrebiger Mann, der sich mit einem solchen Verbrechen in seinem Gebiet selbst befassen mußte. Es gab nichts, was Cadfael ihm sagen konnte, das Cenred ihm nicht schon berichtet hatte.

Und überhaupt, was hatte Cadfael in der Hand? Edgytha war einige Stunden vor ihrem Tod fortgegangen, auf dem Boden hatte bereits Schnee gelegen, als sie starb. Sie war auf dem Rückweg nach Vivers und hatte ausgeführt, was sie beabsichtigt hatte. Sie hatte genug Zeit gehabt, um Elford zu erreichen. Sie war nicht ausgeraubt worden. Der Mörder hatte sie einfach getötet und liegenlassen, wie es herrenlose Räuber nie getan hätten. Wenn es nicht darum ging, sie daran zu hindern, Roscelin zu warnen – was nur auf dem Hinweg sinnvoll gewesen wäre –, dann war sie aus einem anderen Grund zum Schweigen gebracht worden, bevor sie Vivers erreichen konnte. Aber welche Verbindung gab es zwischen Elford und Vivers außer der Verbannung des jungen Roscelin in Audemars Dienste? Welches andere

Geheimnis außer der geplanten Trauung drohte enthüllt zu werden?

Aber Edgytha hatte Roscelin nicht gesehen, sie hatte nicht mit ihm gesprochen, und sie hatte sich nicht an Audemar oder einen anderen Menschen in seinem Haus gewandt. Wenn sie also in Elford war, warum hatte sie dann niemand gesehen? Und wenn sie nicht in Elford war, wo dann?

Wenn es also nicht um das ging, was er selbst, sein Gastgeber und dessen Frau vermutet hatten, wie sah dann die Katze aus, die Edgytha finden und unter Cenreds Tauben setzen wollte?

Aller Wahrscheinlichkeit nach würde er die Antworten auf diese Fragen nie erfahren, er würde nie hören, welches Schicksal auf das arme Mädchen und den unglücklichen Jungen wartete, und auf ihre Eltern, die sich in Sorge und Kummer um die beiden fast zerrissen. Eine Schande! Aber er konnte es nicht ändern, sie durften Cenreds Gastfreundschaft nicht länger in Anspruch nehmen. Sobald das Haus erwacht war, mußten sie Lebewohl sagen und nach Shrewsbury aufbrechen. Es war höchste Zeit, nach Hause zurückzukehren.

Der Morgen war grau, der Himmel bewölkt aber hoch, es drohte kein weiterer Schneefall. Nur ein paar weiße Säume und Flecken hatten sich dicht an Mauern, unter Bäumen und Büschen gehalten. Es war kein schlechter Tag, eine Reise zu beginnen.

Die Menschen im Haus standen früh auf und waren voller Unruhe. Cenreds Diener erhoben sich mit Ringen unter den Augen und grimmig, weil sie genau wußten, daß es an diesem Tag für sie keine Ruhe geben würde. Was immer während der nächtlichen Konferenz in der Kemenate besprochen worden war, welchen Zufluchtsort man als Hafen betrachtete, den Helisende angesteuert haben mochte, Audemar würde auf allen Straßen im Bezirk Patrouillen ausschicken und in jeder Hütte nachfragen lassen, ob jemand Edgytha gesehen und gesprochen habe oder ob man eine einsame, verstohlene Gestalt auf dem Weg gesehen habe, den sie nahm. Die Männer versammelten sich bereits im Hof, sattelten ihre Pferde, zogen ihr Zaumzeug nach und warteten stoisch auf Befehle, als Cadfael und Haluin, gestiefelt und gegürtet für den Weg, sich zu Cenred gesellten.

Er war gerade inmitten des Getriebes in der Halle in ein Gespräch mit seinem Verwalter vertieft, als sie sich ihm näherten. Einen Moment erschrocken, als habe er die beiden wegen seiner ernsteren Aufgaben völlig vergessen, drehte er sich zu ihnen um. Dann erinnerte er sich, aber die Erinnerung brachte ihm keine Freude. Etwas schuldbewußt wandte er sich an die scheidenden Gäste.

»Brüder, ich bitte Euch um Verzeihung, Ihr wurdet vernachlässigt. Auch wenn wir große Sorgen haben, es sollen nicht die Euren sein. Mein Haus ist das Eure.«

»Mylord«, erwiderte Haluin, »wir sind Euch für Eure Gastfreundschaft dankbar, aber wir müssen aufbrechen. Ich kann Euch jetzt nicht mehr nützlich sein. Eile ist nicht mehr nötig, da es nichts mehr geheimzuhalten gibt. Zudem warten daheim unsere Pflichten auf uns. Wir sind gekommen, um uns zu verabschieden.«

Cenred war zu ehrlich, um vorzugeben, daß er sie nicht gerne ziehen sah. Er erhob keine Einwände. »Ich habe Euch ohnehin schon aufgehalten«, sagte er bedauernd, »und nichts ist dabei herausgekommen. Es tut mir leid, daß ich Euch in eine so schlimme Geschichte hineinzog. Glaubt mir wenigstens, daß meine Absichten die allerbesten waren. Und geht mit meinen besten Wünschen. Ich wünsche Euch eine friedliche Reise.«

»Und Euch, Sir, wünschen wir, daß Ihr die junge Frau wohlbehalten findet und Gott Euch durch alle Schwierigkeiten leiten möge«, erwiderte Haluin.

Cenred bot ihnen keine Pferde für die Reise an, wie Adelais es getan hatte. Er brauchte jetzt alle Pferde selbst. Doch er sah den beiden Männern in ihren Kutten nach, dem Gesunden und dem Lahmen, wie sie langsam die Treppe vor der Haustüre hinunterstiegen. Cadfael hatte Haluins Ellbogen gefaßt, um ihn zu stützen, falls es nötig wurde, und Haluins Hände, inzwischen schwielig von den Griffen der Krücken, packten bei jedem Schritt fest zu. Im Hof suchten sie sich einen Weg durch die herumlaufenden Menschen und Tiere und näherten sich langsam dem Tor. Cenred wandte erleichtert den Blick von ihnen ab, denn eine Komplikation war er nun los. Verbissen und müde begann er, sich um die verbliebenen zu kümmern.

Roscelin, erbost über die Verzögerung, stand mit dem Zügel in der Hand am Tor und trampelte unruhig von einem Fuß auf den anderen. Ungeduldig hielt er nach seinem Vater oder Audemar Ausschau und wartete auf den Befehl zum Aufsitzen. Abwesend betrachtete er die beiden Mönche, als sie sich ihm näherten. Dann wurde er freundlicher und wünschte ihnen einen guten Morgen. Trotz seiner Ängste bekam er sogar ein Lächeln zustande.

»Dann brecht Ihr nach Shrewsbury auf? Das ist ein weiter Weg. Ich hoffe, Ihr habt eine angenehme Reise.«

»Und Eurer Suche wünschen wir ein gesegnetes Ende«, meinte Cadfael.

»Gesegnet für mich?« sagte der Junge, dessen Gesicht sich wieder verdüsterte. »Darauf freue ich mich nicht.«

»Wenn Ihr sie sicher und wohlbehalten findet und dazu ledig, solange sie es wünscht, ist das Segen genug. Ich glaube nicht, daß Ihr um mehr bitten dürft. Noch nicht«, fügte Cadfael vorsichtig hinzu. »Nehmt das Gute, das Euch der Tag bringt, und seid dankbar. Wer weiß? Vielleicht kommt noch mehr Gutes hinterdrein.«

»Ihr sprecht von Dingen, die unmöglich sind«, sagte Roscelin unerbittlich. »Aber Ihr meint es gut, und ich nehme es, wie Ihr es meint.«

»Wohin werdet Ihr zuerst reiten, um nach Helisende zu suchen?« fragte Haluin.

»Einige reiten nach Elford, um sicherzugehen, daß sie uns nicht entgangen und doch dort eingetroffen ist. Dann werden wir auf allen Anwesen in der Gegend nach ihr und Edgytha fragen. Sie kann nicht weit gekommen sein.« Er war Edgythas wegen wirklich bekümmert und wütend, aber das ›sie‹ bezog sich ausschließlich auf Helisende.

Sie ließen ihn in seiner Sorge und seiner Qual zurück. Er war sogar noch unruhiger als das Pferd, das ungeduldig herumtrampelte und sich auf den Ausritt freute. Als sie von draußen zum Tor zurückblickten, sahen sie, daß er den Fuß bereits in den Steigbügel gesetzt hatte. Hinter ihm nahmen nun auch die anderen Männer die Zügel und saßen auf. Zuerst nach Elford, falls Helisende ihnen entgangen und auf beiden Wegen den

Reitern ausgewichen war, um wohlbehalten dort Unterschlupf zu finden. Cadfael und Haluin wandten sich nach Westen, in die andere Richtung. Sie waren von der Hauptstraße aus ein Stück nach Norden gegangen, um die Lichter des Anwesens zu erreichen. Auf diesem Weg brauchten sie nicht zurückzukehren. Sie konnten sich auf einem ausgetretenen Pfad, der den Zaun des Gutshauses umrundete, direkt nach Westen wenden. Von der Grenze der Enklave aus hörten sie Audemars Reiter zur Suche aufbrechen. Sie drehten sich um und sahen, wie sie aus dem Tor ritten und als lange Kolonne im Osten immer kleiner wurden, bis sie zwischen den Bäumen des Waldes verschwanden.

»Und das soll das Ende sein?« sagte Haluin, plötzlich bekümmert. »Sollen wir nie erfahren, wie es ausgeht? Der arme Junge, er hat keine Hoffnung. Sein einziger Trost kann es sein, sie glücklich zu sehen, falls das ohne ihn überhaupt möglich ist. Ich weiß genau«, ergänzte Bruder Haluin voller Mitgefühl, das nicht durch altes Selbstmitleid getrübt wurde, »wie sie leiden.«

Aber wie es schien, gab es für sie hier wirklich nichts mehr zu tun. Es hatte keinen Sinn zurückzublicken. Sie wandten sich gen Westen und kamen auf dem unbefestigten Weg gleichmäßig voran. Hinter ihnen ging die Sonne auf und warf ihre langen Schatten über das feuchte Gras.

»Auf diesem Weg«, meinte Cadfael, indem er sich nachdenklich orientierte, während sie zu Mittag im Windschatten eines mit Büschen bewachsenen Abhangs Brot und Käse und einen Streifen gesalzenen Speck aßen, »werden wir nicht durch Lichfield kommen. Ich vermute, daß wir den Ort bereits nördlich umgangen haben. Egal, wir werden vor Einbruch der Nacht schon irgendwo ein Bett finden.«

Es war ein klarer, trockener Tag, und das Land, durch das sie zogen, war freundlich anzuschauen, wenn auch dünn besiedelt. Hier waren weit weniger Menschen unterwegs als auf der Hauptstraße, die durch Lichfield führte. Nachdem sie so wenig geschlafen hatten, beeilten sie sich nicht, sondern schritten gleichmäßig aus und nutzten jede Gelegenheit zur Rast, die ihnen der Weg erlaubte, wo immer ihnen eine einsame Hütte gastfreundlich eine Bank am Herd und ein paar Minuten Geplauder im Vorbeigehen anbot.

Gegen Abend kam ein leichter Wind auf und warnte sie, daß es an der Zeit sei, einen Unterschlupf für die Nacht zu finden. Man sah dem Land noch an, wie schlimm es vor fünfzig Jahren heimgesucht worden war. Die Menschen in dieser Gegend hatten die eindringenden Normannen keineswegs freundlich aufgenommen und für ihren Starrsinn bitter gebüßt. Hier und dort waren die Überreste verlassener Höfe zu sehen, von Gras und Brombeeren überwuchert. Die Ruinen einer Mühle verrotteten langsam neben einem überwachsenen Wasserlauf. Es gab nur wenige und weit verstreute Weiler, und Cadfael musterte die Landschaft, um irgendwo das Dach eines bewohnten Hauses zu entdecken.

Ein älterer Mann, der inmitten einer Gruppe alter Bäume Brennholz sammelte, streckte den gebeugten Rücken, um ihren Gruß zu erwidern, und sah sie unter seiner Kapuze hervor neugierig an.

»Nicht einmal eine halbe Meile weiter, Brüder, dann werdet Ihr rechts den Zaun eines Nonnenklosters sehen. Es ist noch nicht fertig, die meisten Gebäude sind aus Holz gebaut, aber die Kirche und das Kloster selbst sind aus Stein. Ihr könnt es nicht verfehlen. Es gibt dort nur zwei oder drei Höfe, aber die Schwestern nehmen Reisende auf. Dort werdet Ihr ein Bett finden.« Dann musterte er die schwarzen Kutten und fügte hinzu: »Sie gehören zu Eurem Orden, es sind Benediktinerinnen.«

»Ich weiß von keinem Haus in dieser Gegend«, sagte Cadfael. »Wie heißt das Kloster?«

»Farewell, genau wie der Weiler. Es ist erst drei Jahre alt, Bischof de Clinton hat es eingerichtet. Man wird Euch dort willkommen heißen.«

Sie bedankten sich und gingen weiter. Der Mann band sein großes Reisigbündel zusammen und hob es sich auf die Schulter, um in die entgegengesetzte Richtung heimzukehren, während sie ermutigt nach Westen gingen.

»Ich erinnere mich«, meinte Haluin, »daß ich einmal etwas über dieses Haus gehört habe, oder zumindest davon, daß der Bischof hier irgendwo in der Nähe seiner Kathedrale ein Ordenshaus einrichten wollte. Aber den Namen Farewell hörte ich erst – erinnert Ihr Euch? –, als Cenred ihn in Vivers nannte. Das einzige Benediktinerhaus in dieser Gegend, meinte er, als er uns fragte, woher wir kämen. Ein Glück, daß wir diesen Weg genommen haben.«

Inzwischen, die Dämmerung setzte langsam ein, wurde sein Gang trotz ihres langsamen Tempos unsicher. Sie waren beide froh, als sie eine kleine Wiese erreichten, die von drei oder vier Hütten umgeben war. Jenseits der Wiese waren der lange Pfahlzaun der neuen Abtei und dahinter das Dach der Kirche zu sehen. Der Pfad führte bis vor ein bescheidenes, hölzernes Torhaus. Das massive Tor und die Klappe waren geschlossen, aber es gab eine Glocke, die drinnen weithin hallte, und nach einigen Augenblicken waren leichte, eilige Schritte zu hören, die ihnen von innen entgegenkamen.

Die Klappe wurde geöffnet, und sie sahen durch das Gitter ein rundes, rosiges und jugendlich strahlendes Gesicht. Blaue Augen musterten Kutten und Tonsuren und erkannten verwandte Seelen.

»Guten Abend, Brüder«, sagte eine hohe, mädchenhafte Stimme, die fröhlich und sehr wichtig klang. »Ihr seid noch spät unterwegs. Können wir Euch ein Dach über dem Kopf und ein Bett anbieten?«

»Genau darum wollten wir Euch bitten«, erwiderte Cadfael dankbar. »Könnt Ihr uns über Nacht unterbringen?«

»Sogar noch länger, wenn Ihr wollt«, gab sie fröhlich zurück. »Männer aus unserem Orden sind immer willkommen. Wir sind hier abseits von der Hauptstraße, und nicht viele kennen unser Haus, und da das Kloster noch im Bau ist, haben wir nicht soviel Bequemlichkeit zu bieten wie ältere Häuser, aber ein Platz für Gäste wie Euch findet sich immer. Wartet, ich will das Tor aufsperren.«

Sie war schon dabei, denn sogleich wurde der Balken zurückgeschoben, der Riegel der Pforte geöffnet und die Tür einladend weit aufgestoßen. Die Pförtnerin winkte sie herein.

Sie war, dachte Cadfael, höchstens siebzehn Jahre alt und hatte ihr Noviziat gerade erst begonnen. Sie war eine jener überzähligen Töchter aus einer niederen und verarmten Adelsfamilie, die kaum mit einer Mitgift und deshalb kaum mit einer vorteilhaften Heirat rechnen konnte. Sie war klein und rundlich, mit einfachem Gesicht, aber kräftig und agil, und sie glühte vor Begeisterung über ihr neues Leben, anscheinend ohne jedes Bedauern für die Welt, die sie zurückgelassen hatte. Die Befriedigung, eine verantwortungsvolle Aufgabe zu erfüllen, schmückte sie; die weiße Haube und die schwarze Kapuze, die ihr strahlendes, offenes Gesicht einrahmten, standen ihr gut.

»Seid Ihr weit gereist?« fragte sie, indem sie mit großen, besorgten Augen Haluins mühsamen Gang beobachtete.

»Aus Vivers kommen wir«, erwiderte er, sie rasch beruhigend. »Das ist nicht weit, und wir sind gemächlich gegangen.«

»Habt Ihr es noch weit?«

»Wir wollen nach Shrewsbury«, erklärte Cadfael. »Wir gehören zur Abtei von St. Peter und St. Paul.«

»Das ist ein weiter Weg«, meinte sie kopfschüttelnd. »Ihr werdet Ruhe brauchen. Wartet hier im Pförtnerhaus auf mich, ich werde Schwester Ursula sagen, daß Gäste gekommen sind. Schwester Ursula ist für unsere Gäste verantwortlich. Der Herr Bischof bat zwei erfahrene ältere Schwestern aus Polesworth, ein Jahr zu uns zu kommen, um die Novizinnen zu unterweisen. Wir sind alle noch nicht lange im Orden, und es gibt so viel zu lernen, ganz abgesehen von der Arbeit am Gebäude und im Garten. Sie haben uns Schwester Ursula und Schwester Benedicta geschickt. Setzt Euch und wärmt Euch ein paar Minuten auf, ich bin gleich zurück.« Und schon war sie mit leichtem, tanzendem Schritt davon, so glücklich mit ihrem klösterlichen Leben wie irgendeine ihrer Schwestern in der Welt bei der Aussicht auf eine gute Heirat.

»Sie ist wirklich glücklich hier«, sagte Bruder Haluin ebenso verwundert wie erfreut. »Nein, für sie ist es nicht das Zweitbeste. So empfinde ich erst jetzt, aber für sie ist es von Anfang an so. Die Schwestern von Polesworth müssen weise und kluge Frauen sein, wenn dies ihr Werk ist.«

Schwester Ursula war ein große, schmale Frau von etwa fünfzig Jahren mit einem faltigen, erfahrenen Gesicht, das zugleich heiter, resigniert und sogar milde amüsiert blicken konnte, als hätte sie alle Willkür menschlichen Verhaltens bereits gesehen und sich mit ihr abgefunden, als gäbe es nichts mehr, das sie überraschen oder aus der Fassung bringen könnte. Wenn die zweite Lehrerin dieser hier das Wasser reichen konnte, dachte Cadfael, dann hatten die unerfahrenen Mädchen in Farewell wahrlich Glück gehabt.

»Herzlich willkommen«, grüßte Schwester Ursula, die rasch mit der jungen Pförtnerin im Gefolge in das Häuschen stürmte. »Die Äbtissin wird Euch gleich morgen früh empfangen, aber jetzt braucht Ihr vor allem etwas zu essen und ein Bett für die Nacht, zumal Ihr noch eine weite Reise vor Euch habt. Kommt mit, wir halten immer eine Kammer für Gäste bereit, und unsere eigenen Brüder sind uns die liebsten.«

Sie führte sie aus dem Häuschen über einen kleinen Innenhof. Vor ihnen lag die Kirche, ein bescheidener Steinbau, an dem offenbar noch gearbeitet wurde. Quadersteine und Holz, Seile und Schalbretter waren ordentlich an der Außenwand gestapelt und zeigten, daß das Gebäude noch nicht fertiggestellt war. Doch innerhalb von nur drei Jahren hatten sie die Kirche und das ganze Kloster aufgebaut, mit Ausnahme nur des Südflügels, wo erst das untere Stockwerk mit dem Refektorium fertiggestellt war.

»Der Bischof hat uns Arbeitskräfte und eine großzügige Zuwendung zukommen lassen«, erklärte Schwester Ursula, »aber wir werden noch einige Jahre mit dem Bau zu tun haben. In der Zwischenzeit müssen wir uns einschränken. Wir haben alles, was wir brauchen, und wir sehnen uns nach nichts, was über unsere Bedürfnisse hinausgeht. Ich glaube, wenn all die Holzhäuser durch Steinbauten ersetzt sind, dürfte meine Arbeit hier getan sein, und dann werde ich nach Polesworth zurückkehren, wo ich vor Jahren meine Gelübde ablegte. Ich weiß nur nicht, ob ich nicht doch lieber hier bleibe, wenn man mir die Wahl läßt. Es ist schon etwas Besonderes, ein neues Kloster aufzubauen, es ist fast wie ein Kind des eigenen Leibes.«

Der Zaun der Enklave würde mit der Zeit sicherlich einer Steinmauer weichen, die Holzgebäude am Zaun, die Krankenstation, die Schreibstuben, das Gästehaus und die Vorratskammer würden nach und nach ebenfalls durch Steingebäude ersetzt werden. Im Garten hatte man Gras gesät, und im Zentrum stand ein flaches, mit Wasser gefülltes Steinbassin für die Vögel.

»Im nächsten Jahr«, erklärte Schwester Ursula, »werden wir sogar Blumen ziehen. Schwester Benedicta, unsere beste Gärtnerin in Polesworth, kam mit mir her, und der Garten ist ihr Reich. Bei ihr gedeiht alles, und die Vögel kommen auf ihre Hand. Diese Gabe hatte ich nie.«

»Kommt auch Eure Äbtissin aus Polesworth?« fragte Cadfael.

»Nein. Bischof de Clinton schickte Mutter Patrice aus Coventry. Wir zwei müssen zu unserem Haus zurückkehren, wenn wir nicht mehr gebraucht werden, es sei denn, man läßt uns, wie gesagt, die Wahl. Wir brauchen dazu die Erlaubnis des Bischofs, und wer weiß, vielleicht gewährt er sie.«

Hinter dem Kreuzgang öffnete sich ein kleiner, abgeschiedener Hof. Das Gästehaus stand auf der anderen Seite, dicht am Zaun. Die kleine Kammer, schon für Reisende bereit, war dunkel und warm und duftete nach Holz. Möbliert war sie mit zwei Betten und einem kleinen Tisch, einem Kruzifix an der Wand und einem Altar darunter.

»Fühlt Euch wie zu Hause«, meinte Schwester Ursula fröhlich, »ich lasse Euch gleich das Abendessen bringen. Zur Vesper kommt Ihr zu spät, aber wenn Ihr uns später bei der Komplet Gesellschaft leisten wollt, dann achtet nur auf die Glocke. Unsere Kirche steht Euch nach Belieben zum Gebet offen. Das Kloster ist noch neu, und je mehr Seelen unter seinem Dach sind, desto besser. Wenn Ihr alles habt, was Ihr braucht, dann will ich Euch jetzt ruhen lassen.«

In der gesegneten, jungfräulichen Ruhe der neuen Abtei von Farewell fiel Haluin sofort nach der Komplet in den tiefen Schlaf der Erschöpfung. Wie ein Kind schlief er die ganze Nacht durch und bis weit in den milden, klaren Morgen hinein, der keine Spur von Frost mehr brachte. Als er erwachte, war Cadfael bereits aufgestanden und bereitete sich auf den morgendlichen Gottesdienst und seine Gebete in der Kirche vor.

»Hat die Glocke schon zur Prim geläutet?« fragte Haluin, der sich eifrig aufrichtete.

»Nein, es wird, dem Licht nach zu urteilen, noch eine halbe Stunde dauern. Wir werden die Kirche eine Weile für uns allein haben, wenn Ihr wollt.«

147

»Ein guter Einfall«, sagte Haluin und folgte ihm erfreut in den kleinen Hof und zum südlichen Eingang des Kreuzganges. Der Rasen im Garten war feucht und grün, die Blässe des Winters war über Nacht verschwunden. Der zarte Flaum der Knospen, der vor einigen Tagen in den Bäumen noch kaum wahrnehmbar gewesen war, hatte nun eine kräftige Farbe angenommen und sich zu einem zarten grünen Schleier entwickelt. Noch ein paar dieser milden Tage und ein wenig Sonne, und der Frühling wäre da. Im klaren flachen Wasser des Steinbassins flatterten und kreischten kleine Vögel, die die Veränderung sicher spürten. Inmitten dieser hoffnungsvollen Vorzeichen näherte sich Bruder Haluin der kleinen Kirche von Farewell. Gewiß würde diese erste Kirche später vergrößert oder ersetzt, sobald die wichtigsten anderen Gebäude der Abtei errichtet waren, wenn die finanziellen Verhältnisse geklärt und die Abtei etwas bekannter war. Und doch würde man sich an diesen ersten Bau, so klein und bescheiden er auch war, immer liebevoll erinnern. Wenn er ersetzt wurde, würden es jene, die wie Schwester Ursula und Schwester Benedicta bei seiner Geburt zugegen gewesen waren und geholfen hatten, sicherlich bedauern.

Sie hielten ihre Andacht gemeinsam in der düsteren, steinernen Stille, knieten vor der kleinen Altarlampe und sprachen lautlos ihre Gebete. Das Licht wurde allmählich heller und weicher, die ersten verschleierten Strahlen der aufgehenden Sonne lugten durch die Pfosten der Enklave und tauchten die Ostwand in blasses Rosa. Immer noch kniete Bruder Haluin, die Krücken neben sich gelegt.

Cadfael erhob sich als erster. Die Prim würde bald beginnen, und es könnte für die jungen Schwestern eine unangenehme Überraschung sein, wenn sie zur Morgenandacht zwei unbekannte Männer vorfanden, auch wenn es sich um Mönche aus dem gleichen Orden handelte. Er blieb in der Südtür stehen, betrachtete den Garten und wartete, ob Haluin beim Aufstehen seine Hilfe brauchte.

Eine der Schwestern stand an der Steinschale in der Mitte des Gartens. Schlank und aufrecht und gefaßt schien sie, während sie die Vögel fütterte. Sie krümelte Brot auf den breiten Rand der Schale und hielt Krümel in der flachen Hand hoch; die flatternden, schwatzenden und sirrenden Vögel näherten sich ihr ohne Furcht. Die schwarze Kutte betonte ihre schlanke Figur, und ihre Haltung verriet eine jugendliche Anmut, die Cadfael plötzlich sehr bekannt vorkam. Die Haltung des Kopfes auf dem langen Hals, die geraden Schultern, die schmalen Hüften und die elegante, schlanke Hand, die den Vögeln Krumen anbot, all dies hatte er schon einmal gesehen, an einem anderen Ort und in anderem, täuschendem Licht. Nun stand sie im Freien im weichen Morgenlicht, und er konnte nicht glauben, daß er sich irrte.

Helisende war hier in Farewell. Helisende in einer Nonnenkutte. Die Braut war vor den unerträglichen Konflikten geflohen und streifte lieber den Schleier übers Haupt, bevor sie einen anderen als ihren unglücklichen Liebhaber Roscelin heiratete. Sie konnte noch keine Gelübde abgelegt haben, aber die Schwestern hatten es offenbar für ratsam gehalten, ihr angesichts ihrer Sorgen sofort den Schutz der Kutte zu gewähren, noch bevor ihr Noviziat begonnen hatte.

Sie hatte ein gutes Gehör, vielleicht hatte sie auch von Westen, wo das Dormitorium der Schwestern lag, den leichten Schritt einer Gefährtin erwartet. Jedenfalls hörte sie jemand, der sich ihr aus der nämlichen Richtung näherte, wandte sich um und wollte den Neuankömmling lächelnd begrüßen. Die gemessene und ruhige Bewegung strafte die Jugend Lügen, die Cadfael einen Moment zuvor aufgefallen war, und nun konnte er endlich einen Blick auf ihr Gesicht werfen. Er hatte diese Frau noch nie zuvor gesehen.

Kein junges, unerfahrenes Mädchen, sondern eine heitere, reife und nicht mehr junge Frau. Seine Wahrnehmung in der Halle von Vivers verwandelte sich in Wirklichkeit, aus Illusion wurde Realität, aus dem Mädchen wurde eine Frau. Dann eilten Cadfaels Gedanken wieder zurück von der Frau zum Mädchen. Nicht Helisende war es, die Frau war ihr nicht einmal ähnlich, abgesehen von der hohen weißen Stirn und dem zarten, etwas wehmütigen ovalen Gesicht und den weit auseinanderliegenden, offenen, zugleich tapferen und verletzlichen Augen. In Gestalt und Bewegungen waren sie einander jedoch sehr ähnlich. Wenn sie ihm wieder den Rücken gewandt hätte, dann wäre sie wieder zum Bild ihrer Tochter geworden.

Denn wer sonst konnte dies sein, wenn nicht die verwitwete Mutter, die lieber in Polesworth den Schleier genommen hatte, als sich in eine zweite Ehe drängen zu lassen? Wer sonst außer Schwester Benedicta, vom Bischof ins neue Kloster geschickt, um die Tradition zu sichern und den jungen Nonnen von Farewell als Beispiel zu dienen? Schwester Benedicta, die Blumen zum Wachsen bringen und Vögel auf ihre Hand locken konnte. Helisende mußte vom Umzug gewußt haben, auch wenn die anderen in Vivers nichts erfahren hatten. Helisende mußte gewußt haben, wo sie in ihrer Not Zuflucht finden konnte. Zu wem sollte sie gehen, wenn nicht zu ihrer Mutter?

Er hatte sich so auf die Frau im Garten konzentriert, daß er nicht mehr auf Geräusche in der Kirche gelauscht hatte. Erst als er das Tappen der Krücken auf den Steinplatten in der Türe hörte, fuhr er fast schuldbewußt herum und wollte sich wieder seiner Aufgabe widmen. Haluin war irgendwie ohne seine Hilfe auf die Beine gekommen und trat nun neben Cadfael. Erfreut blickte er in den Garten hinaus, in dem das Sonnenlicht gerade die feuchten Schatten vertrieb.

Als sein Blick die Nonne erfaßte, blieb er abrupt stehen und schwankte auf seinen Krücken. Cadfael sah, wie er die dunklen Augen aufriß und wie gebannt auf die Schwester richtete. Sein Starren schien Löcher in die stille Morgenluft zu brennen. Fast geräuschlos bewegten sich seine Lippen und bildeten langsam die Silben eines Namens. Fast unhörbar, aber nur fast, denn Cadfael verstand das Wort.

Verwundert, freudig und schmerzvoll, getrieben und erschüttert von religiöser Verzückung, flüsterte Bruder Haluin nur ein Wort: »Bertrade!«

11

Er hatte den Namen richtig verstanden, und die Sicherheit, mit der er geflüstert worden war, ließ keinen Zweifel. Wenn Cadfael auch einen Augenblick Vernunft walten ließ und es einfach nicht glauben wollte, im nächsten Moment warf er die Vernunft über Bord und gab sich seiner Erleichterung hin. Haluin hatte keine Zweifel und keine Fragen. Er wußte, was er sah, für ihn war es die Wahrheit, und er hatte den einzigen, den richtigen Namen genannt. Nun stand er da, in seinem Staunen verloren, zitternd angesichts der Bedeutung dieses Anblicks. Bertrade!

Der erste Anblick ihrer Tochter war ihm ins Herz gefahren, jener jüngeren Frau mit dem Licht im Rücken, die ihrer Mutter als Schattenriß so ähnlich gesehen hatte. Doch sobald Helisende ins Licht der Fackeln vorgetreten war, hatte sich die Vision aufgelöst. Es war ein Mädchen, das er nicht kannte. Nun war sie wieder da, aber als sich die Frau umdrehte, erkannte er ohne jeden Zweifel das Gesicht, an das er sich so schmerzlich erinnerte.

Also war sie doch nicht gestorben. Cadfael bemühte sich, diese Neuigkeit zu verarbeiten. Das Grab, das Haluin aufgesucht hatte, war eine Täuschung. Sie war nicht an dem Trank gestorben, der ihr Kind töten sollte, sie hatte dieses Verhängnis und diesen Kummer überlebt und einen älteren Mann geheiratet, einen Vasallen und Freund der Familie ihrer Mutter, und ihm eine Tochter geboren, die in Körperbau und Bewegungen ihr Ebenbild war. Nach Kräften hatte sie sich bemüht, eine treue Frau und Mutter zu sein, solange ihr alter Mann lebte, aber nach seinem Tod hatte sie der Welt den Rücken gekehrt und war ihrem ersten Geliebten ins Kloster gefolgt, hatte sich für den gleichen Orden entschieden und den Namen des Gründers angenommen, um sich für den Rest ihres Lebens an die Disziplin zu binden, in die Haluin getrieben worden war.

Warum aber, meldete sich ein Quälgeist in Cadfaels Kopf zu Wort, warum hast du – *du selbst* und nicht Haluin! – im Gesicht des Mädchens in Vivers etwas unerklärlich Vertrautes gesehen? Wer verbarg sich da tief in den Kavernen der Erinnerung und wollte sich nicht zu erkennen geben? Das Mädchen hast du noch nie gesehen, du hast noch nie einen Blick auf ihre Mutter geworfen. Wer da aus Helisendes Augen herausgeschaut hatte, bevor der Schleier gefallen war, das war nicht Bertrade de Clary gewesen.

In wenigen Augenblicken huschten diese Gedanken durch seinen Kopf, im kurzen Moment, bevor Helisende selbst aus den Schatten des Westflügels trat und in den Garten herauskam, um sich zu ihrer Mutter zu gesellen. Sie hatte keine Kutte angelegt, sie trug noch das Kleid, das sie am Abend zuvor am Tisch ihres Bruders getragen hatte. Bleich und ernst war sie, doch die Ruhe des Klosters tat ihr gut. Hier war sie vor allen Zwängen sicher und hatte Zeit, nachzudenken und sich zu beraten.

Die beiden Frauen begrüßten sich, und die Säume ihrer Röcke zogen zwei dunkle Spuren ins Silbergrün des feuchten Grases. Sie wandten sich gemächlich wieder zur Tür, aus der Helisende getreten war, um hineinzugehen und mit den anderen Schwestern an der Prim teilzunehmen. Sie entfernten sich, sie würden verschwinden, nichts würde geklärt, nichts aufgelöst, nichts offengelegt werden! Immer noch schwankte Haluin auf seinen Krücken, gebannt und sprachlos. Er würde sie wieder verlieren, sie war schon fast außer Sicht. Die beiden Frauen hatten den westlichen Gang erreicht, einen Moment noch, und sie wäre ihm abermals geraubt.

»Bertrade!« rief Haluin voller Angst und Verzweiflung.

Der Ruf erreichte sie, hallte entsetzlich laut zwischen den Mauern und ließ die Frauen erschrocken zur Kirchentür herumfahren. Haluin atmete schwer ein und riß sich aus seiner Benommenheit. Hastig stürzte er in den Garten und riß mit seinen Krücken Löcher ins weiche Gras.

Der Anblick eines unbekannten Mannes, der auf sie losstürmte, ließ die Frauen unwillkürlich zurückweichen, doch beim zweiten Blick erkannten sie seine Kutte und sahen, wie traurig er verkrüppelt war. Sie machten sogar einige Schritte, um ihm entgegenzugehen. Einen Augenblick lang war es nichts weiter als Mitleid mit einem Lahmen. Dann aber änderte sich alles.

Er hatte es viel zu eilig gehabt, sie zu erreichen. Er stolperte, verlor einen Augenblick das Gleichgewicht und wäre fast gefallen, aber das Mädchen sprang voller Mitgefühl los und hielt ihn am Arm fest. Als er mit seinem vollen Gewicht in ihre Arme sank, schwankten sie beide, doch beinahe Wange an Wange fingen sie sich wieder. Cadfael sah die beiden Gesichter einen Augenblick dicht an dicht nebeneinander und erschrak. Doch dann ging ihm ein Licht auf, und er kniff staunend die Augen zusammen.

Jetzt wußte er endlich die Antwort. Jetzt wußte er alles, was es zu wissen gab, nur nicht, welche Bitterkeit einen Menschen dazu treiben konnte, einem anderen etwas so Gemeines und Grausames anzutun. Aber auch diese Antwort würde er bald finden.

Bertrade de Clary starrte den Fremden einen Moment an, erkannte ihn als den Mann, der ihr alles andere als fremd war, und nannte seinen Namen:

»Haluin!«

Weiter geschah zunächst nichts. Nur ihre Blicke trafen sich. Sie erkannten und verstanden einander und sahen die alten Fehler und Schmerzen, die damals nie ganz verstanden worden waren. Bitter und schrecklich war es für einen Augenblick, aber dann empfanden sie nur noch Dankbarkeit und Freude. Einen kleinen Moment noch standen die drei stumm und reglos beisammen und starrten einander an, dann hörten sie die kleine Glocke im Dormitorium zur Prim läuten. Gleich würden die Schwestern über die Nachttreppe herunterkommen, um in einer Prozession zur Kirche zu ziehen.

Weiter konnten sie im Augenblick nichts tun, nicht jetzt. Die Frauen zogen sich mit staunenden Blicken zurück und machten sich auf, dem Ruf zu folgen und sich zu ihren Schwestern zu gesellen. Cadfael lief von der Kirchentür hinüber, um Haluin am Arm zu nehmen und ihn wie ein schlafwandelndes Kind sanft zum Gästehaus zurückzuführen.

»Sie ist nicht tot!« sagte Haluin, der steif wie ein Brett auf der Bettkante saß. Immer wieder sprach er zu sich selbst, fast im Singsang, von dem Wunder, das er gesehen hatte: »Sie ist nicht tot! Es war falsch, falsch! Sie ist nicht gestorben.«

Cadfael schwieg sich aus. Noch war es nicht an der Zeit, alles auszusprechen, was hinter dieser Offenbarung steckte. Für den Augenblick konnte Haluins schockierter Verstand nicht weiter blicken als bis zu dieser Tatsache und bis zur Freude darüber, daß sie lebendig und wohlbehalten in einem sicheren Hafen gelandet war, nachdem er sie so lange für tot gehalten hatte, gestorben durch seinen schlimmen Fehler. Verwirrt und verletzt fragte er sich, warum er sie so lange betrauert und nie etwas erfahren hatte.

»Ich muß mit ihr sprechen«, sagte Haluin. »Ich kann nicht gehen, ohne mit ihr gesprochen zu haben.«

»Das sollt Ihr auch nicht«, versicherte Cadfael ihm.

Jetzt war es nicht mehr zu vermeiden, alles mußte herauskommen. Sie waren sich begegnet, sie hatten einander gesehen, und das konnte niemand ungeschehen machen. Die versiegelte Schatzkiste war aufgesprungen, die Geheimnisse purzelten nur so heraus, und niemand konnte über ihnen wieder den Deckel schließen.

»Wir können heute noch nicht aufbrechen«, fuhr Haluin fort.

»Das werden wir auch nicht. Wartet nur geduldig«, sagte Cadfael. »Ich werde die Äbtissin um eine Audienz bitten.«

Die Äbtissin von Farewell, die Bischof de Clinton aus Coventry in das neu gegründete Kloster geschickt hatte, war eine plumpe, rundliche Frau von über vierzig Jahren mit einem pausbäckigen, roten Gesicht und listigen braunen Augen, die auf einen Blick ausloten und bewerten konnten und sich ihres Urteils sicher waren. In makelloser Haltung saß sie aufrecht auf einer ungepolsterten Bank in einem kleinen, spartanischen Sprechzimmer. Sie schloß das Buch auf dem Tisch, als Cadfael eintrat.

»Ihr seid mehr als willkommen, Bruder, und was unser Haus Euch bieten kann, soll Euch gehören. Wie Ursula mir sagte, kommt Ihr aus der Abtei von St. Peter und St. Paul in Shrewsbury. Ich wollte Euch und Euren Gefährten ohnehin zum Essen einladen, was ich hiermit auch tue. Aber wie ich hörte, habt Ihr um ein Gespräch gebeten und seid mir damit zuvorgekommen. Ich nehme an, es gibt dafür einen Grund. Setzt Euch, Bruder, und sagt mir, was ich für Euch tun kann.«

Cadfael setzte sich neben sie und überlegte, wieviel oder wie wenig er erzählen konnte. Sie war eine Frau, die durchaus zwischen den Zeilen zu lesen wußte, die aber, so nahm er an, peinlich auf Diskretion achtete und für sich behielt, was sie gelesen hatte.

»Ehrwürdige Mutter, ich bin gekommen, um Eure Zustimmung für ein Gespräch unter vier Augen zwischen meinem Bruder Haluin und Eurer Schwester Benedicta zu erbitten.«

Er sah, wie sie die Augenbrauen hob, doch die kleinen hellen Augen darunter blieben unbeeindruckt und blickten ihn forschend an.

»In ihrer Jugend«, fuhr Cadfael fort, »waren sie miteinander gut bekannt. Er stand in den Diensten ihrer Mutter, und da sie so eng im Haus zusammenlebten und im gleichen Alter waren, der Junge und das Mädchen, verliebten sie sich ineinander. Haluins Werbung entsprach aber nicht den Wünschen der Mutter, und sie gab sich alle Mühe, die beiden zu trennen. Haluin wurde aus ihren Diensten entlassen, und ihm wurde jeder Umgang mit dem Mädchen verboten, das gezwungen wurde, eine Ehe zu schließen, die ihrer Familie genehm war. Zweifellos kennt Ihr ihre spätere Geschichte. Haluin trat in unser Haus ein, zugegebenermaßen aus den falschen Gründen. Es ist nicht gut, sich aus Verzweiflung dem spirituellen Leben zuzuwenden, aber wie wir wissen, haben es viele getan und waren dennoch später ihren Häusern treue und ehrbare Mitglieder. So ist es bei Haluin, und zweifellos auch bei Bertrade de Clary.«

Er sah ein Funkeln in ihren Augen, als er den Namen erwähnte. Es gab nicht viel, was sie über ihre Schäfchen nicht wußte, aber wenn sie mehr über diese Frau wußte, als er gesagt hatte, dann gab sie es mit keiner Silbe zu erkennen. Sie akzeptierte es, wie er es gesagt hatte.

»Anscheinend«, erklärte sie nun, »könnte sich die Geschichte, die Ihr mir erzählt habt, in einer anderen Generation wiederholen. Die Umstände sind zwar nicht dieselben, aber der Ausgang könnte der gleiche sein. Ich glaube, wir sollten beizeiten überlegen, wie wir damit verfahren.«

»Das denke ich auch«, stimmte Cadfael zu. »Wie seid Ihr denn bisher verfahren, seit das Mädchen mitten in der Nacht zu seiner Mutter kam? Das Haus von Vivers ist jetzt sicher den zweiten Tag auf den Beinen und sucht alle Straßen nach ihr ab.«

»Nein«, erwiderte die Äbtissin, »denn gestern schickte ich einen Boten zu ihrem Bruder und ließ ihm ausrichten, daß das Mädchen wohlbehalten hier eingetroffen ist und darum bittet, eine Weile in Frieden gelassen zu werden, damit es beten und nachdenken kann. Ich glaube, angesichts der Umstände wird er ihren Wunsch respektieren.«

»Umstände, die sie Euch sicherlich ohne Vorbehalte geschildert hat«, sagte Cadfael. »Soweit sie selbst im Bilde ist.«

»So ist es.«

»Dann wißt Ihr auch vom Tod der alten Frau und von der Heirat, die für Helisende arrangiert wurde. Und Ihr wißt auch um den Grund für die Heirat?«

»Ich weiß, daß sie mit dem jungen Mann, den sie lieber bekommen hätte, eng verwandt ist. Ja, sie hat mir davon erzählt. Mehr, vermute ich, als sie ihrem Beichtvater anvertraut. Ihr braucht um Helisende nicht zu fürchten, denn solange sie hier bleibt, ist sie vor allen Qualen sicher und hat zudem die Gesellschaft und den Trost ihrer Mutter.«

»Sie hätte keinen besseren Ort finden können«, sagte Cadfael inbrünstig. »Nun, was diese beiden angeht, so muß ich Euch sagen, daß Haluin in dem Glauben gelassen wurde, Bertrade sei tot. All die Jahre hielt er sie für tot, und er gab sich selbst sogar die Schuld an ihrem Tod. Heute morgen hat er sie dank Gottes Gnade lebendig und wohlauf gesehen. Sie haben, außer sich beim Namen zu nennen, kein Wort gewechselt. Aber ich glaube, wenn Ihr es erlaubt, sollten sie eine Gelegenheit dazu bekommen. Sie werden ihren Berufungen besser nachkommen können, wenn sie ihren Seelenfrieden gefunden haben. Und sie haben auch das Recht, sich zu vergewissern, daß der andere wohlauf, gesegnet und zufrieden lebt.«

»Und Ihr glaubt«, fragte die Äbtissin vorsichtig, »daß sie tatsächlich gesegnet und zufrieden leben können wie zuvor?«

»Besser sogar«, bekräftigte er ohne jeden Zweifel. »Ich kann für den Mann sprechen, und Ihr kennt die Frau. Wenn sie uns ohne ein Wort verlassen sollten, dann werden sie sich bis ans Ende ihrer Tag quälen.«

»Aber dafür möchte ich vor Gott nicht verantwortlich sein«, sagte die Äbtissin mit einem kurzen, spröden Lächeln. »Nun, sie sollen ihre Stunde bekommen und ihren Frieden finden. Es kann nicht schaden, aber viel Gutes kann es bewirken. Wollt Ihr noch einige Tage hier bei uns bleiben?«

»Wenigstens noch heute«, sagte Cadfael. »Und ich habe noch eine weitere Bitte. Bruder Haluin überlasse ich Euch, doch es gibt noch etwas, das ich tun muß, bevor wir nach Hause zurückkehren. Aber nicht hier! Darf ich ein Pferd aus Eurem Stall borgen?«

Sie musterte ihn eine Weile, und es schien, als sei sie zufrieden mit dem, was sie sah. Schließlich meinte sie: »Unter einer Bedingung.«

»Und die wäre?«

»Ihr müßt mir, wenn die Zeit es erlaubt und alles im Lot ist, auch die zweite Hälfte der Geschichte erzählen.«

Bruder Cadfael führte sein geborgtes Pferd in den Hof und stieg ohne Eile auf. Der Bischof hatte, um seine eigenen Besuche zu erleichtern, einen angemessenen Stall einrichten lassen. Zwei kräftige Kaltblüter standen bereit, falls einer seiner Gesandten hier vorbeikam und die Gastfreundschaft der Abtei in Anspruch nahm, um die Pferde zu wechseln. Nachdem er freie Hand hatte, wählte Cadfael natürlich das bessere und lebhaftere der beiden Pferde, einen jungen, kräftigen Rotbraunen. Er hatte keinen weiten Ritt vor sich, aber er wollte wenigstens für sich selbst etwas Vergnügen herausschlagen, denn am Ende würde es kaum Freude geben.

Die Sonne stand schon hoch, als er aus dem Tor ritt. Eine bleiche Sonne war es, die aber heller und klarer wurde, während sich die Luft frühlinghaft erwärmte. Der schlimme Schneefall in Vivers war gewiß der letzte des Jahres gewesen, ein angemessener Endpunkt für Haluins Bußgang, der im ersten Schnee seinen Anfang genommen hatte.

Der zarte grüne Schleier der Knospen auf den Ästen von Büschen und Bäumen hatte sich zum harten Gefieder junger Blätter entwickelt. Das feuchte Gras schimmerte und dampfte leicht, wo es von der Sonne berührt wurde. Soviel Schönheit lag vor ihm, und hinter ihm gab es Hoffnung auf eine große Gnade, auf eine gerechte Erlösung und die Erneuerung der Hoffnung. Vor ihm aber gab es eine einsame Seele, die gerettet werden mußte, falls sie nicht schon verloren war.

Er nahm nicht die Straße nach Vivers. Nicht dort hatte er Dringendes zu tun, auch wenn er auf dem Rückweg vielleicht dort Halt machen würde. Einmal zügelte er sein Pferd und blickte zurück. Im leicht hügeligen Land waren der Zaun der Abtei und der Weiler verschwunden. Haluin würde warten und sich wundern und durch einen wirren Traum tappen, voller Fragen, auf die er keine Antwort finden konnte, zerrissen zwischen Glauben und Unglauben, ängstlicher Freude und alten Schmerzen, bis die Äbtissin ihn zu dem Treffen rief, das alle Dinge offenlegen würde.

Cadfael ritt langsam weiter, bis er jemand fand, den er nach dem Weg fragen konnte. Eine Frau, die am Rande eines Dorfes Schafe und Lämmer zur Weide führte, wies ihm bereitwillig den kürzesten Weg. Er konnte Vivers meiden, was ihm ganz recht war, denn im Augenblick wollte er Cenred und seinen Männern nicht begegnen. Noch hatte er ihnen nichts zu sagen, und nicht er mußte ihnen sagen, was nun endlich gesagt werden mußte.

Auf der Straße angekommen, die die Bäuerin ihm beschrieben hatte, ritt er schnell und zielstrebig und hielt erst am Tor des Anwesens in Elford wieder an.

Es war die junge Pförtnerin, die später am Morgen an die Türe klopfte und Bruder Haluin aus seiner quälenden Einsamkeit riß. Die Sonne hatte schon lange ihren Schleier abgelegt und das Gras im Garten getrocknet. Er sah sich um, als sie eintrat. Da er aber Cadfael erwartet hatte, riß er verwundert die Augen auf.

»Die Äbtissin schickt mich«, sagte das Mädchen ebenso höflich wie sanft, denn sie hatte den Eindruck, er habe Mühe, sie zu verstehen. »Sie bittet Euch in ihr Sprechzimmer. Wenn Ihr mitkommen wollt, kann ich Euch den Weg zeigen.«

Gehorsam langte er nach seinen Krücken. »Bruder Cadfael ging fort und kehrte bisher nicht zurück«, sagte er langsam und sah sich um wie ein Mann, der aus einem Traum erwacht. »Wird er auch anwesend sein? Soll ich nicht besser auf ihn warten?«

»Nein, das ist nicht nötig«, erklärte sie. »Bruder Cadfael hat bereits mit Mutter Patrice gesprochen. Er hatte noch etwas zu erledigen. Ihr sollt hier ruhig auf seine Rückkehr warten. Kommt Ihr nun?«

Haluin stemmte sich mühsam auf die Beine und folgte ihr über den hinteren Hof zu den Gemächern der Äbtissin, voller Vertrauen wie ein Kind und mit immer noch halb abwesenden Gedanken. Die kleine Pförtnerin paßte ihre flinken Füße seinem schweren Gang an und brachte ihn rücksichtsvoll und sanft bis zur Tür des Sprechzimmers. Auf der Schwelle warf sie ihm ein strahlendes, ermutigendes Lächeln zu.

»Geht nur hinein, Ihr werdet erwartet.«

Sie hielt ihm die Tür auf, da er beide Hände für die Krücken brauchte. Er humpelte über die Schwelle in den nach Holz duftenden, halbdunklen Raum und blieb drinnen stehen, um der Äbtissin die Ehre zu erweisen. Dann aber, als seine Augen sich an das Dämmerlicht gewöhnt hatten, hielt er bebend inne. Denn die Frau, die gefaßt und still und wundervoll lächelnd mitten im Raum stand und ihn erwartete, die Hände instinktiv ausgestreckt, um ihm zu helfen, war nicht die Äbtissin, sondern Bertrade de Clary.

12

Der Bursche, der ohne Eile über den Hof herbeikam, um den Besucher zu begrüßen und nach seinem Begehr zu fragen, war weder Lothair noch Luc, sondern ein schlaksiger, nicht einmal zwanzig Jahre alter Junge mit einem dichten, dunklen Haarschopf. Hinter ihm schien der Hof frei vom gewohnten lebhaften Getriebe. Nur ein paar Mägde und Knechte gingen gemächlich ihrer Arbeit nach, als ließe man hier die Zügel schleifen. Es sah ganz danach aus, als sei der Hausherr mit den meisten seiner Männer noch unterwegs, um nach Neuigkeiten zu jagen, die zum Mörder Edgythas führen konnten.

»Wenn Ihr den Herrn Audemar sprechen wollt«, sagte der Junge sofort, »dann habt Ihr Pech. Er ist noch wegen dieser Frau, die vor ein paar Nächten getötet wurde, unterwegs. Aber sein Verwalter ist da, und wenn Ihr übernachten wollt, dann solltet Ihr mit ihm sprechen.«

»Vielen Dank«, erwiderte Cadfael, während er ihm seinen Zügel gab, »aber ich will nicht zu Herrn Audemar. Seine Mutter will ich sprechen. Ich weiß, wo ihre Witwengemächer sind. Wenn Ihr das Pferd versorgen wollt, kann ich schon hinübergehen und das Mädchen fragen, ob die Herrin mich empfängt.«

»Wie Ihr wollt. Ihr wart ja schon einmal hier«, sagte der Bursche, indem er mit schmalen Augen den flüchtig bekannten Besucher musterte. »Vor ein paar Tagen erst, mit einem anderen Mönch in schwarzer Kutte, der auf Krücken nur mühsam ging.«

»Richtig«, meinte Cadfael. »Ich sprach bei dieser Gelegenheit auch schon mit der Herrin, und sie wird mich oder den lahmen Bruder nicht vergessen haben. Wenn sie mich jetzt nicht empfangen will, dann soll es gut sein – aber sie wird sich wohl nicht verweigern.«

»Versucht es nur«, meinte der Bursche gleichgültig. »Sie ist mit ihrem Mädchen in ihrem Haus. Seit ein paar Tagen läßt sie sich kaum noch blicken.«

»Sie hatte zwei Burschen dabei«, fuhr Cadfael fort. »Es waren

Vater und Sohn. Wir lernten uns kennen, als wir hier waren. Die beiden hatten ihre Herrin aus Shropshire hierher begleitet. Ich würde nachher gern mit den beiden sprechen, falls sie nicht mit Audemars Leuten in Vivers sind.«

»Oh, die! Nein, das sind ihre Leute, nicht seine. Aber sie sind trotzdem nicht mehr da. Gestern ganz früh schickte sie sie mit einem Auftrag fort. Wohin, das weiß ich nicht. Zurück nach Hales, würde ich meinen. Da wohnt die alte Dame ja die meiste Zeit.«

Ich frage mich nur, dachte Cadfael, als er sich zu Adelais' Haus in der Ecke der Enklave wandte, während der Bursche den Rotbraunen in den Stall führte, ich frage mich wirklich, wie es Adelais de Clary schmecken würde, wenn sie erführe, daß der Bursche ihres Sohnes sie als ›alte Dame‹ bezeichnet. Zweifellos kam sie dem ungehobelten Jungen so alt vor wie die Berge, aber sie hatte bewahrt und behütet, was einst eine große Schönheit gewesen war, und von diesem Strahlen durfte nichts und niemand ablenken. Nicht umsonst hatte sie als engste Dienerin ein schlichtes, pockennarbiges Mädchen gewählt und sich mit langweiligen, gewöhnlichen Gesichtern umgeben, zwischen denen sie um so schöner strahlen konnte.

An der Türe von Adelais' Haus bat er darum, empfangen zu werden, und Gerta kam selbstherrlich im Bewußtsein ihrer Bedeutung und fest entschlossen, jede Störung von ihrer Herrin fernzuhalten. Er hatte zunächst seinen Namen nicht genannt, doch als Gerta ihn nun sah, hielt sie inne. Sie schien nicht eben erbaut, einen der Benediktinermönche aus Shrewsbury so bald schon und ohne Vorwarnung wiederzusehen.

»Meine Herrin ist nicht bereit, Besucher zu empfangen. Was habt Ihr mit ihr zu schaffen, daß Ihr sie stören müßt? Wenn Ihr eine Unterkunft und etwas zu essen braucht, wird sich der Verwalter des Herrn Audemar bemühen.«

»Was ich hier zu schaffen habe«, sagte Cadfael, »betrifft nur Frau Adelais und geht, abgesehen von ihr selbst, niemand etwas an. Sagt ihr, Bruder Cadfael sei noch einmal aus der Abtei von Farewell gekommen und bitte sie um ein Gespräch. Ich glaube gern, daß sie keine Besucher empfangen will, aber ich nehme an, daß sie mich nicht abweisen wird.«

Sie war nicht so kühn, daß sie es wagte, ihn selbst fortzuschikken, doch sie ging mit hochmütig erhobenem Kopf und verächtlichen Blicken, als freute sie sich schon darauf, ihm eine ablehnende Antwort zu übermitteln. Nach dem enttäuschten Gesicht zu urteilen, mit dem sie aus der Kemenate zurückkam, war ihr diese Freude anscheinend verwehrt worden.

»Meine Herrin bittet Euch herein«, sagte sie kalt und öffnete für ihn die Tür, damit er an ihr vorbei ins Haus treten konnte. Zweifellos hoffte sie, in der Nähe bleiben und anhören zu können, was gesprochen wurde, aber so weit ging die Liebe nicht.

»Laß uns allein«, sagte Adelais de Clary, die unter dem verschlossenen Fenster in tiefem Schatten saß. »Und schließ die Tür hinter dir.«

Dieses Mal hatte sie keine Frauenarbeit in den Händen, kein Stickzeug und kein Garn zum Spinnen. Sie saß reglos auf ihrem großen Stuhl im Halbdunkel, die Hände auf die Lehnen gelegt und die geschnitzten Löwenköpfe am Ende umklammernd. Sie bewegte sich nicht, als Cadfael hereinkam, sie war weder überrascht noch erschrocken. Ihre tiefen, brennenden Augen sahen ihn ohne jede Verwunderung an, und wie er meinte auch ohne jedes Bedauern. Es schien fast, als habe sie ihn erwartet.

»Wo habt Ihr Haluin gelassen?« fragte sie.

»In der Abtei von Farewell«, sagte Cadfael.

Sie schwieg eine Weile und dachte mit unbewegtem Gesicht und funkelnden Augen nach, so intensiv, daß er fast ein gespanntes Zittern in der Luft zu spüren glaubte, bevor sich seine Augen an das Halbdunkel gewöhnt hatten. Allmählich schälten sich ihre Gesichtszüge aus der Dunkelheit heraus, aus der Finsternis, in die sie sich selbst gesperrt hatte. Dann sagte sie rauh und laut: »Ich will ihn nie wiedersehen.«

»Nun, Ihr werdet ihn auch nicht wiedersehen. Wenn dies hier erledigt ist, kehren wir heim.«

»Aber«, sagte sie, »ich dachte die ganze Zeit daran, daß Ihr zurückkommen würdet. Früher oder später würdet Ihr zurückkommen. Nun gut! Die Dinge sind jetzt meinen Händen entglitten. Sagt, was Ihr mir sagen wollt. Ich werde besser schweigen.«

»Das könnt Ihr nicht tun«, widersprach Cadfael. »Es ist Eure Geschichte.«

»Dann seid mein Chronist. Erzählt Sie! Erinnert mich! Laßt mich hören, wie die Geschichte in den Ohren meines Beichtvaters klingen wird, falls mir überhaupt ein Priester die Beichte abnimmt.« Sie streckte plötzlich eine lange, schmale Hand aus und forderte ihn wie eine Königin auf, sich zu setzen. Doch er blieb dort stehen, wo er sie am besten sehen konnte, und sie machte nicht den Versuch, seinen Blicken auszuweichen, sondern hielt ihnen stand. Ihr schönes, stolzes Gesicht war gefaßt und verschlossen, nichts gab sie zu, nichts leugnete sie. Nur die brennenden dunklen Augen in den tiefen Höhlen sprachen zu ihm, doch in einer Sprache, die er nicht ganz verstand.

»Ihr wißt genau, was Ihr vor so vielen Jahren getan habt«, begann Cadfael. »Ihr habt Haluin mit einer schrecklichen Strafe belegt, weil er es wagte, Eure Tochter zu lieben und sie zu schwängern. Ihr habt ihn bis ins Kloster verfolgt, in das ihn Eure Feindschaft getrieben hatte – junge Menschen verzweifeln rasch. Ihr habt ihn gezwungen, Euch das Mittel zur Abtreibung zu beschaffen, und danach habt Ihr ihn wissen lassen, Mutter und Kind seien gestorben. Es war eine schreckliche Schuld, die Ihr ihm damals auferlegt habt, und sie hat ihn sein Leben lang gequält. Wollt Ihr nun sprechen?«

»Nein«, sagte sie. »Fahrt fort! Ihr habt ja erst begonnen.«

»Richtig, ich habe gerade erst begonnen. Dieser Trank aus Ysop und Schwertlilien, den er Euch gab – er wurde nie benutzt. Der Trank sollte nur ihn selbst vergiften, er sollte nie jemand anders schaden. Was habt Ihr damit gemacht? Habt Ihr in einfach ausgeschüttet? Nein, lange bevor Ihr überhaupt die Kräuter von ihm verlangt habt, ich würde sogar sagen, sofort nachdem Ihr ihn aus Eurem Haus vertrieben hattet, mußte Bertrade auf Euer Geheiß nach Elford gehen und Edric Vivers heiraten. So geschah es, und gewiß noch rechtzeitig, um ihn als Vater gelten zu lassen. Glaubwürdig, aber unwahrscheinlich. Zweifellos war der alte Mann stolz auf sich, da er sich immer noch stark genug glaubte, ein Kind zu zeugen. Warum sollte jemand das Geburtsdatum in Frage stellen, da Ihr doch rasch gehandelt hattet?«

Sie hatte sich nicht bewegt, sie war nicht zusammengezuckt, und ihre Augen ruhten auf seinem Gesicht. Sie gab nichts zu und stritt nichts ab. .

»Hattet Ihr eigentlich keine Angst«, fragte er, »irgend jemand könnte in Hörweite unseres Klosters verlauten lassen, daß Bertrade de Clary mit Edric Vivers verheiratet war und keineswegs im Grab lag? Daß sie ihrem alten Mann eine Tochter geschenkt hatte? Es hätte nur einen Reisenden mit einer geschwätzigen Zunge gebraucht.«

»Diese Gefahr bestand nicht«, erklärte sie einfach. »Welche Kontakte gab es schon zwischen Shrewsbury und Hales? Keine, bis Haluin vom Dach stürzte und seine Pilgerreise begann. Nein, es war nicht zu erwarten, daß jemand aus einer anderen Grafschaft hier zu tun hatte. Es bestand keine Gefahr.«

»Nun, dann laßt uns fortfahren. Sie lebte also, und Ihr habt sie einem alten Mann gegeben. Das Kind wurde lebend geboren. Diese Gnade habt Ihr dem Mädchen erwiesen – aber warum nicht auch ihm? Warum dieser bittere, andauernde Haß, daß Ihr auf so schreckliche Weise Rache nehmen mußtet? Doch nicht, weil Eurer Tochter ein Unrecht angetan worden war, nein! Warum wurde Haluin nicht als passender Mann für sie angenommen? Er stammte aus einer guten Familie, er hätte ein schönes Anwesen erben können, hätte er nicht die Kutte vorgezogen. Was hattet Ihr nur gegen ihn? Ihr wart eine schöne Frau, gewöhnt an Bewunderung und Verehrung. Euer Herr war in Palästina. Und ich weiß noch, wie Haluin zu mir kam, achtzehn Jahre alt und ohne Tonsur. Ich sah ihn, wie Ihr ihn gesehen habt, als Ihr einige Jahre im erzwungenen Zölibat leben mußtet – er war sehr anziehend...«

Er sprach nicht weiter, denn ihre langen, festen Lippen hatten sich geöffnet, um ihm endlich doch zuzustimmen. Sie hatte unbeeindruckt zugehört, hatte keinen Versuch gemacht, ihn zu unterbrechen, hatte keine Einwände erhoben. Jetzt antwortete sie.

»Viel zu anziehend!« sagte sie. »Ich war es nicht gewöhnt, verschmäht zu werden, aber ich war ohnmächtig und konnte nichts tun. Er war viel zu unschuldig, um mich zu verstehen. Wie solche Kinder manchmal ohne Absicht verletzen können! Wenn ich ihn also nicht haben konnte«, sagte sie grimmig, »dann sollte sie ihn auch nicht bekommen. Keine Frau sollte ihn haben, und vor allem nicht sie.«

Es war heraus, sie ließ es stehen, wie es war, fügte nichts hinzu, um es abzumildern, und nachdem sie es gesagt hatte, dachte sie darüber nach und erinnerte sich an ihre Gefühle, als wären es die einer anderen Frau, denn sie empfand nicht mehr die alte Intensität, die Sehnsucht und den Zorn.

»Es gibt noch mehr zu erzählen«, sagte Cadfael, »viel mehr. Da ist zum Beispiel Eure Zofe Edgytha. Edgytha war Eure einzige Vertraute, die einzige, die die Wahrheit wußte. Sie wurde mit Bertrade nach Vivers geschickt. Äußerst treu und Euch ergeben, wahrte sie Euer Geheimnis und vollstreckte in all den Jahren Eure Rache. Und Ihr vertrautet darauf, daß sie das Geheimnis ins Grab nehmen würde. So war für Euch alles in Ordnung, bis Roscelin und Helisende aufwuchsen und sich nicht mehr nur als Spielgefährten, sondern als Mann und Frau zu lieben begannen. Sie wußten und vergaßen dennoch, daß die Kirche und die Welt eine solche Liebe als falsch, sündhaft und verboten betrachten würde. Als das Geheimnis zur Barriere zwischen ihnen wurde, wo keine Barriere hätte sein müssen, als Roscelin nach Elford verbannt wurde und durch Helisendes Heirat mit de Perronet eine endgültige Trennung drohte, konnte Edgytha es nicht länger ertragen. Sie kam des Nachts zu Euch gelaufen – nicht zu Roscelin, sondern zu Euch! Und bat Euch, endlich die Wahrheit zu sagen oder ihr die Erlaubnis zu geben, sie für Euch zu erzählen.«

»Ich habe mich gefragt«, warf Adelais ein, »woher sie wußte, daß ich hier in der Nähe war.«

»Sie wußte es, weil ich es ihr gesagt hatte. Unwissentlich schickte ich sie selbst in die Nacht hinaus, um Euch zu bitten, die Schatten von den beiden unschuldigen Kindern zu nehmen. Es war ein Zufall, daß ich unser Treffen hier in Elford erwähnte. *Ich* habe sie zu Euch und damit in den Tod geschickt, genau wie Haluin Euch veranlaßte, in aller Eile herzukommen, um ihn von gefährlichen Entdeckungen abzuhalten. Wir waren die Instrumente Eures Tuns, die Euch stets nur Gutes wünschten. Nun aber solltet Ihr bedenken, ob Eure Seele noch zu retten ist.«

»Fahrt fort!« sagte sie rauh. »Ihr seid noch nicht fertig.«

»Nein, noch nicht. Edgytha flehte Euch an, endlich die Wahrheit zu sagen. Und Ihr wart nicht bereit! Ihr habt sie verzweifelt nach Vivers zurückgehen lassen. Was ihr dann unterwegs zustieß, wißt Ihr bereits.«

Sie leugnete es nicht. Ihr Gesicht war bleich und verschlossen, doch ihr Blick schwankte nicht.

»Hätte sie auch gegen Euren Willen die Wahrheit gesagt? Wir werden die Antwort darauf nie erfahren. Aber jemand, der Euch ebenso ergeben war, hörte genug, um zu verstehen, in welcher Gefahr Ihr schwebtet. Jemand fürchtete sie, folgte ihr und brachte sie zum Schweigen. Oh, nein, nicht Ihr selbst! Ihr hattet andere Werkzeuge dafür. Aber habt Ihr ein entsprechendes Wort verlauten lassen?«

»Nein!« sagte Adelais. »Das habe ich nicht! Es sei denn, mein Gesicht sprach für mich. Und wenn, dann hätte es gelogen. Ich hätte ihr nie etwas antun können.«

»Das will ich Euch glauben. Aber welcher der beiden folgte ihr? Der Vater wie der Sohn, beide würden für Euch ohne Murren sterben, und ohne Frage hat einer der beiden für Euch getötet. Nun sind sie fort. Zurück nach Hales? Nein, das bezweifle ich, das wäre nicht weit genug. Wie weit ist das entfernteste Anwesen Eures Sohnes entfernt?«

»Ihr würdet sie nicht finden«, sagte Adelais bestimmt. »Ich weiß nicht, wer von den beiden das tat, was ich vielleicht hätte verhindern können, aber ich stopfte ihnen den Mund, als sie reden wollten. Was hätte es genützt? Die Schuld liegt allein bei mir, und ich will niemand sonst hineinziehen. Ja, ich habe sie fortgeschickt, sie sollen nicht meine Schulden bezahlen müssen. Edgytha in aller Ehre zu bestatten, ist eine schlechte Wiedergutmachung. Beichte, Buße, vielleicht sogar die Absolution können einer Toten nicht das Leben zurückgeben.«

»Eine Wiedergutmachung gibt es noch«, sagte Cadfael. »Ich glaube außerdem, daß Euch all die Jahre nicht weniger teuer zu stehen kamen als Haluin. Vergeßt nicht, daß ich Euer Gesicht sah, als er mit seinem zerstörten Körper eintrat. Ich hörte Eure Stimme, als Ihr rieft! ›Was hat man Euch nur angetan?‹ Alles, was Ihr ihm angetan habt, habt Ihr auch Euch selbst angetan, und sobald es geschehen war, konnte es nicht zurückgenommen werden. Nun könnt Ihr Euch davon befreien, wenn Ihr Euch ausliefert.«

»Fahrt fort«, sagte Adelais, obwohl sie genau wußte, was kommen würde. Er sah es an der Fassung, die sie die ganze Zeit über nicht verloren hatte. Sicher hatte sie in diesem halbdunklen Raum nur darauf gewartet, daß der Finger Gottes endlich auf sie zeigte.

»Helisende ist nicht Edrics Tochter, sondern Haluins Kind. Nichts steht ihr im Wege, wenn sie Roscelin heiraten will. Ob die Ehe zwischen den beiden gut verlaufen würde, ist eine andere Frage, aber wenigstens muß der Schatten der Geschwisterliebe von ihnen genommen werden. Die Wahrheit muß ans Licht kommen, wie sie in Farewell bereits herausgekommen ist. Haluin und Bertrade haben sich dort getroffen und schließen nun miteinander Frieden. Ihre Tochter Helisende ist bei ihnen, und die Wahrheit ist bereits aus ihrem Grab gestiegen.«

Sie wußte, sie hatte seit dem Tod der alten Frau gewußt, daß es letzten Endes dazu kommen mußte, und wenn sie ihre Augen abgewendet und sich geweigert hatte, es einzusehen, nun gab es keinen Ausweg mehr. Auch war sie nicht die Frau, die eine schwere Aufgabe an andere delegierte, sobald sie sich einmal entschlossen hatte. Im Guten wie im Schlechten machte sie keine halben Sachen.

Er wollte sie nicht weiter drängen, sondern zog sich zurück, um ihr Zeit und Raum zu lassen. Etwas abseits stand er, beobachtete die gefaßte, schweigende Frau und überlegte bei sich, welchen Tribut achtzehn Jahre des Schweigens gefordert hatten, achtzehn Jahre voller Haß und Liebe. Die ersten Worte, die er hier von ihr gehört hatte, trotz ihrer extremen Situation, die ersten Worte, die er überhaupt von ihr gehört hatte, hatten Haluin gegolten: »Was hat man Euch angetan?«

Adelais stand abrupt auf und ging mit langen, festen Schritten zum Fenster. Sie klappte die Läden zur Seite und ließ frische Luft und Licht und die Kälte herein. Eine Weile stand sie da und blickte zum stillen Hof hinaus. Der bleiche Himmel war mit kleinen Wolken gesprenkelt, ein grüner Schleier lag über den Ästen der Bäume außerhalb des Zaunes. Als sie sich wieder zu ihm umwandte, sah er ihr Gesicht im vollen, klaren Tageslicht, und er sah zugleich ihre unvergängliche Schönheit und den Staub, den die Zeit darübergelegt hatte. Die einst straffen Stränge in ihrem langen Hals waren erschlafft, graue Flecken wie von Asche waren in ihrem schwarzen Haar zu sehen, um Mund und Augen hatten sich Falten gebildet, und ein Netz dünner Äderchen zog sich über die einst makellosen und elfenbeinglatten Wangen. Sie war stark, sie würde nicht ohne weiteres die Verbindung zur Welt aufgeben und sie einfach verlassen. Sie würde lange leben und gegen den erbarmungslosen Angriff des Alters wüten, bis der Tod sie geschlagen und überwältigt hätte. Adelais' Wesen selbst sorgte für die Buße.

»Nein!« sagte sie plötzlich mit großer Autorität, als hätte er einen Vorschlag gemacht, den sie um keinen Preis annehmen konnte. »Nein, ich will keinen Fürsprecher. Niemand soll mir etwas abnehmen, das ich selbst sagen muß. Was erzählt werden muß, will ich selbst erzählen. Kein anderer soll es tun! Ob es je gesagt worden wäre, wenn Ihr nicht in meine Nähe gekommen wärt – Ihr mit Eurer Hand an Haluins Ellbogen, mit Euren nachdenklichen Augen, die nichts verrieten –, ich weiß es nicht. Wißt Ihr es? Aber das spielt jetzt keine Rolle mehr. Was noch zu tun ist, will ich selbst tun.«

»Befehlt mir zu gehen«, bot Cadfael an, »und ich gehe. Ihr braucht mich nicht mehr.«

»Nicht als Fürsprecher, nein. Aber als Zeugen vielleicht! Warum solltet Ihr um das Ende betrogen werden? Ja!« sagte sie mit funkelnden Augen. »Ihr sollt mit mir reiten und sehen, wie alles endet. Ich schulde Euch diesen Ausgang, wie ich Gott den Tod schulde.«

Er ritt mit ihr, wie sie es gewünscht hatte. Warum nicht? Er mußte nach Farewell zurückkehren, und der Weg über Vivers war so gut wie jeder andere. Sobald sie sich entschlossen hatte, gab es kein Zögern und kein Zaudern mehr.

Sie ritt und gab dem Pferd die Sporen wie ein Mann, nachdem sie in den letzten Jahren anmutig im Damensitz hinter einem Burschen gesessen hatte, wie es sich für eine Dame ihres Alters und Standes geziemte. Sie ritt mit dem königlichen Selbstbewußtsein eines Mannes, aufrecht und leicht im Sattel sitzend, den Zügel entspannt mit einer Hand haltend. Und sie ritt schnell und gleichmäßig und näherte sich ihrer Niederlage so entschlossen wie ihrem Sieg.

Cadfael, der neben ihr ritt, fragte sich, ob sie immer noch in Versuchung war, einen Teil der Wahrheit zurückzuhalten, um sich wenigstens teilweise zu schützen. Aber die gespannte Ruhe ihres Gesichts sprach dagegen. Es würde keine Ausflüchte, keine Abmilderungen, keine Entschuldigungen geben. Sie hatte getan, was sie getan hatte, und sie würde es mit der gleichen Entschlossenheit berichten. Ob sie es bereute, würde nur Gott erfahren.

13

Sie erreichten Vivers eine Stunde nach Mittag. Das Tor stand offen, und die Unruhe drinnen hatte nachgelassen. Mehr als das übliche Hin und Her war auf dem Hof nicht zu sehen. Offenbar war der Bote der Äbtissin aufgenommen und für glaubwürdig befunden worden, und ob widerstrebend oder bereitwillig, Cenred würde Helisendes Wunsch entsprechen und sie eine Weile an ihrem Zufluchtsort in Ruhe lassen. Da nun die Suche nach ihr nicht fortgesetzt werden mußte, waren Audemars Männer frei, um den Mörder zu verfolgen. Allerdings würden sie ihn nie finden! Wer sollte in jener Nacht, als der Schnee fiel, schon in der Nähe gewesen sein und den Messerstich im Wald beobachtet haben, um das Gesicht des Mörders beschreiben oder seinen Namen nennen zu können? Und selbst wenn es einen Zeugen gab, wer in dieser Gegend, abgesehen von den Leuten aus Audemars Haus, hätte einen Burschen aus dem fernen Hales erkannt?

Cenreds Aufseher durchquerte gerade den Hof, als sie hereingeritten kamen. Er eilte ihnen entgegen, erkannte die Mutter des Oberherrn dieser Gegend und wollte ihr aus dem Sattel helfen, doch sie war schon abgestiegen, ehe er sie erreichen konnte. Sie glättete ihre gestickten Röcke und sah sich um, ob sie einen Diener ihres Sohnes fände. Cadfael hatte bereits bemerkt, daß die Jäger noch nicht nach Elford zurückgekehrt waren, doch auch hier waren sie nirgends zu entdecken. Einen Augenblick runzelte sie die Stirn, wenig begeistert über die Aussicht, warten zu müssen und nicht sofort sagen zu können, was sie zu sagen hatte. Da sie sich nun entschlossen hatte, gefiel es ihr nicht, durch äußere Umstände aufgehalten zu werden. Noch während sich der Verwalter ehrerbietig verneigte, blickte sie über ihn hinweg zur Halle.

»Ist dein Herr da?«

»Ja, Mylady. Wenn Ihr bitte hereinkommen wollt?«

»Und mein Sohn?«

»Auch er ist da. Er kam erst vor einigen Minuten zurück. Seine Männer sind noch mit unseren Männern unterwegs, um in allen Häusern in der Gegend Erkundigungen einzuziehen.«

»Zeitverschwendung!« sagte sie eher zu sich selbst als zu ihm, hütete sich aber, ihm den Grund zu nennen. »Nun, um so besser, wenn beide hier sind. Nein, du brauchst ihnen nicht zu sagen, daß ich gekommen bin. Das werde ich selbst tun. Und Bruder Cadfael hier kommt dieses Mal als mein Helfer und nicht als Gast.«

Der Verwalter hatte den zweiten Reiter bis jetzt kaum eines Blickes gewürdigt. Nun sah er Cadfael prüfend an und überlegte wohl, was der Benediktiner schon wieder hier und zusammen mit der Frau zu suchen hatte. Aber es war keine Zeit für lange Fragen. Adelais war schon mit großen Schritten zur Treppe unterwegs, die zur Halle hinaufführte, und Cadfael folgte ihr ergeben, als wäre er tatsächlich ihr demütiger Kaplan. Der Verwalter sah ihnen grübelnd und verwundert nach.

Die Leute im Haus hatten das Mittagessen schon eingenommen, und die Diener waren damit beschäftigt, die Teller abzuräumen und die Tische beiseite zu stellen. Adelais ging ohne ein Wort oder einen Blick an ihnen vorbei und wandte sich sofort zu der mit Vorhängen geschützten Tür der Kemenate. Drinnen waren murmelnde Stimmen zu hören, etwas gedämpft durch die Vorhänge. Cenreds tiefe Stimme war deutlich von der hellen, jüngeren Stimme des Jean de Perronet zu unterscheiden. Der Freier hatte sich nicht zurückgezogen, sondern wollte anscheinend störrisch, wenn auch nicht geduldig, seine Zeit abwarten. Nun gut, dachte Cadfael. Er hatte das Recht zu erfahren, welches gewaltige Hindernis sich ihm nun in den Weg stellte. Das gebot der Anstand. De Perronet hatte nichts Ehrenrühriges getan, man durfte ihn nicht übergehen.

Adelais fegte den Vorhang zur Seite und riß die Türe auf. Alle waren da und sprachen bedrückt über eine Situation, der sie frustiert und hilflos gegenüberstanden, zur Untätigkeit verdammt, da es von vornherein sinnlos war, Männer auszuschikken und aufs Geratewohl nach Edgythas Mörder zu suchen. Hätte irgend jemand in der Gegend etwas gewußt, dann hätte man es bereits erfahren. Und wenn Audemar daran dachte, die

Diener aus dem Hause seiner Mutter zu überprüfen und zu fragen, wer aus welchem Grund fehlte, hätte sie zwischen ihm und den Dienern gestanden. Wo immer Lothair und Luc jetzt waren, beschämt und gepeinigt durch ihr Entsetzen über das, was sie im guten Glauben für sie getan hatten, sie würde nicht die beiden für etwas zahlen lassen, das sie für ihre eigene Schuld hielt.

Als die Tür geöffnet wurde, fuhren alle Köpfe herum, denn für einen Diener kam sie zu plötzlich und zu selbstbewußt herein. Ihr Blick schweifte über den Kreis der überraschten Gesichter. Audemar und Cenred saßen beim Wein am Tisch, Emma stickte etwas abseits an ihrem Rahmen, achtete aber kaum auf die Arbeit, sondern wartete mit angespannten Nerven darauf, daß die Dinge endlich Gestalt annähmen und das Leben in seine gewohnten Bahnen zurückkehrte. Und der Fremde – Cadfael bemerkte, daß Adelais den jungen Jean de Perronet bisher noch nie gesehen hatte. Auf ihm verweilte ihr Blick etwas länger, bis sie ihn als Bräutigam identifiziert hatte. Kaum wahrnehmbar verzogen sich ihre Lippen zu einem kleinen, spröden Lächeln, bevor sie Roscelin ansah.

Der Junge hatte sich in eine Ecke zurückgezogen, wo er die Versammlung im Auge behalten konnte, als dächte er über eine bevorstehende Schlacht nach. Bereit und bewaffnet, steif und aufrecht saß er auf der Bank vor den Wandbehängen, den Kopf erhoben und die Lippen fest geschlossen. Er hatte anscheinend, wenn auch nicht eben begeistert, Helisendes Wunsch akzeptiert, in Farewell etwas Ruhe zu finden, aber er hatte nicht vergessen, daß diese Verschwörer geplant hatten, sie heimlich zu verheiraten und ihn um seine zugegebenermaßen fehlgeleiteten Hoffnungen zu bringen. Sein Kummer über seine Eltern erstreckte sich zwangsläufig auch auf de Perronet und selbst auf Audemar de Clary, in dessen Haus er verbannt worden war, um ihren Plänen nicht im Wege zu sein. Wie konnte er sicher sein, daß Audemar nicht noch mehr getan hatte, als einen passenden Ort für die Verbannung zu stellen? Sein von Natur aus offenes, freundliches und klares Gesicht war jetzt verschlossen, mißtrauisch und feindselig. Adelais sah ihn länger an als alle anderen. Wieder ein Junge, der hübscher war, als es gut für ihn war und eine unglückliche Liebe anzog wie eine Blume die Bienen.

Die erste Überraschung war vorbei. Cenred stand hastig auf, um die Gäste zu begrüßen, und kam ihr mit ausgestreckten Armen entgegen, um sie zu einem Platz am Tisch zu führen.

»Mylady, willkommen in meinem Haus! Es ist mir eine Ehre!«

Audemar, weniger erfreut, sagte mit leichtem Stirnrunzeln: »Madam, was führt Euch her? Und noch dazu ohne Gefolge!« Es war ihm lieber, wenn seine tatkräftige Mutter im entfernten Hales im Exil saß und dort Hof hielt. Als Cadfael die beiden nun beieinander sah, fand er sie einander sehr ähnlich. Zweifellos schätzten sie sich, aber seit der Sohn erwachsen war, konnten sie nicht mehr unter einem Dach leben. »Es war nicht nötig«, fuhr Audemar fort, »hierherzureiten. Ihr könnt nichts tun, was nicht schon getan wird.«

Adelais hatte sich von Cenred ein Stück weit in den Raum ziehen lassen, doch dann sträubte sie sich, blieb im Licht stehen und befreite mit herrischer Geste ihre Hand.

»Doch«, sagte sie, »es war nötig.« Abermals warf sie einen langen Blick auf die aufmerksamen Gesichter. »Und ich bin nicht ohne Schutz gekommen. Bruder Cadfael hat mich eskortiert. Er kommt aus der Abtei in Farewell, und wenn er uns verläßt, wird er dorthin zurückkehren.« Sie sah von einem jungen Mann zum andern, vom vorgezogenen Bräutigam zum enttäuschten Geliebten. Beide beäugten sie besorgt, denn sie spürten, daß eine Wende eintreten würde, auch wenn sie nicht wußten, was auf sie zukam.

»Ich bin froh«, sagte Adelais, »daß Ihr alle hier versammelt seid. So brauche ich nur einmal zu sagen, was ich zu berichten habe.«

Sie hatte sicher noch nie Schwierigkeiten gehabt, dachte Cadfael, während er sie beobachtete, die Aufmerksamkeit aller Menschen auf sich zu ziehen, ganz egal, wohin sie ging. In jedem Raum, den sie betrat, war sie der Mittelpunkt, die dominierende Gestalt in jeder Runde. Nun schwiegen alle und warteten, was sie zu sagen hatte.

»Wie ich hörte, Cenred«, sagte sie, »hattet Ihr die Absicht, vor zwei Tagen Eure Schwester – Eure Halbschwester, sollte ich besser sagen –, mit diesem jungen Herrn hier zu verheiraten. Aus

Gründen, die vor der Kirche und der Welt Bestand haben, da sie mit Eurem Sohn Roscelin eine allzu innige Beziehung hatte. Die Trauung, nach der sie an einen weit entfernten Ort umgezogen wäre, sollte den Schatten einer so unheiligen Verbindung von Eurem Haus und Eurem Erben nehmen. Verzeiht mir, wenn ich so offen spreche, es ist zu spät für Höflichkeit. In jedem Fall trifft Euch keine Schuld, da Ihr nicht mehr wußtet.«

»Gab es denn noch mehr zu wissen?« fragte Cenred verblüfft. »Offene Worte sind mir mehr als recht. Sie sind nahe Blutsverwandte, wie Ihr wißt. Hättet Ihr nicht ähnliche Maßnahmen ergriffen, um ein solches Übel von Eurem Enkelkind abzuwenden, wie ich es für meine Schwester tat? Sie ist mir so nahe und so teuer wie mein eigener Sohn. Sie ist Eure Enkeltochter. Ich erinnere mich gut an die zweite Heirat meines Vaters. Ich erinnere mich an den Tag, an dem Ihr die Braut zu uns brachtet, und an den Stolz meines Vaters, als sie ihm ein Kind schenkte. Da er schon lange tot ist, war ich Helisende nicht nur wie ein Bruder, sondern auch wie ein Vater verpflichtet. Natürlich wollte ich sie und meinen Sohn schützen. Diesen Wunsch habe ich auch jetzt noch. Messire de Perronet hat seine Werbung nicht zurückgezogen, und auch ich bleibe bei meinem Verbot.«

Audemar hatte sich erhoben und sah seine Mutter mit zusammengezogenen Augenbrauen und hartem Gesicht an. »Was gibt es noch zu wissen?« fragte er scheinbar ruhig. Doch so gleichmütig und leise seine Stimme auch klang, man hörte Zweifel und Unbehagen darin. Eine Frau ohne Adelais' unbeugsamen Willen hätte sich bedroht gefühlt. Sie aber erwiderte seinen Blick und ließ sich nicht beeindrucken.

»Dieses hier! Ihr macht Euch unnötige Sorgen. Es gibt, Cenred, keine Barriere zwischen Eurem Sohn und Helisende außer jener, die Ihr selbst errichtet habt. Es wäre kein Inzest, wenn sie heirateten und ihr Lager teilten. Helisende ist nicht Eure Schwester, Cenred, sie ist nicht die Tochter Eures Vaters. In Ihren Adern fließt kein Tropfen Blut aus Vivers.«

»Aber das kann nicht sein!« protestierte Cenred mit ungläubigen Kopfschütteln. »Das ganze Haus kennt das Kind von Geburt an. Was Ihr sagt, ist unmöglich. Warum kommt Ihr mit einer solchen Geschichte, wenn alle meine Leute bezeugen können, daß sie von der rechtmäßigen Frau meines Vaters hier in ihrem Bett und hier in meinem Haus geboren wurde?«

»Nachdem sie in meinem gezeugt wurde«, fiel Adelais ein. »Ich frage mich, warum niemand auf die Idee kam, die Tage zu zählen. Ich verlor damals keine Zeit. Meine Tochter war bereits schwanger, als ich sie hierherbrachte und heiraten ließ.«

Nun waren alle aufgesprungen, nur Emma saß bleich über ihrem Stickrahmen, erschüttert von den ungläubigen und wütenden Rufen, die wie wechselnde Winde um sie fuhren. Cenred hatte die Sprache verloren, aber de Perronet wandte ein, daß alles falsch sei und die Dame ihren Verstand verloren habe. Roscelin war aufgesprungen, um ihm seinerseits zu widersprechen. Mit funkelnden Augen und halb außer sich wandte er sich von seinem Rivalen an Adelais und flehte, forderte, daß wahr sei, was sie gesagt hatte. Schließlich schlug Audemar laut die Faust auf den Tisch und brachte mit lauter, gebieterischer Stimme alle anderen zum Schweigen. Adelais hatte die ganze Zeit aufrecht und reglos gestanden wie ein Stein, die Rufe und das Durcheinander einfach über sich ergehen lassen.

Sie schwiegen nun, die Rufe hörten auf, nur noch angestrengtes Atmen war zu hören, während alle Anwesenden sie anstarrten, als müßte man nur lange genug ihr Gesicht ansehen, um zu erkennen, ob sie die Wahrheit gesagt hatte.

»Wißt Ihr auch, Madam, was Ihr da sagt?« fragte Audemar schließlich mit gefaßter, ruhiger Stimme.

»Allerdings, mein Sohn! Ich weiß, was ich sage, und ich weiß, daß es wahr ist. Ich weiß, was ich getan habe, und ich weiß, daß es nicht recht war. Niemand von Euch brauchte es zu sagen, ich sage es selbst. Aber ich tat es, und keiner von Euch kann es heute ungeschehen machen. Ja, ich täuschte Herrn Edric, ja, ich zwang meine Tochter zu dieser Ehe, ja, ich setzte das Kind eines anderen in dieses Haus. Oder, wenn Ihr so wollt, ich ergriff Maßnahmen, um den Namen und das Vermögen meiner Tochter zu schützen und dafür zu sorgen, daß sie ihre Ehre behielt, wie Cenred es für seine Schwester tun wollte. Ob Edric jemals diesen Handel bereute? Ich glaube nicht. Freute er sich über das Kind, das er für das seine hielt? Ganz gewiß. All die Jahre habe ich es dabei belassen, aber nun hat Gott es anders gefügt, und es tut mir nicht leid.«

»Wenn es wahr ist«, sagte Cenred, indem er tief Luft holte, »dann muß Edgytha davon gewußt haben. Sie kam mit Bertrade her, und wenn Ihr, jetzt endlich, die Wahrheit sagt, dann muß sie eingeweiht gewesen sein.«

»Sie wußte es«, sagte Adelais. »Und mir tut der Tag leid, an dem ich sie abwies, als sie mich bat, die Wahrheit zu sagen, und noch mehr bedrückt mich, daß sie heute nicht unter uns sein und meine Worte bestätigen kann. Aber einer ist hier, der dazu in der Lage ist. Bruder Cadfael kam aus der Abtei von Farewell, wo Helisende jetzt ist. Ihre Mutter ist bei ihr. Und durch einen seltsamen Zufall«, fuhr sie fort, »ist auch ihr Vater bei ihr. Wir können der Wahrheit nicht mehr ausweichen; ich sage sie und bin mir der Bedeutung meiner Tat bewußt.«

»Ihr habt die Wahrheit lange genug verborgen«, meinte Audemar grimmig.

»Das habe ich, und ich rechne es mir nicht als Tugend an, sie jetzt enthüllt zu haben, da sie ohne mein Zutun ans Licht gekommen ist.«

Es gab ein tiefes, nachdenkliches Schweigen, bevor Cenred langsam fragte: »Ihr sagt, ihr Vater sei jetzt bei ihr? In Farewell?«

»Für mich ist es nur Hörensagen«, erklärte sie. »Bruder Cadfael soll Euch antworten.«

»Ich habe alle drei dort gesehen«, bestätigte Cadfael. »Es ist die Wahrheit.«

»Wer ist er?« wollte Audemar wissen. »Wer ist ihr Vater?«

Adelais fuhr mit ihrer Geschichte fort, ohne auch nur einmal den Blick zu senken. »Er war ein junger Schreiber in meinem Haus von guter Herkunft und nur ein Jahr älter als meine Tochter. Er wollte um ihre Hand anhalten, aber ich wies ihn ab. Sie – ergriffen Maßnahmen, um mich zu zwingen. Nein, vielleicht tue ich ihnen damit Unrecht, vielleicht taten sie es nicht aus Berechnung, sondern aus Verzweiflung, denn sie war so verliebt wie er. Ich entließ ihn aus meinen Diensten und brachte sie in aller Eile hierher, um dem Wunsch zu entsprechen, den Lord Edric schon ein Jahr zuvor geäußert hatte. Und ich log und erklärte dem Geliebten, sie sei tot. Ich log ihn an und ließ ihn wissen, Bertrade und ihr Kind seien gestorben, als wir versuchten, sie vom Ungeborenen zu befreien. Er erfuhr erst in den letzten Tagen, daß er eine Tochter hat.«

»Wie kommt es dann«, wollte Cenred wissen, »daß er sie jetzt fand und noch dazu hier? Die ganze Geschichte kommt mir so seltsam vor, so aus der Luft gegriffen. Ich kann sie kaum glauben.«

»Ihr müßt Euch damit abfinden«, sagte sie. »Keiner von uns kann jetzt noch der Wahrheit entfliehen oder sie leugnen. Er hat sie gefunden, weil Gott es so fügte. Was mehr braucht Ihr noch?«

Cenred wandte sich gereizt an Cadfael. »Bruder, Ihr wart als Gast in meinem Haus. Erzählt mir, was Ihr über die Sache wißt. Ist es wahr, nach so vielen Jahren? Und wie kam es, daß sich die drei am Ende wiedersahen?«

»Es ist wahr«, erklärte Cadfael. »Sie sind sich begegnet, und inzwischen werden sie sich ausgesprochen haben. Er hat sie beide gefunden, weil er, nachdem er seine Geliebte für tot hielt, vor einigen Monaten selbst am Rande des Todes schwebte. Ihm wurde seine Sterblichkeit bewußt, und er beschloß, da er sie in dieser Welt nicht mehr wiedersehen würde, zu ihrem Grab zu pilgern und für ihren Frieden in der Welt zu beten. Da er sie aber in Hales nicht fand, wo er sie vermutete, kam er zu dem Anwesen in Elford, wo ihre Vorfahren beerdigt sind. Auf dem Rückweg wollte es die Gnade Gottes, daß wir in der Abtei von Farewell um ein Nachtlager baten. Dort, Lord Audemar, dient die Dame, die Eure Schwester war, als Lehrerin für die Novizinnen in dem vom Bischof neu gegründeten Kloster. Und dort suchte auch Helisende nach ihren Qualen Zuflucht. So fanden sich alle drei schließlich unter dem gleichen Dach wieder.«

Nach einer Weile meinte Audemar leise: »*Wir* baten in der Abtei von Farewell um ein Nachtlager, sagtet ihr. Damit habt Ihr beinahe genug gesagt. Nur eines fehlt noch: der Name.«

»Er kam schon vor langer Zeit ins Kloster. Er ist mein Mitbruder in der Abtei von St. Peter und St. Paul in Shrewsbury. Ihr habt ihn gesehen, Mylord. Es ist der Bruder, der mit mir nach Elford kam, der Bruder, der mit Krücken ging. Mönch und Priester ist er, Herr Cenred, es ist jener, den Ihr fragtet, ob er Helisende mit dem von Euch ausgewählten Mann verheiraten wolle. Sein Name ist Haluin.«

Allmählich begannen sie zu begreifen, was sie doch noch nicht in seiner vollen Tragweite erfassen konnten. Benommen starrten sie zu Boden und erkannten nach und nach, was die Enthüllungen für sie zu bedeuten hatten. Roscelin, bebend und strahlend wie eine frisch entzündete Kerze, war es plötzlich leicht ums Herz, als er von Schuld und Kummer befreit wurde. Berauschend wie Wein schien ihm der Tag, die Welt war voller Hoffnung und Freude, seine Augen waren geblendet, und seine Zunge war gelähmt. De Perronet sah sich nun einem nicht zu unterschätzenden Rivalen gegenüber, nachdem er anfangs keine Schwierigkeiten gesehen hatte. Sein Stolz war verletzt, und er war entschlossen, mit ganzer Kraft um den gefährdeten Siegespreis zu kämpfen. Cenred war überwältigt, nachdem seine Familiengeschichte auf den Kopf gestellt worden war: Sein Vater schien gedemütigt und, da er der Täuschung erlegen war, sogar senil, seine Schwester war auf einmal eine Fremde, ein Eindringling ohne Rechte in seinem Haus. Emma saß schweigend und voller Furcht in ihrer Ecke, bekümmert um den Betrug an ihrem Herrn und den Verlust des Mädchens, das sie wie eine Tochter angenommen hatte.

»Sie ist nicht meine Schwester«, sagte Cenred schwer und eher zu sich selbst als zu den anderen. Wütend wiederholte er seine Worte: »Sie ist nicht meine Schwester.«

»Nein«, bestätigte Adelais. »Aber bisher glaubte sie es. Es ist nicht ihre Schuld, sie trifft kein Vorwurf.«

»Sie ist nicht mit mir verwandt. Ich bin ihr nichts schuldig, weder Mitgift noch Land. Sie hat keine Ansprüche.« Er sagte es eher verbittert als triumphierend, denn er bedauerte das abrupte Ende einer liebevollen Verbindung.

»Nein. Aber sie ist mit mir verwandt«, erklärte Adelais. »Die Mitgift ihrer Mutter ging an Polesworth, als sie die Gelübde ablegte, aber Helisende ist meine Enkelin und meine Erbin. Das Land, das ich besitze, wird an sie gehen. Sie wird nicht mittellos sein.« Sie blickte de Perronet an, während sie sprach, und lächelte traurig. Es war nicht nötig, den Weg des Geliebten zu

178

sehr zu ebnen, indem das Mädchen in den Augen des Rivalen als mittellos und deshalb weniger anziehend dargestellt wurde.

»Madam, Ihr mißversteht mich«, sagte Cenred mit unterdrückter Wut. »Dieses Haus war ihr Heim, sie wird es immer noch für ihr Heim halten, denn wohin sollte sie sonst gehen? Aber plötzlich sind wir von ihr abgeschnitten wie gelähmte Glieder. Ihr Vater und ihre Mutter sind im Kloster, und was hatte sie bisher mit Euch zu tun? Verwandt oder nicht, sie gehört hierher nach Vivers.«

»Aber jetzt hält mich nichts mehr davon ab«, rief Roscelin triumphierend, »um ihre Hand anzuhalten. Ich kann offen um sie werben, es gibt keine Hindernisse mehr. Wir haben uns nicht versündigt, kein Schatten ist über uns gefallen, kein Bann besteht mehr zwischen uns. Ich werde gehen und sie heimbringen. Sie wird kommen, glücklich wird sie kommen! Ich weiß es!« Er jubelte, seine blauen Augen blitzten vor Freude. »Ich wußte, daß unsere Liebe nicht falsch war! *Ihr* habt mich überzeugt, daß es eine Sünde gewesen sei. Sir, laßt mich gehen und sie heimholen!«

Darauf entflammte de Perronet vor Wut, zischte wie brennender Schwefel, machte zwei rasche Schritte und baute sich vor dem Jungen auf. »Ihr springt zu früh und zu weit, mein Freund! Eure Rechte sind nicht größer als meine. Ich ziehe meine Werbung nicht zurück, und ich werde sie mit aller Kraft verteidigen.«

»Wie Ihr wollt«, jubelte Roscelin, viel zu entrückt von Erleichterung und Entzücken, um engstirnig oder beleidigt zu sein. »Jeder soll sagen können, was er denkt, aber jetzt sind wir gleichberechtigt, Ihr und jeder, der noch kommen wird. Wir werden ja sehen, was Helisende zu sagen hat.« Aber er wußte genau, wie ihre Antwort lauten würde. Seine Sicherheit war eine Beleidigung, auch wenn sie nicht so gemeint war. De Perronet hatte die Hand an den Dolch gelegt, und heißere Worte drängten sich schon in seiner Kehle, als Audemar auf den Tisch hieb und den beiden Schweigen gebot.

»Ruhe da! Bin ich hier der Oberherr oder nicht? Das Mädchen ist nicht ohne Verwandte, denn sie ist meine Nichte. Wenn hier irgend jemand ihr gegenüber Rechte und Pflichten hat, dann bin ich es, und ich sage, daß sie hier in Cenreds Obhut bleiben soll, wenn er es wünscht, und er soll die Rechte behalten, die er im Glauben, ihr Verwandter zu sein, in all den Jahren ausübte. Was ihre Heirat angeht, will ich mich mit ihm gut beraten und überlegen, was für sie am besten ist, aber ich werde sicherlich nicht gegen ihren Willen entscheiden. Nur für den Augenblick laßt sie in Ruhe! Sie hat sich Zeit für sich selbst ausbedungen, und die soll sie haben. Wenn sie bereit ist, zurückzukehren, werde ich sie selbst holen.«

»Einverstanden!« erklärte Cenred aufatmend. »Ich bin zufrieden! Besser könnte ich es mir nicht wünschen.«

»Und Ihr, Bruder…« Audemar wandte sich an Cadfael. Er hatte die Situation unter Kontrolle, und in seinem Bezirk war sein Wort Gesetz. Seine Absicht war es, den Schaden möglichst gering zu halten, wo seine Mutter auf völlige Zerstörung aus gewesen war. »Bruder, wenn Ihr nach Farewell zurückkehrt, dann richtet ihnen aus, was ich soeben gesagt habe. Geschehen ist geschehen, und alles, was noch zu tun ist, wird offen und bei Tageslicht geschehen. Roscelin«, befahl er scharf, indem er sich an den unruhigen, immer noch strahlenden Jungen wandte, »laß die Pferde satteln, wir reiten nach Elford. Du stehst in meinen Diensten, bis ich dich entlasse, und ich habe nicht vergessen, daß du ohne Erlaubnis fortgeritten bist. Gib mir keinen weiteren Anlaß zum Schelten.«

Aber seine Stimme klang nicht besonders wütend, und weder seine Worte noch der Blick, den er ihm zuwarf, konnten Roscelins überschäumende Freude dämpfen. Der Junge verneigte sich kurz, um den Befehl anzunehmen, und ging sofort hinaus, um zu tun, was sein Herr ihn geheißen hatte. Er flog durch die Türe, daß hinter ihm die Vorhänge flatterten. Ein Schwall kalter Luft kam von draußen in die Kammer wie ein Seufzen.

Audemar blickte lange und nachdenklich zu Adelais, die unverzagt seinen Blick erwiderte und auf sein Urteil wartete.

»Madam, Ihr werdet mit mir nach Elford zurückreiten. Ihr habt hier getan, was Ihr tun wolltet.«

Trotz Roscelins Vorsprung saß Cadfael als erster im Sattel. Er wurde hier nicht mehr gebraucht. Natürlich hätte er gern erfahren, wie sich die Familie auf die neue Situation einstellte, da

Entscheidungen sicherlich leichter zu fällen als zu verwirklichen waren, doch diese Neugierde mußte ungestillt bleiben, denn er würde kaum noch einmal hier vorbeikommen. Ohne Eile holte er sein Pferd und stieg auf. Er lenkte sein Tier gerade zum Tor, als Roscelin sich aus der Gruppe der Burschen löste, die Audemars Pferde sattelten, und Cadfael hinterdrein rannte.

»Bruder Cadfael...« Einen Moment war er um Worte verlegen, denn für sein Staunen und seine Seligkeit gab es keine Worte. Dann aber schüttelte er den Kopf und lachte über seine Verwirrung. »Sagt ihr, sagt ihr, daß wir frei sind. Wir müssen uns nicht mehr zwingen, nichts kann uns jetzt mehr hindern...«

»Mein Sohn«, sagte Cadfael freundlich, »inzwischen weiß sie es so gut wie Ihr.«

»Und sagt ihr, daß ich bald, sehr bald schon zu ihr kommen werde. Oh, ja, ich weiß«, sagte er zuversichtlich, da er Cadfaels gehobene Augenbrauen sah. »Aber er wird mich schicken! Ich kenne ihn! Er wird eher einen Verwandten, den er kennt und auf den er sich verlassen kann, einen seiner eigenen Männer schicken, dessen Land an sein eigenes grenzt, als einen jungen Herrn aus einer anderen Gegend. Und mein Vater wird uns jetzt nicht mehr im Wege sein. Warum sollte er, wo doch alles aufgeklärt ist? Was hat sich verändert außer den Dingen, die verändert werden mußten?«

Er hatte recht, dachte Cadfael, während er vom Sattel aus zu dem jungen, glühenden Gesicht hinunterblickte. Die Veränderung lag darin, daß Falschheit der Wahrheit gewichen war, und so schwer die Umstellungen auch wurden, es konnte nur besser werden. Die Wahrheit ist manchmal teuer, aber am Ende wird sie stets dem entrichteten Preis gerecht.

»Und sagt ihm«, fügte Roscelin ernsthaft hinzu, »ich meine, sagt dem lahmen Bruder... ihrem Vater...« Verwundert und etwas schüchtern sprach er das Wort aus. »Sagt ihm, daß ich mich freue, daß ich ihm mehr schulde, als ich je zurückzahlen kann. Und sagt ihm, daß er sich um ihr Glück keine Sorgen mehr machen muß, denn darauf will ich mein Leben verwenden.«

14

Etwa zu der Zeit, als Cadfael im Hof von Farewell vom Pferd stieg, saß Adelais de Clary mit ihrem Sohn in dessen Privatgemächern in Elford. Zwischen ihnen war ein langes, drückendes Schweigen entstanden. Der Nachmittag ging allmählich in den Abend über, das Licht wurde trübe, doch er hatte noch keine Kerzen bringen lassen.

»Es gibt noch eine Angelegenheit«, sagte er schließlich, indem er sein düsteres Schweigen brach, »die so gut wie überhaupt nicht besprochen worden ist. Zu Euch, Madam, kam die alte Frau. Und Ihr schicktet sie mit einem knappen Nein wieder fort. In ihren Tod! Geschah es auf Euren Befehl?«

Hitzig erwiderte sie: »Nein!«

»Ich will nicht fragen, was Ihr darüber wißt. Was würde es nützen? Sie ist tot. Aber es gefällt mir nicht, wie Ihr damit umgeht, und ich habe entschieden, daß ich nichts damit zu tun haben will. Morgen, Madam, werdet Ihr nach Hales zurückkehren. Hales könnt Ihr als Einsiedelei haben. Aber kommt nie wieder in dieses Haus, denn man wird Euch nicht einlassen. Die Türen aller Anwesen bis auf Hales sind Euch von nun an verschlossen.«

Gleichgültig sagte sie: »Wie du willst, es ist mir gleich. Ich brauche nicht viel Platz, und vielleicht brauche ich ihn nicht lange. Hales ist mir recht.«

»Dann, Madam, brecht auf, wann immer Ihr wollt. Ihr sollt eine sichere Eskorte bekommen, denn anscheinend«, sagte er mit bitterem, wissendem Unterton, »habt Ihr Euch von Euren eigenen Burschen getrennt. Ihr könnt auch eine Sänfte bekommen, falls Ihr lieber Euer Gesicht verbergen wollt. Man wird nicht sagen können, daß ich Euch schutzlos reisen ließ wie jene alte Frau, die sich nachts allein hinauswagte.«

Adelais erhob sich von ihrem Hocker und verließ ohne ein weiteres Wort den Raum.

Draußen in der Halle hatten die Diener begonnen, die Fackeln anzustecken. Sie steckten sie in die Ringe, doch in allen Ecken und zwischen den verräucherten Balken unter der hohen Decke sammelte sich die Dunkelheit und wob Netze aus Schatten.

Roscelin stand am Herd in der Mitte des Raumes und stocherte mit der Hacke seines Stiefels in der Glut, um den tagsüber gedämpften Brand zu neuem Leben zu erwecken. Er hatte noch Audemars Mantel über dem Arm, die Kapuze baumelte an einer Seite herunter. Das Licht der auflodernden Flammen vergoldete sein gesenktes Gesicht, er schien zarte Wangen, anmutige Knochen und eine Stirn so schön wie die eines Mädchens zu bekommen, und während er träumte, stahl sich ein leises, entrücktes Lächeln auf seine Lippen. Flachshell teilte sich sein Haar über dem glatten Nacken und fiel über seine Wangen.

Einen Moment blieb Adelais, von ihm unbemerkt, im Schatten stehen und beobachtete ihn. Abermals empfand sie die Freude und die Schmerzen einer unwiderstehlichen Anziehung und eines unerträglichen Glücks, gepeinigt sah sie seine Schönheit und Jugend, die vergehen und verschwinden würden. Zu scharf und süß war die Erinnerung an die Dinge, die vor langer Zeit schon geendet hatten, an die Jahre, die sie vergessen geglaubt hatte. Alles entflammte zu neuem Leben und stieg wie der Phönix aus der Asche, doch sie stand jetzt vor den Trümmern, die all die Jahre aus dem Geliebten gemacht hatten.

Schweigend, damit er sie nicht hörte, damit er ja nicht seine allzu strahlenden, jubelnden blauen Augen zu ihr erhob, ging sie an ihm vorbei. Die dunklen Augen, an die sie sich erinnerte, tief und gefühlvoll unter geschwungenen schwarzen Brauen, hatten nie auf diese Weise für sie gestrahlt. Immer pflichtbewußt waren sie gewesen, immer vorsichtig und oft gesenkt in ihrer Gegenwart.

Adelais ging in die Abendkälte hinaus und wandte sich zu ihren Gemächern. Nun, es war vorbei. Das Feuer war Asche. Sie würde ihn nie wiedersehen.

»Ja, ich habe sie gesehen«, erklärte Bruder Haluin. »Ja, ich habe mit ihr gesprochen. Ich habe ihre Hand berührt, sie war warm und aus Fleisch, es war das Fleisch einer Frau, keine Illusion. Die Pförtnerin brachte mich unvorbereitet zu ihr, ich konnte nicht sprechen und nichts sagen. Sie war für mich so lange tot gewesen. Der Blick, den ich auf sie erhaschen konnte, wie sie im Garten zwischen den Vögeln stand... danach, als Ihr fort wart, wußte ich nicht mehr, ob ich es nur geträumt hatte. Aber sie zu berühren, zu hören, wie sie meinen Namen rief... und sie freute sich...

Bei ihr war es anders als bei mir, aber Gott weiß, ich würde nicht behaupten, daß ihre Bürde leichter war. Vielleicht wußte sie auch, daß ich noch lebte, vielleicht wußte sie, wo ich war und was ich war. Für sie gab es keine Schuld, sie hatte nichts getan, außer mich zu lieben. Und sie konnte sprechen, und das tat sie, Cadfael! ›Hier ist eine‹, sagte sie, ›die dich bereits aus gutem Grund in die Arme genommen hat. Nun kannst auch du sie in die Arme schließen. Sie ist deine Tochter.‹ Könnt Ihr Euch so ein Wunder vorstellen? Sie gab mir die Hand des Kindes, während sie es sagte. Helisende, meine Tochter – nicht tot! Lebendig und jung und freundlich und frisch wie eine Blume. Und ich dachte, ich hätte sie beide getötet! Ganz von sich aus küßte mich das Kind. Auch wenn es erst nur Mitleid war – es muß Mitleid gewesen sein, wie konnte sie jemand lieben, den sie nicht kannte –, aber selbst wenn es nur Mitleid war, es war ein unbezahlbares Geschenk.

Und sie wird glücklich sein. Sie kann lieben, wen sie will und den heiraten, dem sie ihr Herz geschenkt hat. Einmal nannte sie mich *Vater*, aber ich glaube, damit meinte sie den Priester, der ich ja am Anfang für sie war. Dennoch war es gut zu hören, es ist eine schöne Erinnerung. Diese Stunde, die wir drei zusammen verbringen durften, macht die achtzehn langen Jahre wieder gut, auch wenn wir nur so wenig sprachen. Mein Herz konnte es kaum ertragen. Betrade widmet sich inzwischen wieder ihren Pflichten, und das muß auch ich bald... sehr bald schon... morgen...«

Cadfael hatte schweigend den langen, zögernden und doch so bedeutsamen Monolog seines Freundes angehört. Immer wieder hatte es lange Pausen gegeben, in denen Haluin von seinen Eindrücken mitgerissen wurde und sprachlos staunte. Kein Wort verlor er über die schrecklichen Dinge, die man ihm bewußt und grausam angetan hatte. Alles wurde durch die

Freude über den Ausgang vertrieben, keinen Gedanken verschwendete er noch an Schuld oder Vergebung. Und das war das endgültige und beinahe ironische Urteil, das über Adelais de Clary gesprochen wurde.

»Sollen wir zur Vesper gehen?« fragte Cadfael. »Die Glocke hat geläutet, sie sind sicher schon alle an ihren Plätzen, und wir können unbemerkt hinein.«

Aus ihrer düsteren Ecke in der Kirche betrachtete Cadfael die jungen, klaren Gesichter der Schwestern. Etwas länger ruhte sein Blick auf Schwester Benedicta, die einst Bertrade de Clary geheißen hatte. Neben ihm intonierte Haluin mit leiser, glücklicher Stimme die Antworten und Gebete. Cadfael mußte sich an die Stimme erinnern, mit der Haluin in der Scheune des Waldbauern kurz vor der Dämmerung langsam und zögernd Wort auf Wort wie Blutstropfen fallen gelassen hatte. Dort stand nun erfüllt und zufrieden die Frau an ihrem Platz, die er hatte beschreiben wollen. »Sie war nicht so schön wie ihre Mutter. Sie hatte nicht dieses dunkle Strahlen, sie war freundlicher. An ihr war nichts Dunkles oder Geheimnisvolles, sie war offen wie eine Blume im Sonnenschein. Sie hatte keine Angst – damals noch nicht. Sie vertraute jedem, und sie war niemals betrogen worden – damals noch nicht. Nur einmal wurde sie betrogen, und daran starb sie.«

Aber nein, sie war nicht gestorben. Und in diesem Moment, wie sie ergeben und pflichtbewußt in der Kirche stand, war nichts Dunkles und Zurückhaltendes an ihr. Das ovale Gesicht schien heiter, während sie nach all den Jahren voller Freude den Gottesdienst feierte. Nichts war zu bedauern, nichts trübte ihre Zufriedenheit. Die Berufung, der sie ohne Segen gefolgt war, mühsam und anfangs sicher widerstrebend, kam nun, nach so vielen Jahren und durch die Gnade Gottes zu ihrer Erfüllung. Sie machte nicht kehrt, um sich ihrer ersten Liebe zuzuwenden. Es gibt eine richtige Zeit für die Liebe. Die ihre hatte die Stürme des Frühlings und die Hitze des Sommers überstanden, und nun begann die goldene Stille der ersten Herbsttage, die sich einstellt, bevor die ersten Blätter fallen. Bertrade de Clary und Bruder Haluin schienen einander nun sehr ähnlich, gefestigt und unverletzlich im Frieden ihrer Seelen. Es war nicht nötig, sich wiederzusehen,

Leidenschaft spielte keine Rolle mehr. Sie waren von ihrer Vergangenheit befreit, und beide hatten in der Zukunft Aufgaben zu erfüllen, denen sie nun noch eifriger und gründlicher nachkommen würden, da sie wußten, daß der andere lebte und den gleichen Acker bestellte.

Am Morgen nach der Prim nahmen sie Abschied und machten sich auf die lange Heimreise.

Die Schwestern waren zum Kapitel versammelt, als Cadfael und Haluin Ranzen und Krücken nahmen und das Gästehaus verließen. Helisende begleitete sie bis zum Tor. Es schien Cadfael, als sei von allen Gesichtern jeder Schatten und jeder Zweifel genommen. Alle zeigten ein ungläubiges Staunen und schienen verwundert über das Glück, das ihnen zuteil geworden war. Nun sah man deutlicher, wie ähnlich Vater und Tochter einander waren, denn die Spuren der Jahre waren aus Haluins Gesicht gewischt.

Helisende umarmte ihn zum Abschied, inbrünstig und zugleich schüchtern und ohne ein Wort zu sagen. Trotz des vergangenen Tages, trotz der Vertrautheit, die entstanden sein mochte, sie konnte ihm nicht so schnell so nahe kommen wie ihre Mutter. Doch sie wußte, daß er sanft und angenehm war, und sein Einbruch in ihr Leben hatte sie von ihrem Alptraum, von Schuld und Verlust befreit. Das war die Erinnerung, die sie an ihn behalten würde, und sie war erfüllt von einer Freude und Dankbarkeit, die von Liebe nicht sehr weit entfernt war. Ein großes Geschenk, auch wenn sie sich nie wiedersehen würden.

»Gott sei mit Euch, Vater!« sagte Helisende.

Es war das erste und zugleich das letzte Mal, daß sie ihm diesen Titel nicht als Priester sondern als Mann gab. Es war ein Geschenk, von dem er sein Leben lang zehren würde.

Sie machten über Nacht in Hargedon Halt, wo die Stiftskirche von Hampton einen Bauernhof unterhielt, mitten in einem Land, das sich nur langsam von den Zerstörungen nach der normannischen Besiedlung erholte. Erst jetzt, nach sechzig Jahren, wurde Ackerland aus dem Unterholz zurückgewonnen, und hier und dort, wo Wege sich kreuzten oder Flüsse das

Wasser für eine Mühle lieferten, entstanden Dörfer. Die Sicherheit, die Kirchenleute, Aufseher und Diener boten, hatte andere angezogen, die sich in der Nähe niederließen, und tatendurstige Zweitgeborene errichteten neue Häuser aus dem Holz der vernachlässigten Wälder. Immer noch war es ein dünn besiedeltes Land, eben, einsam und im Abendlicht melancholisch. Doch mit jedem mühsamen Schritt, der sie auf dieser traurigen Ebene weiter nach Westen brachte, wurde Bruder Haluin heiterer, sein Schritt wurde leichter, und sein Gesicht bekam Farbe.

Jetzt blickte er aus dem schmalen, offenen Fenster der Scheune nach Westen in die sternenklare Nacht hinaus. Näher an Shrewsbury, wo die Hügel in Richtung Wales allmählich höher wurden, waren Erde und Himmel ausgeglichen und in Harmonie. Hier aber wirkte der Himmel gewaltig, die Erde der Menschen dagegen bedrückend und düster. Das Strahlen der Sterne und die Schwärze des Raumes dazwischen sprachen für eine Spur Frost in der Luft, aber der nächste Tag würde ein schöner Tag zum Wandern werden.

»Hattet Ihr nie den Wunsch«, fragte Cadfael leise, »Euch über die Schulter umzusehen?«

»Nein«, sagte Haluin schläfrig. »Das ist nicht nötig. Hinter mir ist alles gut. Alles ist in Ordnung. Dort gibt es nichts mehr für mich zu tun, und ich bin gebunden. Wir sind jetzt Schwester und Bruder. Wir erbitten nicht mehr, wir wollen nicht mehr. Jetzt kann ich mich mit ganzem Herzen Gott zuwenden. Ich bin unendlich froh, daß er mich hinunterstieß, damit ich mich erheben und ihm mit neuer Kraft dienen konnte.«

Es gab ein langes, behagliches Schweigen, während er mit einer Art freudigem Hunger im Gesicht in die klare Nacht hinaussah. »Ich habe ein Blatt halb beendet zurückgelassen, als wir nach Hales aufbrachen«, sagte er nachdenklich. »Ich wollte schon lange zurück sein, um es zu vollenden. Hoffentlich hat Anselm es nicht jemand anders gegeben. Es war das große ›N‹ für ›Nunc Dimittis‹, dem noch die Hälfte der Farben fehlte.«

»Es wird auf Euch warten«, beruhigte Cadfael ihn.

»Aelfric ist gut, aber er weiß nicht, was ich vorhatte, er könnte es mit dem Gold übertreiben.« Seine Stimme war weich und praktisch und jung.

»Macht Euch keine Sorgen«, sagte Cadfael. »Übt Euch noch drei Tage in Geduld, dann werdet Ihr wieder Pinsel und Feder in der Hand halten und Euch an die Arbeit machen. Und ich muß mich um meine Kräuter kümmern, denn die Arzneischränke dürften inzwischen fast geleert sein. Legt Euch nieder, Junge, und ruht Euch aus. Morgen warten noch einige Meilen auf Euch.«

Ein sanfter Wind aus Westen fuhr durchs offene Fenster herein. Haluin hob den Kopf und schnüffelte in der Luft, wie ein edles Pferd in seinem Stall schnüffelt.

»Es ist gut«, meinte er, »wieder nach Hause zu kommen!«

BRUDER CADFAEL UND DER KETZERLEHRLING

A m neunzehnten Juni, dem Tag, an dem der bedeutende Gast eintraf, arbeitete Bruder Cadfael im Garten des Abtes; er schnitt verblühte Rosen ab. Es war eine Arbeit, die sich Abt Radulfus normalerweise selbst vorbehielt; er war stolz auf seine Rosen und genoß die wenigen Stunden, die er mit ihnen verbringen konnte. Aber in drei Tagen würde die Abtei den Jahrestag der Überführung der heiligen Winifred in ihren Schrein in der Kirche feiern, und die Vorbereitungen für den alljährlichen Zustrom von Pilgern und Gönnern nahmen seine gesamte Zeit in Anspruch. Auch die untergeordneten Brüder hatten alle Hände voll zu tun. Cadfael war der einzige von ihnen, der das Privileg genoß, sich um die Rosen des Abtes kümmern zu dürfen, die, wie alles andere im Klosterbereich, zum Fest der Heiligen makellos und in bester Verfassung sein mußten.

In diesem Jahr würde es keine feierliche Prozession von Saint Giles am Rande der Stadt geben wie 1141, zwei Jahre zuvor. Dort waren die Gebeine der Heiligen deponiert worden, während man im Kloster die Vorbereitungen für einen würdigen Empfang traf. An dem großen Tag war, wie Cadfael sich erinnerte, ringsum der befürchtete Regen niedergegangen, aber kein einziger Tropfen hatte ihr Reliquiar und seine Träger getroffen oder eine der Kerzen gelöscht, die sie, aufrecht wie Lanzen und unberührt vom Wind, begleitet hatten. Kleine Wunder hatte es gegeben, wo immer Winifred vorbeikam, so wie der Legende zufolge in den Fußstapfen von Welsh Olwen Blumen erblühten. Große Wunder kamen seltener vor, aber Winifred konnte ihre Macht erweisen, wo sie angebracht war. Sie hatten gute Gründe, das zu wissen und froh darüber zu sein, sowohl im fernen Gwytherin, dem

Ort ihres Wirkens, als auch hier in Shrewsbury. In diesem Jahr würden die Feiern innerhalb der Abteimauern stattfinden; auch hier gab es genügend Raum für Wunder, wenn die Heilige solche bewirken wollte.

Schon jetzt trafen die Pilger zum Fest ein, in solchen Scharen, daß Cadfael das geschäftige Treiben vorn im großen Hof, am Tor und beim Gästehaus kaum eines Blickes würdigte; ebensowenig nahm er das Klappern der Hufe auf den Pflastersteinen wahr, wenn Burschen die Pferde in die Stallungen führten. Bruder Denis, der Verwalter, würde eine Menge Leute unterzubringen und zu verpflegen haben, und zwar schon vor dem eigentlichen Festtag, an dem die Leute aus der Stadt und den Dörfern im Umkreis von vielen Meilen herbeiströmen würden.

Erst als Prior Robert auftauchte, der mit den schnellsten Schritten, die seine Würde erlaubte, um die Ecke des Kreuzgangs bog und zielstrebig auf die Gemächer des Abtes zueilte, hielt Bruder Cadfael in seinem gemächlichen Umgang mit den verwelkten Blüten inne und beobachtete ihn. Auf Roberts strengem, langem Gesicht lag der Ausdruck eines Engels, der einen Auftrag von kosmischer Bedeutung auszuführen hat, und auf den die Autorität des überirdischen Wesens übergegangen ist, das ihn ausgesandt hatte. Seine silbrige Tonsur leuchtete in der Sonne des frühen Nachmittags, und seine schmale, aristokratische Nase sondierte vorweg und erschnupperte Glorie.

»Wir haben einen ganz besonders wichtigen Gast«, dachte Cadfael. Und er verfolgte den Weg des Priors über die Schwelle zu den Gemächern des Abtes mit Interesse, nicht sonderlich überrascht, als er wenige Minuten später sah, wie der Abt selbst erschien und mit Robert an seiner Seite den Hof überquerte. Zwei hochgewachsene Männer, ungefähr gleich groß, der eine ganz glatte, geschmeidige, sorgfältig kultivierte Eleganz, der andere nur Knochen und Sehnen und scharfe, zurückhaltende Intelligenz. Für Prior Robert

8

war es ein schwerer Schlag gewesen, als er bei der Neubesetzung der Vakanz, die durch die Amtsenthebung von Abt Heribert entstanden war, zugunsten eines Fremden übergangen wurde; aber er hatte die Hoffnung noch nicht aufgegeben. Er war zäh; vielleicht würde er sogar Abt Radulfus überleben und sein Ziel doch noch erreichen. Aber hoffentlich, betete Cadfael inbrünstig, erst in vielen Jahren.

Er brauchte nicht lange zu warten, bis Abt Radulfus und sein Gast zusammen über den Hof kamen, sich auf die höfliche und vorsichtige Art von Fremden unterhaltend, die sich zum ersten Mal begegnen. Hier war ein Besucher von zu großer und vermutlich zu geheimer Bedeutung, als daß er im Gästehaus untergebracht werden konnte, nicht einmal beim Adel. Ein Mann, der fast so groß war wie Radulfus und überall – außer in den Schultern – doppelt so breit, dickfleischig und beleibt bis an die Grenze des Fetten und dennoch zugleich kraftvoll und muskulös. Sein Gesicht wirkte auf den ersten Blick gerundet und glatt von gutem Leben, mit vollen Lippen, vollen Wangen und genußsüchtig. Auf den zweiten Blick verrieten die Lippen eine beträchtliche und intolerante Kraft, das fleischige Kinn umhüllte einen entschlossenen Kiefer, und die Augen bezeugten trotz ihrer leicht gedunsenen Umgebung einen scharfen und kritischen Verstand. Sein Kopf war unbedeckt, und er trug die Tonsur; sonst hätte Cadfael, der ihm noch nie begegnet war, ihn für einen Baron oder Grafen vom Hofe des Königs gehalten, denn seine Kleidung war, von ihrem düsteren Dunkelkarmin und Schwarz abgesehen, herrenmäßig geschnitten und verziert, eine lange, üppige Robe, bis auf den Boden reichend, aber zum Reiten vorn und hinten fast bis zur Taille geschlitzt, mit goldgesäumtem, dem sommerlichen Wetter entsprechend offenem Kragen, unter dem ein feines Leinenhemd zu sehen war und eine goldene Kette mit einem Kreuz unter einer dicken, muskulösen Kehle. Zweifellos gab es irgendwo einen Leibdiener oder Bereiter, der es ihm ersparte,

Mantel oder Gepäck selbst tragen zu müssen – nicht einmal die Handschuhe, die er vermutlich beim Absteigen abgestreift hatte. Der Klang seiner Stimme, aus einiger Entfernung vernehmbar, als die beiden Herren das Haus betraten, war leise und gemessen und vermittelte dennoch den Eindruck von Verärgerung.

Wenige Augenblicke später sah Cadfael den vermutlichen Grund dafür. Ein Bursche kam vom Torhaus her über den Hof und führte zwei Pferde zu den Stallungen, einen stämmigen Braunen, vermutlich sein eigenes Reittier, und einen großen, eleganten, prächtig aufgezäumten Rappen mit weißen Fesseln. Keine Frage, wem er gehörte. Das prunkvolle Zaumzeug, die scharlachrote Satteldecke und die reichverzierten Zügel ließen keinerlei Zweifel daran. Zwei weitere Männer folgten mit ihren weniger dekorativen Reittieren am Zügel und einem schwerbeladenen Packpferd. Dies war ein Kleriker, der nicht ohne den Komfort reiste, den er gewohnt war. Doch wenn etwas geeignet war, den Ton gemessenen Ärgers in seiner Stimme anklingen zu lassen, so war es der Umstand, daß das schwarze Pferd, das einzige in der Gruppe, das dem Rang seines Reiters Gerechtigkeit widerfahren ließ, wenn nicht sogar das einzige, das imstande war, sein Gewicht zu tragen, auf dem linken Vorderbein lahmte. Was immer sein Auftrag und das Ziel seiner Reise sein mochten – der Gast des Abtes würde gezwungen sein, seinen Aufenthalt um ein paar Tage zu verlängern, bis die Verletzung seines Reittieres ausgeheilt war.

Cadfael beendete seine Arbeit, trug den Korb mit den verwelkten Blüten in den Garten und ließ den Trubel und die Geschäftigkeit des großen Hofes hinter sich. Das schöne, warme Wetter hatte die Rosen früh erblühen lassen. Frühlingsregen hatte für eine gute Heuernte gesorgt und die Trockenheit im Juni für ideale Verhältnisse zum Einfahren. Das Scheren der Schafe war fast abgeschlossen, und die Wollhändler errechneten hoffnungsvoll den Wert der Schuren. Die bescheidenen Pilger, die zu Fuß zur heiligen Winifred kamen, würden trockenes Reisewetter und warme Nächte haben, selbst im Freien. Das Werk der Heiligen? Cadfael konnte sich gut vorstellen, daß, wenn das Mädchen aus Wales lächelte, die Sonne auf das Grenzland schien.

Das früher angesäte der beiden Erbsenfelder, die vom Rande des Gartens zum Meole-Bach hin abfielen, war bereits reif gewesen und abgeerntet worden; zehn Tage Sonne hatten die Schoten schnell wachsen lassen. Bruder Winfrid, ein kräftiger, blauäugiger junger Riese, war eifrig damit beschäftigt, das Wurzelwerk als Dünger einzugraben, während die Stengel, mit Sicheln abgehauen, am Rande des Feldes trockneten, um als Futter und Bettstroh verwendet zu werden. Die Hände, die den Spaten schwangen, waren riesig und braun und sahen aus, als müßten sie unbeholfen sein; doch im Umgang mit Cadfaels kostbaren Glasphiolen und spröden getrockneten Kräutern waren sie ebenso geschickt und behutsam wie kraftvoll und ausdauernd beim Hantieren mit Hacke und Spaten.

In der Luft des ummauerten Kräutergartens hing eine warme und würzige Süße. Unkraut gedeiht bei gutem Wachstumswetter nicht weniger gut als die Kräuter, zwischen denen es sich breitmacht, und um diese Jahreszeit gab es immer zu tun. Cadfael schürzte seine Kutte und machte sich auf den Knien ans Werk, der warmen Erde nahe; der aufgestörte, betörende Duft umflatterte ihn wie unsichtbare Flügel, und die Sonne wärmte seinen Rücken.

Er war immer noch bei der Arbeit, wenn auch in einer wohligen Mattigkeit und ohne Hast, als zwei Stunden später Hugh Beringar nach ihm Ausschau hielt. Cadfael hörte die leichten, federnden Schritte auf dem Kies und richtete den Oberkörper auf, um seinen Freund herankommen zu sehen. Hugh lächelte, als er ihn auf den Knien vorfand.

»Bin ich in Euren Gebeten?«

»Ständig«, erklärte Cadfael feierlich. »An einem so schwierigen Fall muß man ständig arbeiten.«

Er zerkrümelte einen Klumpen warmer, dunkler Erde zwischen den Händen, wischte sich die Handflächen ab, und Hugh reichte ihm die Hand, um ihm beim Aufstehen zu helfen. In dem schmächtigen Körper und dem schlanken Handgelenk des Sheriffs steckte mehr Kraft, als sein Äußeres vermuten ließ. Cadfael kannte ihn erst seit fünf Jahren, war ihm aber näher gekommen als vielen anderen, mit denen er in den dreiundzwanzig Jahren seines Klosterlebens zusammengetroffen war. »Und was macht Ihr hier?« fragte er. »Ich dachte, Ihr wäret im Norden auf Euren eigenen Ländereien, um das Heu einzufahren.«

»Da war ich auch, bis gestern. Das Heu ist in der Scheune, die Schur ist beendet, und ich habe Aline und Giles in die Stadt zurückgebracht. Gerade rechtzeitig, um herbeizitiert zu werden, damit ich einem großen Herrn meine Aufwartung mache, der hier zu Gast ist – zu seinem größten Mißvergnügen. Wenn sein Pferd nicht lahmte, wäre er bereits auf dem Weg nach Chester. Habt Ihr nicht etwas zu trinken für einen durstigen Mann, Bruder Cadfael? – Allerdings verstehe ich nicht«, setzte er gedankenverloren hinzu, »weshalb ich so ausgedörrt bin, nachdem er allein das Reden besorgt hat.«

Cadfael hatte seinen eigenen Wein in seiner Hütte, jung, aber dennoch trinkbar. Er brachte einen Krug voll mit hinaus in die Sonne, und sie setzten sich zusammen auf die Bank an der Nordmauer des Gartens, um sich zu sonnen, ohne sich ihres Müßiggangs zu schämen.

»Ich habe das Pferd gesehen«, sagte Cadfael. »Es wird Tage dauern, bis es sich so weit erholt hat, daß es die Straße nach Chester bewältigen kann. Ich habe auch den Mann gesehen, wenn es der ist, den willkommen zu heißen der Abt sich sehr beeilte. Ich hatte den Eindruck, daß er unerwartet kam. Wenn er schnell nach Chester kommen will, braucht er entweder ein frisches Pferd oder mehr Geduld, als er vermutlich aufbringen wird.«

»Oh, er hat sich damit abgefunden. Es ist möglich, daß der Abt ihn eine Woche oder noch länger auf dem Hals haben wird. Wenn er jetzt nach Chester aufbräche, würde er seinen Mann dort nicht antreffen; es besteht also kein Grund zur Eile. Earl Ranulf ist an der Waliser Grenze und schlägt einen Einfall aus Gwynedd zurück. Owain wird dafür sorgen, daß er eine Weile beschäftigt ist.«

»Und wer ist dieser Kirchenmann auf dem Weg nach Chester?« fragte Cadfael neugierig. »Und was wollte er von Euch?«

»Nun, er war verärgert – bis ich ihm sagte, er hätte keinen Grund zur Eile, der Earl wäre an seiner Grenze unterwegs – und schien deshalb entschlossen zu sein, allen Leuten in seiner Umgebung soviel Ärger wie möglich zu bereiten. Schickt nach dem Sheriff, damit er mir zumindest die gebührende Hochachtung erweist! Aber es steckte auch ein Körnchen Ernstes dahinter. Er wollte alles wissen, was mir über den Aufenthaltsort und die Absichten von Owain Gwynedd bekannt ist. Vor allem wollte er wissen, wie groß die Bedrohung ist, die unser Waliser Fürst für Earl Ranulf darstellt, wie sehr dem Earl daran liegt, in dieser Angelegenheit unterstützt zu werden, und ob er bereit wäre, dafür zu bezahlen.«

»Ein Mann des Königs also«, folgerte Cadfael nach einem Moment angestrengten Nachdenkens. »Ist er einer von Bischof Heinrichs Vertrauten?«

»Der nicht! König Stephan hält sich ausnahmsweise einmal an den Erzbischof und nicht an seinen Bruder in Winchester. Heinrich ist irgendwo anders beschäftigt. Nein, Euer Gast ist ein gewisser Gerbert, einer der Augustiner-Chorherren aus Canterbury, ein großer Mann im Haus des Erzbischofs Theobald. Er hat den Auftrag, eine behutsame Geste des Friedens und des Wohlwollens bei Earl Ranulf zu machen, dessen Loyalität – gegenüber Stephan oder wem auch immer – nie mehr als schwankend war, aber gefestigt werden könnte – das jedenfalls hofft Stephan! –, wenn beide

Seiten ihren Vorteil davon hätten. Du gibst mir deine volle Unterstützung hier oben im Norden, und dafür halte ich dir Owain Gwynedd und seine Waliser vom Hals. Gemeinsam sind wir stärker als allein!«

Cadfaels buschige Brauen wölbten sich zu seiner ergrauten Tonsur empor. »Und das, obwohl Ranulf nach wie vor Lincoln Castle hält, Stephan zum Tort? Und noch weitere Burgen, die er wider alles Gesetz hält? Hat Stephan vor dieser Art von Unterstützung und Freundschaft die Augen verschlossen?«

»Stephan hat nichts vergessen. Aber er ist willens, darüber hinwegzusehen, wenn er erreichen kann, daß Ranulf sich ein paar Monate lang still und friedlich verhält. Es gibt mehr als nur einen unsicheren Verbündeten, der zu groß wird für seine Schuhe«, sagte Hugh. »Ich nehme an, daß Stephan vorhat, jeweils mit einem zur Zeit abzurechnen. Und es gibt zumindest einen, der für ihn eine größere Bedrohung darstellt als Ranulf von Chester. Er wird bekommen, was ihm zusteht, zu gegebener Zeit, aber da ist jemand, dem Stephan mehr vorzuwerfen hat als nur ein paar gestohlene Burgen. Es lohnt sich, Chesters Entgegenkommen zu erkaufen, bis er mit Essex fertig ist.«

»Das hört sich an, als wüßtet Ihr genau, was im Kopf des Königs vor sich geht«, sagte Cadfael sanft.

»Ja, ich bin dessen so gut wie sicher. Ich habe gesehen, wie er sich bei Hofe verhielt, letzthin zu Weihnachten. Ein Fremder hätte sich fragen können, wer der König war. Umgänglich mag Stephan sein, aber sanftmütig ist er nicht. Und es gab Gerüchte, daß der Earl von Essex wieder mit der Kaiserin verhandelt hat, als sie in Oxford war; aber als sie aus der belagerten Stadt flüchten mußte, wurde er anderen Sinnes. Er ist inzwischen oft genug zwischen den beiden hin- und hergependelt, und ich glaube, er ist am Ende seines Seils angekommen.«

»Und Ranulf soll besänftigt werden, bis die Sache mit dem

anderen Earl erledigt ist.« Cadfael rieb sich zweifelnd die stumpfe braune Nase und dachte einen Moment stumm darüber nach. »Das scheint mir eher die Denkweise des Bischofs von Winchester zu sein als die von König Stephan«, sagte er schließlich.

»Das kann schon sein. Und vielleicht ist das der Grund dafür, daß der König für diesen Auftrag jemanden aus Canterbury beruft und nicht aus Winchester. Wer käme auf die Idee, zu vermuten, daß hinter der Hand von Erzbischof Theobald eine Idee aus Heinrichs Kopf lauern könnte? Es gibt keinen Mann im Gefolge des Königs oder der Kaiserin, der nicht weiß, daß sich die beiden nicht ausstehen können.«

Das konnte Cadfael nicht bestreiten. Die Feindschaft bestand seit fünf Jahren. Der Sitz des Erzbischofs von Canterbury war nach dem Tode Wilhelms von Corbeil vakant gewesen, und König Stephans jüngerer Bruder Heinrich hatte die zuversichtliche Erwartung gehegt, daß ihm dieses Amt übertragen würde; er war überzeugt, daß es ihm zustand. Seine Enttäuschung war groß, als Papst Innozenz an seiner Stelle Theobald von Bec berief, und Heinrich machte aus seinem Mißfallen so wenig Hehl und benutzte den Einfluß, den er hatte, so offensichtlich, daß Innozenz ihn entweder in dem Wunsch, seine unbestreitbaren Fähigkeiten anzuerkennen, oder aus Ärger und Bosheit zum päpstlichen Legaten in England ernannt und ihn damit de facto über den Erzbischof gesetzt hatte – ein Schritt, der gewiß nicht dazu angetan war, den einen dem andern lieb und teuer zu machen. Fünf Jahre würdevollen, aber dennoch ingrimmigen Haders hatten das Feuer in Gang gehalten. Nein, kein argwöhnischer Earl, der von einem Abgesandten Theobalds aufgesucht wurde, würde auf die Idee kommen, hinter dem Vorschlag nach irgendwelchen Anzeichen für die verschlagenen Machenschaften Heinrichs von Winchester zu suchen.

»Nun«, gab Cadfael vorsichtig zu, »da Ranulf mit den Walisern in Gwynedd alle Hände voll zu tun hat, könnte er geneigt sein, sich höflich zu verhalten. Aber ich sehe nicht recht, welche Art von Hilfe Stephan ihm anbieten könnte.«

»Überhaupt keine«, erklärte Hugh mit einem kurzen Auflachen, »und das weiß Ranulf so gut wie wir. Nichts als seine Nachsicht; aber die wird, wie die Dinge liegen, auch ihren Wert haben. Oh, sie verstehen einander gut genug, und keiner traut dem andern, aber jeder von ihnen wird zusehen, daß der andere in seinem eigenen Interesse vorerst stillhält. Ein Übereinkommen, Auseinandersetzungen auf einen geeigneteren Zeitpunkt zu verschieben, ist besser, als überhaupt kein Übereinkommen und die Notwendigkeit, stündlich über die Schulter zu schauen. Ranulf kann sich voll und ganz Owain Gwynedd widmen und Stephan dem Problem Geoffrey de Mandeville in Essex.«

»Und in der Zwischenzeit müssen wir den Chorherrn Gerbert bewirten, bis sein Pferd ihn wieder tragen kann.«

»Und seinen Leibdiener und seine beiden Burschen und einen von Bischof de Clintons Diakonen, der ihn als Führer durch die Diözese begleitet. Ein sanftmütiger kleiner Mann namens Serlo, der in Ehrfurcht vor dem großen Herrn erstirbt. Ich bezweifle übrigens, daß er je von der heiligen Winifred gehört hat – ich meine Gerbert, nicht Serlo –, aber er wird, da er nun einmal hier ist, bestimmt die Feierlichkeiten für Euch arrangieren wollen.«

»Zuzutrauen wäre es ihm«, gab Cadfael zu. »Und was habt Ihr ihm über das kleine Problem Owain Gwynedd erzählt?«

»Die Wahrheit, wenn auch nicht die ganze Wahrheit. Daß Owain imstande ist, Ranulf an seiner eigenen Grenze so beschäftigt zu halten, daß er keine Zeit hat, anderswo Ärger zu machen. Daß keinerlei Veranlassung besteht, wirkliche Zugeständnisse zu machen, um ihn zum Stillhalten zu bewegen, daß freundliches Zureden aber nicht schaden könne.«

»Und Ihr hattet keinen Grund zu erwähnen, daß Ihr ein Abkommen mit Owain getroffen habt«, ergänzte Cadfael gelassen, »daß er uns hier in Ruhe läßt und Euch den Earl von Chester vom Halse hält. Damit bekommt Stephan zwar keine der gestohlenen Burgen hier im Norden zurück, aber es bewirkt zumindest, daß Ranulf seine gierigen Hände nicht noch auf weitere legen kann. Und was gibt es für Neuigkeiten aus dem Westen? Bei dieser trügerischen Stille in Gloucesters Land frage ich mich, was da vor sich geht. Habt Ihr irgend etwas darüber erfahren, was er im Schilde führt?«

Der planlose, aufreibende Bürgerkrieg zwischen Vetter und Base um den Thron von England dauerte jetzt schon länger als fünf Jahre; er wurde in immer wieder aufflackernden Kämpfen überwiegend im Süden und Westen ausgetragen und drang nur selten so weit nach Norden vor, daß er Shrewsbury erreichte. Die Kaiserin Mathilde mit ihrem ergebenen Gefolgsmann und illegitimen Halbbruder, dem Earl Robert von Gloucester, herrschte jetzt fast unangefochten im Südwesten und konnte sich auf Bristol und Gloucester stützen. König Stephan hielt den Rest des Landes, aber mit recht unsicherem Rückhalt in den Teilen seines Reiches, die von seiner Basis in London am weitesten entfernt lagen, sowie den Grafschaften im Süden. Unter derart instabilen Verhältnissen neigten sämtliche Barone dazu, ihren eigenen Ehrgeiz zu befriedigen, jede Gelegenheit beim Schopfe zu packen und zu versuchen, ein eigenes kleines Reich aufzubauen, anstatt dem König oder der Kaiserin Gefolgschaft zu leisten. Earl Ranulf von Chester glaubte sich weit genug von der Macht der beiden Rivalen entfernt, um sein eigenes Nest auspolstern zu können, solange die Zeitläufte für ihn günstig waren; und es war nur zu offensichtlich, daß die Errichtung eines eigenen Reiches im Norden, das sich von Chester bis Lincoln erstreckte, vor seiner angeblichen Loyalität gegenüber König Stephan Vorrang hatte. Der Auftrag des Chorherrn Gerbert besagte gewiß nicht, daß man sich auf sein Wort verlassen würde, so fromm es auch gegeben wurde; er zielte vielmehr darauf ab, ihn in seinem eigenen Interesse zum Stillhalten zu bewegen, bis der König in der Lage war, sich mit ihm zu befassen. So jedenfalls beurteilte Hugh die Angelegenheit.

»Robert«, sagte Hugh, »ist eifrig damit beschäftigt, seine Verteidigungsanlagen zu verstärken und den Südwesten in eine Festung zu verwandeln. Er und seine Schwester ziehen gemeinsam den Jungen auf, von dem sie hoffen, daß er eines Tages König wird. O ja, der junge Henry ist nach wie vor in Bristol, aber Stephan hat nicht die geringste Chance, seinen Krieg so weit voranzutreiben; und selbst wenn er es könnte, würde er nicht wissen, was er mit dem Jungen anfangen sollte. Aber auch sie kann, wenn sie den Jungen hätte, nicht mehr gewinnen als das Vergnügen, ihn bei sich zu haben, was vielleicht auch schon etwas Schätzenswertes ist. Letzten Endes werden sie ihn wieder nach Hause schicken müssen. Wenn er dann das nächste Mal kommt – dann vielleicht im Ernst und mit Waffen. Wer weiß?«

Die Kaiserin hatte vor weniger als einem Jahr ihren Gatten in Frankreich um Hilfe gebeten. Aber Graf Gottfried von Anjou, ob er nun an den Anspruch seiner Gemahlin auf den Thron von England glaubte oder nicht, hatte nicht die Absicht, zu ihrer Unterstützung die Truppen auszusenden, die er selbst geschickt und erfolgreich zur Eroberung der Normandie einsetzte, ein Unternehmen, an dem ihm wesentlich mehr gelegen war als an Mathildes Bestrebungen. Anstelle der Ritter und der Waffen, die sie brauchte, schickte er ihr ihren zehn Jahre alten Sohn.

Was für eine Art Vater, fragte sich Cadfael, mochte dieser Graf von Anjou sein? Wie es hieß, legte er größten Wert auf das Wohlergehen seines Hauses und seiner Nachfolger und sorgte dafür, daß seine Kinder eine gute Erziehung erhielten, und gewiß setzte er mit Recht volles Vertrauen in Earl Roberts Fürsorge für das Kind, das er ihm anvertraut hatte. Dennoch – einen noch so kleinen Jungen in ein vom Bürgerkrieg zerrüttetes Land zu schicken! Zweifellos wußte er, was er von Stephan zu halten hatte, und er wußte auch, daß Stephan nicht fähig war, einem Kind etwas zuleide zu tun, selbst wenn er es in die Hände bekam. Aber was war, wenn das Kind seinen eigenen Willen hatte, selbst in so jungen Jahren, und die Reise von sich aus verlangt hatte?

Ja, es war durchaus denkbar, daß ein kühner Vater die Kühnheit seines Sohnes respektierte. Kein Zweifel, dachte Cadfael, wir werden noch von diesem Henry Plantagenet hören, der jetzt in Bristol sitzt, seine Lektionen lernt und abwartet.

»Ich muß mich auf den Weg machen«, sagte Hugh, stand auf und reckte sich träge im warmen Sonnenschein. »Für heute habe ich genug von der Geistlichkeit – Anwesende ausgenommen. Aber Ihr seid im Grunde kein Kleriker. Habt Ihr nie daran gedacht, die niederen Weihen zu nehmen? Gerade so weit, daß Ihr die Vorteile genießen könntet, wenn die eine oder andere Eurer weniger anständigen Handlungen ans Licht käme? Besser die Gerichtsbarkeit des Abtes als meine, wenn das je der Fall sein sollte.«

»Wenn das je der Fall sein sollte«, sagte Cadfael gelassen und erhob sich gleichfalls, »dann würdet Ihr höchstwahrscheinlich Euren Mund halten müssen, denn in neun von zehn Fällen würdet Ihr mit mir darin stecken. Erinnert Ihr Euch noch an die Pferde, die Ihr vor den Eintreibern des Königs versteckt habt, als . . .«

Hugh legte seinen Arm um die Schultern seines Freundes und lachte. »Oh, wenn Ihr anfangt, mich an irgendwelche Dinge zu erinnern, dann kann ich Euch mit gleicher Münze heimzahlen. Lassen wir die alten Dinge lieber auf sich beruhen. Wir waren seit jeher zwei vernünftige Männer. Kommt, begleitet mich bis zum Torhaus. Es dürfte bald Vesperzeit sein.«

Gemeinsam schritten sie ohne Hast über den Kiesweg, an der Buchsbaumhecke entlang und durch den Gemüsegarten bis dorthin, wo die Rosenbeete begannen. Bruder Winfrid kam gerade vom Erbsenfeld über die Kuppe des Abhangs, forsch ausschreitend mit dem Spaten über der Schulter.

»Laßt Euch bald die Erlaubnis erteilen, zu kommen und Euren Patensohn zu besuchen«, sagte Hugh, als sie die Buchsbaumhecke umrundeten und der Trubel auf dem Hof ihnen entgegenschlug wie das geschäftige Summen eines Bienenschwarms. »So oft wir in der Stadt ankommen, fragt Giles nach Euch.«

»Ich komme gern. Ich vermisse ihn, wenn Ihr im Norden seid, aber er ist dort im Sommer besser untergebracht als hier innerhalb der Mauern. Und Aline ist wohlauf?« Er fragte voller Zuversicht, denn er wußte, daß er es sofort erfahren hätte, wenn ihr irgend etwas fehlte.

»Sie blüht wie eine Rose. Aber kommt und überzeugt Euch selbst. Sie wird sich über Euren Besuch freuen.«

Sie kamen um die Ecke des Gästehauses auf den Hof, auf dem noch immer ein fast so geschäftiges Treiben herrschte wie auf dem Marktplatz. Ein weiteres Pferd wurde zu den Stallungen geführt. Bruder Denis empfing den neu angekommenen Gast, staubig von der Straße, an der Schwelle seines Reiches; zwei oder drei Brüder rannten mit Strohsäcken, Kerzen und Wasserkrügen hin und her; bereits untergebrachte Gäste beobachteten, wie die Neuankömmlinge sich beim Torhaus drängten, erneuerten alte Bekanntschaften und schlossen neue, während die Kinder der Abtei, Oblaten und Schüler gleichermaßen, sich in kleinen Gruppen zusammenscharten, ganz Augen und Ohren, hüpfend und zirpend wie Grillen, und zwischen den Pilgern so aufgeregt umherspringend wie Hunde auf einem Jahrmarkt. Das Erscheinen von Bruder Jerome auf dem Weg vom Kreuzgang über den Hof zum Hospital hätte die Jungen normalerweise zu gesittetem Stillschweigen veranlaßt, aber in dem fröhlichen Trubel war es einfach, ihm auszuweichen.

»Ihr werdet zum Fest Euer Haus voll haben«, bemerkte Hugh, der stehengeblieben war, um das bunte Chaos zu betrachten, das er offenkundig ebenso genoß wie die Kinder.

Die Gruppe, die sich unmittelbar hinter dem Tor versammelt hatte, geriet plötzlich in Bewegung. Der Pförtner trat in den Eingang zu seiner Behausung, und die Leute beiderseits des Tores wichen zurück, als wollten sie einem Reiter Platz machen. Doch unter dem Torbogen war nicht das harte Geklapper von Hufen auf Kopfsteinpflaster zu hören. Die neuen Gäste kamen zu Fuß, und als sie den Hof erreicht hatten, wurde deutlich, weshalb ihnen so bereitwillig Platz gemacht wurde. Ein langer, flacher Handkarren rollte knarrend herein, gezogen von einem untersetzten, grauhaarigen Bauern und geschoben von einem schlanken, mit Reisestaub bedeckten jungen Mann. Die Fracht, die darauf lag, war mit einem dunkelbraunen Mantel zugedeckt, und auf ihr lag ein in Sackleinen eingeschlagenes Bündel; doch angesichts der Art, auf die sich die beiden Männer abmühten, mußte sie schwer sein, und ihre Form, so lang, wie ein Mann groß war, und schulterbreit, rief Gedanken an Sterblichkeit wach. Von ihr ausgehend breitete sich Schweigen aus und erreichte allmählich auch die Stelle, an der Hugh und Cadfael standen. Die Kinder schauten großäugig drein und standen mit gespitzten Ohren da, ehrfürchtig und neugierig zugleich, und wollten sich nichts entgehen lassen.

»Ich glaube«, sagte Hugh leise, »da kommt ein Gast, der eine Unterkunft außerhalb des Gästehauses braucht.«

Der junge Mann hatte sich aufgerichtet, leise stöhnend nach der Anstrengung des gebückten Schiebens, und schaute sich nach der nächsten Amtsperson um. Der Pförtner kam auf ihn zu, umrundete den Karren mit dem Sarg auf die umsichtige Art eines Mannes, den nichts überrascht und der sich von nichts aus der Fassung bringen läßt, nicht einmal vom Auftreten des Todes inmitten der Vorbereitungen zu einem Fest. Was zwischen ihnen gesprochen wurde, war zu leise, zu ernst und zu vertraulich, als daß es von irgend jemandem mitgehört werden konnte; aber es hatte den Anschein, als bäte der Fremde um Unterkunft für sich selbst und seinen Schutzbefohlenen. Sein Verhalten war ehrerbietig und höflich, wie es sich in dieser Umgebung geziemte, verriet aber auch Selbstbewußtsein. Er wendete den Kopf und deutete mit der Hand auf die Kirche. Er war ein junger Mann, vielleicht sechsundzwanzig oder siebenundzwanzig Jahre alt, in Kleidern, die von der Sonne ausgebleicht und dick mit dem Staub der Straße bedeckt waren. Etwas mehr als mittelgroß, schlank und sehnig, mit kräftigen Knochen und breiten Schultern und einer Mähne aus strohfarbenem Haar, etwas heller als die von der Sonne gebräunte Stirn, und mit einer guten, kühnen Nase, schmal und gerade. Ein stolzes Gesicht, im Augenblick erschöpft von der Anstrengung und ernst, wie es die Art seines Auftrags mit sich brachte; aber von Natur aus, dachte Cadfael, der ihn über den Hof hinweg musterte, müßte es eigentlich ein offenes, zuversichtliches, gutmütiges Gesicht sein, das gern lächelte, und ein breitlippiger Mund, der bereit war, auf das erste freundliche Wort zu reagieren.

»Jemand aus Eurer Herde hier in der Vorstadt?« fragte Hugh, der ihn interessiert betrachtete. »Aber nein, seinem Aussehen nach ist er lange unterwegs gewesen und hat eine weite Reise hinter sich.«

»Dennoch«, sagte Cadfael und schüttelte den Kopf, weil ihn sein Erinnerungsvermögen im Stich ließ, »ist mir so, als hätte ich dieses Gesicht schon einmal gesehen, irgendwo, vor längerer Zeit. Oder er erinnert mich an einen anderen jungen Mann, den ich kannte.«

»Die jungen Männer, die Ihr früher einmal gekannt habt, könnten in der halben Welt zu Hause sein. Nun, Ihr werdet es herausfinden, zu gegebener Zeit«, sagte Hugh. »Es sieht aus, als wollte sich Bruder Denis um die Angelegenheit kümmern, und einer Eurer jungen Leute ist in den Kreuzgang gerannt, um noch jemand anderen zu holen.«

Dieser andere Jemand war, wie sich herausstellte, kein geringerer als Prior Robert höchstpersönlich, pflichtbewußt gefolgt von Bruder Jerome. Die ausgreifenden Schritte des Priors und die Kürze von Jeromes Beinen verwandelten das, was eigentlich ein eifriges, selbstbewußtes Voranschreiten sein sollte, in ein hastiges Getrippel – ein Getrippel, das Jerome immer rechtzeitig dorthin bringen würde, wo etwas vor sich ging, das ihm Gelegenheit bot zur Befriedigung seiner Neugierde, zu Tadel oder Frömmelei.

»Eure seltsamen Gäste werden aufgenommen«, bemerkte Hugh, der dem Verlauf der Unterredung folgte, »wenn auch nur unter Vorbehalt. Nun, einen Toten kann er kaum abweisen.«

»Den Mann mit dem Karren kenne ich«, sagte Cadfael. »Er lebt in der Nähe des Wrekin. Ich habe ihn schon oft gesehen, wenn er Waren auf den Markt brachte. Karren und Mann müssen für die Überführung angemietet worden sein. Aber der andere hat eine lange Reise hinter sich, da bin ich ganz sicher. Und nun frage ich mich, wie weit er den ihm Anvertrauten mit unterwegs angemieteter Hilfe befördert hat. Und ob er hier am Ziel seiner Reise angekommen ist.«

Es war durchaus nicht sicher, ob Prior Robert die unerwartete Ankunft eines Sarges willkommen hieß, auf einem Hof, auf dem es von Pilgern wimmelte, die auf gute Vorzeichen und erfreuliche Aufregungen hofften. Prior Robert war nie bereit, etwas zu billigen, das auf irgendeine Weise den reibungslosen, geregelten Lauf der Dinge innerhalb der Klostermauern störte. Aber ganz offensichtlich fand er keinen Vorwand, um zu verweigern, was hier mit aller gebotenen Ehrerbietung gefordert wurde. Den Neuankömmlingen wurde gestattet, zu bleiben, wenn auch nur unter Vorbehalt, wie Hugh gesagt hatte. Jerome eilte dienstbeflissen davon, um vier kräftige Brüder und Novizen herbeizuholen; sie hoben den Sarg vom Karren und trugen ihn zum Kreuzgang hinüber, zweifellos um ihn in die Totenkapelle der Kirche zu bringen. Der junge Mann ergriff das bescheidene Bündel seiner Habseligkeiten und trabte ein wenig erschöpft hinter dem Leichenzug her; dann verschwand er im südlichen Teil des Kreuzgangs. Er ging, als wäre er steif und fußkrank; dennoch hielt er sich aufrecht, ohne eine Spur vorgeblichen Kummers; obwohl auf seinem Gesicht ein nachdenklicher Ernst lag, war er doch mehr mit dem beschäftigt, was in seinem eigenen Kopf vor sich ging, als mit dem, was die Leute um ihn herum denken mochten.

Bruder Denis kam die Stufen vom Gästehaus herunter und eilte hinter dem Leichenzug her über den Hof, vermutlich, um den lebenden Gast zurückzuholen und mit gebührender Freundlichkeit unterzubringen. Die Umstehenden schauten noch ein paar Sekunden lang hinter dem Sarg her und kehrten dann zu ihren Beschäftigungen zurück; das Stimmengewirr und die Geschäftigkeit setzten wieder ein, zuerst leise und zögernd, aber bald so lautstark wie zuvor, zumal die Leute jetzt, sobald der Moment der Ehrfurcht vorüber war, etwas erfreulich Besonderes zu bereden hatten.

Hugh und Cadfael gingen in nachdenklichem Schweigen auf das Torhaus zu. Der Kärrner hatte die Deichsel seines Karrens ergriffen und ihn durch den Torbogen in die Vorstadt hinausgezogen. Allem Anschein nach war er für seine Mühe im voraus entlohnt worden und mit seinem Entgelt zufrieden.

»Es sieht so aus, als wäre die Arbeit dieses Mannes getan«, sagte Hugh, der beobachtete, wie er auf die Straße abbog. »Zweifellos werdet Ihr bald von Bruder Denis hören, um was es hier geht.«

Hughs Pferd, der Graue, den er seltsamerweise bevorzugte, war am Torhaus angebunden; keine große Schönheit in bezug auf Aussehen oder Temperament, hartmäulig, eigensinnig und widerspenstig, mit abgrundtiefer Verachtung für alle Menschen außer seinem Herrn – und selbst diesem

zollte er nicht mehr als die duldende Achtung eines Gleich-
rangigen.

»Kommt uns bald besuchen«, sagte Hugh mit einem Fuß
im Steigbügel und den Zügeln in der Hand, »und erzählt mir
alles, was man so redet. Vielleicht seid Ihr in ein oder zwei
Tagen imstande, dem Gesicht dieses jungen Mannes einen
Namen zu geben.«

ZWEITES KAPITEL

Nach dem Abendessen trat Cadfael aus dem Refektorium in einen hellen, warmen, im Licht eines rosigen Sonnenuntergangs leuchtenden Abend hinaus. Während des Essens war, wahrscheinlich auf Veranlassung von Prior Robert und dem Chorherrn Gerbert zu Ehren, aus den Schriften des heiligen Augustinus vorgelesen worden, die Cadfael nicht so schätzte, wie er es eigentlich sollte. Augustinus hatte eine gewisse unbeugsame Strenge an sich, für die ein Leser, der anderer Ansicht ist, nur wenig Verständnis aufbringt. Cadfael dachte nicht daran, einem berühmten Heiligen gegenüber, für den die Menschheit nur eine Masse aus Sünde und Verderben auf ihrem unausweichlichen Weg zum Tode und die Welt mit all ihren Unzulänglichkeiten unheilbar schlecht war, seine geheimen Vorbehalte aufzugeben. Er betrachtete die Welt, von den Rosen im Garten bis zu den behauenen Steinen des Kreuzgangs, und empfand sie als unbestreitbar schön. Er konnte auch nicht einsehen, daß die Zahl derjenigen, denen die Erlösung vorherbestimmt war, feststand und ein für allemal begrenzt war, wie Augustinus behauptete, und erst recht nicht, daß das Schicksal jedes Menschen vom Augenblick seiner Geburt an besiegelt und hoffnungslos war – wenn es nichts gab, auf das man vorausblicken konnte, dann konnte man alle Rücksicht auf andere abwerfen, rauben und morden und brennen und jedem zerstörerischen Verlangen nachgeben.

In dieser aufsässigen Stimmung begab sich Cadfael statt zur abendlichen Zusammenkunft, bei der bestimmt die Beschäftigung mit der ingrimmigen Rechtschaffenheit des heiligen Augustinus weitergehen würde, ins Hospital. Es war wesentlich besser, die Bestände von Bruder Edmunds Medizinschrank zu überprüfen und sich eine Weile mit den alten Brüdern zu unterhalten, die mittlerweile zu gebrechlich waren, um noch ihren vollen Anteil zum Alltagsleben des Klosters beizutragen.

Edmund, der seit seinem vierten Lebensjahr im Kloster lebte und ein scharfer Beobachter war, war pflichtgemäß im Kapitelsaal erschienen, um Jeromes Vorlesung zu lauschen. Er kehrte gerade in dem Augenblick zurück, in dem Cadfael die Türen des Medizinschrankes schloß und in Gedanken die drei Dinge memorierte, die aufgefüllt werden mußten.

»Hier steckt Ihr also«, sagte Edmund ohne eine Spur von Überraschung. »Das ist gut, denn ich habe jemanden mitgebracht, der ein scharfes Auge und eine sichere Hand braucht. Ich wollte es selbst versuchen, aber Eure Augen sind besser als meine.«

Cadfael drehte sich um; er wollte sehen, wer der spätabendliche Patient war. Das Licht im Hospital war nicht sonderlich gut, und der Mann, der hinter Edmund hereinkam, zögerte beim Eintreten und blieb schüchtern auf der Schwelle stehen. Jung, schlank und ungefähr von Edmunds Größe, die etwas über dem Durchschnitt lag.

»Kommt herein zur Lampe«, sagte Edmund, »und zeigt Bruder Cadfael Eure Hand.« Und zu Cadfael, als der junge Mann stumm näherkam: »Unser Patient ist erst heute eingetroffen, und er hat eine lange Reise hinter sich. Er dürfte dringend Schlaf brauchen, aber er wird besser schlafen, wenn Ihr die Splitter aus seiner Hand holen könnt, bevor sie eitert. Ich halte die Lampe.«

Das angehobene Licht verwandelte das Gesicht des jungen Mannes in ein deutliches und kantiges Relief mit gerader Nase, kräftigen Wangenknochen und tiefen Schatten, die die Form des Mundes und die Augenhöhlen unter der hohen Stirn betonten. Er hatte den Reisestaub abgewaschen und die Mähne aus blondem, gelocktem Haar glattgebürstet. Die Farbe seiner Augen ließ sich vorerst nicht erkennen, denn sie waren auf seine rechte Hand gerichtet, die er mit der Handfläche nach oben gehorsam dicht an die Lampe hielt. Der junge Mann, der zusammen mit einem toten Begleiter in die Abtei gekommen war und um Unterkunft für beide gebeten hatte.

Die Hand, die er etwas widerwillig zur Betrachtung darbot, war groß und sehnig mit langen, kräftigen Fingern. Der Schaden war auf den ersten Blick zu erkennen. Im Daumenballen hatten sich zwei oder drei zerfetzte Einstiche zu einer kleinen, entzündeten Wunde vereinigt. Wenn sie nicht schon jetzt eiterte, würde sie es bald tun, wenn sie nicht behandelt wurde.

»Der Karren Eures Dienstmannes muß in sehr schlechtem Zustand gewesen sein«, sagte Cadfael. »Wie konntet Ihr Euch so verletzen? Habt Ihr ihn aus einem Graben herausgeschoben? Oder hat er Euch mehr als Euren Teil der Arbeit tun lassen, während er in seinem Geschirr vor Euch herging? Und womit habt Ihr versucht, die Splitter herauszuholen? Mit einem schmutzigen Messer?«

»Es ist nicht der Rede wert«, sagte der junge Mann. »Ich wollte Euch nicht damit behelligen. Es war ein neues Querbrett, das er gerade angebracht hatte, und das noch nicht richtig geglättet war. Und es war eine sehr schwere Last; der Sarg mußte mit Blei ausgekleidet und versiegelt werden. Die Splitter sind tief eingedrungen, es steckt noch Holz in der Hand, obwohl ich einiges davon herausgeholt habe.«

Im Medizinschrank lagen Pinzetten. Cadfael stocherte sorgsam in dem entzündeten Fleisch, kniff über der Hand des jungen Mannes die Augen zusammen. Sein Sehvermögen war ausgezeichnet und sein Zugriff, wenn erforderlich, unerbittlich. Das rauhe Holz war tief eingedrungen und im Fleisch noch weiter zersplittert. Er holte Stückchen um Stückchen heraus und drückte auf die Stelle, um herauszufinden, ob noch etwas zurückgeblieben war. Dem Verhalten seines Patienten war nichts zu entnehmen; er stand still und unerschütterlich da, entweder von Natur aus schweigsam oder nur schüchtern und zurückhaltend an einem Ort, der ihm noch fremd war.

»Spürt Ihr da drinnen noch etwas?«

»Nein, nur den Wundschmerz, kein Stechen«, sagte der junge Mann.

Der Weg des längsten Splitters zeichnete sich dunkel unter der Haut ab. Cadfael griff in den Schrank nach einer Lotion zum Säubern der Wunde, hergestellt aus Beinwell, Labkraut und Wundkraut, das seinen Namen mit gutem Grund trug. »Damit die Wunde nicht eitert. Wenn die Entzündung morgen noch nicht besser ist, kommt Ihr wieder zu mir, und dann baden wir sie noch einmal, aber ich glaube, Euer Fleisch wird gut heilen.«

Edmund hatte sie verlassen, um seine Runde bei den alten Mönchen zu machen und die kleine ewige Lampe in ihrer Kapelle aufzufüllen. Cadfael schloß den Schrank und ergriff die Lampe, in deren Licht er gearbeitet hatte, um sie an ihren gewohnten Platz zurückzustellen. Sie zeigte ihm das Gesicht des Patienten von vorn, nahe und deutlich. Die tiefliegenden Augen, fest auf Cadfael gerichtet, mußten bei Tageslicht von einem dunklen, strahlenden Blau sein; jetzt wirkten sie fast schwarz. Der breite, bisher etwas verkniffene Mund entspannte sich plötzlich zu einem jungenhaften Lächeln.

»Jetzt erkenne ich Euch wieder!« sagte Cadfael überrascht und erfreut. »Als ich Euch ankommen sah, war mir, als hätte ich Euer Gesicht schon einmal gesehen. Aber Euren Namen weiß ich nicht. Wenn ich ihn je wußte, dann habe ich ihn seit Jahren vergessen. Aber Ihr seid der Junge, der früher einmal der Schreiber von William von Lythwood war und mit ihm vor langer, langer Zeit auf Pilgerschaft gegangen ist.«

»Vor sieben Jahren«, sagte der junge Mann, plötzlich erfreut, weil man sich seiner erinnerte. »Und mein Name ist Elave.«

»Und jetzt seid Ihr wohlbehalten von Eurer Reise zurückgekehrt! Kein Wunder, daß Ihr ausgesehen habt wie jemand, der durch die halbe Welt gewandert ist. Ich weiß noch, wie Euer Herr seine letzte Gabe in die Kirche brachte, bevor er aufbrach. Er hatte vor, nach Jerusalem zu pilgern, und ich erinnere mich, daß ich mir damals fast wünschte, ich könnte ihn begleiten. Hat er die Stadt wirklich erreicht?«

»Ja, das hat er«, sagte Elave und wurde noch lebhafter. »Wir haben sie erreicht. Was für ein Glück, daß ich in seine Dienste getreten war! Ich hatte den besten Herrn, den ein Mann überhaupt haben kann – schon bevor er auf den Gedanken kam, mich auf seine Reise mitzunehmen, weil er selbst keinen Sohn hatte.«

»Nein, den hatte er nicht«, pflichtete Cadfael ihm bei, über sieben Jahre zurückblickend. »Es waren seine Neffen, die seine Geschäfte übernahmen. Er war ein kluger Mann, und er hat unserem Haus viele Wohltaten erwiesen. Es gibt hier noch eine ganze Reihe von Brüdern, die sich an seine Gaben erinnern werden...«

Er gebot seinen Gedanken Einhalt. In der Hitze der Erinnerung hatte er ein paar Minuten lang die Gegenwart aus den Augen verloren. Und jetzt kehrte sie mit plötzlichem Begreifen zurück. Dieser Junge war mit einem einzigen Gefährten aufgebrochen, und mit einem einzigen Gefährten war er zurückgekehrt.

»Wollt Ihr damit sagen«, sagte Cadfael nüchtern, »daß es William von Lythwood ist, den Ihr in einem Sarg heimgebracht habt?«

»So ist es«, sagte Elave. »Er ist in Valognes gestorben, bevor wir Barfleur erreichen konnten. Er hatte Geld beiseite gelegt, damit ich, falls es passieren sollte, alles bezahlen und uns beide nach Hause bringen konnte. Er war krank, seit wir durch Frankreich nordwärts wanderten. Manchmal mußten wir unterwegs einen Monat oder länger Station machen, bevor er weiterkonnte. Er wußte, daß er dem Tode nahe war, aber er machte keine großen Worte darüber. Und die Mönche waren gut zu uns. Ich kann gut schreiben, ich arbeitete, wenn ich konnte. Wir haben getan, was wir tun wollten.« Er erzählte schlicht und gelassen; nach so langer Zeit mit einem Herrn, der in sich selbst und seinem Glauben ruhte und sich nicht vor dem Ende fürchtete, hatte sich der Junge die gleiche praktische Einstellung zum Leben angeeignet. »Ich muß seinen Verwandten Botschaften von ihm überbringen. Und er hat mich beauftragt, hier um eine Ruhestätte für ihn zu bitten.«

»Hier auf dem Grund der Abtei?« fragte Cadfael.

»Ja. Ich habe darum gebeten, morgen beim Kapitel angehört zu werden. Er war zeit seines Lebens ein großer Gönner dieses Hauses, der Vater Abt wird sich daran erinnern.«

»Es ist ein anderer Abt, den wir jetzt haben, aber Prior Robert wird sich erinnern und viele andere unter uns. Und Abt Radulfus wird Euch anhören, von ihm braucht Ihr keine Ablehnung zu befürchten. Euer Herr William wird genug Zeugen haben. Aber es tut mir leid, daß er nicht lebendig heimkehrte, um uns von seiner Reise zu erzählen.« Er betrachtete den schlanken jungen Mann vor sich mit wohlbedachtem Respekt. »Aber Ihr habt gut an ihm gehandelt, und es muß ein beschwerlicher Weg für Euch gewesen sein, diese letzte Strecke. Ihr wart kaum erwachsen, als er mit Euch aufbrach.«

»Ich war knapp neunzehn«, sagte Elave lächelnd. »Neunzehn, aber kräftig wie ein Pferd. Jetzt bin ich sechsundzwanzig und kann auf eigenen Beinen stehen.« Er musterte Cadfael so eindringlich, wie er selbst gemustert wurde. »Ich erinnere mich an Euch, Bruder. Ihr seid derjenige, der vor langer Zeit selbst im Osten gekämpft hat.«

»So ist es«, gab Cadfael fast glücklich zu. Angesichts dieses jungen Mannes, heimgekehrt von Orten, die er einst gut gekannt hatte und die für ihn voller Erinnerungen waren, spürte er, wie die alte Sehnsucht erneut in ihm erwachte und die alten Geister sich wieder regten. »Wenn Ihr Zeit habt, können wir beide, Ihr und ich, uns über vieles unterhalten. Aber nicht jetzt! Wenn Ihr nicht von der Reise erschöpft seid, dann solltet Ihr es eigentlich sein, und morgen wird sich vielleicht ein geeigneter Zeitpunkt finden. Und jetzt geht lieber und seht zu, daß Ihr Schlaf bekommt. Ich muß zur Komplet.«

»Ihr habt recht«, pflichtete Elave ihm bei. »Ich bin sehr froh, hier zu sein und getan zu haben, was ich meinem Herrn versprochen habe. Ich wünsche Euch eine gute Nacht, Bruder, und ich danke Euch.«

Cadfael sah ihm nach, wie er den Hof überquerte und die Stufen des Gästehauses hinaufging, ein zäher, ausdauernder junger Mann, der in sieben Jahren mehr von der Welt gesehen hatte als andere in ihrem ganzen Leben. Niemand innerhalb dieser Mauern konnte ihm im Geiste dorthin folgen, wo er gewesen war, niemand außer Cadfael. Der alte Appetit regte sich heißhungrig, nach langen Jahren der Stille und des inneren Friedens.

»Habt Ihr ihn wiedererkannt?« fragte Edmund, der neben Cadfaels Schulter auftauchte. »Er war ein- oder zweimal im Auftrage seines Herrn hier, das weiß ich noch, aber zwischen ungefähr Achtzehn und der Mitte der Zwanziger kann ein Mann sich bis zur Unkenntlichkeit verändern, insbesondere ein Mann, der bis ans Ende der Welt und wieder zurück gereist ist. Manchmal frage ich mich, Bruder Cadfael, ob ich auch nur die geringste Ahnung davon habe, was mir entgangen ist.«

»Und seid Ihr Eurem Vater dankbar dafür, daß er Euch in Gottes Haus gegeben hat?« fragte Cadfael. »Oder wünscht Ihr Euch, daß er Euch eine Chance zum Leben unter Männern gegeben hätte?« Sie waren lange genug enge Freunde, daß derartige Fragen statthaft waren.

Bruder Edmund lächelte sein stilles Lächeln. »Ihr zumindest könnt niemandes Handeln in Frage stellen als Euer eigenes. Ich gehöre einer vergangenen Ordnung an, Bruder Cadfael. Leute wie mich wird es nicht mehr geben, zumindest nicht unter Radulfus. Kommt, laßt uns zur Komplet gehen und um die Beständigkeit beten, die wir gelobt haben.«

Der junge Mann Elave durfte am nächsten Morgen vor dem Kapitel erscheinen, sobald die dringendsten Haushaltsangelegenheiten erledigt waren.

Die Zahl der Teilnehmer war an diesem Tag um die zu Gast weilenden Kleriker erhöht. Chorherr Gerbert, fürs erste daran gehindert, seinen Auftrag zu erfüllen, konnte nichts tun, als seine ungeforderten Energien auf die Einmischung in alle möglichen Dinge zu richten; er thronte während der gesamten Sitzung neben Abt Radulfus, und der Diakon des Bischofs, dem Chorherrn zu treuen Diensten zugewiesen, stand pflichteifrig an seiner Seite. Wie Hugh gesagt hatte, war er ein sanftmütiger kleiner Mann mit einem weichen, runden, klugen Gesicht, der ehrfürchtig zu Gerbert aufblickte. Er mochte in den Vierzigern sein, glattwangig, rosig und gesund, mit einem dünnen, ergrauenden Ring aus blondem Haar, stellenweise von beginnender Kahlheit durchbrochen. Zweifellos hatte er unterwegs von seinem mächtigen Begleiter einiges auszustehen gehabt und hatte kein anderes Ziel, als seinen Auftrag so schnell und so friedlich wie möglich zu erledigen. Der Weg nach Chester würde ihm sehr lang vorkommen, falls er Anweisung hatte, so weit mitzureisen.

Vor diese vergrößerte und erhabene Versammlung trat Elave, sobald er dazu aufgefordert worden war, ausgeruht und glücklich vor Erleichterung, sein Ziel erreicht zu haben und die Last der Verantwortung ablegen zu können. Sein Gesicht war offen und zuversichtlich, sogar fröhlich. Er hatte keinerlei Anlaß, etwas anderes zu erwarten als die Gewährung seiner Bitte.

»Ehrwürdiger Abt«, sagte Elave, »ich habe aus dem Heiligen Land den Leichnam meines Herrn William von Lythwood zurückgebracht, der in dieser Stadt wohlbekannt war und der Abtei und der Kirche viel Gutes getan hat. Ihr habt ihn nicht gekannt, Herr, da er vor sieben Jahren zu seiner Pilgerreise aufgebrochen ist, aber es gibt hier Brüder, die sich an seine Spenden und Almosen erinnern und Zeugnis für ihn ablegen können. Es war sein Wunsch, auf dem Friedhof neben der Abteikirche begraben zu werden, und deshalb bitte ich mit allem Respekt um Grab und Beisetzung innerhalb dieser Mauern.«

Vielleicht hat er diese Ansprache viele Male geprobt, dachte Cadfael, und immer wieder anders formuliert; er schien kein Mann vieler Worte zu sein, es sei denn, er fühlte sich veranlaßt, etwas zu verteidigen, das ihm teuer war. Wie dem auch sein mochte, die Worte schienen ihm von Herzen zu kommen. Er hatte eine angenehme Stimme, und seine Reise hatte ihn gelehrt, wie er sich unter Männern aller Art und jeden Ranges zu verhalten hatte.

Radulfus nickte zustimmend und wendete sich an Prior Robert. »Im Gegensatz zu mir seid Ihr, Bruder Robert, schon länger als sieben Jahre hier. Erzählt mir von dem Mann, wie Ihr ihn in Erinnerung habt. Er war ein Kaufmann in Shrewsbury?«

»Ein überaus geachteter Kaufmann«, sagte der Prior bereitwillig. »Er besaß eine Herde auf der Waliser Seite der Stadt und war außerdem als Agent für eine Reihe weiterer Schafhalter mit kleineren Herden tätig, deren Wolle er so günstig wie möglich verkaufte. Außerdem hatte er eine Werkstatt, in der er aus den Häuten Pergament fertigte. Sehr feines, weißes Pergament von bester Qualität. Wir haben es früher des öfteren von ihm gekauft, ebenso wie andere Klöster. Jetzt werden die Geschäfte von seinen Neffen geführt. Ihr Haus liegt in der Stadt in der Nähe der Kirche von Saint Alkmund.«

»Und er war ein Gönner unseres Hauses?«

Bruder Benedict, der Sakristan, zählte die vielen Spenden

auf, die William im Laufe der Jahre gemacht hatte, sowohl der Abtei als auch der Pfarrei von Holy Cross. »Er war ein guter Freund von Abt Heribert, der vor drei Jahren hier gestorben ist.« Heribert, zu sanft und nachgiebig für den Geschmack des Bischofs Heinrich von Winchester, den päpstlichen Legaten, war seines Amtes enthoben und durch Radulfus ersetzt worden und hatte seine Tage ohne jedes Bedauern recht glücklich als einfacher Klosterbruder beendet.

»William spendete im Winter auch großzügig für die Armen«, setzte Bruder Oswald, der Almosenpfleger, hinzu.

»Es sieht so aus, als hätte William durchaus verdient, zu bekommen, was er gewünscht hat«, sagte der Abt und bedachte den Bittsteller mit einem ermutigenden Blick. »Wie ich höre, habt Ihr ihn auf seiner Reise begleitet. Ihr habt gut gehandelt an Eurem Herrn, ich lobe die Treue, die Ihr ihm gehalten habt. Auch bin ich überzeugt, daß die Reise viel Gutes in Euch, dem Lebenden, bewirkt hat, ebenso wie in Eurem Herrn, der als Pilger gestorben ist. Einen gesegneteren Tod kann es nicht geben. Und jetzt verlaßt uns. Ich werde Euch sehr bald wieder rufen lassen.«

Elave verbeugte sich tief und verließ den Kapitelsaal mit federnden Schritten, als wäre er unterwegs zu einem Fest.

Chorherr Gerbert hatte sich jeder Bemerkung enthalten, solange der Bittsteller anwesend war; doch sobald Elave verschwunden war, räusperte er sich geräuschvoll und sagte mit gewichtiger Strenge: »Mein Herr Abt, es ist ein großes Privileg, innerhalb dieser Mauern begraben zu werden. Man darf es nicht leichtfertig gewähren. Ist es sicher, daß dem Mann eine derartige Ehre wirklich zusteht? Es muß viele Männer geben, die weit über dem Rang eines Kaufmanns stehen, die gern an einer solchen Stätte ruhen würden. Es stünde Eurem Haus wohl an, sehr genau nachzudenken, bevor es jemanden aufnimmt, so mildtätig er auch gewesen sein mag, der dessen vielleicht nicht würdig ist.«

»Ich war nie der Ansicht«, sagte Radulfus unerschüttert, »daß Rang oder Gewerbe vor Gott eine Rolle spielen. Wir haben eine beeindruckende Aufzählung der Spenden dieses Mannes an unsere Kirche gehört, ganz zu schweigen von denen, die er seinen Mitmenschen gemacht hat. Und vergeßt nicht, daß er eine Pilgerfahrt nach Jerusalem unternommen hat, ein Akt des Glaubens, der von hohem Geist und Mut zeugt.«

Es war bezeichnend für Serlo, diese harmlose und unschuldige Seele – das jedenfalls dachte Cadfael später, nachdem sich der Staub gelegt hatte –, daß er sich im falschen Augenblick und mit unselig falschen Worten ins Gespräch mischte.

»Also hat guter Rat gesiegt«, erklärte er strahlend. »Ein Wort der Ermahnung und Warnung zur rechten Zeit ist immer segensreich. Ein Priester sollte wahrlich nicht schweigen, wenn er hört, daß die reine Lehre mißdeutet wurde. Seine Worte können eine vom rechten Pfad abgekommene Seele retten.«

Seine kindliche Befriedigung ging nur langsam in der lastenden Stille unter, die er ausgelöst hatte. Er schaute sich um, ohne gleich zu verstehen, und mußte feststellen, daß die meisten Augen seinem Blick auswichen und bemüht in die Ferne oder auf die eigenen, gefalteten Hände schauten, während Abt Radulfus ihn eindringlich, aber ausdruckslos musterte und Chorherr Gerbert ihn kalt und durchdringend anstarrte. Das strahlende Lächeln verschwand von Serlos rundem, unschuldigem Gesicht. »Wer Mahnungen beherzigt und Anweisungen Folge leistet, kann all seine Fehler sühnen«, erklärte er; doch sein Versuch, das auszuräumen, was immer in seinen Worten diese Betroffenheit ausgelöst haben mochte, mißlang. Seine Stimme verebbte schwach.

»Welche Lehre«, wollte Gerbert mit finsterer Entschlossenheit wissen, »hat dieser Mann mißdeutet? Welchen Anlaß hatte dieser Priester, ihn zu ermahnen? Wollt Ihr sagen, daß ihm *befohlen* wurde, als Buße für einen tödlichen Irrtum auf Pilgerfahrt zu gehen?«

»Nein, nein, befohlen wurde es ihm nicht«, sagte Serlo schwächlich. »Er wurde nur darauf hingewiesen, daß seine Seele von einer solchen Buße profitieren würde. «

»Buße für welches schwere Vergehen?« hakte der Chorherrr erbarmungslos nach.

»Oh, keines, keines, das irgend jemandem geschadet hätte, kein Akt der Gewalt oder der Unehrlichkeit. Es ist lange her«, sagte Serlo mutig und versuchte mit ungewohnter Tapferkeit den Stein aufzuhalten, den er ins Rollen gebracht hatte. »Es war vor neun Jahren, als Erzbischof William von Corbeil gesegneten Angedenkens eine Predigtmission in viele Städte Englands aussandte. Als päpstlichem Legaten lag ihm das Wohlergehen der Kirche am Herzen, und er entschied sich dafür, Prediger aus seinem eigenen Haus von Saint Osyth auszusenden. Ich wurde damit beauftragt, den ehrwürdigen Vater zu begleiten, der in unsere Diözese kam, und war bei ihm, als er hier am Hochkreuz predigte. William von Lythwood hatte uns danach zum Essen eingeladen, und es gab viele ernsthafte Gespräche. Er war nicht aufsässig, er erkundigte sich lediglich und stellte Fragen, und zwar allen Ernstes. Ein höflicher, gastfreundlicher Mann. Aber selbst im Denken – mangels richtiger Unterweisung ...«

»Was Ihr damit sagen wollt«, erklärte Gerbert drohend, »ist, daß ein Mann, dem ketzerische Ansichten vorgeworfen wurden, jetzt verlangt, innerhalb dieser Mauern begraben zu werden.«

»Oh, als ketzerisch würde ich sie nicht bezeichnen«, beeilte sich Serlo zu sagen. »Vielleicht irregeleitete Ansichten, aber ketzerisch sicher nicht. Beim Bischof wurde nie eine Beschwerde gegen ihn vorgebracht. Und Ihr habt gehört, daß er getan hat, was ihm geraten wurde. Zwei Jahre später ist er zu seiner Pilgerfahrt aufgebrochen.«

»Viele Männer unternehmen Pilgerfahrten zu ihrem eigenen Vergnügen«, sagte Gerbert ingrimmig, »und nicht zu ihrem eigentlichen Zweck. Manche tun es sogar der Geschäfte wegen, zum Beispiel Hausierer. Die Tat an sich wiegt keine Irrtümer auf; es ist die ehrliche Absicht, die erlöst.«

»Wir haben keinen Grund zu der Annahme«, erklärte Abt Radulfus trocken, »daß Williams Absichten nicht ehrlich waren. Das sind Urteile, die wir nicht zu treffen vermögen, und wir sollten die Demut besitzen, das zuzugeben.«

»Dennoch haben wir Gott gegenüber eine Pflicht zu erfüllen, der wir uns nicht entziehen können. Welche Beweise haben wir dafür, daß dieser Mann je die suspekten Ansichten geändert hat, die er hegte? Wir haben nicht untersucht, welcher Art sie waren, wie schwerwiegend, und ob sie jemals bereut und abgelegt wurden. Nur weil wir hier in England eine gesunde und kraftvolle Kirche haben, dürfen wir nicht glauben, daß die Gefahr des falschen Glaubens eine Sache der Vergangenheit ist. Habt Ihr nicht gehört, daß in Frankreich zuchtlose Priester unterwegs sind, die die Leichtgläubigen verführen, ihre eigenen Priester als habgierig und korrupt beschimpfen und die Riten der Kirche als Unsinn bezeichnen? Im Süden macht sich der Abt von Clairvaux große Sorgen wegen dieser falschen Propheten.«

»Dennoch hat der Abt von Clairvaux selbst darauf hingewiesen«, warf Abt Radulfus ein, »daß das Versagen der Priesterschaft, ein Beispiel der Frömmigkeit und Schlichtheit zu geben, dazu beiträgt, daß sich die Menschen diesen abweichlerischen Sekten zuwenden. Auch die Kirche hat die Pflicht, ihre eigenen Unzulänglichkeiten abzulegen.«

Wie alle Brüder hörte auch Cadfael mit gespitzten Ohren und wachsamen Augen zu und hoffte, daß dieser plötzliche Windstoß nachlassen und ebenso schnell wieder verschwinden würde. Radulfus würde keinem Besucher gestatten, in seinem eigenen Kapitelsaal seine Autorität an sich zu reißen; doch nicht einmal er konnte es einem Abgesandten des Erzbischofs verwehren, in Sachen der Lehre von seinem Mitspracherecht und seinem Urteil Gebrauch zu machen. Schon die Erwähnung von Bernhard von Clairvaux, dem Apostel des einfachen Lebens, war ein Hinweis auf den wachsenden Einfluß der Zisterzienser, denen Erzbischof Theobald sehr viel Sympathie entgegenbrachte. Und obwohl Bernhard die weitverbreitete Kritik an der Weltlichkeit vieler hoher Kirchenmänner aufgegriffen und die Rückkehr zur Armut und Einfachheit der Apostel gepredigt hatte, würde er nicht das geringste Mitleid mit einem Mann haben, der, was das Dogma anging, vom streng orthodoxen Pfad abwich. Radulfus mochte einem Verweis auf Bernhard ausweichen, indem er mit einem anderen konterte; aber er beeilte sich, das Thema zu wechseln, bevor er Gefahr lief, das Wortgefecht zu verlieren.

»Hier ist Serlo«, sagte er schlicht, »der sich erinnert, was der Missionar des Erzbischofs gegen William einzuwenden hatte. Vielleicht weiß er auch noch, welches die strittigen Glaubensgrundsätze waren.«

Dem zweifelnden Ausdruck auf seinem Gesicht nach zu urteilen, wußte Serlo nicht recht, ob er sich über eine solche Gelegenheit freuen oder sie bedauern sollte. Er öffnete zögerlich den Mund, aber Radulfus gebot ihm Einhalt, indem er die Hand hob.

»Wartet! Es ist nicht mehr als recht und billig, daß der einzige Mann, der über die Ansichten und den Glauben seines Herrn vor seinem Tode aussagen kann, anwesend sein sollte, um zu hören, was über ihn gesagt wird, und an seiner Statt zu antworten. Ohne eine gerechte Anhörung haben wir nicht das Recht, einem Mann die Gunst zu verweigern, die er erbeten hat. Bruder Denis, würdet Ihr gehen und den jungen Mann Elave auffordern, wieder vor dem Rat zu erscheinen?«

»Mit Vergnügen«, sagte Bruder Denis und verließ den Raum mit derart entrüstetem Eifer, daß es nicht schwer war, seine Gedanken zu lesen.

Elave kehrte nichtsahnend in den Kapitelsaal zurück; er erwartete die offizielle Antwort und zweifelte nicht daran, wie sie lauten würde. Sein energischer Schritt und seine zuversichtliche Miene sprachen für ihn. Er war nicht im geringsten gefaßt auf das, was kommen sollte, selbst dann noch nicht, als der Abt das Wort ergriff und seine Worte mit überlegter Mäßigung wählte.

»Junger Mann, es hat hier eine Uneinigkeit über den Wunsch Eures Herrn gegeben. Es wurde gesagt, daß er, bevor er zu seiner Pilgerfahrt aufbrach, mit einem Abgesandten des Erzbischofs, der hier in Shrewsbury predigte, eine Meinungsverschiedenheit hatte und wegen bestimmter Ansichten getadelt wurde, weil diese nicht voll und ganz mit der Lehre der Kirche übereinstimmten. Es wurde sogar vermutet, daß ihm seine Pilgerreise als Buße auferlegt worden war. Wißt Ihr irgend etwas darüber? Es ist durchaus möglich, daß es Euch überhaupt nicht zu Ohren kam.«

Elaves gerade Brauen, dick und braun, dunkler als sein Haar, zogen sich vor Verblüffung zusammen, aber noch nicht vor Beunruhigung.

»Ich wußte, daß er über manche Glaubensartikel eingehend nachgedacht hat, aber mehr auch nicht. Ihn *verlangte* nach dieser Reise. Er wurde alt, war aber immer noch kräftig, und es gab jüngere Männer, die seine Geschäfte weiterführen konnten. Er fragte mich, ob ich ihn begleiten wollte, und ich tat es. Meines Wissens hat es nie eine Auseinandersetzung zwischen ihm und Vater Elias gegeben. Vater Elias wußte, daß er ein guter Mann war.«

»Die Guten, die vom rechten Pfad abweichen, richten mehr Schaden an als die Bösen, die unsere unverhohlenen Feinde sind«, sagte Chorherr Gerbert scharf. »Es ist der Feind im Innern, der die Festung verrät.«

Und das, dachte Cadfael, entspricht genau dem Denken der Kirche. Ein Seldschuke oder Sarazene kann Christen in der Schlacht niederhauen oder verirrte Pilger in den Kerker werfen und wird dennoch toleriert und geachtet, obwohl er von vornherein als Verdammter gilt. Aber sobald ein Christ auch nur einen kleinen Schritt vom Wege abweicht, wird er zum Ausgestoßenen. Das hatte er vor Jahren im Osten erlebt, in den zugegebenermaßen umzingelten christlichen Kirchen. Obwohl vom Feind bedrängt, waren es die eigenen Leute, gegen die sie am erbittertsten zu Felde zogen. Hier zu Hause hatte er dergleichen noch nie erlebt, aber es war durchaus möglich, daß es bald ebenso an der Tagesordnung sein würde wie in Antiochia oder Alexandria. Allerdings nicht, solange Radulfus es verhindern konnte.

»Sein eigener Priester scheint William nicht für einen Feind gehalten zu haben, weder im Innern noch draußen«, sagte der Abt gelassen. »Aber Diakon Serlo ist hier und kann uns berichten, was ihm von dem Disput im Gedächtnis geblieben ist. Und es ist nur gerecht, daß Ihr uns anschließend sagt, wie Euer Herr vor seinem Tode dachte, damit wir sicher sind, daß er einer Beisetzung innerhalb dieser Mauern würdig ist.«

»Redet!« sagte Gerbert, als Serlo zögerte, bestürzt und unglücklich ob der Dinge, die er in Gang gesetzt hatte. »Und erinnert Euch genau! Welches waren die Ansichten dieses Mannes, die Anstoß erregten?«

»Es standen gewisse Punkte von relativ geringem Belang zur Debatte«, sagte Serlo unterwürfig. »Zwei vor allem, abgesehen von seinen Zweifeln hinsichtlich der Kindstaufe. Er hatte Mühe, die Dreifaltigkeit zu begreifen . . .«

Wer hat die nicht! dachte Cadfael. Wenn sie zu begreifen wäre, dann gäbe es für alle Ausleger des göttlichen Worts nichts mehr zu tun. Und jeder von ihnen bestreitet die Auslegung, zu der jeder andere von ihnen gelangt ist.

»Er sagte, wenn der Erste der Vater wäre und der Zweite der Sohn, wie könnten sie dann gleichermaßen ewig und gleichrangig sein? Und was den Heiligen Geist anging, so vermochte er nicht zu begreifen, wie er mit dem Vater oder mit dem Sohne gleichrangig sein könnte, da er doch von ihnen ausginge. Außerdem sah er keine Veranlassung für ein Drittes, da doch Schöpfung, Erlösung und alle Dinge voll und ganz bei Vater und Sohn lägen. Deshalb diente das Dritte nur dazu, die Vision derer zu befriedigen, die in der Dreizahl etwas Besonderes sehen, wie die Sänger und Wahrsager und alle, die sich mit Magie beschäftigen.«

»Das hat er von der Kirche gesagt?« Gerberts Gesicht war starr vor Entrüstung.

»Nein, nicht von der Kirche, nein, ich glaube nicht, daß er etwas dergleichen gesagt hat. Und die Dreifaltigkeit ist eines der ganz großen Geheimnisse, viele haben Schwierigkeiten damit.«

»Es ist nicht ihre Sache, sie mit ihrem ungeschulten Verstand in Frage zu stellen oder zu erörtern; sie müssen sie mit blindem Glauben hinnehmen. Die Wahrheit wurde ihnen vor Augen geführt, sie brauchen sie nur zu glauben. Es sind die Verderbten und Gefährlichen, die die Arroganz besitzen, sich mit Scheingründen über das Unerklärliche zu ergehen. Weiter! Zwei Punkte, habt Ihr gesagt. Welches ist der zweite?«

Serlo warf einen fast entschuldigenden Blick auf Radulfus und einen noch rascheren und gequälteren auf Elave, der ihn die ganze Zeit mit zusammengezogenen Brauen und vorgerecktem Kinn anstarrte, bislang noch nicht von Angst, Zorn oder einem anderen Gefühl ergriffen, sondern lediglich abwartend und zuhörend.

»Es ergab sich aus dem gleichen Problem, das den Vater und den Sohn betraf. Er sagte, falls sie aus ein und demselben Wesen bestünden, da die Lehre sie als wesensgleich bezeichnet, dann müßte das Eintreten des Sohnes in die Menschheit bedeuten, daß auch der Vater in sie eingetreten ist. Und deshalb wüßten Vater und Sohn gleichermaßen um das Leiden und den Tod und die Auferstehung und bewirkten als ein einziges Wesen unsere Erlösung.«

»Das ist die patripassianische Ketzerei!« rief Gerbert empört. »Sabellius wurde deswegen exkommuniziert, von seinen anderen Irrlehren einmal abgesehen. Noetus von Smyrna predigte sie zu seinem Verderben. Dies sind in der Tat gefährliche Gedanken. Kein Wunder, daß der Priester ihn vor der Grube warnte, die er seiner eigenen Seele grub.«

»Nichtsdestoweniger«, erinnerte der Abt die Versammelten, »hat der Mann offensichtlich guten Rat beherzigt und seine Pilgerfahrt unternommen, und was die Rechtschaffenheit seines Lebens angeht, so wurde nichts dagegen vorgebracht. Uns interessiert nicht, worüber er vor sieben oder mehr Jahren nachgedacht hat, sondern seine geistliche Wohlfahrt in der Stunde seines Todes. Es gibt einen Zeugen, der uns darüber etwas sagen kann. Und nun wollen wir seinen Diener und Gefährten hören.« Er wendete sich Elave zu, dessen Gesicht eine kontrollierte und unübersehbare Bewußtheit spiegelte – nicht von Gefahr, sondern von einer tiefen Kränkung. »Sprecht für Euren Herrn«, sagte Radulfus gelassen, »denn Ihr seid bis zu seinem Tode bei ihm gewesen. Wie war seine Lebensweise auf dieser langen Reise?«

»Er ging überall regelmäßig zur Messe«, sagte Elave, »und legte die Beichte ab, wo immer es möglich war. In keinem Land ließ er sich etwas zuschulden kommen. In der Heiligen Stadt besuchten wir gemeinsam die heiligsten Stätten, und auf der Hin- und Rückreise übernachteten wir, wann immer es möglich war, in Abteien und Klöstern, und überall wurde mein Herr als guter und frommer Mann aufgenommen, der ehrlich für seine Unterkunft bezahlte und wohl angesehen war.«

»Aber hatte er seine Ansichten abgelegt«, wollte Gerbert wissen, »und seiner Ketzerei abgeschworen? Oder hielt er insgeheim an seinen früheren Irrtümern fest?«

»Hat er mit Euch je über derartige Dinge gesprochen?« fragte der Abt, ohne sich um den Einwurf zu kümmern.

»Sehr selten, Herr, und ich verstehe nicht viel von solch

tiefgründigen Dingen. Ich kann nichts aussagen über die Gedanken eines anderen Menschen, nur über sein Verhalten, und das war, wie ich weiß, über jeden Tadel erhaben.« Auf Elaves Gesicht lag jetzt eine vorsichtige und zurückhaltende Gelassenheit. Er sah nicht aus wie ein Mann, der nicht imstande war, tiefgründige Dinge zu begreifen, oder sich weigerte, über sie nachzudenken.

»Und kurz vor seinem Tode«, beharrte Radulfus sanft, »verlangte er da nach einem Priester?«

»Das tat er, Vater, und er legte die Beichte ab und erhielt die Absolution. Er starb versehen mit allen Sakramenten der Kirche. Wo immer sich unterwegs die Gelegenheit bot, legte er die Beichte ab – zumal nachdem er erkrankt war, und wir gezwungen waren, einen vollen Monat im Kloster von Saint Marcel zu bleiben, bevor er fähig war, die Heimreise fortzusetzen. Dort hat er sich oft mit den Brüdern unterhalten, und all diese Angelegenheiten des Glaubens und des Zweifels wurden von ihnen verstanden und toleriert. Ich weiß, daß er sich offen äußerte über Dinge, die ihn beschäftigten, und dort hatte man nichts dagegen, über alle möglichen Fragen zu diskutieren, auch wenn sie heilige Dinge betrafen.«

Chorherr Gerbert starrte ihn argwöhnisch an. »Und wo liegt dieses Kloster von Saint Marcel? Wann habt Ihr dort einen Monat verbracht? Wie lange ist das her?«

»Es war im Frühling des vergangenen Jahres. Wir verließen es Anfang Mai und pilgerten von dort aus mit einer Gruppe aus Cluny nach Santiago de Compostela, um Dank zu sagen für die Gesundung meines Herrn. Das zumindest glaubten wir damals; aber er befand sich danach nie mehr bei guter Gesundheit, und wir mußten oft Halt machen. Saint Marcel liegt dicht bei Chalons an der Saone. Es ist ein Tochterhaus von Cluny.«

Bei der Erwähnung von Cluny schnaubte Gerbert laut und reckte die herrische Nase vor. Dieses große Haus hatte sich mit Eifer des Pilgerverkehrs angenommen und bot vielen Hunderten, nicht nur aus Frankreich, sondern in letzter Zeit – in wachsendem Ausmaß – auch aus England, Hilfe und Unterstützung, Schutz auf den Straßen und Unterkunft. Aber für die engen Vertrauten von Erzbischof Theobald war es vor allem und in erster Linie das Mutterhaus dieses schwierigen Kollegen und ehrgeizigen Rivalen, des Bischofs Heinrich von Winchester.

»In Saint Marcel gab es einen Bruder, der dort auch gestorben ist«, sagte Elave, standhaft für die Frömmigkeit und Weisheit von Cluny Partei ergreifend, »der über all diese Dinge geschrieben und sie in jungen Jahren gelehrt hatte, und er wurde von allen Brüdern verehrt und hatte unter ihnen den heiligsten Namen. Er fand nichts Falsches daran, all diese schwierigen Dinge der Prüfung durch den Verstand zu unterwerfen, und auch sein Abt nicht, der ihn von Cluny seines Gesundheitszustandes wegen dorthin geschickt hatte. Ich habe einmal gehört, wie er aus dem Johannes-Evangelium vorlas und über das sprach, was er gelesen hatte. Es hörte sich wundervoll an. Und das war nur kurze Zeit, bevor er starb.«

»Es ist Anmaßung, den menschlichen Verstand wie ein falsches Licht über göttliche Geheimnisse spielen zu lassen«, warnte Gerbert verdrossen. »Der Glaube muß hingenommen und darf nicht durch den Verstand bloßer Sterblicher zergliedert werden. Wer war dieser Bruder?«

»Er hieß Petrus Abaelardus und war ein Bretone. Er starb im April, bevor wir im Mai nach Santiago de Compostela aufbrachen.«

Der Name hatte Elave nichts bedeutet, abgesehen von dem, was er selbst gesehen und gehört und worüber er seither viel nachgedacht hatte. Aber für Gerbert bedeutete er mehr. Er reckte sich auf seinem Stuhl und wurde einen halben Kopf größer – wie eine Kerze, die bei einem Flackern des Dochtes plötzlich hell und groß aufflammt.

»Dieser Mann? Du törichte, einfältige Seele, weißt du

denn nicht, daß gerade dieser Mann zweimal der Ketzerei angeklagt und überführt wurde? Schon vor langer Zeit wurden seine Schriften über die Dreifaltigkeit verbrannt und ihr Verfasser gefangengesetzt. Und nur drei Jahre später wurde er vor dem Konzil von Sens abermals seiner ketzerischen Schriften wegen angeklagt und dazu verurteilt, daß seine Werke zu vernichten seien und er selbst den Rest seines Lebens in Gefangenschaft verbringen sollte.«

Es hatte den Anschein, als wäre Abt Radulfus, obwohl weniger laut, ebenso gut informiert, wenn nicht sogar besser.

»Ein Urteil, das sehr schnell wieder aufgehoben wurde«, bemerkte er trocken. »Und dem Verfasser wurde auf Verlangen des Abtes gestattet, sich in Frieden nach Cluny zurückzuziehen.«

Gerbert ließ sich zu einer Erwiderung verleiten, ohne seine Worte vorher bedacht zu haben. »Meines Erachtens hätte ein solcher Freispruch nie gewährt werden dürfen. Er war unverdient. Das Urteil hätte bestehen bleiben müssen.«

»Er wurde vom Heiligen Vater gewährt«, sagte der Abt sanft, »und der kann nicht irren.« Cadfael war sich nicht sicher, ob das ironisch gemeint war, aber der Tonfall, obwohl leise und ehrerbietig, war verletzend und sollte es auch sein.

»Der auch das Urteil fällte!« fuhr Gerbert noch unvorsichtiger auf. »Der Heilige Vater muß irreführende Informationen gehabt haben, als er es aufhob. Zweifellos traf er nachträglich die richtige Entscheidung angesichts der Wahrheit, die ihm eröffnet wurde.«

Elave sprach wie zu sich selbst, aber doch laut genug, daß es zu aller Ohren drang, erhobenen Hauptes und mit einer Klarheit des Auges, die noch lauter sprach. »Aber der Definition nach kann eine Sache nicht das Gegenteil ihrer selbst sein; also war entweder das eine Urteil oder das andere irrig. Und das könnte ebensogut das erste wie das zweite gewesen sein.«

Wer hat eben noch behauptet, dachte Cadfael überrascht und erfreut, er könne die Argumente der Philosophie nicht verstehen? Dieser junge Mann hat auf der langen Reise nach Jerusalem und zurück die Ohren offen und seinen Geist wach gehalten und mehr gelernt, als er zugibt. Zumindest hat er erreicht, daß Gerbert rot angelaufen ist und einen Augenblick lang schweigt.

Dieser Augenblick genügte dem Abt. Die gefährliche Unterhaltung geriet außer Kontrolle. Er machte ihr entschlossen ein Ende.

»Der Heilige Vater besitzt die Macht, gleichermaßen zu binden und zu lösen, und die gleiche Unfehlbarkeit, die verdammen kann, vermag mit gleichem Recht auch zu absolvieren. Also gibt es hier, wie ich meine, keinerlei Widerspruch. Welche Ansichten William von Lythwood vor sieben Jahren auch gehegt haben mag, er starb während einer Pilgerreise, nachdem er gebeichtet und die Absolution erhalten hatte, im Zustand der Gnade. Es spricht nichts gegen eine Beisetzung innerhalb dieser Mauern, und er soll bekommen, was er von uns erbeten hat.«

DRITTES KAPITEL

Als Cadfael nach dem Mittagessen über den Hof ging, um seine Arbeit im Rosengarten wieder aufzunehmen, begegnete er Elave, der gerade mit kraftvollen Schritten und hellem Gesicht, eine hölzerne Schatulle unter dem rechten Arm, die Stufen des Gästehauses herunterkam. Nach der mühseligen Beförderung des Leichnams seines Herrn zu seinem ersehnten Ruheplatz schien er nach wie vor gereizt und kampfbereit.

»Ihr seht aus, als wolltet Ihr jemanden beißen«, sagte Cadfael, der es absichtlich so eingerichtet hatte, daß sie einander von Angesicht zu Angesicht gegenüberstanden.

Der junge Mann sah ihn an, einen Augenblick lang nicht sicher, wie er reagieren sollte. Dann lächelte er, und seine Anspannung ließ ein wenig nach.

»Aber auf keinen Fall Euch, Bruder! Wenn ich meine Zähne gezeigt habe – hatte ich nicht allen Grund dazu?«

»Nun, zumindest habt Ihr auf diese Weise unseren Abt besser kennengelernt. Ihr habt bekommen, um was Ihr gebeten habt. Aber ich empfehle Euch, Eure Zunge im Zaum zu halten, bis unser hoher Gast wieder abgereist ist. Wenn Ihr sichergehen wollt, daß nichts, was Ihr sagt, mißverstanden werden kann, so ist die beste Methode, überhaupt nichts zu sagen. Eine weitere besteht darin, allem beizupflichten, was die hohen Herren sagen. Aber ich bezweifle, daß Euch das sehr liegen würde.«

»Das ist, als suchte man sich seinen Weg zwischen Bogenschützen, die im Hinterhalt liegen«, sagte Elave noch entspannter als zuvor. »Für einen Ordensmann, Bruder, sagt Ihr Dinge, die ein wenig undogmatisch sind.«

»So dogmatisch sind wir alle nicht. Wenn die Theologen

anfangen, über die reine Lehre zu reden, dann weiß ich, daß Gott alle Sprachen spricht und daß alles, was man zu ihm sagt, ganz gleich in welcher Zunge, keines Dolmetschers bedarf. Und wenn es ehrlich gemeint ist, auch keiner Entschuldigung. Was macht Eure Hand? Keine Entzündung?«

Elave beförderte die Schatulle unter den anderen Arm und zeigte Cadfael seine Hand, im Umkreis der abheilenden Stichwunden immer noch leicht angeschwollen und gerötet.

»Kommt mit in meine Werkstatt, wenn Ihr die Zeit erübrigen könnt«, forderte Cadfael ihn auf, »damit ich sie noch einmal behandeln kann. Danach könnt Ihr sie vergessen.« Er warf einen Blick auf die Schatulle unter dem Arm des jungen Mannes. »Aber Ihr habt gewiß in der Stadt zu tun. Wollt Ihr Williams Verwandtschaft aufsuchen?«

»Ich muß ihnen sagen, daß morgen die Beisetzung stattfinden soll«, sagte Elave. »Sie werden kommen. Sie haben sich immer gut verstanden, böses Blut hat es zwischen ihnen nie gegeben. Es war Girards Frau, die für die ganze Familie den Haushalt führte. Ich muß zu ihnen und sie wissen lassen, wie die Dinge liegen. Aber das hat keine Eile. Ich vermute, wenn ich einmal bei ihnen bin, werde ich den Rest des Tages und bis in den Abend hinein bleiben.«

Seite an Seite verließen sie den Hof, gingen durch den Rosengarten und umrundeten die dichte Hecke. Sobald sie den ummauerten Kräutergarten erreicht hatten, umhüllte sie der von der Sonne erwärmte Duft der Kräuter wie eine Wolke.

»Es wäre ein Jammer, an einem solchen Tag nach drinnen zu gehen«, sagte Cadfael. »Setzt Euch hier in die Sonne. Ich bringe die Lotion mit heraus.«

Elave setzte sich bereitwillig auf die Bank an der Nordmauer, hob sein Gesicht in die Sonne und stellte die Schatulle neben sich ab. Cadfael betrachtete sie interessiert, verschwand aber erst einmal, um die Lotion zu holen und sie noch einmal auf die abheilende Wunde aufzutragen.

»Die wird Euch keine Beschwerden mehr machen, sie ist

jetzt sauber, und junges Fleisch heilt gut; Ihr hattet vermutlich durch die Welt und wieder zurück mehr Gefahren zu bestehen, als Euch hier in Shrewsbury drohen.« Er stöpselte die Flasche wieder zu und ließ sich neben seinem Gast nieder. »Ich vermute, seine Angehörigen hier in der Stadt wissen noch nicht einmal, daß Ihr zurück seid und ihr Verwandter tot ist?«

»Nein, noch nicht. Gestern abend reichte die Zeit kaum aus, meinen Herrn angemessen unterzubringen, und wegen des Disputes im Kapitelsaal heute morgen hatte ich noch keine Gelegenheit, sie aufzusuchen. Ihr kennt sie – seine Neffen? Girard kümmert sich um die Herde und die Verkäufe und sammelt die Schurwolle von anderen ein, für die er den Handel betreibt. Jevan hat immer die Pergamentherstellung besorgt, schon zu Master Williams Zeiten. Aber es ist durchaus möglich, daß sich einiges geändert hat, seit ich abgereist bin.«

»Ihr werdet sie alle lebend antreffen«, sagte Cadfael beruhigend, »das weiß ich. Nicht, daß wir sie allzu oft hier im Kloster sehen. Sie kommen gelegentlich an Festtagen, aber sie haben ihre eigene Kirche, die von Saint Alkmund.« Er betrachtete die Schatulle, die zwischen ihnen auf der Bank stand. »Etwas, das William für sie mitgebracht hat? Darf ich es anschauen? Aber das tue ich ja bereits, ich kann den Blick nicht davon abwenden. Das ist ein wundervolles Stück. Und ganz bestimmt sehr alt.«

Elave schaute darauf herab mit der Gleichgültigkeit eines Mannes, für den ein solcher Gegenstand nicht mehr bedeutete als ein zu erledigender Auftrag, etwas, das er mit Freuden aushändigen und los sein würde. Aber er hob die Schatulle bereitwillig auf und legte sie in Cadfaels Hände, damit er sie genauer betrachten konnte.

»Ich soll sie als Mitgift für das Mädchen abliefern. Als mein Herr zu krank wurde, um weiterreisen zu können, dachte er an sie und erinnerte sich, daß er sie vom Tage ihrer

Geburt an in seinem Haushalt aufgenommen hatte. Also gab er mir diesen Kasten, damit ich ihn Girard bringe und er davon Gebrauch machen kann, wenn sie heiratet. Ein Mädchen ohne Mitgift hat wenig Aussicht, einen Mann zu finden.«

»Ich entsinne mich, daß da ein kleines Mädchen war«, sagte Cadfael und drehte die Schatulle bewundernd in den Händen. Sie war dazu angetan, den Künstler in jedem Mann zu begeistern. Aus einem dunklen, fremdartigen Holz gefertigt, ungefähr einen Fuß lang, acht Zoll breit und vier Zoll hoch, mit fast fugenlos schließendem Deckel und einem kleinen, vergoldeten Schloß. Der Boden war schlicht und dunkel poliert, der Deckel dagegen und seine Ränder mit einem wundervollen Schnitzwerk aus ineinander verschlungenem Weinlaub und Trauben verziert, und in die Mitte des Deckels war ein rhombenförmiges Täfelchen aus Elfenbein eingelassen, ein von einer Aureole umgebener Kopf mit rundlichem Gesicht und großen, byzantinischen Augen. Sie war so alt, daß die scharfen Kanten leicht abgerundet und abgegriffen waren, aber die Vertiefungen des Schnitzwerks waren nach wie vor mit Gold ausgelegt.

»Ein herrliches Stück!« sagte Cadfael und drehte sie ehrfürchtig in den Händen. Sie fühlte sich an wie eine solide Masse aus Holz, in der sich nichts bewegte. »Habt Ihr Euch nie gefragt, was sie enthält?«

Elave schaute leicht überrascht drein, dann zuckte er gleichgültig die Achseln. »Sie war weggepackt, und ich hatte an andere Dinge zu denken. Ich habe sie erst vor einer halben Stunde aus meinem Bündel herausgeholt. Nein, danach habe ich mich nie gefragt. Ich nehme an, Master William hat ein bißchen Geld für sie gespart. Ich händige sie Girard aus, wie er mir aufgetragen hat. Sie gehört dem Mädchen, nicht mir.«

»Und Ihr wißt nicht, woher er sie hat?«

»Doch, ich weiß, wo er sie kaufte. Von einem armen Diakon auf dem Markt in Tripoli, kurz bevor wir uns auf der

Heimreise nach Zypern und Thessalonike einschifften. Damals begannen christliche Flüchtlinge aus der Gegend um Edessa in die Stadt zu strömen, von seldschukischen Horden aus Mosul aus ihren Klöstern vertrieben. Sie kamen mit praktisch überhaupt nichts, und um überleben zu können, mußten sie verkaufen, was mitzunehmen ihnen gelungen war. William verstand sich aufs Feilschen mit den Kaufleuten, aber diesen armen Seelen gegenüber war er großzügig. Sie sagten, das Leben in dieser Gegend wäre hart und gefährlich geworden. Auf der Hinreise haben wir uns Zeit gelassen und den Landweg genommen; Master William sagte, er wollte die großartige Sammlung von Reliquien in Konstantinopel sehen. Aber den ersten Teil der Heimfahrt haben wir zur See zurückgelegt. Es gibt eine Menge griechischer und italienischer Kauffahrer, die bis nach Thessalonike fahren, manche davon sogar bis nach Bari oder Venedig.«

»Es gab eine Zeit«, sinnierte Cadfael, der sich um viele Jahre zurückversetzt fühlte, »in der ich diese Gewässer sehr gut kannte. Und wie war die Unterkunft auf all diesen Straßen, die Ihr zu Fuß zurückgelegt habt?«

»Hin und wieder haben wir uns für eine Weile anderen angeschlossen, aber zumeist waren wir beide allein. Die Mönche von Cluny haben Hospize überall in Frankreich und in ganz Italien, selbst in der Nähe der kaiserlichen Stadt gibt es eine Pilgerherberge. Und sobald man das Heilige Land erreicht hat, kann man überall die von den Johannitern geschaffenen Unterkünfte benutzen. Es war schon eine großartige Sache«, sagte Elave. »Solange man unterwegs ist, lebt man jeden Tag für sich und blickt nicht weiter voraus als bis zum nächsten Tag und nicht weiter zurück als bis zum vorausgegangenen. Jetzt sehe ich das Ganze, und es war wunderbar.«

»Aber nicht immer gut«, sagte Cadfael. »Das kann nicht sein, das können wir nicht verlangen. Denkt an die Kälte und den Regen und den Hunger zuzeiten, an das, was Ihr hin und wieder durch Diebe verloren habt und an die Schläge, die Euch Leute versetzten, die über Reisende herfallen – versucht nicht, mir zu erzählen, daß Ihr ihnen nicht begegnet wäret! Und die Müdigkeit, und die Zeiten, in denen Euer Herr krank war, das schlechte Essen, das schale Wasser, die Steine der Straßen. All das ist Euch begegnet. Es begegnet jedem Menschen, der eine so weite Reise unternimmt.«

»An all das erinnere ich mich«, sagte Elave unverdrossen, »aber es war trotzdem wunderbar.«

»Gut! So sollte es sein«, sagte Cadfael seufzend. »Junge, ich würde mich gern mit Euch zusammensetzen und mich mit Euch über jeden einzelnen Schritt der Reise unterhalten, wenn Ihr die Zeit dazu habt. Aber zuerst geht und liefert Eure Schatulle bei Herrn Girard ab, dann habt Ihr Eure Pflicht getan. Wie sehen Eure weiteren Pläne aus? Wollt Ihr wieder für sie arbeiten wie früher?«

»Nein, das nicht. Ich habe für Master William gearbeitet. Sie haben ihren eigenen Schreiber, ich will ihn nicht verdrängen; und zwei brauchen sie nicht. Außerdem möchte ich mehr und etwas anderes. Ich werde mir Zeit lassen, um mich umzuschauen. Ich bin mit mehr Fähigkeiten zurückgekommen, als ich beim Aufbruch besaß, und ich möchte Gebrauch von ihnen machen.« Er erhob sich und klemmte die Schatulle sicher unter den Arm.

»Ich habe vergessen«, sagte Cadfael, während er ihm nachdenklich zuschaute, »wenn ich es überhaupt jemals wußte – wie ist er zu dem Mädchen gekommen? Er hatte keine eigenen Kinder, und soweit ich weiß, ist auch Girard kinderlos; und der andere Bruder hat nie geheiratet. Wo kam das Mädchen her? Ein Findling, den er aufgenommen hat?«

»So könnte man sagen. Sie hatten ein Dienstmädchen, eine schlichte Seele, die sich während eines Jahrmarkts von einem kleinen Hausierer verführen ließ und dann ein Mädchen zur Welt brachte. Master William gewährte ihnen beiden Unterkunft, und Mistress Margaret kümmerte sich um das Kind, als wäre es ihr eigenes. Und als die Mutter starb, behielten sie es einfach. Sie war ein hübsches kleines Ding und hatte mehr Verstand als ihre Mutter. Master William hat ihr den Namen Fortunata gegeben; er sagte, sie wäre mit nichts auf die Welt gekommen, nicht einmal einem Vater, und hätte trotzdem ein Heim und eine Familie gefunden, und sie würde zeitlebens immer wieder auf die Füße fallen. Sie war elf, knapp zwölf«, sagte Elave, »als wir aufbrachen, ein mageres, staksiges kleines Ding, das nur aus Zähnen und Ellenbogen bestand. Man sagt, aus den hübschesten Welpen würden die häßlichsten Hunde. Sie wird eine anständige Mitgift brauchen, die ihr Aussehen wettmacht.«

Er reckte seinen langen Körper, klemmte die Schatulle noch sicherer unter den Arm, neigte den blonden Kopf zu einem kleinen, freundlichen Gruß und machte sich auf den Weg. Seine Eile, sich der letzten Pflichten zu entledigen, die ihm auferlegt worden waren, wurde ein wenig gehemmt durch den Gedanken an die sieben Jahre, die vergangen waren, seit er Williams Familie zum letzten Mal gesehen hatte. Die lange Zeit, die ihm bis jetzt kaum bewußt geworden war, mußte unfehlbar eine Entfremdung mit sich gebracht haben. Was einst vertraut war, war jetzt fremd, und es würde Zeit brauchen, bis er sich wieder hineingetastet hatte. Cadfael sah ihm nach, wie er um die Ecke der Buchsbaumhecke herum verschwand, erfüllt von Mitgefühl und Neid.

Das Haus des Girard von Lythwood hatte, wie viele der Bürgerlehen von Kaufleuten in Shrewsbury, die Form eines L, dessen kurzer Balken die Straßenfront bildete und von einem gewölbten Tor durchbrochen war, durch das man in den dahinterliegenden Hof und Garten gelangte. Dieser Teil des Hauses war eingeschossig, und in ihm befand sich die Werkstatt, in der Jevan, der jüngere der beiden Brüder, seine fertigen Pergamentblätter und -lagen aufbewahrte und die bearbeiteten Häute verkaufte, die auf Bestellung gefaltet und zugeschnitten wurden. Der lange Balken des L wendete die gegiebelte Vorderfront der Straße zu und bestand aus einem flachen, unterirdischen Gewölbe, über dem die Wohnräume lagen, sowie einem Dachboden, der zusätzliche Schlafmöglichkeiten bot. Das gesamte Bürgerlehen war nicht groß, denn Platz war kostbar in einer Stadt, die innerhalb einer engen Flußschleife lag. Außerhalb der Schleife, im Vorort Frankwell auf der einen und der Vorstadt des Klosters auf der anderen Seite, gab es genügend Platz zur Ausdehnung, innerhalb der Stadtmauern dagegen mußte jeder Zoll Boden so vorteilhaft wie möglich genutzt werden.

Elave blieb vor dem Haus stehen und verweilte einen Moment, um die seltsamen Gefühle, die ihn befallen hatten, zu begreifen – eine plötzliche Wärme des Heimkehrens, ein fast panisches Widerstreben, hineinzugehen und seine Botschaft auszurichten, stumme Verblüffung über die Kleinheit des Hauses, das etliche Jahre lang sein Heim gewesen war. In den überwältigenden Kirchen Konstantinopels und in der grenzenlosen Einsamkeit der Wüsten gewöhnt sich ein Mann an riesige Dimensionen.

Er ging langsam durch das schmale Tor und betrat den Hof. Pferde- und Kuhstall zu seiner Rechten, der Lagerschuppen und der Auslauf für die Hühner waren genau so, wie er sie in Erinnerung hatte, und zu seiner Linken stand die Haustür weit offen, genau wie früher an einem so schönen Sommertag. Eine Frau kam gerade aus dem Garten, der sich hinter dem Haus erstreckte, einen Korb mit sauberer, gerade von der Leine abgenommener Wäsche in den Händen. Sie bemerkte den eintretenden Fremden und beschleunigte ihren Schritt, um ihn zu begrüßen.

»Guten Tag, mein Herr! Wenn Ihr zu meinem Mann wollt...« Sie brach ab, verblüfft, erkennend, ohne gleich glauben zu können, was sie sah. Zwischen Achtzehn und Fünfundzwanzig verändert sich ein junger Mann nicht so stark, daß seine eigene Familie ihn nicht wiedererkennt, soviel Statur und Reife er in dieser Zeit auch gewonnen haben mag. Aber sie war nicht darauf vorbereitet und hatte keinerlei Hinweis darauf erhalten, daß er weniger als fünfhundert Meilen weit fort war.

»Mistress Margaret«, sagte Elave, »Ihr habt mich nicht vergessen?«

Die Stimme vollendete, was sein Gesicht begonnen hatte. Sie begriff und errötete vor offensichtlicher Freude. »Großer Gott, *du* bist es! Einen Augenblick lang habe ich an meinem Verstand gezweifelt, habe mir eingebildet, ich hätte eine Vision und du wärest immer noch die halbe Welt weit fort, irgendwo in einem fremden Land. Ja, und nun bist du wieder hier, heil und gesund, nach dieser langen, langen Reise. Ich freue mich, dich wiederzusehen, mein Junge, und Girard und Jevan werden sich gleichfalls freuen. Wer hätte gedacht, daß du eines Tages so unvermutet auftauchen würdest, und dazu gerade noch rechtzeitig für das Fest der heiligen Winifred. Komm herein, ich will nur diese Wäsche abstellen, dann bekommst du etwas zu trinken und kannst mir erzählen, wie es dir in all dieser langen Zeit ergangen ist.«

Sie ergriff seinen Arm und führte ihn zu einer Bank neben dem unverschlossenen Dielenfenster, mit so wortreicher Freundlichkeit, daß sein Schweigen überhaupt nicht auffiel. Sie war eine propere, braunhaarige, geschäftige Frau von Mitte Vierzig, gesund und arbeitsam, eine gute und besonnene Nachbarin, und ihr blitzsauberer Haushalt war ein Spiegelbild ihrer willensstarken, fröhlichen Persönlichkeit.

»Girard ist unterwegs, um Wolle aufzukaufen, er wird noch ein oder zwei Tage fortbleiben. Ich freue mich schon darauf, sein Gesicht zu sehen, wenn er hereinkommt und Onkel William hier am Tisch sitzen sieht wie in früheren Zeiten. Wo ist er? Kommt er gleich nach, oder hat er noch Geschäfte unten in der Abtei?«

Elave holte tief Luft und sagte, was zu sagen war. »Er wird nicht kommen, Mistress.«

»Er wird nicht kommen?« sagte sie verwundert und wandte sich zu ihm um.

»Es tut mir leid, daß ich Euch keine bessere Nachricht überbringen kann. Master William ist in Frankreich gestorben, bevor wir uns für die Heimfahrt einschiffen konnten. Aber ich habe ihn nach Hause gebracht, wie ich es ihm versprochen hatte. Er liegt jetzt in der Abtei, und morgen wird er dort beigesetzt, auf dem Friedhof zwischen den Stiftern des Klosters.«

Sie stand regungslos da, Krug und Becher in ihren Händen waren vergessen, und schwieg einen langen Augenblick.

»Er hat es so gewollt«, sagte er. »Er hat getan, was er tun wollte, und er hat bekommen, was er bekommen wollte.«

»Und das kann nicht jedermann von sich sagen«, sagte Margaret langsam. »Also Onkel William ist tot! Geschäfte unten in der Abtei, sagte ich? Die hat er, aber anders, als ich vermutet hatte. Und du hast ihn ganz allein übers Meer heimgebracht! Und Girard ist unterwegs, wer weiß, wo er im Augenblick steckt! Es wird ihn sehr bekümmern, wenn er nicht hier ist, um einem guten Mann die letzte Ehre zu erweisen.« Sie schüttelte das kurze Gedenken von sich ab und wurde praktisch wie immer. »Nun, das ist nicht deine Schuld, du hast wohl gehandelt an ihm und brauchst nicht zurückzuschauen. Setz dich und ruh dich aus. Du bist wieder zu Hause, endlich, hast deine Reise fürs erste hinter dir. Jetzt kannst du dir Ruhe gönnen.«

Sie brachte ihm Ale, ließ sich neben ihm nieder und überlegte ohne eine Spur von Verzweiflung, was zu tun war. Sie war eine kompetente Frau und würde dafür sorgen, daß alles in guter Ordnung und angemessen ablief, ob ihr Mann nun rechtzeitig zurückkehrte oder nicht.

»Ich glaube, er war fast achtzig Jahre alt«, sagte sie. »Er hat ein gutes Leben geführt, und er war ein guter Verwandter und ein guter Nachbar. Er ist gestorben, während er eine segensreiche Tat vollbrachte, und noch dazu eine, die er sich von ganzem Herzen wünschte, nachdem ihn dieser alte Priester von Saint Osyth einmal auf die Idee gebracht hatte. Und da sitze ich nun«, sie schüttelte seufzend den Kopf, »und verliere mich in die Erinnerung an alte Zeiten, was ich gar nicht wollte. Die Zeit ist knapp! Ich finde, der Abt hätte uns eine Nachricht zukommen lassen sollen, sobald du beim Torhaus angekommen warst.«

»Er hat erst heute morgen beim Kapitel davon erfahren. Er ist erst seit vier Jahren im Amt, und wir waren sieben Jahre fort. Aber jetzt ist alles in bester Ordnung.«

»Vielleicht unten in der Abtei, aber hier oben muß ich zusehen, daß alles bereit ist. Alle Nachbarn werden kommen wollen, und ich hoffe, daß du nach der Beisetzung auch mit uns zurückkommst. Ein Glück, daß Conan hier ist. Ich schicke ihn nach Westen, er soll zusehen, ob er Girard noch rechtzeitig finden kann; wir haben keine Ahnung, wo er sich gerade aufhält. Da draußen sind sechs Herden, um die er sich kümmern muß. Bleib ruhig hier sitzen, ich gehe und hole Jevan aus der Werkstatt und Aldwin von seinen Büchern, und dann kannst du uns allen erzählen, wie es dem alten Mann ergangen ist. Fortunata ist auf dem Markt, aber sie wird sicher auch bald kommen.«

Im Nu war sie verschwunden, hinausgeeilt, um Jevan aus seiner Werkstatt zu holen, und Elave blieb allein zurück, atemlos und stumm von ihrem Redefluß, der ihm keine Gelegenheit gelassen hatte, den Auftrag zu erwähnen, den er außerdem noch zu erledigen hatte. Ein paar Minuten später kam sie mit dem Pergamenthersteller, dem Schreiber und dem Schafhirten Conan zurück, dem gesamten Haushalt bis auf die abwesende Ziehtochter. Elave kannte sie alle gut von seiner früheren Dienstzeit, und nur einer von ihnen hatte sich stark verändert. Conan war damals ein junger Mann von zwanzig Jahren gewesen, schlank und geschmeidig; jetzt war er in die Breite gegangen und hatte Fleisch und Muskeln angesetzt, ein massiger, aber trotzdem noch gutaussehender Mann, gebräunt und kräftig vom Leben im Freien. Aldwin war in Girards Diensten in den Haushalt gekommen und in Elaves Fußstapfen getreten, als William seinen eigenen Gehilfen auf seine Pilgerfahrt mitnahm – ein Mann, der damals bereits über Vierzig war, fast ein Analphabet, der jedoch von Natur aus gut mit Zahlen umgehen konnte. Aldwin sah jetzt, da er auf die Fünfzig zuging, fast genau so aus wie damals, aber sein Haar enthielt jetzt mehr Grau und lichtete sich auf dem Scheitel. Er hatte schwer arbeiten müssen, um sich seine Stellung zu verdienen und sie zu behalten, und in sein Gesicht hatten sich Linien der Abwehr und der Ängstlichkeit eingegraben. Elave hatte schon früh lesen und schreiben gelernt, bei einem Priester, der erkannt hatte, was in seinem kleinen Pfarrkind steckte, und der Junge hatte seine Überlegenheit schamlos genossen, als er mit Aldwin zusammengearbeitet hatte. Er entsann sich jetzt, wie gern er sein Wissen und Können an den wesentlich älteren Mann weitergegeben hatte, nicht aus einem echten Bedürfnis heraus, ihm zu helfen, sondern um sowohl Aldwin als auch andere Beobachter mit seiner eigenen Tüchtigkeit zu beeindrucken. Jetzt war er älter und klüger geworden, hatte entdeckt, wie groß die Welt war und wie klein er selbst. Er war froh, daß Aldwin diese sichere Stellung hatte, ein festes Dach über dem Kopf und niemanden, der ihm seinen Posten streitig machte.

Jevan von Lythwood war knapp über Vierzig, sieben Jahre jünger als sein Bruder, hochgewachsen, aufrecht und schlank gebaut, mit einem glattrasierten Gelehrtengesicht. Er hatte als Junge keine regelrechte Schulbildung genossen; aber als er sich schon früh der Kunst der Pergamentherstellung zuwendete, war er den gelehrten Männern aufgefallen, die von ihm kauften, Mönchen, Sekretären, sogar einigen Lords aus den Herrenhäusern der näheren Umgebung, die über eine gewisse Bildung verfügten, und da er eine sehr rasche und eifrige Auffassungsgabe besaß, hatte er beschlossen, von ihnen zu lernen; er hatte ihr Interesse erregt, ihm weiterzuhelfen, und war selbst zu einem Gelehrten geworden, der einzigen Person in diesem Hause, die Latein lesen konnte und mehr als nur ein paar Worte Englisch. Es war gut fürs Geschäft, daß der Verkäufer nicht hinter der Qualität seiner Ware zurückstand und den Gebrauch zu beurteilen wußte, den die kultivierte Welt von ihr machte.

Die drei Männer eilten in Margarets Gefolge herbei, um sich am Tisch niederzulassen und den Reisenden und seine Neuigkeiten willkommen zu heißen. Der Tod Williams, der nach einem erfüllten Leben im Zustand der Gnade dahingeschieden und an dem Ruheplatz eingetroffen war, den er sich gewünscht hatte, war keine Tragödie, sondern die Vollendung eines durch und durch erfüllten Lebens; er wurde um so müheloser und bereitwilliger hingenommen, als der Verstorbene sieben Jahre aus diesem Haushalt fort gewesen war und die von ihm hinterlassene Lücke sich sanft geschlossen hatte. Elave erzählte, was er ihnen von der Heimreise erzählen konnte, über die immer wieder aufflackernde Krankheit und seinen Tod, einen sanften Tod in einem sauberen Bett, nachdem er gebeichtet und die Absolution erhalten hatte, in Valognes, nicht weit von dem Hafen entfernt, an dem er sich für die Heimfahrt hatte einschiffen wollen.

»Und die Beisetzung soll morgen stattfinden«, sagte Jevan. »Um welche Zeit?«

»Nach der Messe um zehn. Der Abt wird die Predigt selbst halten. Er ist für die Bitte meines Herrn um Aufnahme eingetreten«, sagte Elave, »und zwar gegen einen zu Besuch hier weilenden Chorherrn aus Canterbury. Einer der Diakone des Bischofs reist mit ihm, und der hat törichterweise irgendeine alte Sache erwähnt, eine Meinungsverschiedenheit mit einem reisenden Prediger vor vielen Jahren; und dieser Gerbert wollte jedes Wort wieder aus ihm herauszerren und William zum Ketzer stempeln und ihm die Aufnahme verweigern. Aber der Abt machte diesem Gerede entschlossen ein Ende und ließ ihn ein. – Ich war nahe daran«, gestand Elave, von der Erinnerung aufgebracht, »beim Streit mit diesem Mann meinen eigenen Hals in einen Ketzerkragen zu stecken. Er gehört zu den Leuten, die es nicht ertragen, wenn man ihnen widerspricht. Natürlich konnte er dem Abt in seinem eigenen Haus schwerlich irgendwelche Vorschriften machen, aber ich bezweifle, daß er mich sonderlich schätzt. Es dürfte sich empfehlen, den Kopf einzuziehen, bis er wieder abgereist ist.«

»Du hast recht daran getan«, sagte Margaret, »daß du für deinen Herrn eingetreten bist. Ich hoffe, es hat dir nicht geschadet.«

»Sicher nicht! Das ist jetzt vorbei. Ihr werdet morgen an der Messe teilnehmen?«

»Wir Männer alle«, sagte Jevan, »und die Frauen auch. Und Girard, wenn wir ihn rechtzeitig finden können; er ist unterwegs und befindet sich jetzt womöglich in der Nähe der Grenze. Er wollte zum Fest der heiligen Winifred wieder hier sein, aber bei den Herden an der Grenze ist immer damit zu rechnen, daß er aufgehalten wird.«

Elave hatte die hölzerne Schatulle auf der Bank neben dem Fenster stehengelassen. Jetzt stand er auf, um sie an den Tisch zu holen. Aller Augen richteten sich darauf.

»Das hier sollte ich Master Girard übergeben. Master William schickt es ihm, damit er es zu treuen Händen für Fortunata verwahrt, bis sie heiratet. Es ist ihre Mitgift. Als er so krank war, dachte er an sie und sagte, sie müßte eine Mitgift haben. Und das ist, was er ihr schickt.«

Jevan war der erste, der die Hand ausstreckte und die Schatulle betastete, fasziniert von der wundervollen Schnitzarbeit.

»Das ist wirklich ein herrliches Stück. Hat er es irgendwo im Osten gefunden?« Er hob die Schatulle hoch, überrascht von ihrem Gewicht. »Das ist wirklich eine Schatzkiste. Was ist darin?«

»Ich weiß es nicht. Er war dem Tode nahe, als er es mir gab und mir sagte, was ich damit tun sollte. Mehr sagte er nicht, und ich habe ihm keine Fragen gestellt. Ich hatte genug zu tun, damals und danach.«

»So ist es«, sagte Margaret. »Du hast getan, was in deinen Kräften stand, und wir sind dir zu Dank verpflichtet. Er war unser Verwandter und ein guter Mann, und ich bin sehr froh, daß er einen so guten Jungen auf dieser langen Reise bei sich hatte.« Sie ergriff die Schatulle, die Jevan wieder auf den Tisch gestellt hatte, und ließ mit unverhohlener Bewunderung die Finger über das vergoldete Schnitzwerk gleiten. »Nun, wenn sie für Girard bestimmt ist, dann werde ich sie wegstellen, bis Girard wieder da ist. Das ist eine Angelegenheit des Hausherrn.«

»Sogar der Schlüssel«, sagte Jevan, »ist ein Kunstwerk. Also erweist sich abermals, daß Fortunata ihren Namen zu recht trägt, wie Onkel William immer sagte. Und das Mädchen ist immer noch auf dem Markt und weiß noch nichts von seinem Glück!«

Margaret öffnete den hohen Schrank, der in einer Ecke des Zimmers stand, und versorgte sowohl die Schatulle als auch den Schlüssel auf einem der oberen Borde. »Hier bleibt sie, bis Girard zurückkommt, und er wird sie aufbewahren, bis mein Mädchen auf den Gedanken kommt, zu heiraten, und vielleicht ein Auge auf einen Burschen wirft, den sie zum Manne haben möchte.«

Alle Augen waren Williams Geschenk gefolgt. Aldwin sagte säuerlich: »Es wird eine Menge Männer geben, die sie zur Frau haben wollen, wenn sie einmal Wind davon bekommen haben, daß sie etwas mit in die Ehe bringen wird. Sie wird Eures guten Rates bedürfen, Mistress.«

Conan hatte überhaupt nichts gesagt. Er war nie ein großer Redner gewesen. Seine Augen folgten der Schatulle, bis die Schranktür wieder geschlossen war, aber alles, was er zu sagen hatte, sagte er erst, als Elave aufstand, um sich zu verabschieden. Der Schafhirte stand gleichfalls auf.

»Ich mache mich auf den Weg. Ich nehme das Pony und sehe zu, ob ich den Herrn finden kann. Aber ob ich ihn finde oder nicht – am Abend bin ich wieder hier.«

Als alle zu ihren Beschäftigungen zurückkehrten, ergriff Margaret Elaves Ärmel und hielt ihn fest, bis die anderen gegangen waren.

»Ich bin sicher, du verstehst, wie die Dinge liegen«, sagte sie vertraulich. »Ich wollte nichts sagen, solange die anderen dabei waren, Elave. Du hast dich mit der Wirtschaft ausgekannt und schwer gearbeitet, und Aldwin kann dir, um die Wahrheit zu gestehen, nicht das Wasser reichen, obwohl er tut, was in seinen Kräften steht, und das, was von ihm verlangt wird, halbwegs ordentlich erledigt. Aber er wird älter und hat kein eigenes Heim und keine Angehörigen, und was würde aus ihm werden, wenn wir ihn jetzt entließen? Du bist jung, es gibt eine Menge Kaufleute, die dich nur zu gern anstellen würden, bei dem, was du von der Welt weißt. Du nimmst es mir doch nicht übel ...«

Elave hatte gleich begriffen, worauf sie hinauswollte, und unterbrach sie hastig, um sie zu beruhigen. »Nein, nein, auf gar keinen Fall! Ich habe nie daran gedacht, meine alte Stellung wieder einzunehmen. Um alles in der Welt würde ich Aldwin nicht vertreiben wollen. Ich bin froh, daß er hier für den Rest seines Lebens sicher untergebracht ist. Meinetwegen braucht Ihr Euch keine Gedanken zu machen; ich werde mich umsehen und eine geeignete Arbeit finden. Ich werde es Euch nicht übelnehmen, wenn Ihr mich nicht wieder aufnehmt. Damit habe ich von vornherein gerechnet. Mir ist in diesem Hause nur Gutes widerfahren, und das werde ich nicht vergessen. Nein, Aldwin kann auch weiterhin seine Arbeit tun, und ich wünsche ihm alles Gute.«

»Das sieht dem Jungen ähnlich, an den ich mich erinnere!«
sagte sie erleichtert. »Ich wußte, daß du es so auffassen würdest, wie es gemeint war. Ich hoffe, du findest eine gute
Stelle bei einem reisenden Kaufmann, einem, der Übersee-
handel betreibt, das wäre das Richtige für dich, nach allem,
was du erlebt und getan hast. Aber du kommst doch morgen
nach Onkel Williams Beisetzung und ißt mit uns?«

Er versprach es gern, froh darüber, daß ihr Verhältnis geklärt war. In Wirklichkeit glaubte er sogar, daß er sich hier
eingeengt und gehemmt gefühlt hätte, beschäftigt mit dem
Kauf von Tieren und dem Auszahlen von Löhnen, dem
Abwiegen und Verkaufen von Wolle und den kleinen Einnahmen und Ausgaben eines guten, aber eng umgrenzten
Geschäfts. Er wußte noch nicht so recht, was er eigentlich
wollte, aber er konnte es sich leisten, sich eine Weile umzusehen, bevor er sich festlegte. Als er durch die Tür auf den
Hof trat, stieß er auf Conan, der auf dem Weg zum Stall
war, und blieb stehen, um Margarets Boten den Vortritt zu
lassen.

Eine junge Frau mit einem Korb am Arm war gerade
durch die schmale, auf die Straße hinausführende Pforte eingetreten und kam über den Hof auf ihn zu. Sie war nicht
sonderlich groß, wirkte aber hochgewachsen; sie hielt sich
gerade und ging mit langen, freien Schritten, leicht und fe-
dernd wie der Trab eines munteren Fohlens. Ihr schlichtes
graues Kleid schwang mit der Bewegung ihres schlanken
Körpers, und ihren Kopf krönte eine dicke Flechte aus
dunklem Haar mit einem leichten Anflug von Rot. Als sie
die Hälfte der Strecke zwischen ihnen zurückgelegt hatte,
blieb sie plötzlich stehen, starrte ihn offenen Mundes und
großäugig an, und plötzlich lachte sie hell auf.

»Du!« sagte sie leise und entzückt. »Bist du es wirklich?
Oder träume ich?«

Sie standen beide wie angewurzelt da. Elave, verblüfft von
der Herzlichkeit der Begrüßung, starrte fassungslos das un-

bekannte Mädchen an, das ihn nicht nur zu kennen schien, sondern sich offenbar über das Wiedersehen freute.

»Erkennst du mich denn nicht?« fragte das Mädchen.

Was war er doch für ein Narr! Wer sonst konnte sie sein, die barhäuptig vom Markt der Stadt zurückkehrte? Aber es stimmte, er hätte sie nicht erkannt. Das dünne, spitze Gesicht hatte sich zu einem anmutigen Oval gerundet, die Zähne, die früher ausgesehen hatten, als wären sie zu groß und zu zahlreich für ihren Mund, leuchteten jetzt gleichmäßig und weiß zwischen Lippen, die seine Verblüffung und Verwirrung belächelten. Das lange Haar, das einst strähnig auf mageren Kinderschultern gelegen hatte, sah jetzt, geflochten und um den Kopf gewunden, aus wie eine Krone, und die grünlichbraunen Augen funkelten und blitzten vor Freude, ihn wiederzusehen.

»Jetzt erkenne ich dich«, sagte er, nach Worten suchend. »Aber du hast dich verändert!«

»Du nicht!« sagte sie. »Brauner vielleicht, und dein Haar ist sogar noch heller, als es früher war, aber ich hätte dich überall wiedererkannt. Du bist ohne Vorwarnung hier aufgetaucht, und sie haben dich gehen lassen, ohne auf mich zu warten?«

»Ich komme morgen wieder«, sagte er. Es widerstrebte ihm, seine Erklärung hier auf dem Hof vorzubringen; Conan war immer noch in Hörweite. »Mistress Margaret wird dir alles erzählen. Ich hatte Botschaften zu überbringen...«

»Wenn du wüßtest«, sagte Fortunata, »wie oft und wie lange wir über euch beide gesprochen und uns gefragt haben, wie es euch in diesen fernen Gegenden ergehen mag. Es kommt nicht alle Tage vor, daß sich Verwandte auf ein solches Abenteuer einlassen. Glaubst du etwa, wir hätten nie an euch gedacht?«

In all den Jahren war er kaum jemals auf den Gedanken gekommen, sich zu fragen, was aus denen geworden war, die sie zurückgelassen hatten. Von allen, die ihm in diesem Hause nahegestanden hatten, war nur William von Bedeutung gewesen, und mit William war er gegangen, mit Freuden, ohne einen Gedanken an diejenigen zu verschwenden, die zurückblieben und hier ihr Leben weiterlebten – und am allerwenigsten an ein schlaksiges kleines Mädchen von elf Jahren mit unreiner Haut und beunruhigendem Blick.

»Ich glaube nicht«, sagte er verlegen, »daß ich das verdient habe.«

»Was hat das mit Verdienst zu tun?« sagte sie. »Und du wolltest bis morgen verschwinden? Nein, das kannst du nicht tun. Komm mit mir ins Haus, und wenn es nur für eine Stunde ist. Warum sollte ich bis morgen warten, um mich wieder daran zu gewöhnen, dich vor mir zu sehen?«

Sie ergriff seine Hand und zog ihn wieder zur offenen Tür. Obwohl er wußte, daß es nicht mehr war als die offene und herzliche Freundlichkeit eines Mädchens, das er seit seiner Kindheit gekannt und das ihm während seiner Abwesenheit alles Gute gewünscht hatte, so wie es allen wohlmeinenden Menschen Gutes wünschte, ging er mit ihr wie ein willfähriges Kind, verstummt und bezaubert. Er wäre überallhin mitgegangen, wo sie ihn hinführte. Er hatte ihr etwas zu sagen, was ihre Fröhlichkeit eine Weile dämpfen würde, und danach hatte er keinerlei Rechte auf sie oder dieses Haus und keinen Grund zu glauben, daß sie jemals mehr für ihn sein würde, als sie jetzt war, oder er mehr für sie. Aber er ging mit ihr, und die warme Düsterkeit der Diele nahm sie auf.

Conan schaute ihnen einen langen Augenblick lang nach, bevor er seinen Weg zum Stall fortsetzte. Seine dichten Brauen waren gerunzelt, und in seinem Kopf überschlugen sich die Gedanken.

VIERTES KAPITEL

Es war stockfinster, als Conan zurückkehrte, und er kam allein.

»Ich bin bis Forton geritten, aber er war schon am Morgen nach Nesse weitergereist, und wahrscheinlich war er dort bereits fertig und ist weitergeritten, bevor die Nacht anbrach, deshalb hielt ich es für richtiger, zurückzukommen. Er wird morgen nicht zu Hause sein und erst kommen, wenn es zu spät ist, den alten William in sein Grab zu begleiten; aber schließlich weiß er ja nichts davon.«

»Es wird ihm leid tun, daß der alte Mann ohne ihn gehen muß«, sagte Margaret kopfschüttelnd, »aber daran läßt sich jetzt nichts mehr ändern. Nun, wir müssen zusehen, daß auch ohne ihn alles in guter Ordnung abläuft. Ich nehme an, es wäre ein Jammer gewesen, wenn er von so weit her hätte zurückkommen müssen und mitten in der Schurzeit zwei Tage oder mehr verloren hätte. Vielleicht ist es nur gut, daß er nicht zu erreichen war.«

»Onkel William wird deshalb nicht weniger gut schlafen«, sagte Jevan ungerührt. »Er hätte nichts von Zeitverschwendung gehalten und wäre nicht das Risiko eingegangen, daß ein anderer Händler ihm seine Kunden abspenstig macht, sobald er ihnen den Rücken kehrt. Mach dir keine Sorgen, wir werden morgen das Bild einer guten Familie abgeben. Und wenn du früh aufstehen willst, um das Essen vorzubereiten, Meg, dann solltest du jetzt zu Bett gehen und schlafen.«

»Ja«, sagte sie seufzend und stemmte sich mit den Händen auf dem Tisch hoch. »Du hast getan, was du konntest, Conan. In der Küche sind Fleisch und Brot und Ale für dich, sobald du das Pony in den Stall gebracht hast. Gute Nacht euch beiden! Jevan, du löschst die Lampe und verriegelst die Tür?«

»Natürlich. Hast du schon einmal erlebt, daß ich das vergessen hätte? Gute Nacht, Meg.«

Girards und Margarets Schlafzimmer war das einzige in diesem Stockwerk. Fortunata hatte ein Kämmerchen darüber, abgeteilt von dem größeren Teil des Dachbodens, in dem die Betten der männlichen Bediensteten standen, und Jevan schlief in einer kleinen Kammer über dem Eingang von der Straße in den Hof, in der er auch seine kostbarste Ware und seine Büchertruhe aufbewahrte.

Margarets Tür schloß sich hinter ihr. Conan hatte sich bereits abgewandt, um in die Küche zu gehen, aber an der Schwelle drehte er sich noch einmal um und fragte: »Ist er lange geblieben? Der junge Mann? Er wollte gerade gehen, als ich mich auf den Weg machte, aber wir sind im Hof Fortunata begegnet, und er ist mit ihr wieder hineingegangen.«

Jevan blickte mit nachsichtiger Überraschung auf. »Er ist zum Abendessen geblieben. Außerdem haben wir ihn für morgen eingeladen. Unser Mädchen schien froh darüber, ihn zu sehen.« In seinem ernsthaften, langen Gesicht, das in der Ruhe überaus gesetzt wirkte, funkelte ein Paar glänzend schwarzer Augen, denen sehr wenig entging und die in diesem Augenblick tiefer in Conan hineinblickten, als ihm lieb war, und etwas leicht Belustigendes fanden. »Nichts, was dich bekümmern müßte«, sagte Jevan. »Er ist kein Hirte, der dir einen Knüppel ins Rad stecken könnte. Geh, iß dein Abendbrot und überlaß Aldwin das Bekümmern, wenn es überhaupt etwas zu bekümmern gibt.«

Das war eine Idee, die Conan bisher noch nicht gekommen war; aber sie hatte etwas für sich, nicht weniger als die andere Möglichkeit, mit der er sich bereits beschäftigt hatte. Er machte sich auf den Weg in die Küche, in Gedanken mit beiden Erwägungen beschäftigt, wo er die für ihn bereitgestellte Mahlzeit vorfand und Aldwin, der mit einem halbleeren Krug Ale verdrossen an dem auf Böcken stehenden Tisch saß.

»Ich hätte nie gedacht«, sagte Conan und legte die Ellenbogen auf die Tischplatte, »daß wir den jungen Mann je wiedersehen würden. All diese Gefahren zu Lande und zu Wasser, von denen wir gehört haben, Halsabschneider und Räuber zu Lande, Stürme und Schiffbruch und Piraten zur See, und ausgerechnet er muß sich seinen Weg zwischen alledem hindurch bahnen und heil und gesund wieder nach Hause kommen. Im Gegensatz zu seinem Herrn!«

»Hast du Girard gefunden?« fragte Aldwin.

»Nein, er ist zu weit im Westen. Ich hatte keine Zeit, ihm noch weiter nachzureiten. Sie müssen den alten Mann ohne ihn begraben. Mir würde es nicht viel ausmachen«, sagte Conan aufrichtig, »wenn es Elave wäre, der begraben würde.«

»Er wird wieder verschwinden«, sagte Aldwin, inbrünstig hoffend, daß dies der Fall sein würde. »Er ist jetzt zu groß für uns, er wird nicht bleiben.«

Conan gab ein Lachen von sich, in dem keine Spur von Belustigung steckte. »Verschwinden, meinst du? Er wollte heute nachmittag verschwinden, als sein Blick auf Fortunata fiel. Er kam schnell genug zurück, als sie seine Hand nahm und ihn wieder hereinholte. Und den Blicken nach zu urteilen, die sie einander zugeworfen haben, wird sie keinen anderen Mann anschauen, solange er in der Nähe ist.«

Aldwin musterte ihn überrascht und ungläubig. »Willst du sie etwa für dich haben? Ich habe nie bemerkt, daß du es auf sie abgesehen hättest.«

»Ich mag sie recht gern, habe sie schon immer gemocht. Obwohl sie sie wie eine Tochter behandeln, ist sie doch keine Blutsverwandte, nur ein Findelkind, das sie aus Barmherzigkeit aufgenommen haben. Und wenn es um Geld geht, dann bleibt es in der Verwandtschaft und geht zumeist an die Männer; Mistress Margaret hat Neffen, auch wenn Girard keine Verwandten hat. Ob ich sie mag oder nicht – ein Mann muß an seine Zukunft denken.«

»Und jetzt hältst du mehr von ihr, weil sie vom alten William eine Mitgift bekommen hat«, vermutete Aldwin scharfsinnig, »und willst, daß der Bursche so schnell wie möglich verschwindet. Obwohl er es war, der die Mitgift gebracht hat! Und woher willst du wissen, ob etwas darin ist, das der Rede wert ist?«

»In einer so feinen, geschnitzten Schatulle? Du hast doch gesehen, wie sie verziert war, all diese Goldranken und das Elfenbein.«

»Ein Behältnis ist nur ein Behältnis. Auf den Inhalt kommt es an.«

»Kein Mensch würde in einer solchen Schatulle etwas Wertloses unterbringen. Aber ob es von großem Wert ist oder von geringem, es ist den Versuch wert. Ich mag Fortunata wirklich, und ich glaube, es ist nur vernünftig und keine Schande«, erklärte Conan rundheraus, »sie jetzt noch mehr zu mögen, wo sie etwas besitzt. Und du tätest gut daran«, setzte er ernsthaft hinzu, »an deine eigene Zukunft zu denken, falls dieser Junge Fortunatas Verlockungen erliegt und hierbleibt, wo er zum Schreiber ausgebildet wurde.«

Er sprach damit aus, was an Aldwins immer gefährdetem Seelenfrieden genagt hatte, seit Elave wieder aufgetaucht war. Dennoch unternahm Aldwin nur einen schwächlichen Versuch, den Gedanken beiseitezuschieben. »Ich habe kein Anzeichen dafür bemerkt, daß er wieder hier arbeiten will.«

»Aber für jemanden, der nicht erwünscht ist, wurde er sehr herzlich willkommen geheißen«, erwiderte Conan. »Und gerade eben habe ich etwas zu Jevan gesagt, worauf er erwiderte, daß es nichts gäbe, was *mich* bekümmern müßte; Elave wäre kein Hirte, von dem ich etwas zu befürchten hätte. Überlaß Aldwin das Bekümmern, wenn es überhaupt etwas zu bekümmern gibt, hat er gesagt.«

Aldwin hatte sich bereits den ganzen Abend bekümmert,

und es zeigte sich an seinen fest zusammengeballten Händen und weißen Knöcheln und dem sauer verkniffenen Mund, der aussah, als wäre er voller Galle. Er saß stumm da, schmorte in seinen Ängsten und seinem Argwohn, und die leicht hingesprochene Bemerkung Jevans lieferte ihm jede Bestätigung, die er brauchte.

»Weshalb mußte ausgerechnet er sicher von einer verrückten Reise zurückkehren, bei der schon Tausende ums Leben kamen?« fragte Conan verdrossen. »Ich wünsche ihm weiß Gott nichts sonderlich Böses, aber mir wäre lieber, er wäre irgendwo anders. Ich würde ihm alles Gute wünschen, aber nur, wenn er irgendwohin verschwände, um es zu genießen. Aber er müßte ein ausgemachter Narr sein, wenn er nicht erkennen würde, daß es ihm hier sehr wohl ergehen kann. Ich sehe noch nicht, daß er die Beine in die Hand nimmt.«

»Nein«, pflichtete Aldwin ihm boshaft bei, »es sei denn, die Hunde schnappten nach seinen Fersen.«

Nachdem Conan zu Bett gegangen war, blieb Aldwin noch eine Weile sitzen. Als er sich schließlich vom Tisch erhob, war damit zu rechnen, daß es in der Diele finster und die Haustür verriegelt war, und daß Jevan sich in seine eigene Kammer zurückgezogen hatte. Aldwin entzündete am letzten Flackerlicht der Öllampe einen Kerzenstummel, der ihm den Weg durch die Diele zu der auf den Dachboden führenden Holztreppe erleuchten würde, bevor er die nahezu leergebrannte Lampe ausblies.

In der Diele war es völlig still, nichts war zu hören außer dem leisen Knarren eines Fensterladens in der nächtlichen Brise. Aldwins Kerze erzeugte einen winzigen Lichtpunkt in der Dunkelheit, gerade ausreichend, um ihm den Weg quer durch den vertrauten Raum zu zeigen. Er hatte schon die halbe Strecke bis zum Fuß der Treppe zurückgelegt, als er innehielt, einen Moment zögernd stehenblieb, in die beruhigende Stille hineinlauschte und dann kehrtmachte und direkt auf den Eckschrank zusteuerte.

Der Schlüssel steckte immer im Schloß, war aber selten umgedreht. Was es im Haus an Wertgegenständen gab, befand sich in der Truhe in Girards Schlafzimmer. Aldwin öffnete behutsam die hohe Tür, stellte seine Kerze vorsichtig auf einem Bord in Brusthöhe ab und griff zu dem hohen Bord hinauf, auf dem Margaret Fortunatas Schatulle abgestellt hatte. Selbst als sie schon neben seiner Kerze stand, schwankte er noch. Was war, wenn der Schlüssel quietschte, anstatt sich lautlos drehen zu lassen, oder wenn er sich überhaupt nicht bewegte? Er hätte nicht sagen können, was ihn zu diesem Tun veranlaßte. Neugierig war er schon immer gewesen; es war, als müßte er unbedingt über alles Bescheid wissen, was in diesem Haushalt vor sich ging, für den Fall, daß irgendeine übersehene Kleinigkeit eines Tages gegen ihn verwendet werden würde. Er drehte den kleinen Schlüssel, und er bewegte sich leicht und lautlos, gut gearbeitet wie das Schloß, das er bediente, und die Schatulle, die er schmückte und schützte. Mit der linken Hand öffnete er den Deckel, mit der rechten hob er die Kerze, um ihr Licht hineinfallen zu lassen.

»Was machst du da?« ertönte Jevans Stimme scharf und gereizt vom oberen Ende der Treppe.

Aldwin fuhr zusammen, und Tropfen von heißem Wachs spritzten auf seine Hand. Im Bruchteil einer Sekunde hatte er den Deckel wieder geschlossen und den Schlüssel im Schloß gedreht, dann stellte er die Schatulle in panischer Hast wieder auf das obere Bord. Die offene Schranktür verdeckte, was er da tat. Von dort aus, wo Jevan die Treppenstufen heruntereilte, ein bewegter Schatten zwischen anderen Schatten, würde er das Licht sehen, nicht aber seine Quelle; er konnte einen Teil des offenen Schrankes erkennen und Aldwins Körper als scharf umrissene Silhouette, aber nicht, womit seine Hände beschäftigt waren, abgesehen vielleicht davon, daß er sich aufrichten mußte, um den angetasteten Schatz wieder zurückzustellen. Die Kerze in der einen Hand, drehte Aldwin sich um; in der anderen hielt er das kleine Messer, das er gerade aus seinem Gürtel gezogen hatte.

»Ich habe gestern mein Messer hier vergessen, als ich einen neuen Pflock für den Griff des kleinen Eimers schnitzte. Ich brauche es morgen früh.«

Jevan war inzwischen vollends die Treppe heruntergestiegen, kam mit resignierender Verärgerung auf ihn zu und schob ihn beiseite, um die Schranktür zu schließen.

»Dann nimm es und geh zu Bett. Und hör auf, den Haushalt um diese Zeit zu stören.«

Aldwin verschwand mit einer für ihn ungewöhnlichen Schnelle und Fügsamkeit, nur zu froh, daß er so gut aus etwas herausgekommen war, was eine sehr peinliche Begegnung hätte werden können. Er sah sich nicht einmal um, sondern trug seinen tropfenden Kerzenstummel mit zitternder Hand die Treppe hinauf auf den Dachboden. Aber hinter sich hörte er das leise, knirschende Geräusch eines Schlüssels, der sich im Schloß drehte, und wußte, daß Jevan den Schrank abgeschlossen hatte. Die heimlichen Streifzüge seines Schreibers mochten geduldet und als zwar ärgerlich, aber harmlos abgetan werden, aber ermutigen würde man ihn dazu nicht. Aldwin würde gut daran tun, im Umgang mit Jevan eine Weile Vorsicht walten zu lassen, bis der Zwischenfall vergessen war.

Das Ärgerlichste war, daß alles umsonst gewesen war. Er war nicht mehr dazu gekommen, festzustellen, was die Schatulle enthielt. Fast im gleichen Augenblick, in dem er den Deckel öffnete, hatte er ihn auch schon wieder schließen müssen; er hatte keine Zeit gehabt, einen Blick hineinzuwerfen. Und er würde es nicht noch einmal versuchen. Der Inhalt von Fortunatas Schatulle würde ein Geheimnis bleiben, bis Girard nach Hause gekommen war.

Am einundzwanzigsten Tag des Juni, nach der Morgenmesse, wurde William von Lythwood in einer bescheidenen
Ecke des Friedhofes östlich der Abteikirche beigesetzt, wo
die Stifter und Gönner des Hauses ihre letzte Ruhestätte fanden. Also hatte er bekommen, was er gewollt hatte, und
ruhte in Frieden.

Bei den Trauergästen entdeckte Bruder Cadfael gewisse
Anzeichen von Unzufriedenheit. Er kannte den Schreiber
Aldwin, wie er früher Elave gekannt hatte, als gelegentlichen
Boten seines Herrn, und er hatte, um der Wahrheit die Ehre
zu geben, noch nie erlebt, daß er wirklich zufrieden aussah;
aber sein Verhalten an diesem Tag kam ihm geistesabwesender und verdrießlicher vor als gewöhnlich. Er und der Hirte
steckten auf verschwörerische Art die Köpfe zusammen,
und ihre Augen fixierten den heimgekehrten Pilger auf eine
Art, die vermuten ließ, daß er ihnen keineswegs willkommen
war, so liebenswürdig sich der Rest des Haushalts ihm gegenüber auch aufführte. Der junge Mann selbst schien in
seine eigenen Gedanken versunken zu sein. Gewiß, er folgte
dem Gottesdienst; dennoch wanderte sein Blick mehrmals
zu der jungen Frau, die züchtig einen Schritt hinter Margaret
stand, ganz Aufmerksamkeit und sehr betrübt am Grabe des
Mannes, der ihr ein Heim und seinen Namen gegeben hatte.
Und eine Mitgift!

Sie war des Anschauens wert. Möglicherweise war Elave
damit beschäftigt, seinen Entschluß, sich nach etwas Besse-
rem umzusehen, als ihm seine frühere Stellung zu bieten
hatte, noch einmal zu überdenken. Das magere kleine Ding,
einst nur Zähne und Ellenbogen, war zu einer sehr reizvollen Frau herangewachsen. Allerdings einer, die in diesem
Augenblick nicht zu erkennen gab, daß sie den jungen Mann
als so verwirrend empfand, wie dieser offensichtlich sie. Sie
konzentrierte sich voll und ganz auf die Riten der Beisetzung ihres Wohltäters; alles andere interessierte sie nicht.

Bevor sich die Gesellschaft auflöste, mußten höfliche

Worte gewechselt und von den Klerikern Beileidsbezeigungen geäußert werden, die von den Familienangehörigen geziemenden Dank verlangten. Auf dem sonnenbeschienenen Hof bildete die Gesellschaft, für die angemessene Zeit, kleine Gruppen von Gleich zu Gleich. Abt Radulfus und Prior Robert erwiesen, bevor sie sich zurückzogen, Dame Margaret und Jevan von Lythwood ihren Respekt, während Bruder Jerome als Kaplan des Priors es sich angelegen sein ließ, einige Minuten mit den weniger wichtigen Angehörigen des Haushaltes des Verstorbenen zu verbringen. Ein paar Worte mußten zu dem Mädchen gesprochen werden, bevor er sich zu den männlichen Bediensteten begab. Die frommen Platitüden, mit denen er Conan und Aldwin zuerst bedachte, schienen sich bald zu etwas zu entwickeln, das weitaus interessanter war und zugleich wesentlich vertraulicher, denn jetzt steckten nicht zwei, sondern drei Männer die Köpfe zusammen, und nach wie vor wanderte hin und wieder ein Blick aus zusammengekniffenen Augen zu Elave.

Nun, der junge Mann hatte sich bisher tadellos verhalten und seit der Begegnung mit dem Chorherrn Gerbert seine Zunge im Zaum gehalten. Hier war für Bruder Jerome nicht viel zu holen, auch wenn die geringste Andeutung über unorthodoxes Denken, zumal wenn sie den Ärger eines so bedeutenden Kirchenherrn erregte, ausreichte, Jerome dazu zu veranlassen, ihr nachzuschnüffeln wie ein magerer Hund einer Fährte. Der Chorherr selbst hatte sich nicht herabgelassen, Williams Beisetzung mit seiner Anwesenheit zu beehren, aber er würde zweifellos einen ausführlichen Bericht erhalten – von Prior Robert, der gleichfalls die Gelegenheit zu schätzen wußte, sich bei einem Vertrauten und Abgesandten des Erzbischofs einzuschmeicheln.

Doch diese kleine Angelegenheit, die für kurze Zeit zu einem gefährlichen Brand aufzuflackern drohte, gehörte jetzt der Vergangenheit an. William hatte bekommen, was er sich gewünscht hatte, Elave hatte getreulich seine Pflicht getan, um es zu erreichen, und Radulfus hatte zugunsten des Bittstellers entschieden. Und wenn die Festlichkeiten des morgigen Tages vorüber waren, würde Gerbert bald wieder unterwegs sein, und ohne seine unbeugsame Strenge, die zweifellos aufrichtig war und vermutlich durch kürzliche Reisen nach Frankreich und Rom bestätigt, würde hier in Shrewsbury Schluß sein mit dem vorsichtigen Abwägen und Sondieren jedes Wortes, das ein Mann von sich gab.

Cadfael sah zu, wie der Haushalt Williams von Lythwood seine Trauergäste versammelte und vom Torhaus aus stadtwärts davonzog, und begab sich zum Essen ins Refektorium mit dem unbekümmerten Geist eines Mannes, der überzeugt ist, miterlebt zu haben, wie eine wichtige Angelegenheit zufriedenstellend erledigt wurde.

Bei Williams Leichenschmaus herrschte kein Mangel an Ale, Wein und Met, und er verlief, wie die meisten Feiern dieser Art, in einer Atmosphäre, die von würdevollem Ernst und frommem Gedenken bis zu sentimentalen und immer stärker ausgeschmückten Erinnerungen reichte – Erinnerungen, bei denen gedämpfte Stimmen immer lauter werden und Geschichten ebenso der Phantasie entspringen wie dem Gedächtnis. Und da Elave sieben Jahre lang Williams Begleiter gewesen war, während seine früheren Nachbarn ihn aus dem Auge und oft auch aus dem Sinn verloren hatten, wurde der junge Mann mit dem besten Ale im Hause traktiert, zum Lohn für die Geschichten, die er von der langen Reise zu erzählen hatte, von den Wunderwerken, die sie unterwegs gesehen hatten, und von Williams würdigem Abschied von der Welt.

Wenn er nicht erheblich mehr getrunken hätte, als er gewohnt war, dann hätte er vielleicht auf mehr oder minder verblümte Fragen keine direkten und offenen Antworten gegeben. Andererseits hatte er keinerlei Grund zu der Annahme, daß er in dieser Gesellschaft vorsichtig sein und sich vor allzu offenen Antworten hüten mußte.

Es ging erst los, als die Gäste aufbrachen oder bereits gegangen waren; Jevan war auf die Straße getreten, um sich gemächlich und freundschaftlich von den letzten zu verabschieden, wobei er sich viel Zeit ließ. Margaret war mit Fortunata in der Küche, verstaute die Überreste des Festmahls und überwachte das Spülen der Töpfe, in denen es zubereitet worden war. Elave blieb an dem Tisch in der Diele mit Conan und Aldwin zurück, und als der größte Teil der Arbeit in der Küche getan war, setzte Fortunata sich zu ihnen.

Sie unterhielten sich über das Fest der heiligen Winifred, das am nächsten Tag stattfinden sollte. Es war nur angemessen, daß man eine Beerdigung mit Anstand hinter sich brachte und dann abtat, damit am nächsten Tag alles festlich und glückverheißend war wie der wolkenlose Himmel, auf den alle hofften. Vom Wirken der Heiligenreliquien und der Glaubwürdigkeit ihrer Wunder war es kein großer Schritt bis zur Sache mit William. Noch war es schließlich Williams Tag und deshalb nur recht und billig, daß man sich seiner bis in die Nacht hinein erinnerte.

»Nach dem, was einer der Brüder da unten sagte«, erklärte Aldwin ernsthaft, »war es keineswegs sicher, ob er überhaupt aufgenommen werden würde. Irgendwer hat diese alte Meinungsverschiedenheit wieder ausgegraben, die er mit dem Missionar hatte, um ihm die Grabstelle streitig zu machen.«

»Es ist eine schwerwiegende Sache, wenn man anderer Meinung ist als die Kirche«, pflichtete Conan ihm kopfschüttelnd bei. »Aber es steht uns nicht zu, etwas besser zu wissen als die Priester – nicht, wenn es um den Glauben geht. Zuhören und Amen sagen, das ist meine Devise. Hat sich William jemals mit dir über solche Dinge unterhalten, Elave? Du bist viele Jahre mit ihm gereist. Hat er versucht, dich auch in diesen Dingen zu seinem Begleiter zu machen?«

»Er hat aus seinem Denken nie ein Geheimnis gemacht«, sagte Elave. »Er brachte seinen Standpunkt vor, und zwar mit guten Argumenten, selbst Priestern gegenüber; aber unter ihnen war keiner, der meinem Herrn verübelt hätte, daß er über solche Dinge nachdachte. Wozu hat man einen Verstand, wenn nicht, um ihn zu benutzen?«

»Das ist Anmaßung«, sagte Aldwin. »Jedenfalls bei einfachen Leuten wie uns, die nicht die Gelehrsamkeit von Kirchenleuten besitzen. Wie der König und der Sheriff in ihrem Bereich Macht über uns haben, so haben die Priester Macht in ihrem. Es steht uns nicht zu, uns in Dinge einzumischen, die uns nichts angehen. Conan hat recht – Zuhören und Amen sagen.«

»Wie kann man Amen sagen, wenn es darum geht, ein neugeborenes Kind zur Hölle zu verdammen, nur weil das kleine Ding gestorben ist, bevor es getauft werden konnte?« fragte Elave. »Das war eine von den Fragen, die er sich immer wieder stellte. Er pflegte zu sagen, daß nicht einmal die schlechtesten Männer es fertigbrächten, ein Kind ins Feuer zu werfen; wie könnte der gütige Gott es dann tun? Es wäre gegen seine Natur.«

»Und du«, sagte Aldwin, Neugier und Anteilnahme heuchelnd, »bist du der gleichen Meinung? Würdest du das auch sagen?«

»Ja, das sage ich auch. Ich kann den Grund, den sie uns dafür nennen, daß nämlich Kinder schon von Sünde beladen geboren werden, einfach nicht gelten lassen. Wie könnte das sein? Ein Geschöpf, neugeboren und hilflos, kaum auf diese Welt gekommen, wie kann das etwas Böses getan haben?«

»Es heißt aber«, warf Conan vorsichtig ein, »daß selbst die noch Ungeborenen durch die Sünde Adams verderbt und mit ihm gestürzt sind.«

»Und ich sage, daß es nur die eigenen Taten sind, gute wie böse, für die sich ein Mensch am Tage des Jüngsten Gerichts zu verantworten hat. Sie sind es, die über seine Erlösung oder Verdammnis entscheiden. Übrigens ist mir nur selten jemand begegnet, der so schlecht war, daß ich an die ewige Verdammnis denken mußte«, sagte Elave, noch immer in seine eigenen Überlegungen versunken und nur darauf bedacht, sich verständlich auszudrücken, ohne Feindseligkeit oder Gefahr zu argwöhnen. »Ich habe einmal gehört, wie von einem Kirchenvater in Alexandria gesprochen wurde, der behauptete, am Ende würde jeder Mensch errettet. Selbst die gestürzten Engel würden an ihren Platz zurückkehren, und sogar der Teufel würde bereuen und sich wieder Gott zuwenden.«

Er spürte den Schauder und die Erregung, die seine Zuhörer ergriffen, glaubte aber nur, daß seine unterwegs erworbene Weisheit, so gering sie auch war, ihn über die Reichweite ihrer pfarrkindlichen Unschuld hinausgetragen hätte. Selbst Fortunata, die dem Gespräch der Männer stumm zuhörte, hatte die Augen weit aufgerissen, überrascht und vielleicht entsetzt. Sie sagte nichts in dieser Gesellschaft, folgte aber jedem Wort, das gesprochen wurde, und ihr Blick wanderte von einem Gesicht zum anderen.

»Das ist Blasphemie!« sagte Aldwin ehrfürchtig flüsternd. »Die Kirche sagt uns, daß es nur durch Gnade Erlösung gibt, nicht durch Taten. Ein Mann kann nichts tun, um sein Seelenheil zu retten, weil er sündig geboren ist.«

»Das glaube ich nicht«, sagte Elave hartnäckig. »Warum sollte der gütige Gott ein Geschöpf so unvollkommen geschaffen haben, daß es sich nicht aus freiem Willen für Gut oder Böse entscheiden kann? Wir können uns unseren eigenen Weg bahnen, hinauf zur Erlösung oder hinunter in die Hölle, und am Tag des Jüngsten Gerichts muß jeder Rechenschaft ablegen. Wenn wir Männer sind, müssen wir uns unseren eigenen Weg zur Gnade suchen und dürfen nicht einfach auf dem Hintern sitzenbleiben und warten, bis sie uns geschenkt wird.«

»Nein, nein, uns hat man etwas anderes beigebracht.« Conan ließ nicht locker. »Die Menschen sind zusammen mit Adam gefallen und in Sünde verstrickt. Sie können nichts Gutes tun außer durch die Gnade Gottes.«

»Und ich sage, sie *können* es, und sie tun es auch. Ein Mensch *kann* sich dafür entscheiden, keine Sünde zu begehen und recht zu handeln, aus seinem eigenen Willen. Und dieser Wille ist eine Gabe Gottes und dazu da, gebraucht zu werden. Weshalb sollte einem Menschen zugute gehalten werden, daß er alles Gott überläßt?« sagte Elave, erregt, aber noch immer vernünftig. »Wir denken über das nach, was wir täglich mit unseren Händen tun, um unseren Lebensunterhalt zu verdienen. Was für Narren wären wir, wenn wir keinen Gedanken an das wenden würden, was wir mit unseren Seelen tun, um uns das ewige Leben zu verdienen. *Verdienen*«, sagte Elave nachdrücklich, »aber nicht darauf warten, daß es uns unverdient gewährt wird.«

»Das ist gegen die Lehren der Kirchenväter«, widersprach Aldwin nicht minder nachdrücklich. »Unser Priester hier hat einmal eine Predigt über den heiligen Augustinus gehalten, und der hat geschrieben, daß die Zahl der Auserwählten von Anbeginn feststeht und unveränderlich ist; alle übrigen sind verloren und verdammt. Wie also können ihr freier Wille und ihre Taten ihnen helfen? Nur Gottes Gnade vermag zu erlösen, alles andere ist eitel und sündig.«

»Das glaube ich nicht«, sagte Elave laut und entschlossen. »Weshalb sollten wir uns dann überhaupt bemühen, gute Menschen zu sein? Gerade die Priester sind es, die uns ermahnen, Recht zu tun, und sie verlangen von uns Beichte und Buße, wenn wir gefehlt haben. Wozu, wenn die Liste bereits voll ist? Welchen Sinn sollte das haben? Nein, das glaube ich nicht!«

Aldwin musterte ihn mit betroffener Ernsthaftigkeit. »Du glaubst dem heiligen Augustinus nicht?«

»Wenn er das geschrieben hat, nein, dann glaube ich ihm nicht.«

Es folgte eine lastende Stille, als hätte diese unverblümte Aussage den beiden Befragern die Stimme verschlagen. Aldwin warf ihm mit zusammengekniffenen Augen einen

Seitenblick zu und rückte verstohlen auf der Bank von ihm weg, wie um zu vermeiden, daß sein Ärmel in kompromittierenden Kontakt mit einem so gefährlichen Nachbarn geriet.

»Nun«, sagte Conan schließlich, zu fröhlich und zu laut, und richtete sich auf, als hätte ihm die Zeit einen Rippenstoß versetzt. »Ich glaube, wir sollten schlafen gehen, sonst kommen wir morgen nicht früh genug hoch, um vor der Messe noch unsere Arbeit zu tun. Erst der Leichenschmaus, dann die Hochzeit, wie man so sagt. Hoffentlich hält sich das Wetter.« Und er stand auf, schob sein Ende der Bank zurück und streckte seine massigen Glieder.

»Das tut es bestimmt«, sagte Aldwin zuversichtlich, nachdem er sich mit einem tiefen Atemzug von der lastenden Stille befreit hatte. »Die Heilige hat auch über ihrer Prozession, als sie von Saint Giles hierher überführt wurde, die Sonne scheinen lassen, während es ringsum regnete. Sie wird uns auch morgen nicht im Stich lassen.« Und auch er erhob sich mit allen Anzeichen der Erleichterung. Ganz offensichtlich war der gesellige Abend vorüber, und zumindest zwei waren froh darüber.

Elave blieb still sitzen, bis sie gegangen waren, nachdem sie laut und allzu liebenswürdig gute Nacht gesagt hatten. Im Haus war es ruhig geworden. Margaret saß in der Küche und ging noch einmal die Ereignisse des Tages durch. Fortunata hatte sich weder geregt noch gesprochen. Elave wendete sich ihr zu, etwas beunruhigt von ihrem Schweigen und ihrer ernsten Miene. Schweigsamkeit und feierlicher Ernst schienen ihrem Wesen fremd zu sein, und vielleicht waren sie es auch, aber wenn sie einmal von ihr Besitz ergriffen, dann taten sie es voll und ganz und auf beeindruckende Weise.

»Du bist so still«, sagte Elave unsicher. »Habe ich dich mit irgend etwas, was ich sagte, vor den Kopf gestoßen? Ich weiß, ich habe zu viel geredet und zu anmaßend.«

»Nein«, sagte sie, und ihre Stimme war leise und gemessen, »nichts hat mich vor den Kopf gestoßen. Ich habe nur noch nie über solche Dinge nachgedacht. Als ihr abgereist seid, war ich noch zu jung, als daß Master William je mit mir geredet hätte. Er war sehr gut zu mir, und ich freue mich, daß du so tapfer für ihn eingetreten bist. Wenn ich an deiner Stelle gewesen wäre, hätte ich es auch getan.«

Mehr hatte sie im Augenblick nicht zu sagen. Was immer sie über derartige Dinge denken mochte – sie war noch nicht bereit, darüber zu sprechen. Und morgen würde sie vielleicht gar nicht mehr über Dinge nachdenken, mit denen selbst die Philosophen und Theologen ihre Schwierigkeiten hatten. Sie würde mit Margaret und Jevan beim Fest der heiligen Winifred erscheinen, die Musik und die Aufregung und den Gottesdienst fraglos genießen, einfach zuhören und Amen sagen.

Sie begleitete ihn über den Hof und durch die Pforte auf die Straße und reichte ihm zum Abschied die Hand, noch immer still und in sich gekehrt.

»Sehe ich dich morgen in der Kirche?« fragte Elave, der nun doch befürchtete, sie vor den Kopf gestoßen zu haben. Sie bedachte ihn mit einem so nachdenklichen Blick ihrer grünlichbraunen Augen, daß er nicht einmal vermuten konnte, was in ihrem Kopf vor sich ging.

»Ja«, sagte Fortunata schlicht, »ich werde da sein.« Und sie lächelte, kurz und geistesabwesend, entzog ihm sanft ihre Hand und wendete sich ab, um ins Haus zurückzukehren, während er sich auf den Weg durch die Stadt und über die Brücke machte, noch immer besorgt, ob er nicht doch entschieden zu viel und zu hitzig geredet und sich damit in ihren Augen geschadet hätte.

Die Sonne schien, wie es sich gehörte, an ihrem Festtag für die heilige Winifred, wie sie es auch an dem Tag getan hatte, an dem sie in die Abtei von Saint Peter und Saint Paul überführt worden war. Die Gärten standen in voller Blüte, die von Bruder Denis bewirteten Pilger legten ihre besten Gewänder an, die Bürger von Shrewsbury strömten aus der Stadt herbei, die Pfarrkinder von Holy Cross kamen aus der Vorstadt und aus den umliegenden Dörfern, die zur großen Gemeinde von Vater Boniface gehörten. Der neue Priester war erst kürzlich nach einer langen Vakanz in sein Amt berufen worden, und seine Herde war immer noch damit beschäftigt, sich nach dem, was sie mit Vater Ailnoth erlebt hatte, ein Urteil über ihn zu bilden. Doch die ersten Reaktionen waren zu seinen Gunsten ausgefallen. Cynric, der Küster, fungierte als eine Art Prüfstein für die Meinung der Vorstadt. Seine Ansichten, nur selten in Worten ausgedrückt, aber auch von schlichten Gemütern mühelos zu begreifen, wurden von den meisten der Leute, die zur Gemeinde von Holy Cross gehörten, fraglos geteilt, und die Kinder, die trotz seiner Schweigsamkeit Cynrics beste Freunde waren, hatten bereits jetzt begriffen, daß ihr langer, knochiger, wenig redseliger Freund Vater Boniface mochte und mit ihm zufrieden war. Das genügte ihnen. Von Cynrics Empfehlung beruhigt, begegneten sie dem neuen Priester offen und zuversichtlich.

Boniface war jung, kaum über Dreißig, bescheiden und ohne eine Spur von Anmaßung, kein Gelehrter wie sein Vorgänger, aber ein Mann, der mit ehrlicher Fröhlichkeit seines Amtes waltete. Die Ehrerbietung, die er seinen klösterlichen Nachbarn erwies, veranlaßte sogar Prior Robert, ihn gutzuheißen, wenn auch mit einiger Herablassung angesichts seiner bescheidenen Geburt und seines kümmerlichen Lateins. Abt Radulfus, der sich seines katastrophalen Fehlers bei der vorherigen Besetzung des Amtes bewußt war, hatte sich diesmal Zeit gelassen und die Kandidaten sorgfältig geprüft. Brauchte die Vorstadt wirklich einen gelehrten Theologen? Handwerker, kleine Kaufleute, Kleinbauern und schwer fronende Leibeigene von den umliegenden Dörfern und Gütern

– ihnen war besser gedient mit einem Mann ihres eigenen Schlages, der ihre Sorgen und Nöte kannte, sich nicht zu ihnen herabließ, sondern mühsam, Ellenbogen an Ellenbogen, mit ihnen emporkletterte. Es hatte den Anschein, als verfügte Vater Boniface über die für diese Klettertour erforderliche Energie und Ausdauer, über genügend Kraft, um andere mit sich emporzuziehen, und über die verbissene Loyalität, sie nicht zurückzulassen, wenn sie ermüdeten. Ob in Latein oder in der Landessprache – das war der Ton, den die Leute verstehen würden.

Dies war einer der Tage, an denen die Weltgeistlichen und die Klosterbrüder zusammenkamen, um der Heiligen Ehre zu erweisen; das Kapitel wurde auf die Zeit nach dem Hochamt verschoben, wo die Kirche allen Pilgern offenstand, die ihre privaten Bitten an den Altar herantragen, ihr silbernes Reliquiar berühren und Gebete und Geschenke darbieten würden in der Hoffnung, die Aufmerksamkeit und das Wohlwollen der Heiligen zu erregen für ihre Gebrechen, Beschwerden und Ängste. Den ganzen Tag über würden sie kommen und gehen, niederknien und sich wieder erheben im hellen Schein der duftenden Kerzen, die Bruder Rhun ihr zu Ehren herstellte. Seit sie Rhun, damals selbst ein Pilger, aus seiner Lahmheit herausgehoben hatte in die körperliche Vollkommenheit, die er jetzt besaß, war Rhun ihr Page und Knappe, und seine Schönheit widerspiegelte die ihre und legte Zeugnis für sie ab. Denn schließlich wußte jedermann, daß Winifred, wie ihre Legende besagte, zu ihrer Zeit die schönste Jungfrau der Welt gewesen war.

In der Tat hatte Bruder Cadfael den Eindruck, daß alles in vollkommener Harmonie zusammenwirkte, um diesen Tag zu dem zu machen, was er sein sollte: einem Tag höchster Zufriedenheit ohne jeden Makel. Er begab sich zu seinem Sitz im Kapitelsaal, zufrieden mit der Welt, und bereitete sich darauf vor, die Angelegenheiten des Tages, selbst die uninteressantesten Einzelheiten, mit lobenswerter Aufmerksamkeit über sich ergehen zu lassen. Manche seiner Mitbrüder waren imstande, sich so weitschweifig über ihr jeweiliges Thema auszulassen, daß ein müder Mann einschlief, aber heute war er entschlossen, selbst den langweiligsten von ihnen mit tugendhafter Duldsamkeit zu begegnen.

Selbst dem Chorherrn Gerbert, beschloß er, während er beobachtete, wie der hohe Herr in den Kapitelsaal kam und seinen Platz neben dem Abt einnahm, würde er nur die allerheiligsten Motive unterstellen, was der Gast auch an der Disziplin des Klosters auszusetzen haben würde und wie herablassend sein Verhalten gegenüber Abt Radulfus auch sein mochte. Heute durfte nichts die sommerliche Ruhe stören.

In diese aussichtsreiche Stimmung brach plötzlich ein unerfreulicher Windstoß ein, als Prior Robert hereinrauschte, mit wogendem Habit, hocherhobener aristokratischer Nase und geweiteten Nüstern, als hätte jemand ihm übelriechenden Schmutz daruntergehalten. Eine derart unziemliche Hast bei jemandem, der sonst so auf seine Würde bedacht war, ließ die Reihen der Brüder unbehaglich erschauern, zumal sie sahen, daß im Schatten des Priors auch Bruder Jerome hereintrippelte. Sein schmales, blasses Gesicht verkündete, halb entsetzt, halb erfreut, eine große Aufregung.

»Vater Abt«, erklärte Robert, seiner Entrüstung laut und deutlich Ausdruck gebend, »ich habe eine überaus schwerwiegende Angelegenheit vorzubringen. Bruder Jerome hat mir davon Kenntnis gegeben, und ich fühle mich verpflichtet, Euch darüber zu informieren. Draußen wartet ein Mann, der eine schwerwiegende Anklage erhoben hat gegen Elave, den Begleiter Williams von Lythwood. Ihr erinnert Euch, wie fragwürdig sich der Glaube seines Herrn einst erwiesen hat; jetzt scheint es, als wäre der Diener noch schlimmer als der Herr. Ein Mitglied des gleichen Haushalts sagt aus, daß dieser Mann gestern abend, vor weiteren Zeugen, Ansichten äußerte, die den Lehren der Kirche aufs Gröbste widersprechen. Aldwin, der Schreiber des Girard von Lythwood, beschuldigt Elave der abscheulichsten Ketzereien und ist bereit, die Anklage gegen ihn vor dieser Versammlung zu vertreten, wie es seine Pflicht und Schuldigkeit ist.«

FÜNFTES KAPITEL

Es war gesagt und ließ sich nicht mehr ungesagt machen. Das Wort, einmal ausgesprochen, ist von tödlicher Dauer. Es brachte eine totale Reglosigkeit und Schweigen mit sich, als hätte ein verheerender Frost den Kapitelsaal erstarren lassen. Die Lähmung dauerte einige Sekunden, bevor sich auch nur die Augen bewegten, von der selbstgerechten Entrüstung auf dem Gesicht des Priors über Bruder Jerome hinweg zur offenen Tür, auf der Suche nach dem Ankläger, der sich bisher noch nicht gezeigt hatte, sondern demütig irgendwo außer Sichtweite wartete.

Cadfaels erster Gedanke war, daß dies nicht mehr war als eine von Jeromes Säuerlichkeiten, impulsiv, unbegründet und gewiß leicht zu widerlegen, sobald man der Sache auf den Grund ging. Die meisten von Jeromes Bergen erwiesen sich bei näherer Betrachtung als Maulwurfshügel. Doch dann sah er die strenge Miene des Chorherrn Gerbert und wußte, daß dies eine weitaus ernstere Angelegenheit war, die nicht leichthin beiseite geschoben werden konnte. Selbst wenn der Abgesandte des Erzbischofs nicht zugegen gewesen wäre, hätte Abt Radulfus eine solche Anklage nicht auf sich beruhen lassen können. Er konnte dafür sorgen, daß das Verfahren, das jetzt folgen mußte, vernünftig durchgeführt wurde; verhindern konnte er es nicht.

Gerbert würde sich in eine solche Abweichung verbeißen, daran ließen die zusammengepreßten Lippen und das beutegierige Starren seiner Augen keinerlei Zweifel. Dennoch war er so höflich, die erste Initiative dem Abt zu überlassen.

»Ich hoffe«, sagte Radulfus in dem trockenen, entschiedenen Ton, der sein beherrschtes Mißfallen anzeigte, »Ihr habt Euch vergewissert, Bruder Robert, daß diese Anklage ernst gemeint ist und nicht nur Ausdruck persönlicher Feindschaft? Wäre es nicht angebracht, bevor wir weitere Schritte unternehmen, den Ankläger auf das Schwerwiegende seines Tuns hinzuweisen? Wenn er die Sache nur aus einem privaten Groll heraus vorgebracht hat, dann sollte ihm Gelegenheit gegeben werden, seine eigene Position noch einmal zu überdenken und die Anklage zurückzuziehen. Menschen sind fehlbar, und es kommt vor, daß sie aus einem Impuls Dinge sagen, die sie dann schnell bedauern.«

»Das habe ich getan«, erklärte der Prior entschieden. »Er sagte, es gäbe noch zwei Personen, die dasselbe hörten, das auch er gehört hat, und die ebenso Zeugnis ablegen können wie er. Hier handelt es sich nicht nur um einen Disput zwischen zwei Männern. Außerdem ist, wie Ihr wißt, Vater, dieser Elave gerade erst zurückgekehrt; deshalb ist nicht anzunehmen, daß der Schreiber Aldwin in so kurzer Zeit einen Grund gefunden haben könnte, ihm zu grollen.«

»Offenbar handelt es sich um denselben Mann«, warf Chorherr Gerbert aufgebracht ein, »der den Leichnam seines Herrn heimgebracht hat und, wie ich sagen muß, bereits zu diesem Zeitpunkt gewisse rebellische und höchst fragwürdige Tendenzen an den Tag legte. Diese Anklage darf nicht so nachsichtig abgetan werden wie der nach wie vor bestehende Verdacht hinsichtlich des Toten.«

»Die Anklage wurde erhoben und wird, wie es scheint, aufrechterhalten«, pflichtete Radulfus ihm kalt bei. »Sie muß gewiß untersucht werden, aber nicht jetzt und hier. Dies ist eine Angelegenheit, die nur die älteren Brüder angeht, nicht aber die Novizen und die Jüngeren unter uns. Kann ich annehmen, Bruder Robert, daß der junge Mann bisher nichts von der gegen ihn erhobenen Anklage weiß?«

»Von mir hat er es nicht erfahren, Vater, und bestimmt nicht von dem Mann Aldwin, der heimlich zu Bruder Jerome kam, um ihm mitzuteilen, was er gehört hatte.«

»Der junge Mann ist Gast in unserem Kloster«, sagte der

Abt. »Er hat ein Recht darauf, zu wissen, was gegen ihn vorgebracht wird, und dazu Stellung zu nehmen. Und die anderen beiden Zeugen, von denen der Ankläger spricht – wer sind sie?«

»Sie gehören zum gleichen Haushalt und waren zugegen, als diese Dinge ausgesprochen wurden. Das Mädchen Fortunata ist die Ziehtochter des Girard von Lythwood, und Conan ist sein erster Hirte.«

»Sie befinden sich beide nach wie vor innerhalb der Enklave«, meldete sich Jerome mit eifriger Beflissenheit zu Wort. »Sie haben die Messe besucht und halten sich noch in der Kirche auf.«

»Die Sache sollte sofort verhandelt werden«, drängte Chorherr Gerbert unnachgiebig. »Eine Verzögerung führt nur dazu, daß die Erinnerung der Zeugen verblaßt und der Übeltäter Gelegenheit bekommt, seine eigenen Interessen zu bedenken oder vor der Verhandlung zu flüchten. Ihr seid es, der hier die Anweisungen zu geben habt, Vater Abt, aber ich würde Euch empfehlen, sofort und entschieden zu handeln, solange sich all diese Leute innerhalb Eurer Mauern befinden. Entlaßt Eure Novizen und laßt die Zeugen und den Angeklagten holen. Außerdem würde ich den Pförtner anweisen, darauf zu achten, daß der Angeklagte die Enklave nicht verläßt.«

Chorherr Gerbert war es gewohnt, daß man seinen Vorschlägen sofort nachkam, von seinen Befehlen ganz zu schweigen, so verblümt sie auch ausgesprochen wurden; doch in seinem eigenen Haus handelte Abt Radulfus so, wie er es für richtig hielt.

»Ich möchte das Kapitel darauf hinweisen«, sagte er knapp, »daß wir als Angehörige unseres Ordens zweifellos die Pflicht haben, dem Glauben zu dienen und ihn zu verteidigen. Aber jedermann hat seinen Gemeindepriester, und jeder Gemeindepriester hat seinen Bischof. Bei uns weilt ein Abgesandter von Bischof de Clinton, in dessen Diözese von Lichfield und Coventry wir uns befinden und in deren Bereich sich auch der Angeklagte, der Ankläger und die Zeugen aufhalten.« Serlo war in der Tat anwesend, hatte aber bisher kein Wort von sich gegeben. In Gerberts Gegenwart war er immer stumm und ehrfürchtig. »Ich bin sicher«, fuhr Radulfus mit Nachdruck fort, »daß er, wie ich, der Ansicht sein wird, daß wir berechtigt sind, eine erste Untersuchung der Anklage vorzunehmen. Mehr jedoch können wir nicht unternehmen, ohne den Fall dem Bischof vorzutragen, in dessen Zuständigkeit er gehört. Wenn sich bei näherer Betrachtung erweist, daß die Anklage unbegründet ist, dann ist die Sache damit erledigt. Wenn wir der Ansicht sind, daß weiteres Vorgehen erforderlich ist, dann muß die Angelegenheit dem Bischof übertragen werden, der das Recht hat, sie vor jedem Tribunal verhandeln zu lassen, das zu berufen er für richtig hält.«

»So ist es«, sagte Serlo tapfer, auf diese Weise ermutigt, sich da anzuschließen, wo voranzugehen er sich gescheut hatte. »Mein Bischof würde gewiß wünschen, in einem derartigen Fall seines Amtes zu walten.«

Ein salomonisches Urteil, dachte Cadfael, vollauf zufrieden mit seinem Abt. Roger de Clinton wird es ebensowenig gefallen, daß sich ein anderer Kleriker in seiner Diözese Amtsgewalt anmaßt, wie es Radulfus gefällt, daß irgend jemand, und sei es der Erzbischof selbst, geschweige denn sein Abgesandter, versucht, ihm die Zügel aus der Hand zu reißen. Und Elave dürfte allen Grund haben, froh zu sein, wenn das alles vorüber ist. Wie konnte er nur so unvorsichtig sein, und noch dazu vor Zeugen, nachdem er gerade mit einem blauen Auge davongekommen war?

»Ich möchte um nichts in der Welt in den Amtsbereich von Bischof de Clinton eindringen«, sagte Gerbert hastig, um seinen guten Ruf besorgt, aber offensichtlich keineswegs erfreut. »Gewiß muß er informiert werden, wenn sich herausstellen sollte, daß der Vorwurf begründet ist. Aber uns obliegt es, die Tatsachen zu klären, solange die Erinnerungen noch frisch sind, und festzuhalten, was wir herausfinden. Wir sollten keine Zeit verlieren, Vater Abt. Ich meine, wir sollten die Leute sofort anhören, auf der Stelle.«

»Der Meinung bin ich auch«, sagte der Abt trocken. »Falls sich herausstellen sollte, daß die Anklage bösartig oder belanglos oder falsch ist oder einfach auf einem Irrtum beruht, dann brauchen wir nichts weiter zu tun und können dem Bischof Kummer und Ärger ersparen – ganz abgesehen von der verschwendeten Zeit. Ich denke, wir sind durchaus imstande, den Unterschied herauszufinden zwischen harmlosen Gedankenspielen und tatsächlicher Verderbtheit.«

Cadfael hatte den Eindruck, daß dies die Einstellung des Abtes zu dieser ganzen unseligen Angelegenheit recht deutlich zum Ausdruck brachte. Und obwohl Chorherr Gerbert schon den Mund geöffnet hatte, um zu erklären, daß solche Gedankenspiele, von Laien geübt, in jedem Fall schädlich seien, überlegte er es sich anders und biß abermals ingrimmig die Zähne zusammen; die Bedenken, die er über den Charakter und die Eignung des Abtes für sein Amt hegte, waren ihm deutlich anzumerken. Bei Männern im geistlichen Gewand kommt es ebenso oft vor wie bei gewöhnlichen Leuten, daß sie einander nicht ausstehen können, und diese beiden waren so weit voneinander entfernt wie Osten von Westen.

»Also gut«, sagte Radulfus und ließ einen langen, befehlenden Blick über die Versammlung schweifen, »fahren wir fort. Dieses Kapitel wird unterbrochen und zu gegebener Zeit fortgesetzt. Bruder Richard und Bruder Anselm, Ihr sorgt dafür, daß unsere jungen Brüder nützlichen Beschäftigungen nachgehen; dann sucht Ihr die drei benannten Personen. Die junge Frau Fortunata, den Hirten Conan und den Angeklagten. Bringt sie her und laßt nichts über den Grund verlauten, bevor sie vor uns stehen. Wenn ich recht verstanden habe«, wendete er sich an Jerome, »wartet der Ankläger bereits vor der Tür.«

Jerome hatte sich die ganze Zeit im Schatten des Priors aufgehalten; er zweifelte nicht an der Rechtmäßigkeit seines Tuns, wohl aber daran, was der Abt davon hielt. Dies war die erste Ermutigung, die ihm zuteil wurde; zumindest verstand er es so, und sein Gesicht hellte sich sichtbar auf.

»So ist es, Vater. Soll ich ihn hereinbringen?«

»Nein«, sagte der Abt, »nicht, bevor der Angeklagte hier ist und ihm gegenübertreten kann. Er soll das, was er zu sagen hat, im Angesicht des Mannes vorbringen, den er anzeigt.«

Elave und Fortunata betraten den Kapitelsaal gemeinsam, mit offenen Gesichtern, verblüfft und neugierig, weshalb sie herbeordert worden waren, aber ganz offensichtlich ohne böse Vorahnungen. Was immer am Vorabend unklug gesprochen worden war, welche Aussagen man von ihr auch erwarten mochte – für Cadfael stand eindeutig fest, daß die junge Frau keinerlei Vorbehalte gegen ihren Begleiter hatte; die Tatsache, daß sie zusammen eintraten und offensichtlich beieinander gewesen waren, als die Vorladung überbracht wurde, sprach für sich. Ihre erwartungsvollen Gesichter spiegelten Verwunderung, aber kein Gefühl der Bedrohung; Aldwins Anklage würde nicht nur für den jungen Mann, sondern auch für das Mädchen ein niederschmetternder Schlag sein. Gerbert würde bestimmt eine widerstrebende, wenn nicht sogar eine feindselige Zeugin haben, dachte Cadfael, der sich der parteiischen Anteilnahme seines Herzens durchaus bewußt war. Auch hatte er gespürt, daß Abt Radulfus die Bedeutung ihres gemeinsamen Eintretens und der verwunderte Blick, den sie tauschten, bevor sie der Versammlung von Prälaten und Klosterbrüdern ihre Reverenz erwiesen und darauf warteten, aufgeklärt zu werden, ebensowenig entgangen war wie ihm.

»Ihr habt nach uns geschickt, Ehrwürdiger Abt«, sagte Elave, da niemand das Schweigen brach. »Hier sind wir.«

Das »Wir« besagt alles, dachte Cadfael. Wenn sie gestern abend noch irgendwelche Zweifel hegte, die ihn betrafen, so hat sie sie heute morgen vergessen oder sie noch einmal überdacht und verworfen. Und auch dies ist ein gültiges Zeugnis, zu welcher Aussage sie später auch gezwungen sein mag.

»Ich habe nach Euch geschickt, Elave«, sagte der Abt bedächtig, »damit Ihr uns bei einer Sache helft, die heute morgen aufgekommen ist. Wartet einen Moment, da ist noch jemand, der vorgeladen wurde.«

In diesem Augenblick kam er herein, bedächtig und ein wenig eingeschüchtert von dem Tribunal, aber – so empfand es Cadfael – keineswegs im unklaren über das, was von ihm verlangt wurde. Auf Conans wettergegerbtem, wachsamem, hübschem und rosigem Gesicht lag keine großäugige Verblüffung, und es fiel auf, daß er die Augen respektvoll auf den Abt gerichtet hielt und Elave keinen einzigen Seitenblick gönnte. Er wußte, was im Busch war, er war darauf vorbereitet. Er hütete sich, Eifer an den Tag zu legen, aber er ließ auch kein Widerstreben erkennen.

»Mylord, mir wurde gesagt, Conan würde hier gewünscht. So heiße ich.«

»Können wir nun endlich anfangen?« fragte Chorherr Gerbert ungeduldig und bewegte sich gereizt auf seinem Stuhl.

»Ja«, sagte Radulfus. »Jerome, holt den Mann Aldwin herein. Und ihr, Elave, tretet vor in die Mitte. Dieser Mann hat etwas vorzubringen, das nur in Eurer Gegenwart gesagt werden sollte.«

Schon bei der Nennung des Namens waren Fortunata und Elave zusammengefahren, noch bevor Aldwin sein Gesicht an der Tür zeigte und mit einer Entschlossenheit und Angriffslust eintrat, die ihm sonst fremd waren, und die an den Tag zu legen ihn vermutlich einige Mühe kostete. Die Züge seines langen Gesichts verrieten eifrige Unbeirrbarkeit; ein Mann, der von Natur aus resigniert und schüchtern war, schien entschlossen, ein Unternehmen durchzustehen, das Mut verlangte. Er bezog nur eine Armeslänge von Elave entfernt Stellung und reagierte auf den bestürzten Blick des jungen Mannes mit einem aggressiven Vorschieben des Kinns; doch auf seiner Stirnglatze standen Schweißtropfen. Er spreizte die Beine, um auf den Steinen des Fußbodens festen Halt zu finden, und erwiderte ungerührt Elaves Blick. Elave hatte bereits begonnen zu verstehen – im Gegensatz zu Fortunata, ihrem bestürzten Gesicht nach zu urteilen. Sie trat ein oder zwei Schritte zurück und ließ einen forschenden Blick vom Gesicht des einen Mannes zu dem des anderen wandern.

»Dieser Mann«, sagte der Abt ruhig, »hat gegen Euch, Elave, Anklage erhoben. Er sagt, Ihr hättet gestern abend im Hause seines Herrn zu Fragen der Religion Ansichten geäußert, die den Lehren der Kirche zuwiderlaufen und Euch in den Verdacht der Ketzerei bringen. Er benennt diese Leute als Zeugen für das, wessen er Euch beschuldigt. Wie ist es, gab es tatsächlich eine derartige Unterhaltung zwischen euch? Ihr wart anwesend und habt gesprochen, und sie waren anwesend und haben zugehört?«

»Vater«, sagte Elave, der sehr bleich und sehr ruhig geworden war, »ich befand mich dort im Hause. Ich habe mich mit ihnen unterhalten. Das Gespräch betraf Glaubensfragen. Schließlich hatten wir gerade einen guten Herrn begraben, da war es nur natürlich, daß wir seiner Seele gedachten und unserer eigenen.«

»Und seid ihr selbst ehrlich und aufrichtig überzeugt, daß Ihr nichts gesagt habt, das unvereinbar ist mit dem wahren Glauben?« fragte Radulfus sanft.

»Soweit ich es weiß und verstehe, Vater, habe ich das niemals getan.«

»Ihr, Aldwin«, befahl Chorherr Gerbert und lehnte sich auf seinem Sitz vor, »wiederholt jetzt diese Dinge, über die Ihr Euch bei Bruder Jerome beklagt habt. Laßt uns alles hören, gebt die Worte so wieder, wie Ihr sie gehört habt, soweit Ihr Euch ihrer erinnern könnt. Ändert nichts ab!«

»Hohe Herren, wir saßen zusammen, wir sprachen über William, den wir gerade begraben hatten, und Conan fragte, ob er Elave auf denselben Weg geführt hätte, der ihn vor vielen Jahren in Schwierigkeiten mit dem Priester gebracht hat. Und Elave sagte, William hätte aus seinem Denken nie ein Geheimnis gemacht, und auf seinen Reisen hätte ihm nie jemand einen Vorwurf daraus gemacht, daß er über solche Dinge nachdachte. Wozu hat man einen Verstand, hat er gesagt, wenn nicht, um ihn zu benutzen. Und wir haben gesagt, das wäre Anmaßung bei einfachen Leuten wie uns; unsere Sache wäre es, zuzuhören und Amen zu sagen zu dem, was die Kirche uns sagt, denn in diesem Bereich haben die Priester Macht über uns.«

»Eine sehr vernünftige Ansicht«, erklärte Gerbert rundheraus. »Und was hat er darauf erwidert?«

»Herr, er sagte, wie könne man Amen sagen zur Verdammung eines ungetauften Kindes zur Hölle? Nicht einmal die schlechtesten Männer brächten es fertig, ein Kind ins Feuer zu werfen, wie könnte dann Gott, der die Güte selbst ist, es tun? Das wäre wider seine Natur, sagte er.«

»Das läuft darauf hinaus«, sagte Gerbert, »daß die Kindstaufe unnötig und sinnlos ist. Einen anderen logischen Schluß kann man aus dieser Argumentation nicht ziehen. Wer behauptet, daß sie nicht der Erlösung durch die Taufe bedürfen, um der unausweichlichen Verdammnis zu entgehen, der macht das Sakrament verächtlich.«

»Habt Ihr die Worte gesprochen, die Aldwin hier wiederholt hat?« fragte Radulfus gelassen nach einem Blick in Elaves erregtes und entrüstetes Gesicht.

»Das habe ich getan, Vater. Ich glaube nicht, daß unschuldige Kinder, nur weil die Taufe sie nicht mehr rechtzeitig vor ihrem Tod erreicht hat, aus Gottes Hand fallen können. So unsicher kann sein Griff nicht sein.«

»Ihr beharrt auf einem tödlichen Irrtum«, erklärte Gerbert. »Es ist, wie ich gesagt habe. Eine derartige Überzeugung verwirft und entwürdigt das Sakrament der Taufe, die einzige Erlösung von der Erbsünde. Und wer ein Sakrament verhöhnt, der bestreitet alle Sakramente. Das allein genügt zu Anklage und Verurteilung.«

»Herr«, fuhr Aldwin eifrig fort, »er hat außerdem gesagt, er hielte die Taufe nicht für unerläßlich, weil er nicht glaubte, daß Kinder schon von der Sünde beladen zur Welt kommen. Wie könnte das sein, sagte er, bei so einem kleinen Ding, das kaum auf diese Welt gekommen und noch nicht imstande ist, selbst etwas zu tun, ob gut oder böse. Ist das nicht in der Tat eine eitle Verhöhnung der Taufe? Und wir haben gesagt, wir glaubten, wie man uns gelehrt habe, daß selbst die noch Ungeborenen durch die Sünde Adams verderbt und mit ihm gestürzt sind. Aber, hat er gesagt, wofür sich ein Mensch am Tage des Jüngsten Gerichts zu verantworten hätte, wären nur seine eigenen Taten, gute wie böse; und seine eigenen Taten wären es, die über Verdammnis oder Erlösung entscheiden.«

»Wer die Erbsünde bestreitet, setzt jedes Sakrament herab«, wiederholte Gerbert eindringlich.

»Nein, so habe ich das nie gesehen«, protestierte Elave hitzig. »Ich habe gesagt, ein hilfloses Neugeborenes kann kein Sünder sein. Aber fraglos heißt die Taufe es in der Welt und in der Kirche willkommen und hilft ihm, sich seine Unschuld zu bewahren. Ich habe nie gesagt, sie wäre nutzlos oder nicht von Belang.«

»Aber Ihr bestreitet die Erbsünde?« bedrängte ihn Gerbert.

»Ja«, sagte Elave nach längerem Schweigen. »Ich bestreite sie.« Auf seinem Gesicht lag jetzt eine eisige Blässe, aber sein Kinn war vorgeschoben, und in seinen Augen begann eine tiefe, stille Wut zu glimmen.

Abt Radulfus musterte ihn eingehend und fragte dann mit

ruhiger und sachlicher Stimme: »In welchem Zustand, glaubt Ihr, befindet sich demnach ein Kind, das eben zur Welt gekommen ist? Ein Kind, das ein Sohn Adams ist, wie wir alle?«

Elave erwiderte seinen Blick ebenso eingehend, fasziniert von der Gelassenheit der Stimme, die ihn befragte. »Sein Zustand ist derselbe«, sagte er langsam, »wie der Zustand Adams vor dem Sündenfall. Denn selbst Adam hatte einst seine Unschuld.«

»So haben schon andere vor Euch argumentiert«, sagte Radulfus, »und sie wurden nicht unbedingt als Ketzer verurteilt. Viel ist über dieses Thema geschrieben worden, guten Glaubens und in tiefer Sorge um das Wohl der Kirche. Ist das das Schlimmste, was Ihr, Aldwin, gegen diesen Mann vorzubringen habt?«

»Nein, Vater«, sagte Aldwin hastig, »da ist noch mehr. Er hat gesagt, es wären die eigenen Taten eines Menschen, die ihn verdammen oder erlösen; allerdings wäre ihm nur selten jemand begegnet, der so schlecht war, daß er die ewige Verdammnis hätte befürchten müssen. Und dann sagte er, in Alexandria hätte es einmal einen Kirchenvater gegeben, der behauptet hätte, letzten Endes würde jeder Mensch errettet, sogar die gestürzten Engel, sogar der Teufel selbst.«

Ein Schauder von Unbehagen durchlief die Reihen der Brüder, doch der Abt bemerkte schlicht: »Das ist richtig. Sein Name war Origenes. Er hat gelehrt, daß alle Dinge von Gott kommen und zu ihm zurückkehren müssen. Sofern ich mich recht entsinne, war es einer seiner Gegner, der den Teufel ins Spiel brachte, obwohl ich zugeben muß, daß die Schlußfolgerung nahelag. Wenn ich Euch recht verstanden habe, hat Elave nur zitiert, was Origenes angeblich gesagt und geglaubt hat. Er hat nicht gesagt, daß er es selbst glaubte? Nun, Aldwin?«

Diese Frage bewog Aldwin, vorsichtig das Kinn einzuziehen und daran zu denken, daß er sich selbst einen Weg durch

Schwemmsand bahnen mußte. »Nein, Vater, das stimmt. Er hat nur gesagt, es hätte einen Kirchenvater gegeben, der das behauptete. Aber wir haben gesagt, das wäre Blasphemie, denn die Kirche lehrt uns, daß uns die Erlösung durch die Gnade Gottes widerfährt und durch nichts sonst, und daß das Tun eines Menschen dabei belanglos ist. Aber dann sagte er rundheraus: Das glaube ich nicht!«

»Habt Ihr das gesagt?« fragte Radulfus.

»Das habe ich.« Elave war das Blut zu Kopfe gestiegen, die Blässe seines Gesichts war gewichen, und seine Augen leuchteten. Cadfael verzweifelte an ihm, aber gleichzeitig war er begeistert. Der Abt hatte sein Bestes getan, um all die gärenden Zweifel, die Bosheit und die Angst, die sich wie eine dunkle Wolke über den Kapitelsaal gelegt hatten, zu vertreiben – und da stand dieser dickköpfige Bursche, nahm sämtliche Herausforderungen an und widersprach sogar denen, die ihm zu helfen versuchten. Jetzt, da er zum Kampf herausgefordert war, würde er auch kämpfen. Er würde keinen Schritt zurückweichen, nur um seine Haut zu retten. »Das habe ich gesagt. Und ich sage es abermals. Ich habe gesagt, daß es in unserer Macht liegt, uns unseren eigenen Weg zur Erlösung zu bahnen. Ich habe gesagt, daß wir über den freien Willen verfügen, uns zwischen Gut und Böse zu entscheiden, uns zum Himmel emporzuarbeiten oder hinunterzustürzen in die Hölle, und daß letzten Endes jeder am Tage des Jüngsten Gerichts Rechenschaft ablegen muß. Ich habe gesagt, wenn wir Menschen sind und keine Tiere, dann müssen wir uns unseren eigenen Weg zur Gnade suchen und dürfen nicht einfach auf dem Hintern sitzenbleiben und warten, bis sie uns erhebt – das wäre unwürdig.«

»Um solcher Arroganz willen«, trompetete Chorherr Gerbert, durch die blitzenden Augen und die feste Stimme ebenso herausgefordert wie durch das Gesagte, »und um solchen Stolzes willen wurden die aufrührerischen Engel gestürzt! Und das würdet Ihr auch tun ohne Gott, und Ihr leugnet die Gnade Gottes, das einzige, was Eure überhebliche Seele zu retten vermag . . .«

»Ihr tut mir Unrecht«, erwiderte Elave hitzig. »Ich leugne keineswegs die Gnade Gottes. Die Gnade liegt in den Gaben, die er uns verliehen hat, dem freien Willen, zwischen Gut und Böse zu wählen und uns selbst den Weg zur Erlösung zu bahnen – und in der Kraft, die richtige Wahl zu treffen. Wenn wir das unsere tun, wird Gott den Rest besorgen.«

Abt Radulfus klopfte scharf mit seinem Ring auf die Lehne seines Stuhls und rief die Versammlung mit unerschütterter Autorität zur Ordnung. »Was mich betrifft«, sagte er, als wieder Ruhe eingetreten war, »so kann ich einem Mann keinen Vorwurf daraus machen, wenn er überzeugt ist, daß er von der Gnade den rechten Gebrauch machen kann und sollte, um ihrer teilhaftig zu werden. Aber wir weichen von dem ab, um dessentwillen wir hier zusammengekommen sind. Hören wir uns an, was Elave gesagt haben soll, und soll er davon zugeben, was er zugeben will, und abstreiten, was er abstreiten will. Und dann sollen diese Zeugen es bestätigen oder widerlegen. Habt Ihr sonst noch etwas vorzubringen, Aldwin?«

Inzwischen hatte Aldwin begriffen, daß er im Umgang mit dem Abt Vorsicht walten lassen mußte und den nackten Worten, die er über Nacht auswendig gelernt hatte, nichts hinzufügen durfte.

»Nur noch eines, Vater. Ich sagte, ich hätte einmal von einem Priester gehört, der heilige Augustinus hätte geschrieben, daß die Zahl der Auserwählten feststehe und unveränderlich sei, und alle übrigen seien verdammt. Und er sagte, das glaube er nicht. Ich konnte mich nicht enthalten zu fragen, ob er nicht einmal dem heiligen Augustinus glaube? Und er hat wieder gesagt, das glaube er nicht.«

»Ich habe gesagt«, erklärte Elave hitzig, »ich könne nicht glauben, daß die Liste bereits voll ist. Weshalb sollten wir uns dann bemühen, gute Menschen zu sein und Gott zu ehren oder irgend etwas auf die Worte der Priester zu geben, die uns ermahnen, Recht zu tun, und die von uns Beichte und Buße verlangen, wenn wir gefehlt haben? Weshalb, wenn wir ohnehin verdammt sind, was immer wir tun? Und als er abermals fragte, ob ich dem heiligen Augustinus nicht glaubte, da habe ich gesagt, *wenn* er das geschrieben hat, nein, dann glaube ich ihm nicht. Denn ich weiß nicht, ob er jemals etwas dergleichen geschrieben hat.«

»Entspricht das der Wahrheit?« fragte Radulfus, bevor Gerbert etwas sagen konnte. »Aldwin, könnt Ihr bestätigen, daß dies tatsächlich die Worte waren, die er gesprochen hat?«

»Es kann sein«, pflichtete Aldwin ihm vorsichtig bei. »Ja, ich glaube, er hat gesagt, *wenn* der Heilige das geschrieben hat. Für mich macht das keinen Unterschied, aber das könnt Ihr Herren besser beurteilen als ich.«

»Und das war alles? Ihr habt nichts mehr hinzuzufügen?«

»Nein, Vater, das war alles. Danach sind wir gegangen, wir wollten nichts mehr mit ihm zu tun haben.«

»Das war klug«, erklärte Chorherr Gerbert ingrimmig. »Und jetzt, Vater Abt, können wir uns wohl anhören, was die Zeugen zu sagen haben. Meiner Ansicht nach ist das, was wir vernommen haben, schwerwiegend genug, wenn diese beiden Personen das Gesagte bestätigen können.«

Conan lieferte seinen Bericht über die Unterhaltung am Vorabend so flüssig und bereitwillig, daß Cadfael das Gefühl nicht loswurde, er hätte seine Rede auswendig gelernt. Das Bild einer kleinen Verschwörung drängte sich ihm so deutlich auf, daß er sich wunderte, weshalb es nicht allen auffiel. Dem Abt, dachte er, während er das beherrschte, asketische Gesicht musterte, war es mit ziemlicher Wahrscheinlichkeit klar; doch selbst wenn die beiden Männer sich zusammengetan hatten, um ihre eigenen Absichten zu verfolgen, blieb doch die Tatsache bestehen, daß diese Dinge gesagt worden waren, und Elave leugnete es nicht, auch wenn er hier und da korrigierte oder verdeutlichte. Wie hatten sie ihn dazu veranlaßt, so offen zu reden? Und was noch wichtiger war – wie hatten sie dafür gesorgt, daß auch das Mädchen zugegen war? Denn es wurde immer deutlicher, daß von ihrer Aussage alles abhing. Je stärker Abt Radulfus Aldwin und Conan der Gehässigkeit gegenüber Elave verdächtigte, desto wichtiger wurde, was Fortunata dazu zu sagen hatte.

Sie war allem, was bisher geschehen war, aufmerksam gefolgt. Verspätetes Begreifen hatte ihr ovales Gesicht erblassen lassen und ihre Augen in funkelnder Besorgnis geweitet; ihr Blick wanderte von einem Gesicht zum anderen, als Fragen gestellt und Antworten gegeben wurden und die Spannung im Kapitelsaal wuchs. Als der Abt sich ihr zuwendete, erstarrte sie und preßte nervös die Lippen zusammen.

»Und Ihr, Kind? Ihr wart gleichfalls zugegen und habt gehört, was gesprochen wurde?«

Sie sagte vorsichtig: »Ich war nicht die ganze Zeit dabei. Ich habe meiner Mutter in der Küche geholfen, als die drei Männer beieinandersaßen.«

»Aber Ihr habt Euch später zu ihnen gesellt«, sagte Gerbert. »Zu welchem Zeitpunkt? Habt Ihr gehört, daß er sagte, die Kindstaufe wäre unnötig und nutzlos?«

Auf diese Frage erwiderte sie mutig: »Nein, Herr, denn das hat er nie gesagt.«

»Oh, wenn Ihr Euch an den Wortlaut klammern wollt... Also gut, habt Ihr gehört, wie er sagte, er glaube nicht, daß ungetaufte Kinder zur Hölle verdammt sind? Denn das läuft auf dasselbe hinaus.«

»Nein«, sagte Fortunata. »Er hat überhaupt nicht gesagt, was er in dieser Beziehung selbst glaubt. Er sprach von seinem Herrn, der jetzt tot ist. Er sagte, William habe gesagt, daß nicht einmal die schlechtesten Männer es fertigbringen, ein Kind ins Feuer zu werfen, wie könnte dann Gott es tun?

Und als er das sagte«, erklärte Fortunata entschlossen, »teilte er uns mit, was William gesagt hatte, nicht, was er selbst glaubte.«

»Das stimmt, aber es ist nur die halbe Wahrheit«, rief Aldwin, »denn gleich darauf habe ich ihn unumwunden gefragt: Bist du der gleichen Meinung? Und er erwiderte: Ja, das sage ich auch.«

»Ist das wahr, Mädchen?« wollte Gerbert wissen; er warf Fortunata einen finsteren Blick zu. Und als sie seinen Blick mit blitzenden Augen, aber fest verschlossenen Lippen erwiderte: »Ich glaube, daß diese Zeugin nicht den Wunsch hat, uns zu helfen. Wie es scheint, hätten wir gut daran getan, alle Aussagen unter Eid machen zu lassen. Wir wollen zumindest im Falle dieser Frau sichergehen.« Er ließ seinen drohenden Blick lange auf dem hartnäckig schweigenden Mädchen ruhen. »Frau, wißt Ihr, in welchen Verdacht Ihr Euch selbst bringt, wenn Ihr nicht die Wahrheit sprecht? Prior Robert, bringt ihr eine Bibel. Laßt sie auf das Evangelium schwören und ihr Seelenheil gefährden, wenn sie lügt.«

Fortunata legte ihre Hand auf das Buch, das Prior Robert feierlich vor ihr aufschlug, und sprach den Eid mit so leiser Stimme, daß er fast unhörbar war. Elave hatte den Mund geöffnet und in hilflosem Zorn über den gegen sie erhobenen Verdacht einen Schritt auf sie zugetan, hielt aber ebenso rasch wieder inne und stand stumm da, mit zusammengebissenen Zähnen und einem bitteren Geschmack im Mund.

»Und nun«, sagte der Abt mit einer so ruhigen, aber unerschütterlichen Autorität, daß selbst Gerbert keinen weiteren Versuch unternahm, die Verhandlung an sich zu reißen, »wollen wir alle Fragen zurückstellen, bis Ihr uns selbst ohne Hast und Angst alles erzählt habt, was Euch von dem Gespräch in Erinnerung geblieben ist. Sprecht offen, und ich bin überzeugt, wir werden die Wahrheit hören.«

Sie faßte Mut, holte tief Luft und berichtete sorgfältig, soweit sie sich erinnerte. Ein- oder zweimal zögerte sie, ernstlich versucht, etwas auszulassen oder zu erläutern, und Cadfael bemerkte, wie ihre linke Hand die rechte, die auf dem aufgeschlagenen Evangelium gelegen hatte, umklammerte. Doch dann faßte sie sich und sprach weiter.

»Mit Eurer Erlaubnis, Vater Abt«, sagte Gerbert ingrimmig, als sie geendet hatte, »möchte ich, wenn Ihr der Zeugin die Fragen gestellt habt, die Euch angemessen erscheinen, ihr selbst drei Fragen stellen, die den Kern dieser Angelegenheit betreffen. Aber zuerst fahrt bitte fort.«

»Ich habe keine Fragen«, sagte Radulfus. »Die junge Frau hat uns unter Eid ihren Bericht gegeben, und ich halte dafür, daß sie die Wahrheit gesprochen hat. Fragt, was Ihr fragen wollt.«

»Erstens«, sagte Gerbert, wobei er sich auf seinem Stuhl vorlehnte, mit über seinen durchdringenden Augen zusammengezogenen dichten Brauen, »habt Ihr gehört, daß der Angeklagte sagte, als er rundheraus gefragt wurde, ob er mit seinem Herrn übereinstimme, der nicht glaubte, daß ungetaufte Kinder zur Hölle verdammt wären, ja, darin stimme er mit ihm überein?«

Sie wendete für einen Augenblick den Kopf ab und preßte zur Erinnerung ihre rechte Hand zusammen, und dann sagte sie mit sehr leiser Stimme: »Ja, das habe ich gehört.«

»Damit leugnet er das Sakrament der Taufe. Zweitens, habt Ihr gehört, wie er bestritten hat, daß alle Menschenkinder mit der Sünde Adams beladen sind? Habt Ihr gehört, wie er sagte, daß nur die eigenen Taten eines Menschen ihn erlösen oder verdammen?«

Mit plötzlich aufflammendem Mut sagte sie, lauter als zuvor: »Ja, aber er hat nicht die Gnade geleugnet, die Gnade liegt in der Gabe der Freiheit des Willens ...«

Gerbert unterbrach sie mit erhobener Hand und funkelnden Augen. »Er hat es gesagt. Das genügt. Es ist die Behauptung, die Gnade Gottes wäre unnötig, die Erlösung läge in der Hand des Menschen. Drittens, habt Ihr gehört, wie er sagte und wiederholte, er glaube nicht, was der heilige Augustinus über die Erwählten und die Verworfenen geschrieben hat?«

»Ja«, sagte sie, diesmal langsam und bedächtig: »*Wenn* der Heilige das geschrieben hat, sagte er, dann glaube ich ihm nicht. Niemand hat mir je davon erzählt, und ich kann nicht lesen und schreiben, abgesehen von meinem Namen und einigen wenigen Worten. Hat der heilige Augustinus tatsächlich gesagt, was er dem Priester zufolge gesagt haben soll?«

»Das reicht!« fuhr Gerbert sie an. »Dieses Mädchen bestätigt alles, was gegen den Angeklagten vorgebracht wurde. Das weitere Vorgehen liegt bei Euch.«

»Meine Entscheidung lautet«, sagte Radulfus, »daß wir die Sitzung beenden, und daß jeder für sich nachdenken sollte. Die Zeugen sind entlassen. Geht heim, Tochter, und seid versichert, daß Ihr die Wahrheit gesprochen habt. Über alles Weitere braucht Ihr Euch keine Sorgen zu machen, denn die Wahrheit kann nicht anders sein als gut. Geht, ihr alle, aber haltet euch bereit für den Fall, daß ihr noch einmal gebraucht und gerufen werdet. Und Ihr, Elave...« Er musterte das ihm zugewandte Gesicht des jungen Mannes, blaß, entschlossen und zornig, mit zusammengepreßten Lippen und weit geöffneten, funkelnden Augen. »Ihr seid Gast in unserem Hause. Ich sehe keinen Grund, weshalb wir uns nicht auf Euer Wort verlassen sollten.« Ihm war bewußt, daß Gerbert seine Entscheidung mißbilligte, aber er fuhr mit erhobener Stimme fort und erstickte den Protest im Keime. »Wenn Ihr versprecht, Euch nicht von hier zu entfernen, bis diese Angelegenheit erledigt ist, dann steht es Euch in der Zwischenzeit frei, nach Belieben zu kommen und zu gehen.«

Einen Augenblick lang war Elave nicht ganz bei der Sache. Fortunata hatte sich an der Tür umgedreht, um noch einen Blick zurückzuwerfen, dann war sie fort. Conan und Aldwin waren, sobald sie entlassen worden waren, eiligst aufgebrochen und schon vor ihr verschwunden. Sie glaubten ihren

Fall in den Händen des Prälaten, der eine scharfe Nase für unorthodoxe Ansichten hatte, sicher aufgehoben. Elave wendete seinen respektvollen Blick wieder dem Abt zu und sagte entschlossen: »Herr, ich gedenke meine Unterkunft hier in Eurem Hause nicht zu verlassen, bevor ich das nicht frei und gerechtfertigt tun kann. Darauf gebe ich Euch mein Wort.«

»Dann geht, bis ich Euch wieder rufen lasse. Und nun«, sagte Radulfus, während er sich erhob, »ist diese Versammlung aufgehoben. Geht Eurer Arbeit nach, jeder einzelne von euch, und bedenkt, daß dies noch immer der dem Andenken der heiligen Winifred gewidmete Tag ist, und daß auch die Heiligen Zeugnis ablegen über alles, was wir tun, und dementsprechend aussagen.«

»Ich kann Euch sehr gut verstehen«, sagte Chorherr Gerbert, als er allein mit Radulfus im Sprechzimmer des Abtes saß. Er wirkte entspannt und sogar etwas erschöpft, hatte all seinen gestrengen Eifer abgeschüttelt, ein fehlbarer, um seinen Glauben besorgter Mensch. »Hier, von der Welt zurückgezogen oder schlimmstenfalls mit der näheren Umgebung und den in ihr lebenden Menschen befaßt, sind Euch die Gefahren des Irrglaubens unbekannt. Ich gestehe Euch zu, daß er bisher seinen Schatten noch nicht auf dieses Land geworfen hat. Ich bete darum, daß Eure Leute standhaft genug sein mögen, allen derartigen Versuchungen zu widerstehen. Aber sie kommen, Hochwürdiger Abt, sie kommen! Vom Osten aus bahnen sich die Schlangen der Verderbnis ihren Weg nach Westen, und bei allen Reisenden, die aus dem Osten kommen, befürchte ich, daß sie – vielleicht sogar unwissentlich – die üble Saat mitbringen, die dann hier Wurzeln schlägt und wächst. Böswillige Wanderprediger sind am Werk, in Flandern, in Frankreich, am Rhein, in der Lombardei; sie verleumden die Heilige Kirche und ihre Priesterschaft, behaupten, wir wären korrupt und habgierig, während die Apostel einfach gelebt hätten, in heiliger Armut. In Antwerpen hat ein gewisser Tachelm Tausende von Verblendeten um sich geschart; sie sind in Kirchen eingedrungen und haben ihren Schmuck heruntergerissen. In Rouen läuft ein weiterer solcher Mann herum, predigt Armut und Demut und verlangt Reformen. Ich bin im Auftrag meines Erzbischofs im Süden herumgereist und habe gesehen, wie der Irrtum wächst und sich ausbreitet wie ein Buschfeuer. Dabei handelt es sich nicht um einige wenige und harmlose Irre. In der Provence und im Languedoc gibt es Gegenden, in denen eine Form der manichäischen Ketzerei so stark geworden ist, daß man sie fast eine Gegenkirche nennen möchte. Kann es Euch da wundern, daß ich selbst den ersten schwachen Funken fürchte, der einen solchen Brand auslösen könnte?«

»Nein«, sagte Radulfus, »das wundert mich nicht. Wir sollten niemals aufhören, wachsam zu sein. Aber wir müssen auch jeden Menschen deutlich vor uns sehen und alle seine Taten und Worte berücksichtigen; wir dürfen ihm nicht voreilig diesen alles verbergenden Mantel der Ketzerei überwerfen. Sobald das Wort Häresie einmal gesprochen ist, kann der Mensch selbst unsichtbar werden. Und damit entbehrlich! Hier haben wir es gewiß nicht mit einem Wanderprediger zu tun, einem Entflammer der Menge, einem ehrgeizigen Verrückten, der, um seine eigenen Ziele zu verfolgen, eine Gefolgschaft aufpeitscht. Der Junge sprach von einem Herrn, dem er gedient hat und den er schätzte, und deshalb neigte er dazu, sich lobend über ihn zu äußern, seine kühnen Zweifel zu verteidigen, und zwar loyal und hitzig, weil seine Gefährten ihre Stimme gegen ihn erhoben. Außerdem hatte er vermutlich genug getrunken, um seine Zunge zu lockern. Es ist durchaus möglich, daß er mehr gesagt und vor uns wiederholt hat, als er in Wirklichkeit glaubt, zu seinem eigenen Schaden. Sollen wir dasselbe tun?«

»Nein«, sagte Gerbert nachdrücklich. »Das würde ich

nicht wollen. Und ich sehe ihn auch deutlich. Wie Ihr mit Recht sagt, ist er kein Aufrührer, der Böses im Schilde führt, sondern ein braver, schwer arbeitender Bursche, seinem Herrn nützlich und zweifellos ehrlich und wohlmeinend gegenüber seinen Nachbarn. Seht Ihr nicht, in welchem Maße ihn das gefährlicher macht? Irrlehren zu hören von jemandem, der offenkundig selbst irrt und verworfen ist, das ist keine Versuchung, aber wenn man sie von jemandem hört, der gut aussieht und in gutem Ruf steht, der sie aus innerster Überzeugung ausspricht, dann kann das eine tödliche Verführung sein. Und deshalb fürchte ich ihn.«

»Und deshalb ist der Heilige eines Jahrhunderts der Ketzer des nächsten«, erwiderte der Abt trocken, »und der Ketzer eines Jahrhunderts der Heilige des nächsten. Es empfiehlt sich, lange und in aller Gelassenheit nachzudenken, bevor man einem Menschen den Namen des einen oder des anderen anhängt.«

»Damit vernachlässigen wir eine Pflicht, der wir uns nicht entziehen können«, sagte Gerbert, jetzt wieder aufgebracht. »Der Gefahr, die uns hier und jetzt droht, muß hier und jetzt begegnet werden, sonst ist die Schlacht verloren, denn dann ist die Saat ausgebracht und hat Wurzeln geschlagen.«

»Dann können wir wenigstens die Spreu vom Weizen trennen. Und vergeßt nicht«, sagte Radulfus ernst, »daß überall, wo der Irrtum ehrlich gemeint ist und fehlgeleiteter Gutartigkeit entspringt, die Wunde durch Vernunft und Überredung geheilt werden kann.«

»Oder, wenn das nicht gelingt«, sagte Gerbert mit unbeugsamer Entschlossenheit, »dadurch, indem man das erkrankte Glied abhaut.«

SECHSTES KAPITEL

Elave passierte unbehindert das Tor und schlug den Weg zur Stadt ein. Offensichtlich wußte der Pförtner noch nichts von dem Alarm, den er, ein gewöhnlicher Sterblicher, unter den Gästen der Abtei ausgelöst hatte; vielleicht war er auch vom Abt informiert worden, daß der Angeklagte sein Ehrenwort gegeben hatte und es ihm freistand, nach Belieben zu kommen und zu gehen – sofern er nicht seine Habseligkeiten holte, um sich aus dem Staub zu machen. Jedenfalls versuchte niemand, ihm den Weg zu versperren. Der Bruder an der Pforte wünschte ihm, als er hindurchging, sogar fröhlich einen guten Tag.

Draußen in der Vorstadt blieb er einen Moment stehen, um die Straße in beiden Richtungen abzusuchen, aber die Zeugen der Anklage waren bereits außer Sicht. Dann machte er sich eilig auf den Weg zur Brücke und in die Stadt. Er war sicher, daß Fortunata in ihrer Bekümmernis direkt nach Hause gehen würde. Sie hatte den Kapitelsaal verlassen, bevor er sein Wort gegeben hatte, die Abtei nicht zu verlassen, bevor er gerechtfertigt war; vielleicht glaubte sie, daß er bereits ein Gefangener war, und vielleicht gab sie sich sogar selbst die Schuld an seiner mißlichen Lage. Er hatte gesehen, wie widerstrebend sie gegen ihn ausgesagt hatte, und der Gedanke, daß sie bekümmert war, quälte ihn in diesem Augenblick mehr als die Sorge, daß seine eigene Freiheit und sein Leben in Gefahr sein könnten. An diese Gefahr zu glauben fiel ihm schwer, deshalb war sie leicht zu ertragen. Aber an ihrer Erschütterung konnte es keinerlei Zweifel geben, und sie schmerzte ihn zutiefst. Er mußte mit ihr sprechen, ihr versichern, daß sie ihm keinerlei Unrecht zugefügt hatte, daß dieser Aufruhr vorübergehen würde, daß der Abt ein vernünftiger Mann war, und daß der andere, der Blut sehen wollte, bald wieder abreisen und das Urteil verständnisvolleren Richtern überlassen würde. Und was noch wichtiger war – ihm war bewußt, wie tapfer sie sich bemüht hatte, ihn zu verteidigen. Er war ihr dafür dankbar, hoffte insgeheim vielleicht sogar, darin eine tiefere Bedeutung zu finden als nur Mitgefühl und etwas Persönlicheres als nur den Wunsch, daß ihm Gerechtigkeit widerfahren möge. Aber er mußte seine Zunge hüten und durfte nicht zuviel sagen, solange auch nur der Schatten einer Verurteilung über ihm hing.

Er erreichte das Ende der Klostermauer; das Gelände zu seiner Linken öffnete sich zum silbrigen Oval des Mühlenteiches, und auf der rechten Straßenseite wichen die Häuser der Vorstadt einem Wäldchen, das sich bis fast an die Brücke über den Severn hinzog. Und da sah er sie vor sich, unverwechselbar, sie eilte die staubige Straße mit einem Ungestüm entlang, das eher auf wütende Entschlossenheit hindeutete als auf Verwirrung und Bestürzung. Er begann zu rennen und holte sie im Schatten der Bäume ein. Beim Geräusch seiner Schritte war sie herumgefahren, und als er sie erreicht hatte, ergriff sie, ohne daß außer seinem atemlosen »Mistress...!« ein Wort gesprochen worden war, seine Hand und zog ihn so weit in das Wäldchen hinein, daß sie von der Straße aus nicht mehr zu sehen waren.

»Was ist? Bist du frei? Ist alles vorüber?« Sie blickte zu ihm auf mit leuchtendem Gesicht, in dem sich unverkennbare Freude spiegelte, aber auch eine gewisse Angst davor, ebenso plötzlich enttäuscht zu werden, wie sie beglückt worden war.

»Nein, noch nicht. Nein, es wird noch weitere Verhandlungen geben, bevor ich das alles hinter mir habe. Aber ich mußte mit dir reden, dir danken für das, was du für mich getan hast...«

»Mir *danken*«, sagte sie mit leiser, ungläubiger Stimme. »Dafür, daß ich die Grube vor deinen Füßen noch ein wenig tiefer gegraben habe? Ich brenne vor Scham, daß ich nicht einmal den Mut zum Lügen aufgebracht habe!«

»Nein, nein, so darfst du nicht denken! Du hast mir nicht im mindesten Unrecht getan; du hast alles versucht, um mir zu helfen. Weshalb hättest du lügen sollen? Du hättest es ohnehin nicht gekonnt, es wäre wider deine Natur gewesen. Und ich werde auch nicht lügen«, erklärte Elave entschlossen, »oder etwas von dem zurücknehmen, was ich glaube. Ich bin gekommen, um dir zu sagen, daß du dir meinetwegen keine Sorgen machen und nicht einmal eine Sekunde lang glauben sollst, daß ich dir gegenüber etwas anderes empfinde als Dankbarkeit und Ehrerbietung. Du hast mir auf die einzige Art beigestanden, auf die ich mir deinen Beistand gewünscht hätte.«

Ihm war nicht einmal bewußt, daß er ihre beiden Hände ergriffen hatte und sie an seine Brust drückte, so daß sie Herz an Herz dastanden und der Rhythmus ihres Herzschlags und ihres Atmens sie beide erbeben ließ. Ihr zu ihm emporgewandtes Gesicht war aufmerksam und angespannt, ihre funkelnden braunen Augen weit aufgerissen.

»Wenn sie dich nicht freigelassen haben – wieso bist du dann hier? Wissen sie überhaupt, daß du fort bist? Werden sie nicht Jagd auf dich machen, sobald du vermißt wirst?«

»Weshalb sollten sie? Ich kann kommen und gehen, solange ich als Gast in der Abtei bleibe, bis das Urteil gesprochen ist. Der Abt hat mein Ehrenwort, daß ich nicht davonlaufe.«

»Aber das mußt du tun«, sagte sie eindringlich. »Ich danke Gott dafür, daß du hinter mir hergerannt bist, solange noch Zeit dazu ist. Du mußt auf der Stelle so weit fort von hier wie nur möglich. Am besten nach Wales. Und jetzt komm mit, schnell, ich bringe dich zu Jevans Schuppen hinter Frankwell und verstecke dich dort, bis ich dir ein Pferd besorgt habe.«

Elave schüttelte schon heftig den Kopf, bevor sie ausgesprochen hatte. »Nein, ich laufe nicht fort. Ich habe dem Abt mein Wort gegeben, aber selbst wenn er es nicht verlangt oder ich es nicht gegeben hätte, würde ich nicht davonlaufen. Ich denke nicht daran, mich einer so abergläubischen Torheit zu beugen. Damit würden nur die Verrückten ermutigt und andere Seelen in noch größere Gefahr gebracht als die meine. Ich glaube nicht, daß es irgendwelche schwerwiegenden Folgen haben wird, wenn ich auf meinen Ansichten beharre. So wahnsinnig sind wir noch nicht, daß ein Mann verfolgt werden kann, nur weil er über heilige Dinge nachdenkt. Du wirst sehen, der ganze Aufruhr wird sich wieder legen.«

»Nein«, beharrte sie, »nicht so ohne weiteres. Die Dinge ändern sich. Hast du den Rauch nicht sogar im Kapitelsaal gerochen? Ich sehe es kommen, auch wenn du es nicht tust. Ich wollte gerade so schnell wie möglich nach Hause, um mit Jevan über das zu sprechen, was noch vorgebracht werden könnte, um dich von dieser Gefahr zu befreien. Du hast etwas für mich mitgebracht, es muß wertvoll sein. Ich möchte es dazu verwenden, dich in Sicherheit zu bringen. Welchen besseren Gebrauch könnte ich davon machen?«

»Nein!« sagte er heftig protestierend. »Ich will es nicht haben! Ich werde nicht davonlaufen! Ich weigere mich, das zu tun. Und was ich mitgebracht habe, was immer es sein möge, ist für deine Ehe!«

»Meine Ehe!« sagte sie verwundert, sehr leise und richtete das grünliche Feuer ihrer Augen auf ihn, als wäre ihr der Gedanke völlig neu und sehr fremd.

»Mach dir um mich keine Sorgen, es wird alles gut ausgehen. Und jetzt gehe ich zurück«, sagte Elave entschlossen, zu erregt, um ein genauer Beobachter zu sein. »Keine Angst, ich werde genau aufpassen, was ich sage und wie ich mich verhalte, aber ich werde nicht leugnen, was ich glaube, oder etwas sagen, woran ich nicht glaube. Und ich werde nicht davonlaufen. Wovor denn auch? Ich habe keine Schuld auf mich geladen, um derentwillen ich flüchten müßte.«

Er gab ihre Hände mit einer fast groben Geste frei und machte sich auf den Rückweg zwischen den Bäumen hindurch. Doch dann schaute er noch einmal zurück. Sie hatte sich nicht von der Stelle gerührt, ihr Blick ruhte auf ihm, nachdenklich, fast streng, und sie hatte die Unterlippe zwischen die Zähne geschoben.

»Es gibt noch einen weiteren Grund dafür, daß ich nicht davonlaufe. Er allein würde schon genügen, um mich zu halten. Wenn ich jetzt davonliefe, würde ich dich verlassen müssen.«

»Glaubst du etwa«, sagte Fortunata, »ich würde dir nicht folgen und dich finden?«

Sie hörte die Stimmen bereits, bevor sie die Diele betrat, Stimmen, an denen sich nicht so sehr Zorn oder Streit erkennen ließ, als vielmehr Bestürzung und Verblüffung. Entweder Conan oder Aldwin hatte es für klug gehalten, gleich bei ihrem Eintreffen den Haushalt über die sensationelle Wendung der Ereignisse an diesem Morgen zu unterrichten, zweifellos um das, was sie getan hatten, im bestmöglichen Lichte erscheinen zu lassen. Sie zweifelte nicht daran, daß sie im Einverständnis miteinander gehandelt hatten, doch welche Motive sie auch gehabt haben mochten, sie wollten nicht einfach als schäbige Denunzianten dastehen. Ein Anstrich ehrlichen religiösen Abscheus und Pflichtgefühls würde ihre Bosheit übertünchen müssen.

Sie waren alle da. Margaret, Jevan, Conan und Aldwin standen in einer erregten Gruppe beisammen, Fragen und Antworten flogen hin und her. Conan hielt sich im Hintergrund und gab sich den Anschein des unschuldigen Zuschauers, der in den Streit anderer hineingezogen wurde; und als Fortunata eintrat, erklärte Aldwin laut und empört: »Wie hätte ich das wissen sollen? Mich bekümmerte, daß solche Dinge gesagt wurden, ich fürchtete um mein eigenes Seelenheil, wenn ich sie verschwieg. Was habe ich denn

getan? Ich habe Bruder Jerome gesagt, was mich beunruhigte . . .«

»Und der hat es Prior Robert berichtet«, rief Fortunata
von der Schwelle aus. »Und Prior Robert hat es allen weiter-
erzählt, vor allem diesem großen Herrn aus Canterbury, und
du hast recht gut gewußt, daß er das tun würde! Wie kannst
du behaupten, du hättest Elave nichts Böses antun wollen?
Du hast den Stein ins Rollen gebracht, und du hast gewußt,
wohin das führen würde.«

Sie waren alle herumgefahren, mehr erschrocken über ihren Zorn als über die Plötzlichkeit ihres Eintretens.

»Und deshalb«, erklärte sie hitzig, »hast du ihm gesagt,
wer dabeigewesen war und mitgehört hatte. Weshalb hättest
du das tun sollen, wenn du nicht wolltest, daß es weiterging?
Weshalb hast du mich in deine Machenschaften hineingezogen? Das werde ich dir nie verzeihen!«

»Warte! Warte!« rief Jevan und hob abwehrend die
Hände. »Willst du damit sagen, daß du als Zeugin aussagen
mußtest? In Gottes Namen, Mann, was ist in dich gefahren?
Wie konntest du unser Mädchen in eine solche Lage bringen?«

»Das war nicht ich, der das wollte«, protestierte Aldwin.
»Bruder Jerome hat aus mir herausgeholt, wer dabei war. Ich
selbst hatte nie die Absicht, sie in die Sache hineinzuziehen.
Ich bin ein Sohn der Kirche, ich mußte diese Last auf meinem Gewissen loswerden, doch dann geriet es außer Kontrolle.«

»Ich habe nie gewußt, daß du ein so frommer Christ bist«,
sagte Jevan traurig. »Du hättest dich ohne weiteres weigern
können, irgendwelche Namen außer deinem eigenen zu nennen. Nun, was geschehen ist, läßt sich nicht mehr ungeschehen machen. Und ist es jetzt vorüber? Müssen wir damit
rechnen, daß sie zu weiteren Fragen, weiteren Verhören gerufen wird? Wird das jetzt, da es einmal begonnen hat, bis
zum bitteren Ende weitergeführt werden?«

»Es ist nicht vorüber«, sagte Fortunata. »Sie haben kein Urteil gesprochen, aber so leicht werden sie nicht locker lassen. Elave mußte versprechen, nicht fortzugehen, bis er von der Anklage freigesprochen ist. Ich weiß es, weil ich gerade mit ihm geredet habe, unter den Bäumen in der Nähe der Brücke, und jetzt ist er auf dem Rückweg in die Abtei, um sich dem Gericht zu stellen. Ich habe ihn angefleht, davonzulaufen, aber er weigert sich. Da siehst du, was du einem armen jungen Mann eingebrockt hast, Aldwin – einem Mann, der dir nie etwas getan hat, der jetzt keine Familie und keinen Herrn hat, kein Dach über dem Kopf und keinen gesicherten Lebensunterhalt wie du! Da bist du, mit einer Lebensstellung und ohne Sorge für deine alten Tage, und er muß zusehen, wo er wieder Arbeit findet! Du hast einen Schatten über ihn geworfen, der ihm anhängen wird, wie immer das Urteil ausfallen mag, und der alle davon abhalten wird, ihn anzustellen, weil sie fürchten, sich durch den Kontakt mit ihm verdächtig zu machen. Weshalb hast du das getan? Weshalb?«

Aldwin hatte allmählich seine Fassung wiedergewonnen, die bei ihrem plötzlichen Eintreten ins Wanken geraten war; doch jetzt hatte es den Anschein, als hätte er sie vollständig verloren und seinen Verstand mit ihr. Er stand da und starrte sie stumm an, dann wanderte sein Blick zu Jevan. Er mußte zweimal schwer schlucken, bevor er etwas herausbrachte, und selbst dann stieß er die Worte noch ungläubig und mit grenzenloser Vorsicht hervor.

»Eine Lebensstellung?«

»Das weißt du doch«, sagte sie ungeduldig, und im nächsten Augenblick verstummte sie gleichfalls, weil ihr plötzlich klar wurde, daß für Aldwin nie etwas über jeden Zweifel erhaben war. Mit jedem Übel mußte gerechnet, alles Gute beargwöhnt und eifersüchtig überwacht werden, damit es ihm nicht unter den Händen verflog. »Oh, nein!« sagte sie mit einem verzweifelten Aufseufzen. »War *das* der Grund? Hast du etwa geglaubt, er wäre gekommen, um dich zu verdrängen und deinen Platz einzunehmen? Wolltest du ihn dir deshalb vom Halse schaffen?«

»Was?« rief Jevan. »Hat das Mädchen recht, Mann? Hast du etwa geglaubt, du würdest auf die Straße geworfen, damit er seine alte Stellung wieder einnehmen kann? Nach all den Jahren, die du hier gelebt und für uns gearbeitet hast? Hat dieses Haus je einem seiner Leute so etwas angetan? Das hättest du eigentlich besser wissen müssen!«

Aber genau das war Aldwins Problem – er schätzte sich selbst so gering ein, daß er nicht damit rechnete, jemals Anerkennung zu erfahren, selbst nach vielen Jahren, und seiner Meinung nach war kein Verlaß darauf, daß die Achtung und Rücksichtnahme, die das Haus Lythwood all seinen Bediensteten entgegenbrachte, in gleichem Maße auch ihm galt. Er stand wie vom Donner gerührt da, mit stumm arbeitendem Mund.

»Bei meiner Seele!« sagte Margaret bekümmert. »Der Gedanke, uns von dir zu trennen, ist uns überhaupt nicht gekommen. Wir hätten dich um nichts in der Welt vertreiben wollen. Er war ein guter Junge, als er bei uns war, aber er hat es selbst nicht gewollt. Ich habe ihm gesagt, wie die Dinge liegen, als er das erste Mal herkam, und er sagte natürlich, die Stellung gehört dir, und er hätte nicht das mindeste Verlangen danach, sie dir zu nehmen. Hast du dir deswegen die ganze Zeit den Kopf zerbrochen? Ich hätte gedacht, daß du uns besser kennst.«

»Ich hatte keinen Grund, ihm zu schaden«, sagte Aldwin, als spräche er zu sich selbst. »Überhaupt keinen.« Und plötzlich, mit einer krampfartigen Bewegung, die seinen alternden Körper erschütterte wie eine Sturmbö einen Strauch, fuhr er herum und taumelte auf die Tür zu. Conan ergriff seinen Arm und hielt ihn fest.

»Wo willst du hin? Was kannst du denn noch tun? Es ist nun einmal passiert. Du hast nicht gelogen. Was du gesagt hast, ist wirklich gesagt worden.«

»Ich hole ihn ein«, erklärte Aldwin mit ungewohnter Entschlossenheit. »Ich sage ihm, daß es mir leid tut. Ich gehe mit ihm zu den Mönchen und sehe zu, ob ich wiedergutmachen kann, was ich getan habe. Ich gestehe ein, weshalb ich es getan habe. Ich ziehe die Anklage zurück.«

»Sei kein Narr«, fuhr Conan ihn grob an. »Welchen Unterschied würde das machen? Die Anklage wurde erhoben, und die Priester werden sie nicht fallenlassen. Es ist keine Kleinigkeit, einen Mann der Ketzerei anzuklagen und dann einen Rückzieher zu machen. Das führt nur dazu, daß du ebenso tief in der Klemme steckst wie er. Und sie haben meine Aussage und die von Fortunata – was nützt es da, wenn du deine zurückziehst? Sei vernünftig und laß diesen Unsinn!«

Aber Aldwin hatte nun einmal Mut gefaßt, und sein Gewissen plagte ihn zu sehr, als daß er Argumenten zugänglich gewesen wäre. Er riß sich von der Hand los, die ihn zurückzuhalten versuchte. »Ich kann es wenigstens versuchen! Und das werde ich! Das ist das mindeste, was ich tun kann.« Dann war er zur Tür hinaus und eilte über den Hof auf die Straße zu. Conan wollte ihm folgen, aber Jevan rief ihn scharf zurück.

»Laß ihn in Ruhe! Wenn er schon zugibt, aus Angst und Bosheit gehandelt zu haben, muß er zumindest versuchen, die Anklage gegen den Jungen zu erschüttern. Worte, Worte, ich bezweifle nicht, daß sie gesprochen wurden, aber Worte können auf vielerlei Art gedeutet werden, und selbst ein geringer Zweifel kann der Sache ein anderes Aussehen geben. Du gehst wieder an die Arbeit und läßt den armen Teufel laufen, damit er sein Gewissen erleichtert, so gut er kann. Wenn er sich bei den Priestern unbeliebt macht, legen wir ein Wort für ihn ein und holen ihn heraus.«

Conan gab widerstrebend nach und tat seine unguten Gefühle mit einem Achselzucken ab. »Dann gehe ich am besten bis zum Dunkelwerden hinaus zu den Herden. Gott weiß, wie es ihm ergehen wird, aber vermutlich werden wir es so oder so erfahren.« Und er ging hinaus, immer noch mißbilligend den Kopf schüttelnd über Aldwins Torheit, und sie hörten seinen schweren Schritt, als er den Hof überquerte.

»Was für ein Durcheinander!« sagte Jevan mit erregtem Seufzen. »Ich muß auch weg und noch ein paar Häute aus dem Schuppen holen. Morgen kommt ein Chorherr aus Haughmond, und ich habe noch keine Ahnung, welches Format das Buch haben soll, an das er denkt. Nimm dir die Sache nicht so sehr zu Herzen, Kind«, sagte er und legte einen seiner langen Arme um Fortunatas Schultern. »Wenn es zum Schlimmsten kommt, werden wir den Prior von Haughmond bitten, für einen unserer Leute bei Gerbert ein gutes Wort einzulegen – ein Augustiner wird sich gewiß anhören, was ein anderer Augustiner zu sagen hat. Auch der Prior ist mir ein oder zwei Gefälligkeiten schuldig.«

Er gab sie frei und war seinerseits auf dem Weg zur Tür, als sie plötzlich fragte: »Onkel – zählt Elave auch zu unseren Leuten?«

Jevan fuhr herum und starrte sie an. Seine dünnen schwarzen Brauen waren erhoben, und in den dunklen Augen unter ihnen blitzte ein Lächeln auf, das selten kam, dann aber strahlend war, ein wenig spöttisch, ein wenig einschüchternd, aber für sie immer beruhigend.

»Wenn du ihn haben möchtest«, sagte er, »dann zählt er zu ihnen.«

Elave hatte auf dem Rückweg zum Torhaus der Abtei erst wenige Schritte zurückgelegt, als er sah, wie eine Rotte von Männern durch das offene Tor stürmte und sich am Rande der Vorstadt in zwei Gruppen teilte. Die Plötzlichkeit ihres Erscheinens und der ferne Lärm ihrer erhobenen Stimmen, als sie zum Vorschein kamen und sich trennten, veranlaßte ihn, schnell wieder in die Deckung der Bäume zurückzuweichen und sich zu fragen, ob die Aktion etwas mit ihm zu tun haben mochte. Sie waren eindeutig als Trupp ausgeschickt worden, und sie hatten Knüttel, was nichts Gutes verhieß, falls sie tatsächlich hinter ihm her waren. Er bahnte sich vorsichtig seinen Weg zwischen den Bäumen hindurch, um sie deutlicher sehen zu können. Sie suchten zuerst die offene Straße ab, bevor sie ihre Suche ausdehnten; zwei von ihnen liefen bereits an der Mauer der Enklave entlang, um die Ecke zu erreichen und einen Blick auf das nächste Stück der Straße werfen zu können. Kein Zweifel, es wurde Jagd gemacht auf jemanden oder etwas. Nicht von einem der Brüder. Es waren keine schwarzen Kutten zu sehen, nur nüchterner Alltagswollstoff und abgetragenes Leder an stämmigen Laien. In dreien von ihnen erkannte er die Stallburschen, die den Chorherrn Gerbert begleiteten, der vierte war sein Leibdiener – Elave hatte den Mann im Gästehaus gesehen, geschäftig und anmaßend, ein Mann, der sich im Glanz der Stellung seines Herrn sonnte. Die anderen waren gewiß unter denjenigen Pilgern rekrutiert worden, die am kräftigsten und am ehesten bereit waren, ihren Eifer unter Beweis zu stellen. Es war nicht der Abt, der die Hunde auf ihn gehetzt hatte, sondern Gerbert.

Er wich tiefer zwischen die Bäume zurück und beobachtete stirnrunzelnd die Jäger, die die Vorstadt absuchten. Er hatte nicht die Absicht, sich zu zeigen und zu riskieren, daß er ergriffen und zurückgeschleppt wurde wie ein Verbrecher; schließlich hatte er, jedenfalls nach seinem Verständnis seines Versprechens, sein Wort gehalten. Vielleicht hatte Chorherr Gerbert es anders ausgelegt und sah in seinem Hinausgehen durch das Tor, selbst ohne seine Habe, den Beweis dafür, daß er sich schuldig fühlte und flüchten wollte. Nun, er würde ihm die Genugtuung nicht verschaffen, diese Ansicht bestätigt zu sehen. Elave hatte vor, auf seinen eigenen Füßen durch das Tor zurückzukehren, aus eigenem, hartnäckigem Willen, getreu seinem Versprechen, auch wenn er damit seine Freiheit und vielleicht sogar sein Leben aufs

Spiel setzte. Die Gefahr, an die zu glauben er sich bisher gewehrt hatte, sah jetzt erheblich wirklicher und bedrohlicher aus.

Sie hatten einen der Stallburschen, den stämmigsten von den dreien, als Wächter vor dem Torhaus zurückgelassen, wo er jetzt hin- und herwanderte, als könnten weder Zeit noch Gewalt ihn von seinem Posten vertreiben. An diesem massigen, sehnigen Brocken würde er kaum vorbeikommen! Und zwei der Jäger überquerten jetzt, nachdem sie die Straße, die Gärten und die Hütten der Vorstadt auf hundert Meter in beiden Richtungen abgesucht hatten, zielstrebig die Straße und näherten sich den Bäumen. Er würde gut daran tun, sich an einen sicheren Ort zurückzuziehen, bis sie entweder die Suche abbrachen oder sich abgelegeneren Schlupfwinkeln zuwandten und ihn ungefährdet in die Enklave zurückkehren ließen. Elave machte sich eilig auf den Weg zwischen den Bäumen hindurch und folgte dem nordöstlichen Verlauf des Wäldchens, bis er die Obstgärten hinter der Gaye und das Gebüsch erreicht hatte, das das Flußufer säumte. Es war eher damit zu rechnen, daß sie in westlicher Richtung nach ihm suchten – an der Grenze, über die Engländer nach Wales und Waliser nach England flüchteten. Die Gesetzeshüter wurden an der Grenze zurückgehalten und durften sie nicht überschreiten, obwohl der Handel in beiden Richtungen florierte.

Es waren immer noch ungefähr drei Stunden bis zur Vesper; erst dann konnte er hoffen, daß sich jedermann wieder in der Kirche befand und es ihm gelingen würde, entweder durch das Torhaus hineinzuschlüpfen, wenn der stämmige Wachtposten verschwunden war, oder im Gedränge der Gottesdienstbesucher durch das Westportal in die Kirche. Vorher zurückzukehren und zu riskieren, daß er seinen Kopf in die Schlinge steckte, war sinnlos. Er suchte sich einen sicheren Platz in dem hohen Gras am Ufer des Flusses, gut gedeckt von Sträuchern und umgeben von einer Stille, in der er rechtzeitig hören würde, wenn im Umkreis von hundert Metern Füße im Gras raschelten oder Schultern die Äste von Erlen oder Weiden streiften, und dachte an Fortunata. Er konnte einfach nicht glauben, daß er sich in der Gefahr befand, die sie befürchtete, und dennoch konnte er ihre Bedenken nicht ganz von sich weisen.

Jenseits der schnellen und gewundenen Strömung des Severn, der im Sonnenlicht funkelte, ragte scharf der Hügel der Stadt auf, deren lange Umfassungsmauer hier, gegenüber seinem Versteck, in den dicken Sandsteintürmen der Burg endete und dann der Landstraße wich, die von der Vorstadt der Burg nordwärts nach Whitchurch und Wem führte. Selbst jetzt noch hätte er nur ein kleines Stück stromabwärts den Fluß durchqueren und sich eiligst auf dieser Straße davonmachen können; aber er wollte verdammt sein, wenn er das tat! Er hatte kein Verbrechen begangen, er hatte nur ausgesprochen, was er für richtig hielt, und dabei war nichts gewesen, was blasphemisch war oder eine Mißachtung der Kirche einschloß, und er würde kein Wort davon zurücknehmen oder vor seinen eigenen Äußerungen davonlaufen und seinen Anklägern einen billigen Triumph gönnen.

Er hatte keine Möglichkeit festzustellen, wie spät es war; doch als er glaubte, daß die Zeit des Vespergottesdienstes nahe war, verließ er sein Versteck und kehrte vorsichtig auf dem gleichen Weg zurück, wobei er in Deckung blieb, bis er zwischen den Bäumen hindurch das staubige Weiß der Straße sehen konnte, die auf ihr entlangwandernden Leute und das lebhafte Gewimmel beim Torhaus. Er mußte eine Weile warten, bis die Vesperglocke läutete, und er verbrachte die Zeit damit, sich von einer Deckung zur nächsten vorzupirschen, um herauszufinden, ob er unter den Leuten, die sich am Westportal der Kirche versammelten, einen seiner Verfolger entdecken konnte. Er sah keinen, aber bei der ständigen Bewegung konnte er seiner Sache nicht sicher sein. Der große Mann, der am Tor Posten bezogen hatte, war nirgends in Sicht. Der günstigste Augenblick würde es sein, wenn die kleine Glocke läutete und die Leute, die sich hier im Sonnenschein des frühen Abends unterhielten, sich zusammenscharten und in die Kirche begaben.

Der Augenblick kam fast gleichzeitig mit dem Gedanken. Die Glocke ertönte, und die Kirchgänger sammelten ihre Familien um sich, grüßten ihre Freunde und bewegten sich auf das Westportal zu. Elave schoß gerade noch rechtzeitig hervor, um sich unter sie zu mischen, und es gab keinen Aufschrei, keine grobe Hand packte ihn bei der Schulter. Jetzt hatte er die Wahl, seinen Weg zusammen mit den guten Leuten aus der Vorstadt in die Kirche fortzusetzen oder durch das offene Tor der Enklave den großen Hof zu betreten und ihn ruhig in Richtung Gästehaus zu überqueren. Wenn er sich für die Kirche entschieden hätte, wäre vermutlich alles gutgegangen, aber die Versuchung, offen auf den Hof zu treten, als käme er von einem normalen Spaziergang zurück, war für ihn zu groß. Er verließ die Deckung der Kirchgänger und schritt durch das Tor.

Von der Schwelle des Torhauses zu seiner Rechten ertönte ein lautes Triumphgebrüll; es fand ein Echo auf der Straße, die er gerade hinter sich gelassen hatte. Der Stallbursche des Chorherrn hatte sich mit dem Pförtner unterhalten, ein Rächer im Hinterhalt, und zwei seiner Mitstreiter kehrten gerade von einem Zug durch die Stadt zurück. Alle drei fielen gleichzeitig über den heimkehrenden verlorenen Sohn her. Ein schwerer Knüttel traf seinen Hinterkopf und ließ ihn zurücktaumeln, und noch bevor er sein Gleichgewicht oder seinen Verstand zurückgewinnen konnte, umschlangen ihn die muskulösen Arme des massigen Mannes, während einer der anderen sein Haar packte und seinen Kopf zurückzerrte. Er gab einen Wutschrei von sich und hieb mit Faust und Fuß um sich, befreite sich von dem Mann, der ihn von hinten angegriffen hatte, wand einen Arm aus der Umklammerung des anderen und versetzte ihm einen kräftigen Hieb auf die

Nase. Doch ein zweiter Schlag auf den Kopf ließ Elave halbbetäubt auf die Knie sinken. Von weitem hörte er Stimmen, die sich über derartige Gewalttätigkeiten auf geheiligtem Grund empörten, und mit Sandalen bekleidete Füße, die hastig über die Kopfsteine herbeieilten. Es war sein Glück, daß die Brüder gerade ihre jeweiligen Beschäftigungen unterbrochen und sich beim Ertönen der Glocke versammelt hatten.

Bruder Edmund, vom Hospital kommend, und Bruder Cadfael von der Biegung des Pfades zum Garten stürmten mit fliegenden Gewändern auf das ungehörige Getümmel zu.

»Aufhören! Sofort aufhören!« rief Edmund, empört über die schändliche Tat, und schwenkte erregt die Arme gegen sämtliche Beteiligten.

Bruder Cadfael, der seine Schritte noch weiter beschleunigt hatte, vergeudete keinen Atem zu Vorwürfen, sondern griff mit beiden Fäusten nach dem zu einem dritten Schlag auf den bereits blutenden Kopf des Opfers erhobenen Knüttel, fing ihn in der Luft ab und entwand ihn der Hand, die ihn hielt. Der übereifrige Stallbursche schrie wütend auf. Die drei Jäger hörten auf, auf ihren Gefangenen einzuschlagen, hielten ihn aber nach wie vor fest, zerrten ihn hoch und klemmten ihn zwischen sich ein, als könnte er ihnen durch die Finger schlüpfen und wie ein Hase durch das Tor hinausjagen.

»Wir haben ihn!« erklärten sie fast einstimmig. »Er ist es, es ist der Ketzer! Er wollte sich aus dem Staub machen, aber wir haben ihn, sicher und heil...«

»Heil?« unterbrach Cadfael ihr Siegesgeschrei. »Ihr habt den Jungen fast umgebracht. Mußtet ihr unbedingt zu dritt über einen Mann herfallen? Hier war er, innerhalb der Mauern, mußtet ihr ihm da noch den Schädel einschlagen?«

»Wir haben den ganzen Nachmittag nach ihm gesucht«, protestierte der massige Mann im Selbstbewußtsein seiner eigenen Tüchtigkeit, »wie Chorherr Gerbert es uns befohlen

hatte. Sollten wir etwa bei so einem Kerl ein Risiko eingehen, als wir ihn endlich hatten? Findet ihn und bringt ihn
zurück, so lautete unser Auftrag, und hier ist er.«

»Ihn bringen?« sagte Cadfael, schob einen von Elaves Häschern ohne viel Federlesens beiseite, um seinen Platz einzunehmen, und legte einen Arm um den jungen Mann, um ihn
zu stützen. »Ich habe von der Hecke dort drüben aus gesehen, wer ihn zurückgebracht hat! Er ist aus freien Stücken
hier hereingekommen. Das könnt Ihr Euch nicht als Verdienst anrechnen, und auf die Art, wie ihr mit ihm umgegangen seid, braucht Ihr auch nicht stolz zu sein. Was hat Euren
Herrn überhaupt veranlaßt, Jagd auf ihn machen zu lassen?
Er hat sein Wort gegeben, daß er nicht flüchten würde, und
der Vater Abt hat ihm gesagt, fürs erste dürfe er kommen
und gehen, wie es ihm beliebt. Aber anscheinend war ein
Versprechen, das für unseren Abt gut genug war, nicht gut
genug für den Chorherrn Gerbert.«

Inzwischen hatten sich drei oder vier andere Brüder um
sie geschart, und nun eilte Prior Robert, von der Ecke des
Kreuzganges kommend, auf sie zu, offensichtlich entrüstet
über das, was allem Anschein nach eine erregte und regel-
widrige, die Prozession zum Vespergottesdienst störende
Versammlung war.

»Was soll das? Was geht hier vor? Habt Ihr die Glocke
nicht gehört?« Sein Blick fiel auf Elave, der, auf unsicheren
Beinen stehend, von Cadfael und Edmund gestützt wurde;
seine Kleidung war staubig und zerrissen, seine Stirn und
seine Wangen blutbeschmiert. »Oh«, sagte er, »sie haben
Euch also zurückgebracht. Wie es scheint, ist Euch Euer
Fluchtversuch teuer zu stehen gekommen. Es tut mir leid,
daß Ihr verletzt worden seid, aber Ihr hättet nicht vor dem
Gericht davonlaufen dürfen.«

»Ich bin nicht vor dem Gericht davongelaufen«, sagte
Elave keuchend. »Der Herr Abt hat mir gestattet, nach Belieben zu kommen und zu gehen, auf mein Wort hin, daß

ich nicht davonlaufen würde. Und ich bin nicht davongelaufen.«

»So ist es«, sagte Cadfael, »er kam aus freien Stücken hier herein. Er war auf dem Weg zum Gästehaus, in dem er wie alle anderen Reisenden untergebracht ist, als diese Männer über ihn herfielen. Jetzt behaupten sie, sie hätten ihn auf Befehl des Chorherrn Gerbert wieder eingefangen. Hat er wirklich einen solchen Befehl gegeben?«

»Chorherr Gerbert hat es so verstanden, daß die ihm zugestandene Bewegungsfreiheit nur für das Gebiet innerhalb der Enklave gilt«, sagte der Prior scharf. »Und der Ansicht bin ich auch. Als festgestellt wurde, daß der Mann sich nicht mehr auf dem Hof befand, nahmen wir an, daß er flüchten wollte. Aber es tut mir leid, daß wir so grob mit ihm umgehen mußten. Und was machen wir jetzt? Er braucht Hilfe... Bruder Cadfael, kümmert Euch um seine Verletzungen; ich suche nach der Vesper den Abt auf und berichte ihm, was geschehen ist. Es könnte sein, daß er für sich allein untergebracht werden soll...«

Was bedeutete, dachte Cadfael, in einer Zelle, hinter Schloß und Riegel. Nun, das würde wenigstens diese groben Flegel von ihm fernhalten. Aber warten wir ab, was der Abt dazu zu sagen hat.

»Wenn ich der Vesper fernbleiben darf«, sagte er, »bringe ich ihn zuerst ins Hospital und versorge seine Wunden. Eine bewaffnete Eskorte ist nicht erforderlich, bei dem Zustand, in dem er sich befindet. Ich bleibe bei ihm, bis der Vater Abt entschieden hat, was weiter mit ihm geschehen soll.«

»Nun«, sagte Cadfael, während er in dem kleinen Vorraum des Hospitals, in dem der Medizinschrank stand, das Blut von Elaves Kopf abtupfte, »wenigstens habt Ihr es zweien von ihnen ganz gut heimgezahlt. Ihr werdet zwar eine Zeitlang teuflische Kopfschmerzen haben, aber Ihr habt einen harten Schädel, und bleibender Schaden ist nicht zu befürch-

ten. Ich weiß nicht recht – aber ich glaube, in einer Büßerzelle seid Ihr ganz gut aufgehoben, bis sich der Sturm wieder
gelegt hat. Das Bett ist das gleiche wie alle anderen auch, die
Zelle ist angenehm kühl bei diesem Wetter, es steht ein kleines Lesepult darin – man erwartet von unseren Delinquen-
ten, daß sie die Zeit ihrer Gefangenschaft damit verbringen,
ihre Seelen zu erbauen und ihre Sünden zu bereuen. Könnt
Ihr lesen?«

»Ja«, sagte Elave, passiv unter den fürsorglichen Händen.

»Dann könnten wir für Euch Bücher aus der Bibliothek
erbitten. Der rechte Kurs bei einem jungen Mann, der in die
Irre gegangen ist und nicht gutgeheißenen Überzeugungen
anhängt, besteht darin, ihn mit den Werken der Kirchenväter
zu traktieren und ihn mit gutem Rat und frommen Argumenten aufzusuchen. Mit mir, der sich um Eure Wunden
kümmert, und Bruder Anselm, der sich mit Euch über diese
Welt und die nächste unterhält, habt Ihr so ziemlich die beste
Gesellschaft, die Ihr in diesem Kloster haben könnt – und
noch dazu mit offizieller Billigung. Und in einer Einzelzelle
seid Ihr sicher vor Narren und übereifrigen Schwachköpfen,
die zu dritt über einen einzelnen Mann herfallen. Und nun
haltet still! Tut das weh?«

»Nein«, sagte Elave, seltsam beruhigt von diesem Rede-
schwall, obwohl er nicht recht wußte, was er davon halten
sollte. »Glaubt Ihr, daß sie mich in eine Zelle einschließen
werden?«

»Ich nehme an, daß Chorherr Gerbert darauf bestehen
wird. Und es ist nicht so einfach, sich dem Abgesandten des
Erzbischofs in solchen Dingen zu widersetzen. Wie ich
höre, sind sie zu dem Schluß gekommen, daß Euer Fall nicht
einfach abgetan werden kann. Das ist Gerberts Spruch. Der
des Abtes lautet, daß, wenn die Sache weiter verfolgt werden
soll, das durch Euren eigenen Bischof geschehen müsse, und
daß nichts unternommen wird, bevor dieser erklärt hat, was

weiterhin geschehen soll. Der kleine Serlo macht sich morgen früh auf den Weg nach Coventry, um ihm über alles, was vorgefallen ist, Bericht zu erstatten. Also kann Euch nichts passieren. Niemand kann Euch verhören oder bedrängen, bis Bischof de Clinton seine Entscheidung getroffen hat. Inzwischen spricht nichts dagegen, daß Ihr Eure Zeit so angenehm wie möglich verbringt. Anselm hat eine recht anständige Bibliothek aufgebaut.«

»Ich glaube«, sagte Elave mit – trotz seines schmerzenden Kopfs – neu erwachtem Interesse, »ich würde gern den heiligen Augustinus lesen und herausfinden, ob er das, was er geschrieben haben soll, tatsächlich geschrieben hat.«

»Über die Zahl der Auserwählten? Ja, das hat er, in einer Abhandlung mit dem Titel ›De Correptione et Gratia‹, wenn mich mein Gedächtnis nicht täuscht. Ich habe sie nie gelesen; ich habe sie nur gehört, als sie im Refektorium vorgelesen wurde. Versteht Ihr genug Latein? In dieser Hinsicht könnte ich Euch nicht viel helfen. Anselm kann es.«

»Es ist merkwürdig«, sagte Elave mit tiefer Nachdenklichkeit über den Lauf der Dinge, der ihn in diese eigenartige Situation gebracht hatte, »all die Jahre habe ich für Master William gearbeitet, bin mit ihm gereist und habe ihm zugehört. Aber bis jetzt habe ich nie wirklich über diese Dinge nachgedacht. Sie gingen mich nichts an. Aber jetzt betreffen sie mich, sind für mich wichtig. Wenn niemand in Williams Vergangenheit herumgestochert und versucht hätte, ihm sein Grab zu verweigern, dann hätte ich keinen Gedanken an sie verschwendet.«

»Wenn es Euch hilft, daß Euch jemand auf Eurem Weg Gesellschaft leistet«, erklärte Cadfael, »dann solltet Ihr wissen, daß ich in meinem Fall so ungefähr dasselbe empfinde wie Ihr in Eurem. Wenn die Saat aufgeht, wachsen die Kräuter. Und nichts veranlaßt sie mehr, die Wurzeln tief in den Boden zu senken, als grobe Behandlung und Dürre.«

Jevan kehrte erst in das Haus in der Nähe von Saint Alkmund zurück, als es fast dunkel war, mit einem Bündel
neuer, weißer Pergamentblätter, glatt und fehlerlos und sehr
dünn und geschmeidig. Er war stolz auf seine Arbeit. Der
Prior von Haughmond würde nicht enttäuscht sein von der
Ware, die ihm angeboten wurde. Jevan verstaute sie sorgfältig in seiner Werkstatt und schloß sie ab, bevor er den Hof
überquerte und die Diele betrat, in der der Tisch gedeckt
war und Margaret und Fortunata auf ihn warteten.

»Ist Aldwin noch nicht zurück?« fragte er und schaute
sich mit hochgezogenen Brauen um, als sie sich, nur zu dritt,
am Tisch niederließen.

Margaret füllte seinen Teller mit ein wenig besorgtem Gesicht. »Nein, keine Spur von ihm, seit er gegangen ist. Ich
mache mir allmählich Sorgen. Was in aller Welt kann ihn so
lange aufgehalten haben?«

»Wahrscheinlich hat er das Mißfallen der Theologen erregt«, sagte Jevan achselzuckend, »und das geschieht ihm
nur recht, nachdem er ihnen den Jungen vorgeworfen hat,
wie man einer Hundemeute einen Knochen vorwirft. Er
wird noch immer in der Abtei sein, und diesmal muß er
peinliche Fragen beantworten. Sie werden ihn wieder freilassen, wenn sie mit dem Verhör fertig sind. Ich weiß nicht, ob
sie das auch mit Elave tun werden. Nun, ich werde das Haus
wie üblich abschließen, bevor ich zu Bett gehe. Wenn er später noch erscheint, muß er die Nacht eben auf dem Heuboden über dem Stall verbringen.«

»Conan ist auch noch nicht wieder da«, sagte Margaret
und schüttelte den Kopf über diesen kummervollen Tag, der
eigentlich ein Festtag hätte sein sollen. »Und ich hatte gehofft, daß auch Girard mittlerweile zurück sein würde. Ich
hoffe nur, daß ihm nichts passiert ist.«

»Nichts ist passiert«, versicherte ihr Jevan, »außer irgendwelchen Geschäften zu seinem Vorteil. Du weißt, daß er sehr
gut auf sich aufpassen kann, und er hat überall an der Grenze

die besten Verbindungen. Wenn er vorgehabt hat, zum Fest zurück zu sein, und den Tag trotzdem verpaßt hat, dann nur, weil er seiner Liste ein paar neue Kunden hinzufügen konnte. Mit einem Waliser Schafhirten handelseins zu werden, dauert seine Zeit. In ein oder zwei Tagen wird er heil und gesund wieder zu Hause sein.«

»Und was findet er vor, wenn er nach Hause kommt?« Sie seufzte betrübt. »Elave in Schwierigkeiten, kaum daß er hier wieder aufgetaucht ist. Onkel William tot und begraben. Und jetzt verstrickt sich auch Aldwin immer tiefer in eine so unerfreuliche Angelegenheit. Ich hoffe von ganzem Herzen, daß du recht hast, daß er gute Geschäfte gemacht hat mit der Wolle, es wird ein Trost sein, wenn wenigstens eine Sache gut gelaufen ist.«

Sie stand auf, um den Tisch abzuräumen, immer noch kopfschüttelnd und von vagen Befürchtungen erfüllt; Fortunata blieb mit Jevan allein zurück.

»Onkel«, sagte sie zögernd, nachdem sie ein paar Minuten lang geschwiegen hatte, »ich wollte mit dir reden. Ob es mir gefällt oder nicht, ich bin in diese entsetzliche Anklage gegen Elave mit hineingezogen worden. Er will nicht glauben, daß er sich in großer Gefahr befindet, aber ich weiß, daß er es ist. Ich möchte ihm helfen. Ich muß ihm helfen.«

Der Ernst ihrer Stimme hatte ihn veranlaßt, sich ihr zuzuwenden und sie lange und eindringlich zu mustern, mit diesen schwarzen, durchdringenden Augen, die so tief in sie hineinblickten wie früher, als sie noch ein Kind gewesen war, und immer mit einer Art unparteiischer Zuneigung.

»Das scheint dich zu bekümmern«, sagte er, »mehr als man annehmen sollte, wo du ihn doch kaum wiedergesehen hast, nach so vielen Jahren.«

Es war keine Frage, aber sie beantwortete sie. »Ich glaube, ich liebe ihn. Was sonst könnte das sein? So seltsam ist das gar nicht. Vor der Zeit seiner Abwesenheit lagen viele Jahre. Ich habe ihn schon damals gemocht, mehr, als er wußte.«

»Und wenn ich mich recht erinnere, hast du heute mit ihm gesprochen«, sagte er scharf, »nach seinem Verhör in der Abtei.«

»Ja«, sagte sie.

»Und danach, nehme ich an, weiß er besser, wie gern du ihn hast! Und hat er dir Grund zu der Annahme gegeben, daß er dich ebenso gern hat wie du ihn?«

»Grund genug. Er hat gesagt, selbst wenn es keine anderen Gründe gäbe, so wäre ich allein Grund genug für sein Bleiben, ungeachtet der Gefahr, in der er sich hier befindet. Onkel, du weißt, daß ich jetzt von William eine Mitgift habe. Wenn mein Vater heimkommt und die Schatulle geöffnet wird, dann möchte ich das, was er mir vermacht hat, dazu benutzen, Elave zu helfen. Zum Bezahlen seiner Geldbuße, wenn er seine Schuld mit Geld abtragen darf, zum Erkaufen seiner Freiheit, wenn er eingesperrt wird, schlimmstenfalls sogar zum Bestechen seiner Wärter, damit wir ihn über die Grenze schaffen können.«

»Und du würdest dich nicht schuldig fühlen«, sagte Jevan mit einem harten, dunklen Lächeln, »wenn du gegen das Gesetz handelst und die Kirche verspottest?«

»Nein. Er hat nichts Böses getan. Wenn sie ihn verurteilen, sind sie es, die sich schuldig machen. Aber ich habe vor, Vater zu bitten, daß er ein Wort für ihn einlegt. Als ein Mann, der ihn kennt und der von allen respektiert wird, von den Gesetzeshütern, der Kirche und allen anderen. Wenn Girard von Lythwood für sein künftiges Verhalten bürgt, dann wird man gewiß auf ihn hören.«

»Das kann schon sein«, pflichtete Jevan ihr bei. »Es sollte auf jeden Fall geschehen, und auch sonst sollte nichts unversucht gelassen werden. Ich sagte es schon – wenn du ihn haben willst, dann soll und wird Elave als einer unserer Leute gelten. So, und nun ins Bett, und schlaf unbesorgt. Wer weiß, welcher Zauber zum Vorschein kommt, wenn Williams Schatulle geöffnet wird?«

Conan kam spät, aber nicht zu spät, kurz bevor die Tür abgeschlossen wurde, nur leicht berauscht, nachdem er, wie er offen zugab, mit einem halben Dutzend Zechbrüdern im Alehaus in Mardol das Ende des Tages gefeiert hatte.

Aldwin kam überhaupt nicht nach Hause.

SIEBENTES KAPITEL

Bruder Cadfael stand schon eine Weile vor der Prim auf, nahm seine Tasche und machte sich auf, um einige der Uferpflanzen zu sammeln, deren Blätter jetzt in vollem Saft standen. Der Morgen wurde von einer leichten Wolkendecke verschleiert, durch die die Sonne in perlmutterartigen, blaßrosa und dunstig blauen Tönen hindurchschimmerte. Später würde es wieder klar und heiß werden. Als er durch das Tor hinauswanderte, hatte ein Stallbursche gerade Serlos Maultier aus dem Stall geholt, und der Diakon des Bischofs trat reisefertig aus dem Gästehaus; am oberen Ende der Treppe blieb er stehen und holte tief Luft, als empfände er den einsamen Ritt nach Coventry, verglichen mit der Reise in Gerberts anmaßender Gesellschaft, als erholsamen Urlaub. Sein Auftrag dagegen mochte ihn weniger freuen. Den Bischof über eine Anklage zu informieren, die die Freiheit und das Leben eines jungen Mannes bedrohen konnte, entsprach kaum seiner empfindsamen Seele; aber er würde dem Angeklagten so viel Gerechtigkeit widerfahren lassen, wie er nur konnte. Roger de Clinton war ein hochangesehener Mann, zwar streng, aber fromm und gütig, ein Begründer religiöser Institutionen und Unterstützer armer Priester. Noch bestand die Aussicht, daß für Elave alles gut endete, sofern er nicht zuließ, daß seine neuentdeckte Vorliebe für ungezügelte Gedanken mit ihm durchging.

Ich muß Anselm um ein paar Bücher für ihn bitten, erinnerte sich Cadfael, als er die staubige Straße verließ und den grünen Pfad zum Flußufer hinabwanderte, zwischen Sträuchern hindurch, die jetzt, der Jahreszeit entsprechend, üppig wucherten und Flüchtlingen oder den Tieren des Waldes eine Fülle von Verstecken boten. Die Gemüsegärten der

Gaye zogen sich grün und gepflegt am Flußufer entlang, und das ungemähte Gras der Uferböschung bildete eine dichte, smaragdgrüne Barriere zwischen dem Wasser und dem bestellten Land. Dahinter lagen die Obstgärten, dann kamen Getreidefelder und die aufgegebene Mühle und schließlich Bäume und Sträucher, die sich, über die schnelle, lautlose Strömung geneigt, an einem überhängenden Uferstreifen zusammendrängten; hier und dort gab es kleine Buchten, in denen das Wasser täuschend still und harmlos gegen sandige Untiefen plätscherte. Cadfael suchte Beinwell und Eibisch, sowohl Blätter als auch Wurzeln, und er wußte genau, wo diese Pflanzen in größeren Mengen zu finden waren. Frisch zubereitete Wurzeln und Blätter von Beinwell würden Elaves Kopfwunde heilen, Eibisch seine Schmerzen lindern; beides war besser als die bereits zubereiteten Salben oder die aus getrockneten Materialien hergestellten Umschläge in seiner Hütte. Im Sommer bot die Natur alles, was nötig war. Gelagerte Medikamente waren für den Winter da.

Er hatte seine Tasche gefüllt und war im Begriff, sich auf den Rückweg zu machen – ohne jede Eile, denn es war noch reichlich Zeit bis zur Prim –, als sein Blick auf eine seltsame, bleiche Wasserpflanze fiel, die von der sanften Strömung unter den überhängenden Sträuchern hervorgeschwemmt wurde, dann wieder zurückdriftete und dabei schmutzigweiße Blütenblätter hinter sich herzog. Das bewegte Wasser verbarg sie, nachdem die frühmorgendliche Sonne den Dunst durchbrochen hatte, von Zeit zu Zeit mit wandernden Lichtpunkten. Einen Augenblick später trieb sie wieder hervor, jetzt voll sichtbar, und diesmal war zu erkennen, daß sie an einem dicken, bleichen Stengel saß, der unvermittelt in etwas Dunklem endete.

An diesem Abschnitt des Flusses gab es Stellen, an denen der Severn manchmal Dinge ablud, die er weiter stromaufwärts eingefangen hatte. Bei niedrigem Wasserstand konnten Gegenstände, die oberhalb der Brücke ins Wasser geraten waren, gewöhnlich an dieser Stelle wieder herausgeholt werden. Nur die von winterlichen Stürmen oder dem Tauwetter des Februars angeschwollenen Fluten rissen sie weiter mit sich und beförderten sie stromabwärts, vielleicht bis nach Attingham, oder hielten sie in der Tiefe zwischen anderen Sturmtrümmern unwiederbringlich fest. Cadfael kannte fast alle Strömungen und wußte jetzt, aus welcher Wurzel diese bleiche, schlaffe Pflanze wuchs. Die Helligkeit des Morgens, die wie eine Rose erblühte, als der feine Wolkenschleier zerriß, schien den vielversprechenden Tag eher zu verdunkeln.

Er setzte seine Tasche ins Gras, schürzte sein Habit und kletterte zwischen den Sträuchern hindurch in das seichte Wasser hinab. Der Fluß hatte den Ertrunkenen mit gerade genügend Kraft und im richtigen Winkel herbeibefördert, daß er sicher unter der Böschung festsaß. Er lag ausgestreckt da, mit dem Gesicht nach unten, nur der linke Arm lag so im tieferen Wasser, daß er von der Strömung getragen und bewegt werden konnte. Es war ein magerer Mann mit abfallenden Schultern in einem mausgrauen Kittel und ebensolcher Hose; überhaupt hatte der ganze Mann etwas Mausgraues an sich, als hätte er sein Leben in leuchtenderen Farben begonnen, die von den Entmutigungen der Zeit ausgeblichen waren. Schütteres Haar, eher grau als braun, umgab einen kahl werdenden Schädel. Aber es war nicht der Fluß, der ihn geholt hatte, er war mit Absicht in ihn hineinbefördert worden. Im Rückenteil seines Kittels war ein langer Riß, an dessen oberem Ende herausgesickertes Blut den groben Wollstoff durchtränkt und dunkel gefärbt hatte. Und da, wo sein gekrümmter Rücken aus dem Wasser herausragte, war das Blut auf den Falten des Tuches bereits zu einer Kruste getrocknet.

Cadfael stand bis zu den Waden im Wasser, zwischen dem Fluß und dem Leichnam, um zu verhindern, daß womöglich die Strömung den Toten, wenn er gestört wurde, wieder erfaßte. Er drehte ihn um und blickte in das lange, verzagte und verdrossene Gesicht von Girard von Lythwoods Schreiber Aldwin.

Es gab nichts, was man noch für ihn hätte tun können. Er war vom Wasser durchweicht und zweifellos schon seit vielen Stunden tot. Aber Cadfael konnte ihn auch nicht hier liegenlassen, während er Hilfe herbeiholte, weil es möglich war, daß der Fluß den Leichnam wieder an sich riß. Cadfael packte ihn unter den Armen, zerrte ihn durch das seichte Wasser bis zu einer Stelle, an der das Ufer sanft abfiel, und zog ihn dann auf die grasbewachsene Böschung hinauf. Dann machte er sich eilig auf den Rückweg über den Uferpfad zur Brücke. Dort verweilte er einen Moment, unschlüssig, welchen Weg er einschlagen sollte – hinauf in die Stadt, um Hugh Beringar die Nachricht zu überbringen, oder zurück in die Abtei, um Abt und Prior zu informieren? – doch dann entschied er sich für die Stadt. Chorherr Gerbert würde nur auf die Nachricht warten, daß der Ankläger nie wieder gegen Elave aussagen konnte. Und sein Tod würde auch nicht das Ende der Angelegenheit bedeuten. Ganz im Gegenteil. Cadfael spürte, daß sich jetzt über diesen schwierigen jungen Mann in einer Büßerzelle der Abtei ein noch tieferer Schatten legte. Er hatte keine Zeit, über die möglichen Folgen nachzudenken, aber er war sich ihrer bewußt, als er über die Brücke und durch das Stadttor eilte, und sie gefielen ihm ganz und gar nicht. Es war besser, viel besser, zuerst Hugh aufzusuchen und ihm zu überlassen, die Bedeutung dieses Todesfalles zu bedenken, bevor andere, weniger vernünftige Leute sich in ihn verbissen.

»Wie lange«, fragte Hugh, während er den Toten aufmerksam betrachtete, »ist er Eurer Meinung nach schon im Wasser?«

Er fragte nicht Cadfael, sondern Madog, den Besitzer des Totenbootes, der eilends aus seiner Hütte an der Westbrücke herbeibeordert worden war. Es gab nur sehr weniges, das Madog über den Severn nicht wußte – er war sein Leben, so

wie er zu Zeiten seiner gefährlichen Hochwasser der Tod
vieler Menschen seiner Generation gewesen war. Sobald er
einen Hinweis erhalten hatte, wo ein Unglücklicher ins Wasser geraten war, wußte Madog auch schon, wo der Fluß ihn
vermutlich wieder hergeben würde, und an ihn wendete sich
jeder, der Verlorenes wiederfinden wollte. Er kratzte nachdenklich in seinem buschigen Bart und betrachtete den
Leichnam ohne Hast von Kopf bis Fuß. Bereits ein wenig
aufgedunsen, mit grauer Haut und Pflanzenteilen im Haar,
starrte Aldwin aus halbgeschlossenen Augen in den hellen
Himmel empor.

»Bestimmt die ganze Nacht. Vielleicht zehn Stunden, aber
vermutlich weniger, denn da wäre es noch hell gewesen. Ich
nehme an«, sagte Madog, »daß er, bereits tot, irgendwo versteckt wurde, bis es dunkel war; dann wurde er in den Fluß
geworfen. Den größten Teil der Nacht hat er da gelegen, wo
Cadfael ihn gefunden hat. Wie wäre sonst noch Blut an ihm
zu sehen? Wäre er nicht nur eine kurze Strecke weit geschwemmt worden, mit dem Gesicht nach unten, wie Ihr
sagtet, dann hätte der Fluß alles abgewaschen.«

»Zwischen hier und der Brücke?« fragte Hugh und musterte den kleinen, dunkelhaarigen Waliser mit aufmerksa-
mem Respekt. Der Sheriff und der Flußmann hatten schon
oft zusammengearbeitet, und sie kannten einander gut.

»Bei diesem Wasserstand bezweifle ich, daß er die Brücke
passiert hätte, wenn er oberhalb von ihr hineingeworfen
worden wäre.«

Hugh ließ den Blick über die offene, grüne Ebene der
Gaye schweifen, die üppig und sonnig dalag, begrenzt durch
den Saum aus Bäumen und Sträuchern. »Zwischen dieser
Stelle und der Brücke kann nichts am hellichten Tag passiert
sein. Das Gesträuch hier ist die einzige Deckung, die am
Wasser zu finden ist. Obwohl der Mann ein Leichtgewicht
war, würde ihn bestimmt niemand sehr weit tragen oder ziehen wollen, um den Fluß zu erreichen. Und wenn er hier

hineingeworfen wurde, dann hat derjenige, der ihn loswerden wollte, darauf geachtet, daß er ihn weit genug in die Strömung hinausbeförderte, damit er mindestens bis um die nächste Biegung herumgeschwemmt wurde. Was meint Ihr, Madog?«

Madog bestätigte es mit einem Nicken seines zottigen Kopfes.

»Es hat weder geregnet, noch ist Tau gefallen«, sagte Cadfael nachdenklich. »Gras und Boden sind trocken. Wenn er bis zum Einbruch der Dunkelheit versteckt wurde, dann wahrscheinlich in der Nähe des Ortes, an dem er getötet wurde. Der Täter brauchte einen abgelegenen Ort und Deckung sowohl zum Morden als auch zum Verstecken des Toten. Irgendwo müßten Blutspuren zu finden sein, im Gras oder dort, wo der Mörder ihn versteckt hat.«

»Wir können uns ja umsehen«, sagte Hugh ohne große Hoffnung, irgend etwas zu finden. »Die alte Mühle wäre ein Ort, an dem ein Mord ohne Zeugen begangen werden könnte. Ich lasse sie durchsuchen. Wir werden auch diesen Baumgürtel durchkämmen, aber ich bezweifle, daß wir dort etwas finden werden. Und was hätte dieser Mann in der Mühle zu suchen gehabt, oder auch hier? Ihr habt mir berichtet, wie er den Vormittag verbracht hat. Was er hinterher getan hat, erfahren wir vielleicht von seinen Leuten oben in der Stadt. Bisher weiß man dort noch nicht, was passiert ist. Vielleicht sind sie inzwischen unruhig und erkundigen sich, wenn sie herausgefunden haben, daß er die ganze Nacht nicht nach Hause gekommen ist. Aber vielleicht ist das auch schon öfter vorgekommen, und niemand wundert sich. Ich weiß nicht viel über ihn, nur, daß er bei der Familie seines Herrn lebte. Aber jenseits der Mühle, weiter stromaufwärts – nein, die ganze Gaye ist offenes Gelände. Da gibt es nichts, in dessen Schutz man einen Mord begehen könnte. Nichts bis hin zur Brücke. Aber wenn der Mann bei Tageslicht ermordet wurde und der Mörder ihn bis zum Anbruch der Dunkelheit in den Büschen liegengelassen hätte, dann hätte er gefunden werden können, bevor er ihn in den Fluß warf.«

»Hätte das etwas ausgemacht?« fragte Cadfael. »Es wäre vielleicht ein wenig riskanter gewesen; aber einen Hinweis darauf, wer dem Mann den Dolch in den Rücken gestoßen hat, hätte es trotzdem nicht gegeben. Damit, daß er ihn flußabwärts treiben ließ, wollte er nur Verwirrung stiften, was Zeit und Ort der Tat angeht. Und das war vielleicht wichtig für den, der es getan hat.«

»Nun, ich werde den Wollhändlern selbst die Nachricht überbringen und hören, was sie zu berichten haben.« Hugh schaute sich nach seinem Sergeanten und den vier Männern aus der Garnison der Burg um, die ein Stück abseits standen und auf seine Befehle warteten. »Will kann dafür sorgen, daß der Leichnam zu ihnen gebracht wird. Soweit ich weiß, hatte er kein anderes Zuhause, und sie müssen sich um seine Beerdigung kümmern. Kommt mit mir, Cadfael, wir wollen wenigstens einen Blick auf die Bäume an der Brücke und unter ihren Bogen werfen.«

Sie machten sich gemeinsam auf den Weg, aus dem Baumgürtel heraus, über die Weizenfelder der Abtei und an der verlassenen Mühle vorbei. Sie hatten den am Wasser entlangführenden Weg erreicht, der den Küchengarten begrenzte, als Hugh mit einem kurzen, ein wenig gequälten Lächeln über die Schulter hinweg fragte: »Was sagtet Ihr – wie lange war Euer ketzerischer Pilger gestern in Freiheit? Während Chorherr Gerberts Stallburschen überall herumstreiften und vergeblich nach ihm suchten?«

Die Frage kam leicht und beiläufig, aber Cadfael erkannte ihre Bedeutung und wußte, daß sie auch Hugh bewußt war. »Von ungefähr eine Stunde vor der None bis zur Vesper«, sagte er, und seine Stimme konnte seine uneingestandene Besorgnis nicht verbergen.

»Und danach kehrte er in aller Unschuld in die Enklave

zurück. Er hat nicht angegeben, wie er die dazwischenliegende Zeit verbracht hat?«

»Bisher hat ihn niemand danach gefragt«, erklärte Cadfael.

»Gut! Dann könnt Ihr mir behilflich sein, wenn Ihr wollt. Sagt niemandem in der Abtei etwas über diesen Mord und laßt nicht zu, daß jemand Elave verhört, bis ich es selbst tun kann. Ich werde bei Euch sein, bevor der Vormittag vorüber ist. Dann reden wir im stillen mit dem Abt, bevor jemand anders weiß, was vorgefallen ist. Ich möchte diesen Jungen selbst aufsuchen und mir anhören, was er zu sagen hat, bevor jemand anders ihn in die Finger bekommt. Ich nehme an, Ihr wißt«, sagte Hugh mit einem Anflug von Mitgefühl, »was seine Inquisitoren behaupten werden.«

Cadfael verließ die Männer, die den Wald und das Gebüsch zu beiden Seiten des zum Fluß hinabführenden Pfades durchsuchten, und machte sich auf den Rückweg zur Abtei. Es widerstrebte ihm ein wenig, nicht weiter an der Suche nach dem Mörder teilnehmen zu können, und sei es auch nur für ein paar Stunden. Er war sich der nächstliegenden Folgerung aus Aldwins Tod vollauf bewußt, und er kannte Elave nicht gut genug, um sie ohne weiteres von der Hand zu weisen. Instinktive Sympathie reicht nicht aus, die Integrität eines Mannes außer Frage zu stellen, geschweige denn seine Unschuld an einem Mord, wenn ihn jemand niederträchtig verleumdet hat und der Zufall ihm die Gelegenheit bietet, sich an ihm zu rächen. Ein hitziges und aufbrausendes Temperament, das er zweifellos besaß, konnte den Rest besorgen, noch bevor er überhaupt nachdenken, geschweige denn sich eines Besseren besinnen konnte.

Aber *in den Rücken*?

Nein, das konnte Cadfael sich nicht vorstellen. Hätte eine solche Begegnung stattgefunden, dann wäre sie von Angesicht zu Angesicht verlaufen. Und wie stand es mit dem

Dolch? Besaß Elave überhaupt eine solche Waffe? Ein für alle möglichen Zwecke verwendbares Messer hatte er bestimmt, jeder vernünftige Reisende führte eines bei sich. Aber er würde es in der Abtei nicht mit sich herumtragen, und er hatte sich nicht damit aufgehalten, es aus dem Gästehaus zu holen, bevor er durch das Tor eilte, um Fortunata zu erreichen. Das konnte der Pförtner bezeugen. Er war direkt aus dem Kapitelsaal herausgestürmt, ohne einen Blick nach rechts oder links zu werfen. Und wenn er, was höchst unwahrscheinlich war, das Messer beim Verhör bei sich getragen hatte, dann mußte es sich jetzt in der verschlossenen Zelle befinden. Hatte er es weggeworfen, würden Hughs Leute ihr Bestes tun, um es zu finden. In einem Punkt war sich Cadfael ganz sicher: er wollte nicht, daß Elave ein Mörder war.

Gerade als Cadfael sich dem Torhaus näherte, kam jemand heraus und schlug die Richtung zur Stadt ein. Ein hochgewachsener, magerer, dunkelhaariger Mann, der im Gehen stirnrunzelnd den Staub der Vorstadt betrachtete. Er schüttelte den Kopf, als käme ihm irgend etwas höchst merkwürdig vor – etwas, das vermutlich nicht von allzu großem Belang, aber dennoch verwirrend war. Als Cadfael ihm einen guten Tag wünschte, fuhr er kurz aus seiner Gedankenverlorenheit auf und erwiderte den Gruß mit einem flüchtigen Blick und einem abwesenden Lächeln, bevor er sich wieder in die Angelegenheit zurückzog, die seinen Seelenfrieden störte.

Gab es einen Zusammenhang zwischen dem, was vorgefallen war, und dem Umstand, daß Jevan von Lythwood um diese frühe Stunde beim Pförtner der Abtei erschien, nachdem der Schreiber seines Bruders in der letzten Nacht nicht nach Hause gekommen war? Cadfael hielt inne und sah ihm nach. Er hoffte, daß Jevan die Brücke überqueren würde, ohne einen Blick über die Brüstung auf die von der Sonne beschienene Ebene der Gaye hinunterzuwerfen, über die

Will Nardens Männer vielleicht gerade in diesem Augenblick die Bahre mit Aldwins Leiche trugen. Es war besser, wenn Hugh vor ihm das Haus erreichte, um die Nachricht zu überbringen und ihrem Verhalten und ihren Antworten soviel wie möglich zu entnehmen, bevor sie mit ihrer Last eintrafen und die geschäftigen und anspruchsvollen Riten des Todes in Gang setzten.

»Was wollte Jevan von Lythwood hier?« fragte Cadfael den Pförtner, der gerade eine sehr hübsche und lebhafte junge Stute hielt, während ihr Besitzer damit beschäftigt war, seine Satteltaschen festzuschnallen. Etliche Gäste würden heute abreisen, nachdem sie der heiligen Winifred ihre alljährliche Reverenz erwiesen hatten.

»Er wollte wissen, ob sein Schreiber hier war«, sagte der Pförtner.

»Weshalb nahm er an, daß sein Schreiber hiergewesen sein könnte?«

»Er sagte, er hätte sich gestern wegen der Anklage gegen den jungen Mann, den wir hinter Schloß und Riegel haben, eines Besseren besonnen, sobald er begriffen hatte, daß der Junge nicht daran dachte, ihn aus seiner Stellung zu verdrängen. Er sagte, er hätte nichts Eiligeres zu tun gehabt, als hierherzukommen und zurückzunehmen, was er gegen ihn vorgebracht hat. Als ob das etwas geändert hätte! Es ist doch sinnlos, hinter einem abgeschossenen Pfeil herzurennen. Aber genau das wollte er tun, behauptet sein Herr.«

»Was habt Ihr ihm gesagt?« fragte Cadfael.

»Was sollte ich ihm schon sagen? Ich habe ihm gesagt, daß wir seinen Schreiber nicht wieder zu Gesicht bekommen haben, seit er gestern am frühen Nachmittag durch dieses Tor hinausging. Offenbar ist er letzte Nacht nicht nach Hause gekommen. Aber wo immer er gewesen sein mag – hier war er nicht.«

Cadfael dachte mit einem etwas unguten Gefühl über diese neue Wendung der Dinge nach. »Wann ist dieser Sinneswandel eingetreten, und wann ist er aufgebrochen, um hierher zurückzukehren? Zu welcher Stunde?«

»Ganz kurz, nachdem er zu Hause eingetroffen war, sagt Jevan. Nicht mehr als eine Stunde, nachdem er die Abtei verlassen hatte. Aber er ist nicht erschienen«, sagte der Pförtner gelassen. »Vermutlich hat er seine Meinung unterwegs abermals geändert und sich überlegt, daß er sich damit nur selbst schaden würde, ohne dem anderen Mann zu nützen.«

Cadfael überquerte den Hof sehr nachdenklich. Die Prim hatte er bereits versäumt, aber bis zur Messe war noch reichlich Zeit; er konnte ohne weiteres zuerst in seine Hütte gehen, seine Tasche auspacken und dabei versuchen, über diese verworrenen und verwirrenden Ereignisse Klarheit zu gewinnen. Wenn Aldwin zur Abtei gekommen war, um den angerichteten Schaden wieder gutzumachen, dann wären, wenn er auf einen wütenden und erbosten Elave gestoßen wäre, nur einige hastige Worte der Reue erforderlich gewesen, um den Rächer zu entwaffnen. Weshalb einen Mann ermorden, der willens ist, zumindest den Versuch eines Widerrufs zu unternehmen? Dennoch, so mochten manche Leute argumentieren, würde ein wütender Mann vielleicht nicht auf irgendwelche Worte warten, sondern sofort zustoßen. *In den Rücken?* Nein, das war unmöglich. Daß Elave seinen Ankläger umgebracht hatte, mochte der erste Gedanke sein, der sich anderen aufdrängte, aber Cadfael verwarf ihn. Nicht nur, weil er den jungen Mann mochte, sondern weil er keinen Sinn ergab.

Hugh traf gegen Ende des Kapitels ein, allein und – zu Cadfaels tiefer Erleichterung – vor irgendwelchen anderen und möglicherweise unsachgemäßen Berichten. In der Regel machten Gerüchte in der Stadt und in der Vorstadt so schnell die Runde, daß er damit gerechnet hatte, daß die Nachricht von Aldwins Tod mit unerwünschter Geschwindigkeit und erheblicher Ausschmückung der einfachen Tatsachen auch in die Abtei gelangen würde. Aber das war nicht geschehen. Hugh konnte die Geschichte auf seine Art erzählen, und zwar in Abt Radulfus' Sprechzimmer, in Gegenwart Cadfaels, der sie bestätigen und ergänzen würde. Und der Abt sprach nicht das aus, was jeder andere unfehlbar sehr bald ausgesprochen hätte. Statt dessen fragte er:

»Wer hat den Mann zuletzt lebend gesehen?«

»Soweit wir bisher wissen«, sagte Hugh, »die Leute, die sahen, wie er gestern nachmittag das Haus verließ. Jevan von Lythwood, der, wie Bruder Cadfael mir berichtete, heute morgen hier erschien, um sich nach ihm zu erkundigen, noch bevor ich ihm die Nachricht vom Tode des Mannes überbringen konnte. Die Ziehtochter Fortunata, die gestern hier als Zeugin aussagte. Die Dame des Hauses. Und der Hirte Conan. Aber das war am hellichten Tag. Er muß noch von anderen gesehen worden sein, am Stadttor, auf der Brücke, hier in der Vorstadt oder wo immer er hingegangen ist. Wir werden jedem seiner Schritte nachforschen und versuchen, die Zeit bis zu seinem Tod auszufüllen.«

»Aber wann der eingetreten ist, wissen wir nicht«, sagte Radulfus.

»Nein, wir können es nur vermuten. Aber Madog ist der Ansicht, daß er erst in den Fluß geworfen wurde, als es dunkel war, und daß er nach seiner Ermordung bis zum Einbruch der Nacht irgendwo versteckt worden ist – zwei oder drei Stunden vielleicht, aber das wissen wir nicht. Meine Männer sind unterwegs und suchen nach irgendwelchen Spuren an der Stelle, wo er gelegen haben mag. Wenn wir die Stelle finden, dann finden wir auch die, an der er ermordet wurde; sie kann nicht weit davon entfernt sein.«

»Und der ganze Lythwood-Haushalt stimmt darin überein, daß der Schreiber, als er gehört hatte, daß der junge Mann ihn nicht aus seiner Stellung verdrängen wollte, sich auf den Weg hierher machte, um zu gestehen, daß er aus Bosheit gehandelt hatte, und seine Anklage zurückziehen wollte?«

»So ist es. Außerdem sagte die junge Frau, daß sie sich in dem Wäldchen, nicht weit von der Brücke entfernt, von Elave getrennt und Aldwin das mitgeteilt hätte. Sie glaubt, daß er so eilig aufbrach, weil er hoffte, ihn noch einzuholen. Sie sagte außerdem«, erklärte Hugh mit Nachdruck, »sie hätte Elave gedrängt, die Flucht zu ergreifen, aber er hätte sich geweigert.«

»Dann entspricht das, was er getan hat, seiner eigenen Aussage«, gab Radulfus zu. »Und sein Ankläger war im Begriff zu gestehen und um Verzeihung zu bitten. Ja, das spricht dagegen«, sagte er, wobei er Hugh eindringlich musterte.

»Es gibt andere, die behaupten, es spräche dafür. Und ich muß sagen«, räumte Hugh ein, »auch dieser Standpunkt hat etwas für sich. Er lief frei herum, er hatte guten Grund, dem Mann zu grollen. Wir kennen sonst niemanden, der Veranlassung hatte, sich Aldwins zu entledigen. Er brach auf, um Elave zu treffen, draußen im Wäldchen. Außer Sichtweite von anderen. Oberflächlich gesehen paßt alles nur zu gut zusammen. Der Leichnam muß unterhalb der Brücke ins Wasser geworfen worden sein, und in der Gaye gibt es sonst kaum irgendwelche Deckung.«

»Alles wahr«, sagte Radulfus. »Aber ebenso wahr ist, wie ich glaube, daß der junge Mann, wenn er gemordet hätte, kaum aus freien Stücken in die Abtei zurückgekehrt wäre. Er hat es aber getan. Außerdem – wenn der Tote erst nach Einbruch der Dunkelheit in den Fluß geworfen wurde, kann Elave das nicht getan haben. Denn wir wissen, wann er hierher zurückgekehrt ist. Es war während des Läutens der Vesperglocke. Das beweist nicht zweifelsfrei, daß er nicht der Mörder war, aber es stellt es zumindest in Frage. Nun, wir haben ihn sicher untergebracht.« Er lächelte ein wenig ingrimmig. Eine steinerne Zelle, fest verschlossen, gewährleistete Elaves persönliche Sicherheit ebenso, wie sie ihn an der Flucht hinderte. »Und nun möchtet Ihr ihn verhören.«

»In Eurer Gegenwart«, sagte Hugh. »Wenn es Euch recht ist.« Und als er den Blick der durchdringenden Augen spürte, sagte er schlicht: »Ich hätte gern einen Zeugen, der über jeden Verdacht erhaben ist. Und Ihr könnt Menschen ebenso gut beurteilen wie ich, vermutlich sogar besser.«

»Also gut«, sagte Radulfus. »Aber er soll nicht zu uns kommen. Wir gehen zu ihm, solange alle anderen sich im Refektorium aufhalten. Dem Chorherrn Gerbert wird Robert aufwarten.« Das würde er zweifelsohne tun, dachte Cadfael hartherzig. Der Prior war nicht der Mann, der sich die Chance entgehen ließ, sich bei einem Mann mit Einfluß beim Erzbischof beliebt zu machen. Aber in diesem Fall würde seine Vorliebe für die Mächtigen einmal nützlich sein. »Anselm hat mich um Erlaubnis gebeten, dem Jungen Bücher zu geben«, sagte der Abt. »Er hat mit Recht darauf hingewiesen, daß wir die Pflicht haben, für guten Rat und Ermahnung zu sorgen, wenn wir irrige Überzeugungen bekämpfen wollen. Fühlt Ihr Euch imstande, Bruder Cadfael, als Anwalt Gottes zu fungieren?«

»Ich bin nicht sicher«, erklärte Cadfael, »ob in diesem Falle nicht der Unterwiesene dem Unterweisenden überlegen wäre. Ich sehe meine Aufgabe eher darin, seinen verletzten Kopf zu behandeln, als auf den Verstand einzuwirken, der sich darin befindet.«

Elave saß auf seiner schmalen Pritsche in einer der beiden steinernen Büßerzellen, die selten gebraucht wurden, und berichtete, was er zu berichten hatte, während Cadfael den Verband seiner Kopfwunden erneuerte. Er sah noch immer recht mitgenommen aus, angeschlagen und steif von der Behandlung, die Gerberts übereifrige Stallburschen ihm hatten angedeihen lassen. Aber er wirkte nicht unterwürfig. Anfangs gab er sich sogar angriffslustig, weil er glaubte, daß diese Würdenträger, geistliche und weltliche gleichermaßen, ihm feindlich gesinnt und gewillt waren, jedes Wort, das er sprach, zu seinen Ungunsten auszulegen. Es war eine Haltung, die ganz und gar nicht zu seiner üblichen Offenheit und Umgänglichkeit paßte, und Cadfael tat es leid, seine Verstellung zu beobachten, wenn auch nur für kurze Zeit. Dann begriff Elave, daß er bei seinen Besuchern doch nicht die Feindseligkeit und Bedrohung fand, die er erwartet hatte, und es dauerte nicht lange, bis sein verschlossenes und zurückhaltendes Gesicht sich entspannte und der kalte Unterton aus seiner Stimme verschwand.

»Ich habe mein Wort gegeben, daß ich diesen Ort nicht verlassen würde«, erklärte er fest, »bis ich freigesprochen bin und es rechtmäßig tun kann, und ich hatte nie vor, dieses Versprechen zu brechen. Ihr habt gesagt, ehrwürdiger Vater Abt, daß ich mich in der Zwischenzeit frei bewegen könnte, und das habe ich getan und mir nichts Böses dabei gedacht. Ich bin hinter der Lady hergelaufen, weil sie sich um meinetwillen Sorgen machte, und das konnte ich nicht ertragen. Ihr habt es selbst gesehen, ehrwürdiger Vater. Ich holte sie kurz vor der Brücke ein. Ich wollte ihr sagen, sie sollte sich keine Sorgen machen; sie hat mir kein Unrecht zugefügt, was sie von mir berichtete, habe ich tatsächlich gesagt, und ich wollte um alles in der Welt verhindern, daß es sie bekümmerte, die Wahrheit gesagt zu haben, wie immer es mir auch ergehen mag. Außerdem«, sagte Elave, von der Erinnerung ermutigt, »wollte ich ihr dafür danken, daß sie mir so geneigt ist. Denn das war ganz offensichtlich. Ihr habt es auch gesehen, und ich war glücklich darüber.«

»Und als Ihr Euch von ihr getrennt hattet?« sagte Hugh.

»Ich wäre sofort zurückgekehrt, aber da sah ich, wie sie aus dem Tor herausstürmten und die Vorstadt absuchten. Da war mir klar, daß sie schon hinter mir her waren. Also zog ich mich zwischen die Bäume zurück, um einen günstigen Augenblick abzuwarten. Ich wollte mich nicht mit Gewalt zurückschleppen lassen«, sagte Elave entrüstet, »zumal ich nichts anderes vorgehabt hatte, als aus freien Stücken zurückzukehren und das Urteil über mich abzuwarten. Aber sie ließen den großen Kerl als Wache zurück, und an dem wäre ich nie vorbeigekommen. Ich dachte, wenn ich bis zur Vesper wartete, könnte ich mich vielleicht unter die Kirchgänger mischen und ungesehen hereinkommen.«

»Aber Ihr habt nicht die ganze Zeit hier in der Nähe zwischen den Bäumen verbracht«, sagte Hugh, »denn wie ich höre, haben sie auf einer halben Meile beiderseits der Straße jedes Versteck abgesucht. Wohin seid Ihr gegangen?«

»Zwischen den Bäumen hindurch, um die Gaye herum und ein gutes Stück am Fluß entlang. Dort habe ich in Deckung gelegen, bis ich annahm, daß die Zeit der Vesper nicht mehr fern war.«

»Und Ihr habt während dieser ganzen Zeit niemanden gesehen? Niemand hat Euch gesehen oder mit Euch gesprochen?«

»Ich mußte ja darauf achten, daß niemand mich sah«, sagte Elave. »Ich habe mich vor Verfolgern versteckt. Nein, es gibt niemanden, der bezeugen könnte, wo ich gewesen bin. Aber weshalb sollte ich zurückkehren, wie ich es gatan habe, wenn ich vorgehabt hätte, davonzulaufen? In dieser Zeit hätte ich schon den halben Weg zur Grenze zurücklegen können. Sprecht mich zumindest von dem Vorwurf frei, ich hätte mein Wort gebrochen.«

»Das habt Ihr ganz eindeutig nicht getan«, sagte Abt Radulfus. »Und Ihr könnt mir glauben, ich wußte nichts davon, daß man Jagd auf Euch machte. Ich hätte es nicht zugelassen. Zweifellos geschah es aus bloßem Eifer, aber es war unangebracht und tadelnswert. Es tut mir leid, daß Ihr das Opfer von Gewalttätigkeit geworden seid. Jetzt glaubt niemand mehr, daß Ihr vorhattet zu flüchten. Ich habe Euer Versprechen gelten lassen, und ich würde es wieder tun.«

Elave schaute mit vor Verwirrung zusammengezogenen Brauen unter Bruder Cadfaels Verband hervor und blickte verständnislos von einem Gesicht zum anderen. »Weshalb dann diese Fragen? Spielt es eine Rolle, wohin ich gegangen bin? Schließlich bin ich zurückgekommen. Worauf wollt Ihr hinaus?« Am längsten und eindringlichsten musterte er Hugh, dessen Autorität weltlicher Art war und der, wenn es um eine Anklage wegen Ketzerei ging, nichts zu tun oder zu sagen hatte. »Worum geht es? Irgend etwas ist geschehen. Was kann es seit gestern Neues geben? Was ist es, wovon ich nichts weiß?«

Alle betrachteten ihn stumm und eindringlich und fragten sich, ob er in der Tat nichts wußte. Konnte ein schlichter Mann sich dermaßen verstellen, zudem einer, dessen Wort der Abt noch am Vortag ohne weiteres angenommen hatte? Aber zu welchem Schluß sie auch gelangten, er konnte noch nicht mitgeteilt werden. Hugh sagte mit vorsichtiger Sanftheit: »Zuerst solltet Ihr vielleicht erfahren, was Fortunata und ihre Familie ausgesagt haben. Ihr habt Euch zwischen dem Tor und der Brücke von ihr getrennt, das bestätigt sie, und dann kehrte sie nach Hause zurück. Dort traf sie Aldwin und machte ihm Vorwürfe, weil er eine solche Anklage gegen Euch vorgebracht hatte; dabei stellte sich heraus, daß er Angst gehabt hatte, Ihr könntet ihn aus seiner Stellung vertreiben, was, wie Ihr zugeben müßt, für ihn sehr schwer wog.«

»Aber davon konnte überhaupt nicht die Rede sein«, sagte Elave verblüfft. »Das war schon geklärt, als ich meinen Fuß zum ersten Mal ins Haus setzte. Ich hatte nie die Absicht, ihn zu verdrängen, und Dame Margaret hat keinen Zweifel daran gelassen, daß sie ihn nicht vor die Tür setzen würden. Von mir hatte er nichts zu befürchten.«

»Aber er glaubte, das wäre der Fall. Daß es nicht so war, hatte ihm bis dahin niemand mit eindeutigen Worten zu verstehen gegeben. Und als er es erfuhr, da erklärte er – wie alle vier, auch der Hirte, bestätigen – seine Absicht, hinter Euch herzulaufen, um zu gestehen und Euch um Verzeihung zu bitten. Und falls er Euch verfehlte, war er bereit, Euch hierher in die Abtei zu folgen und sein Bestes zu tun, um das, was er Euch angetan hatte, ungeschehen zu machen.«

Elave schüttelte fassungslos den Kopf. »Ich habe ihn nicht gesehen. Ich habe zehn Minuten oder länger zwischen den Bäumen gestanden und die Straße beobachtet, bevor ich aufgab und mich auf den Weg zum Fluß machte. Wenn er vorbeigekommen wäre, hätte ich ihn sehen müssen. Vielleicht bekam er es mit der Angst zu tun, als er sah, wie sie die Vorstadt durchkämmten und jeden Winkel nach mir absuchten, und hat daraufhin seine Absicht geändert.« Das wurde ohne Bitterkeit gesagt, sogar mit einem resignierten Lächeln. »Es ist leichter und sicherer, die Hunde von der Leine zu lassen, als sie zurückzupfeifen.«

»Ein wahres Wort!« sagte Hugh. »Es ist schon vorgekommen, daß sie den Jäger gebissen haben, wenn er zwischen sie und die Beute geriet. Ihr habt ihn also nicht gesehen und nicht mit ihm gesprochen? Ihr habt keine Ahnung, wohin er ging oder was mit ihm passiert ist?«

»Nicht die geringste. Warum?« fragte Elave. »Habt Ihr ihn verloren?«

»Nein«, sagte Hugh. »Wir haben ihn gefunden. Bruder Cadfael fand ihn heute morgen unter der Uferböschung des Severn hinter der Gaye. Tot, mit einer Dolchwunde im Rücken.«

»Hat er es nun gewußt oder nicht?« fragte Hugh, als sie wieder auf dem Hof standen und die Zellentür hinter ihnen verschlossen und verriegelt war. »Ihr habt ihn selbst gesehen – wißt Ihr, was von ihm zu halten ist? Und wenn man ihn noch so genau beobachtet – jeder Mann kann lügen, wenn er muß. Ich würde mich lieber auf handfeste und beweisbare Dinge verlassen. Er ist zurückgekehrt. Würde das ein Mann tun, der einen Mord begegnet hat? Er besitzt ein gutes Messer, mit dem er auch töten könnte, aber es steckt nach wie vor in seinem Bündel im Gästehaus, er trägt es nicht bei sich. Und wir wissen, daß er ergriffen wurde, sobald er durch das Tor ging und anschließend keine Minute allein war, bis sich die Zellentür hinter ihm geschlossen hatte. Wenn er noch ein zweites Messer hatte und es bei sich trug, dann muß er es weggeworfen haben. Vater Abt, glaubt Ihr diesem Mann? Sagt er die Wahrheit? Als er Euch sein Wort gab, habt Ihr es gelten lassen. Tut Ihr das immer noch?«

»Ich glaube ihm weder, noch glaube ich ihm nicht«, sagte Radulfus schweren Herzens. »Wie könnte ich das wagen? Aber ich hoffe!«

ACHTES KAPITEL

William Warden, der dienstälteste und erfahrenste von Hughs Sergeanten, erschien auf der Suche nach dem Sheriff gerade in dem Augenblick, in dem Hugh und Cadfael sich dem Torhaus näherten; ein großer, bärtiger, stämmiger Mann in mittleren Jahren, angegraut und vom Wetter gegerbt und so von sich eingenommen, daß er gelegentlich dazu neigte, andere zu unterschätzen. Als Hugh ins Amt des Sheriffs aufrückte, hatte er den Mann zuerst für ein Leichtgewicht gehalten. Aber die Zeit hatte ihn eines Besseren belehrt und ein Verhältnis zwischen ihnen entstehen lassen, das auf einem gesunden, gegenseitigen Respekt beruhte. Jetzt war der Bart des Sergeanten vor Befriedigung gesträubt. Ganz offensichtlich hatte er Fortschritte gemacht und war dementsprechend erfreut.

»Mylord, wir haben ihn gefunden – den Ort, wo er bis zum Dunkelwerden versteckt war. Oder jedenfalls den, wo er oder jemand anders genügend Blut verloren hat, um deutliche Spuren zu hinterlassen. Während wir das Gesträuch absuchten, kam Madog auf die Idee, im Gras unter dem Brükkenbogen nachzusehen. Dort hatte ein Fischer sein Boot an Land gezogen und umgedreht, um die Planken neu abzudichten. Gestern hat er bestimmt nicht gearbeitet, wegen des Feiertages. Als wir es anhoben, war das Gras darunter auf ganzer Länge plattgedrückt, und ein kleiner Fleck war von Blut geschwärzt. Bei dieser trockenen Witterung hat die Stelle seit einem Monat oder länger oberhalb des Wasserspiegels gelegen, und das Gras ist ausgebleicht wie Stroh. Der Fleck war nicht zu übersehen, so klein er auch ist. Ein toter Mann wäre dort, unter einem umgedrehten Boot, sicher aufgehoben gewesen.«

»Das also war das Versteck!« sagte Hugh mit einem langen, nachdenklichen Atemholen. »Und es war kein großes Risiko, unter dem Brückenbogen einen Leichnam ins Wasser zu befördern. Kein Geräusch, kein Geplätscher, nichts zu sehen. Mit einem Ruder oder einer Stange konnte man ihn leicht in die Strömung hinausschieben.«

»Unsere Vermutung war also offenbar richtig«, sagte Cadfael. »Ihr braucht Euch nur um diesen Abschnitt des Flusses zu kümmern, von der Brücke bis zu der Stelle, an der er hängenblieb. Habt Ihr das Messer gefunden?«

Der Sergeant schüttelte den Kopf. »Wenn er seinen Mann dort umgebracht hat, unter dem Brückenbogen, dann konnte er das Messer im Wasser abspülen und mitnehmen. Weshalb ein gutes Messer wegwerfen? Oder sollte er es herumliegen lassen und riskieren, daß irgendein Nachbar es findet und sagt: Das kenne ich, das gehört John Weaver oder wem auch immer, und wie kommt es, daß Blut daran ist? Nein, das Messer werden wir nicht finden.«

»So ist es«, sagte Hugh. »Ein Mann müßte schon vor Angst den Verstand verloren haben, um es wegzuwerfen und zu riskieren, daß es gefunden wird; ich nehme eher an, daß dieser Mann seine fünf Sinne beisammen hatte. Aber Ihr habt gute Arbeit geleistet. Jetzt wissen wir, wo die Tat begangen wurde, dort oder nicht weit davon entfernt.«

»Ich habe noch mehr zu berichten, Mylord«, sagte Will selbstzufrieden, »und zwar etwas, das noch merkwürdiger ist, wenn Aldwin, wie man uns berichtete, es so eilig hatte, als er davonlief, um seine Anklage rückgängig zu machen. Wir fragten den Posten am Stadttor, ob er gesehen hätte, daß er auf dem Weg zur Brücke das Tor passierte, und er sagte, er hätte ihn gesehen und angesprochen, aber kaum eine Antwort erhalten. Aber er kam nicht direkt von Lythwoods Haus, da war er ganz sicher. Es war mehr als eine Stunde später, vielleicht sogar anderthalb.«

»Und er war ganz sicher?« fragte Hugh. »Die Leute werden am Tor nicht kontrolliert, nicht in friedlichen Zeiten. Es ist durchaus möglich, daß er nicht sonderlich auf die Zeit geachtet hat.«

»Er ist sicher. Er sah sie alle zurückkommen nach dem, was im Kapitelsaal passiert war – zuerst Aldwin und den Hirten und dann das Mädchen, und er hatte den Eindruck, daß sie alle ziemlich aufgeregt waren. Zu diesem Zeitpunkt wußte er noch nicht, was sich abgespielt hatte, aber ihm fiel auf, in welcher Verfassung sie waren, und lange bevor Aldwin wieder durchs Tor ging, hatte die Geschichte die Runde durch die Stadt gemacht. Der Posten war hellwach, als er genau diesen Mann die Wyle herabkommen sah, er hoffte, ihn aufhalten und mit ihm sprechen zu können, aber Aldwin ging wortlos an ihm vorbei. Oh, er ist ganz sicher! Er weiß genau, wieviel Zeit vergangen war.«

»Also war er die ganze Zeit noch in der Stadt«, sagte Hugh und biß sich nachdenklich auf die Unterlippe. »Und dann hat er schließlich doch die Brücke überquert, um dorthin zu gehen, wo er hinwollte. Aber weshalb die Verzögerung? Was kann ihn aufgehalten haben?«

»Oder wer?« warf Cadfael ein.

»Oder wer! Glaubt Ihr, daß ihm jemand nachgelaufen ist, um ihn von seinem Vorsatz abzubringen? Keiner von den Leuten aus dem Haus, sonst hätten sie es gesagt. Wer sonst hätte versuchen sollen, ihn zurückzuhalten? Niemand außer ihm selbst wußte, was er vorhatte. Nun«, sagte Hugh, »es bleibt uns nichts anderes übrig, als die ganze Strecke von Lythwoods Haus bis zur Brücke abzugehen und an jede Tür zu klopfen, bis wir festgestellt haben, wie weit er gekommen ist, bevor er abbog. Irgend jemand muß ihn irgendwo gesehen haben.«

»Ich könnte mir vorstellen«, sagte Cadfael, der über alles nachgedacht hatte, was er von Aldwin wußte, »daß er ein Mann war, der kaum Freunde hatte, und keiner, der über sonderlich viel Entschlußkraft verfügte. Wahrscheinlich mußte er all seinen Mut zusammennehmen, um Elave überhaupt anzuklagen, und es wäre ihm noch schwerer gefallen, seine Anklage zurückzuziehen und sich damit der Falschaussage oder des Handelns aus Boshaftigkeit verdächtig zu machen. Es ist durchaus möglich, daß er es unterwegs mit der Angst zu tun bekam, es sich abermals anders überlegte und beschloß, die Sache auf sich beruhen zu lassen. Wohin würde ein einsamer, seiner selbst nicht sicherer Mann wie er gehen, um sich die Sache nochmals zu überlegen? Und zu versuchen, wieder Mut zu fassen? Eine gewisse Art von Mut wird in den Schenken verkauft. Und eine andere Art, die allerdings nicht käuflich ist, kann ein Mann in der Beichte finden. Versucht es mit den Schenken und den Kirchen, Hugh. Beides sind Orte, an denen ein Mann zur Ruhe kommen und nachdenken kann.«

Es war einer der jungen Soldaten aus der Garnison der Burg, keineswegs unzufrieden mit dem Auftrag, sich in sämtlichen Schenken der Stadt zu erkundigen, der mit dem nächsten Abschnitt von Aldwins Wanderung durch Shrewsbury aufwarten konnte. Es gab eine kleine Schenke in einer schmalen Sackgasse, die vom oberen Ende der steil abfallenden Wyle abzweigte. Sie lag ungefähr auf halbem Wege zwischen dem Haus in der Nähe der Kirche von Saint Alkmund und dem Stadttor; die zu ihr führenden Gassen waren von hohen Mauern gesäumt und an einem Feiertag vermutlich fast menschenleer. Ein Mann, der von jemanden eingeholt wurde, der darauf aus war, ihn zu einem Sinneswandel zu bewegen, oder der plötzlich von Skrupeln ergriffen wurde, die ihn veranlaßten, es sich auch ohne die Überredung durch einen anderen anders zu überlegen, mochte durchaus imstande sein, vom direkten Weg abzuweichen und sich an diesem stillen und abgeschiedenen Ort bei einem Krug Ale die Sache noch einmal durch den Kopf gehen zu lassen. Auf jeden Fall hatte der junge Mann nicht die Absicht, eine der Schenken auszulassen, die in dem ihm übertragenen Gebiet lagen.

»Aldwin?« sagte der Wirt, nur zu gern bereit, über eine so sensationelle Tragödie zu reden. »Ich habe es erst vor einer Stunde erfahren. Natürlich kannte ich ihn. Ein ziemlich stiller Mann, meistens. Wenn er herkam, saß er in einer Ecke und sprach kaum ein Wort. Man könnte sagen, daß er immer auf das Schlimmste gefaßt war, aber wer hätte gedacht, daß es jemanden geben könnte, der ihm ein Leid zufügen wollte? Er hat, soweit ich weiß, nie jemandem geschadet, jedenfalls nicht bis zu der Sache gestern. Man erzählt sich, daß derjenige, den er angezeigt hat, es ihm heimgezahlt hat, und zwar gründlich. Und dabei steckt er ohnehin schon tief genug in der Klemme«, sagte der Wirt mit vertraulich gesenkter Stimme. »Wenn ihn die Kirche in den Krallen hat, hätte er nicht auch noch losziehen und seine Lage noch weiter verschlimmern müssen.«

»Habt Ihr den Mann gestern gesehen?« fragte der junge Mann.

»Aldwin? Ja, er war eine Weile hier, auf der Bank dort in der Ecke, verdrießlich wie immer. Ich hatte noch nichts von der Sache in der Abtei gehört, sonst hätte ich ihn genauer beobachtet. Keiner von uns konnte ahnen, daß der arme Kerl heute morgen schon tot sein würde. Es überfällt einen Mann, ohne ihm Zeit zu lassen, vorher seine Angelegenheiten in Ordnung zu bringen.«

»Er war hier?« wiederholte der junge Mann erfreut. »Wann war das?«

»Geraume Zeit nach Mittag. Fast drei, glaube ich, als sie hereinkamen.«

»Sie? Er war nicht allein?«

»Nein. Der andere Mann führte ihn herein, ganz vertraulich, er hatte ihm einen Arm um die Schulter gelegt und redete schnell und leise auf ihn ein. Sie müssen ungefähr eine halbe Stunde da gesessen haben, dann ging der andere, und Aldwin blieb noch eine weitere halbe Stunde, anscheinend über etwas nachgrübelnd. Aber ein Trinker ist Aldwin nie gewesen. Er war stocknüchtern, als er aufstand und durch die Tür hinausging, und zwar ohne ein Wort zu sagen. Und jetzt ist es zu spät für Worte. Amer Kerl.«

»Wer war es denn, der mit ihm hereinkam?« fragte der junge Mann eifrig. »Wie heißt er?«

»Ich glaube nicht, daß ich seinen Namen je gehört habe, aber ich weiß, wer er ist. Er arbeitet für denselben Herrn – es war der Hirte, der sich um die Herden kümmert, die sie auf der Waliser Seite der Stadt halten.«

»Conan?« wiederholte Jevan und drehte sich mit einem neuen Stück Pergament in der Hand vor dem Regal in seiner Werkstatt um. »Er ist draußen bei den Schafen, und es ist durchaus möglich, daß er da auch übernachtet. Das tut er oft in diesen warmen Sommernächten. Gibt es denn etwas Neues? Er hat Euch heute morgen gesagt, was er wußte, was wir alle wußten. Hätten wir ihn hier zurückhalten sollen? Ich wüßte nicht, weshalb wir das hätten tun sollen.«

»Ich hätte es zu dieser Zeit auch nicht gewußt«, pflichtete Hugh ihm grimmig bei. »Aber inzwischen sieht es so aus, als hätte Master Conan uns nicht mehr erzählt als die Hälfte der Geschichte, die Hälfte, die Ihr und der gesamte Haushalt bezeugen könnt. Kein Wort davon, daß er hinter Aldwin hergelaufen ist, ihn in die Schenke ›Unter den drei Bäumen‹ geschleppt und ihn dort mehr als eine halbe Stunde lang festgehalten hat.«

Jevans gerade dunkle Brauen hatten sich bis zu seinem Haaransatz gehoben, und sein Kiefer sackte für einen Augenblick herab. »Das hat er getan? Er sagte, er wollte zu den Herden zurückkehren und den Rest des Tages mit seiner Arbeit verbringen. Ich nahm natürlich an, daß er genau das getan hat.« Er trat langsam an den massiven Tisch, auf dem er sein Pergament zu falten pflegte, breitete das Stück, das er in der Hand hielt, sorgfältig aus und strich es mit einer langen Hand glatt. Er war ein sehr penibler Mann. Alles in seiner

Werkstatt war makellos in Ordnung, die noch nicht zugeschnittenen Häute hingen auf Gestellen, die fertigen Blätter
lagen, nach Formaten geordnet, auf Borden, und die Messer,
mit denen er sie zuschnitt, lagen säuberlich ausgerichtet und
griffbereit in einem flachen Kasten. Die Werkstatt war klein
und bei diesem schönen Wetter zur Straße hin offen; die Läden würden erst am Abend wieder geschlossen werden.

»Er kam mit Aldwin in die Schenke, sagte der Wirt, und
zwar gegen drei Uhr. Dort haben sie ungefähr eine halbe
Stunde gesessen, wobei Conan eifrig und vertraulich auf
Aldwin einredete. Dann ließ Conan ihn dort zurück; ich
nehme an, um sich nun doch an die Arbeit zu machen. Aldwin blieb noch eine weitere halbe Stunde allein sitzen. Das
ist die Geschichte, die mein Mann ausgegraben hat, und das
ist die Geschichte, die ich von Conan selbst hören möchte,
zusammen mit allem anderen, was es sonst noch zu berichten gibt.«

Jevan strich sich über sein langes, glatt rasiertes Kinn und
musterte Hugh mit einem nachdenklichen Blick. »Jetzt, wo
Ihr mir das sagt, Mylord, muß ich gestehen, daß ich in dem,
was da gesagt wurde, jetzt mehr sehe als gestern. Denn als
Aldwin sagte, er müsse den jungen Mann einholen, den zu
ruinieren er sich alle Mühe gegeben hatte, und mit ihm zu
den Mönchen gehen und alles widerrufen, was er gegen ihn
ausgesagt hatte, da sagte Conan zu ihm, er solle doch kein
Narr sein, damit würde er sich nur selbst in Schwierigkeiten
bringen, ohne dem Jungen damit zu helfen. Aber ich habe
mir nur dabei gedacht, daß es sich vernünftig anhörte, und
daß er nichts anderes im Sinn hatte, als Aldwin vor einer Gefahr zu warnen. Als ich sagte, laß ihn gehen, er ist nun einmal dazu entschlossen, tat Conan die Sache mit einem Achselzucken ab und ging seinen eigenen Geschäften nach. Das
zumindest glaubte ich. Jetzt bin ich nicht mehr so sicher.
Hört sich das für Euch nicht an, als hätte er eine weitere
halbe Stunde mit dem Versuch verbracht, den armen Kerl

von seinem Bußgang abzubringen? Ihr sagtet, daß er das Reden besorgte und Aldwin das Zuhören. Und dann dauerte es noch eine weitere halbe Stunde, bis Aldwin sich entschließen konnte, welchen Weg er einschlagen wollte.«

»So hört es sich in der Tat an«, sagte Hugh. »Außerdem – wenn Conan befriedigt ging und ihn sich selbst überließ, dann hat er gewiß geglaubt, er hätte ihn überredet. Er wäre bestimmt nicht gegangen, bevor er überzeugt war, daß alles so lief, wie er es wollte. Aber was ich nicht verstehe – weshalb war das für ihn so wichtig? Ist Conan ein Mann, der soviel für einen Freund wagt oder so besorgt ist, daß ein anderer Mann in einen Sumpf geraten könnte?«

»Ich muß gestehen«, sagte Jevan, »daß ich das nie geglaubt habe. Er ist immer sehr auf seinen eigenen Vorteil bedacht, obwohl er ein guter Arbeiter und den Lohn wert ist, den wir ihm zahlen.«

»Aber warum dann? Aus welchem Grund sollte er sich so bemühen, den armen Kerl dazu zu überreden, die Dinge auf sich beruhen zu lassen? Was mochte er gegen Elave haben, daß er ihm den Tod wünschte oder das Lebendigbegrabenwerden in einem Gefängnis der Kirche? Der Junge war doch gerade erst heimgekommen, und wahrscheinlich hatten sie kaum mehr als ein Dutzend Worte gewechselt. Wenn es nicht Sorge um Aldwin war oder ein Groll auf Elave, was ist es dann, was Eurem Mann im Kopf herumgeht?«

»Das solltet Ihr ihn selbst fragen«, sagte Jevan und schüttelte verwundert den Kopf; in seiner Stimme lag eine gewisse Verblüffung, die Hugh veranlaßte, die Ohren zu spitzen.

»Das werde ich tun. Aber jetzt frage ich Euch.«

»Nun«, sagte Jevan vorsichtig, »Ihr müßt bedenken, daß ich mich irren kann. Aber eine Sache gibt es, in der Conan Elaves Gegner sein könnte. Ohne jede Provokation; Elave wäre vermutlich erstaunt, wenn er davon erführe. Ihr habt unsere Ziehtochter Fortunata gesehen? Sie ist zu einer reizvollen jungen Frau herangewachsen, seit Elave zu seiner Pilgerreise nach Jerusalem aufgebrochen ist, und davor, daran werdet Ihr Euch erinnern, haben sie hier im Haus zusammengelebt. Sie mochten einander recht gern, wobei er sich zu einem Kind herabließ und sie auf Kinderart in ihn verliebt war, auch wenn er nicht mehr tat, als ihre Gefühle zur Kenntnis nehmen. Aber jetzt, da er zurückgekehrt ist, liegen die Dinge anders. Und da ist Conan ...«

»Der sie ebenso lange kennt und gesehen hat, wie sie heranwuchs«, sagte Hugh skeptisch, »und schon längst um ihre Hand hätte anhalten können, wenn er das gewollt hätte – ohne einen Elave, der ihm im Wege stand. Hat er es getan?«

»Er hat es nicht getan«, gab Jevan zu. »Aber die Zeiten haben sich geändert. Bis auf den Namen, den ihr mein Onkel gegeben hat, hatte Fortunata bis jetzt nichts, das sie zu einer guten Partie gemacht hätte. Elave hat nicht nur sich selbst aus dem Osten heimgebracht, sondern auch eine Erbschaft, die mein Onkel William, Gott sei seiner Seele gnädig, seiner Ziehtochter zukommen lassen wollte, als er wußte, daß er sie wohl nicht wiedersehen würde. Bisher weiß Conan nicht, was sich in der Schatulle befindet, die Elave mitgebracht hat. Sie wird erst geöffnet, wenn mein Bruder von seiner Einkaufsreise zurückgekehrt ist. Aber Conan weiß, daß es sie gibt, daß sie von einem großzügigen Mann stammt, praktisch von seinem Totenbett, wo zu erwarten ist, daß ein Mann sein Herz öffnet. Den Blicken nach zu urteilen, die Conan Fortunata in den letzten paar Tagen zugeworfen hat, scheint er zu glauben, daß sie für ihn bestimmt ist, mitsamt ihrer Mitgift, und daß Elave eine Bedrohung darstellt, die aus dem Wege geräumt werden muß.«

»Durch den Tod, wenn es sein muß?« fragte Hugh zweifelnd. Ein einfacher Mann mußte schon sehr kühn und erbittert sein, um zu einer derart extremen Maßnahme zu greifen. »Schließlich war nicht er es, der die Anklage vorgebracht hat.«

»Ich habe mich schon gefragt«, fuhr Jevan fort, »ob die

beiden dieses faule Ei nicht gemeinsam ausgebrütet haben. Beiden lag daran, Elave loszuwerden. Inzwischen hat sich herausgestellt, daß Aldwin fürchtete, er könnte aus seiner Stellung herausgedrängt werden. Es war nun einmal seine Art, von mir und meinem Bruder wie von allen anderen Leuten nur das Schlechteste zu erwarten. Oh, ich bezweifle, daß einer von ihnen an etwas so Endgültiges wie ein Todesurteil gedacht hat. Es hätte ihnen völlig gereicht, wenn Elave im Gefängnis des Bischofs verschwunden oder auch nur so geschunden und mißhandelt worden wäre, daß er sich nach seiner Entlassung schleunigst nach einem gesünderen Ort umgesehen hätte. Und zweifellos hat Conan keine Ahnung von Frauen, wenn er glaubte, schon die Bedrohung würde bewirken, daß sich Fortunata von Elave abwendete. Er hätte es besser wissen müssen. Sie hat bewirkt, daß sie sich ihm erst recht zuwendete! Jetzt wird sie mit Zähnen und Nägeln um ihn kämpfen. Die Priester werden von unserer Fortunata noch einiges zu hören bekommen.«

»Also so steht es«, sagte Hugh und stieß einen leisen Pfiff aus. »Ihr habt mir mehr gesagt, als Ihr selbst wißt. Wenn die Dinge so liegen, kann Conan durchaus einen Schrecken bekommen haben, als Aldwin es sich anders überlegte und den Jungen aus dem Sumpf herausholen wollte, in den er ihn gestoßen hatte. Das könnte ihn veranlaßt haben, hinter Aldwin herzulaufen, sich an ihn zu hängen, ihn mit einem Wortschwall zu überschütten, alles Erdenkliche zu tun, um ihn von seinem Vorhaben abzubringen. Könnte es ihn auch veranlaßt haben, noch weiterzugehen?«

Jevan stand da, musterte ihn fragend und legte langsam und fast geistesabwesend das Stück Pergament nieder, das er ergriffen hatte, um es Kante an Kante zusammenzufalten. »Weiter? Wieso weiter? Worauf wollt Ihr hinaus? Wie es aussieht, hatte er sein Ziel erreicht und zog befriedigt ab. Weiteres war nicht erforderlich.«

»Ja, aber angenommen, daß Conan doch nicht so ganz befriedigt war? Angenommen, daß er sich nicht darauf verlassen konnte, daß er gesiegt hatte? Schließlich wußte er, was für eine unbeständige arme Seele dieser Aldwin war, ein Mann mit einem schlechten Gewissen, dessen eigene Angst vergangen war und damit sein Groll, und der seine Entschlüsse änderte wie der Wind seine Richtung. Angenommen, daß Conan irgendwo lauerte, um zu sehen, was er nun wirklich tat? Und beobachtete, wie Aldwin aufstand und wortlos die Schenke verließ und die Wyle hinunterging zum Stadttor und zur Brücke? All seine Worte hatten nichts gefruchtet, und mehr als Worte war erforderlich, und zwar schnell, bevor der Schaden nicht mehr zu beheben war. War es für ihn dermaßen wichtig? Aldwin hätte sich nichts Böses dabei gedacht, wenn er ein zweites Mal verfolgt wurde – von einem Mann, den er seit Jahren kannte. Er hätte sich vielleicht sogar an einen stillen Ort locken lassen, damit sie die Sache noch einmal bereden konnten. Aldwin«, sagte Hugh, »wurde irgendwo in der Nähe der Brücke ermordet und unter einem umgedrehten Boot versteckt, bis es dunkel geworden war und er unter der Deckung des Brückenbogens ins Wasser geworfen werden konnte.«

Jevan dachte mehrere Minuten lang schweigend darüber nach. Dann schüttelte er kraftvoll, aber nicht völlig überzeugt den Kopf. »Ich glaube nicht, daß er dazu fähig wäre. Zugegeben, es würde erklären, weshalb er die andere Hälfte der Geschichte verschwieg und vorgab, Aldwin zuletzt in unserem Hof gesehen zu haben, genau wie wir. Aber nein, ein kleiner Verdruß reicht nicht aus, daß kleine Leute morden. Es sei denn«, setzte er hinzu, »daß es in einem Anfall von Wut geschah, fast zufällig und sofort bedauert. Das wäre denkbar!«

»Schickt jemanden aus, der ihn zurückholt«, sagte Hugh. »Sagt ihm nichts. Wenn er von Euch gerufen wird, kommt er, ohne Verdacht zu schöpfen. Und wenn er klug ist, dann sagt er die Wahrheit.«

Girard von Lythwood kehrte am frühen Abend zurück, zwei Tage später, als er vorgehabt hatte, aber vollauf zufrieden mit der Arbeit der Woche. Der Grund seiner Verspätung war der Gewinn zweier neuer Kunden, die eine gute Schur zu verkaufen hatten und froh waren, mit einem ehrlichen Händler ins Geschäft zu kommen, nachdem sie in den Vorjahren weniger gute Erfahrungen gemacht hatten. Als er nach Hause kam, lag die gesamte Wolle, die er gewogen und gekauft hatte, bereits sicher in seinem Lagerhaus in der Vorstadt der Burg. Die gemieteten Packponys, die er nur einmal im Jahr nach der Schur brauchte, standen wieder in ihrem Stall, und die beiden angeheuerten Burschen waren ausbezahlt und nach Hause geschickt worden. Girard war ein praktischer Mann. Er beglich seine Rechnungen prompt und erwartete von anderen, daß sie das, was sie ihm schuldeten, ebenso prompt und ohne Ausflüchte bezahlten. Ende Juni oder Anfang Juli würde der Vertragshändler, der die Wolle nach Flandern exportierte, kommen und die Ausbeute des Sommers holen. Girard kannte seine Grenzen. Ihm genügte es, daß er sein Netz über ein Viertel der Grafschaft und das benachbarte Wales ausgeworfen hatte; den Großhandel überließ er ehrgeizigeren Leuten.

Girard war einen halben Kopf kleiner als sein jüngerer Bruder, aber breiter in den Schultern und mit massigeren Knochen, ein stattlicher Mann bei bester Gesundheit und Laune, rundgesichtig und heiter, mit einem dicken Dornengestrüpp aus rötlichbraunem Haar und kurzgeschnittenem Bart. Auch das Unerwartete konnte seine gute Laune nur selten erschüttern; dennoch war er bestürzt, als er nach einwöchiger Abwesenheit zurückkehrte und erfuhr, daß sein pilgernder Onkel William tot und begraben war, daß Williams junger Begleiter sämtliche Gefahren der Reise heil überstanden hatte, nur um gleich nach seiner Rückkehr in eine gefährliche Lage zu geraten, daß sein Schreiber Aldwin tot war und bis zur Beisetzung in einem der Schuppen an seinem Hof aufgebahrt lag, während der Gemeindepfarrer von Saint Alkmund herauszufinden versuchte, in welchem Zustand sich die Seele des Toten befunden hatte, bevor man ihn zur ewigen Ruhe bestatten würde, und daß sein Hirte fassungslos und schwitzend in Jevans Werkstatt saß, zusammen mit einem Mann des Sheriffs, der ihn bewachte. Und es war auch keine Hilfe, daß drei Leute gleichzeitig versuchten, ihm zu erklären, auf welche Weise diese chaotischen Ereignisse während seiner Abwesenheit eingetreten waren.

Aber Girard war ein Mann, der alle Dinge in der richtigen Reihenfolge erledigte. Wenn Onkel William tot und begraben war, wie es sich gehörte, dann gab es in dieser Angelegenheit nichts mehr zu tun; es eilte nicht einmal, daß er sich mit seinem Tod abfand. Wenn ausgerechnet Aldwin eines gewaltsamen Todes gestorben war, dann war das etwas, das zwar zu einem gerechten Ende gebracht werden mußte, aber wie auch immer – er konnte nichts daran ändern. Anders stand es mit Vater Elias' Zweifeln an der seelischen Verfassung des armen Mannes; darum mußte er sich kümmern. Wenn Elave in der Abtei in einer Zelle saß, dann konnte ihm zumindest im Augenblick nichts Schlimmeres widerfahren. Und was Conan betraf – der war selbstsicher genug, und es würde ihm nicht schaden, ein wenig schwitzen zu müssen. Später würde noch Zeit genug sein, ihn herauszuholen, wenn sich das als nötig erweisen sollte. Aber im Augenblick mußte Girards Pferd, das an diesem Tag viele Meilen zurückgelegt hatte, in den Stall gebracht und versorgt werden, und Girard selbst hatte Hunger.

»Laß uns hineingehen, Mädchen«, sagte er munter, schlang einen Arm um die Taille seiner Frau und schob sie auf die Diele zu, »und du, Jevan, sei so gut und kümmere dich um mein Pferd, damit ich diese ganze Geschichte verdauen kann. Zum Jammern ist es zu spät und zu früh, um in Panik zu geraten. Was immer schiefgegangen ist, irgendwann kommt der Zeitpunkt, wo es wieder in Ordnung gebracht

werden kann. Blinder Eifer schadet nur! Fortunata, meine
Kleine, geh und hol mir einen Krug Ale. Ich bin ausgetrocknet wie eine Kalkgrube. Und deck den Tisch – wenn ich irgendwie von Nutzen sein soll, muß ich erst etwas essen.«

Alle taten, um was er sie gebeten hatte. Der Angelpunkt
des Hauses, herzlich und herzerfrischend, war heimgekehrt.
Jevan, der den größten Teil des Berichts den Frauen überlassen hatte, gestand seinem Bruder seine Stellung als Halt und
Stütze von Haushalt, Geschäft und allem anderen zu, gewis-
sermaßen aus einem entspannten und anerkannten Abstand;
er hatte zwischen seinen Pergamentblättern sein eigenes
Reich. Er brachte das müde Pferd in den Stall und putzte
und fütterte es in aller Ruhe, bevor er ins Haus ging, um sich
zu den anderen an den Tisch zu setzen. Conan war inzwischen in die Burg gebracht worden, um dort von Hugh Beringar verhört zu werden.

Jevan lächelte ein wenig gequält, als er die Pforte zur
Straße schloß und in die Diele trat.

»Es ist schon merkwürdig«, sagte Girard und lehnte sich
mit einem befriedigten Aufseufzen zurück. »Da ist ein Mann
nur eine einzige Woche im Jahr in Geschäften unterwegs,
und schon passiert in dieser Woche alles mögliche. Nur gut,
daß Conan mich nicht eingeholt hat, sonst wären mir zwei
neue Kunden entgangen. Wenn er mich gefunden hätte, wäre
ich natürlich mit ihm zurückgeritten. Die Wolle von vier-
hundert Schafen habe ich in diesen beiden Dörfern bekommen, einen Teil davon überdies von der Flachlandrasse. Aber
es tut mir leid, meine Liebe, daß du das alles allein durchste-
hen mußtest und ich nicht hier war, um dir einen Teil der
Last abzunehmen. Jetzt müssen wir sehen, was noch zu tun
übrigbleibt. Das Wichtigste, nehme ich an, ist die Sache mit
Aldwin. Was immer er in seiner Angst gegen einen anderen
Mann getan und gesagt haben mag – hat es je einen Menschen wie Aldwin gegeben, der immer mit dem Schlimmsten
rechnete und sich nicht zu fragen getraute, weil er fürchtete,

es könnte zutreffen? Nun, was er auch getan hat, er stand in unseren Diensten und wir werden dafür sorgen, daß er anständig begraben wird. Aber Vater Elias hat Bedenken wegen der Beerdigung.«

Vater Elias, der Gemeindepfarrer von Saint Alkmund, saß mit ihnen am Tisch, von Girards gastfreundlichem Arm mit einer Einladung zum Abendessen aus seinen Gewissenszweifeln über den Toten herausgerissen. Vater Elias, klein, ältlich, grau, von inbrünstiger Frömmigkeit, aß wie ein kleiner Vogel, wenn er überhaupt auf den Gedanken kam, etwas zu essen; gewöhnlich eilte er geschäftig und besorgt zwischen seiner Herde herum wie eine aufgeregte Glucke, die versucht, fremde Küken unter ihre Fittiche zu nehmen. Seelen neigten dazu, sich ihm zu entziehen, und von Fall zu Fall schien jede von ihnen die einzige zu sein, auf die es ankam; er verbrachte einen großen Teil seiner Zeit auf den Knien und bat Gott um Verzeihung für die Seele, die ihm durch die Finger glitt.

»Der Mann gehörte zu meiner Gemeinde«, sagte der kleine Priester mit einer dünnen Stimme, in der dennoch eine gereizte Entschlossenheit lag, »und ich bedaure sein Hinscheiden und werde für ihn beten. Aber er starb eines gewaltsamen Todes, kurz nachdem er aus Bosheit schwere Anklagen gegen einen anderen Mann vorgebracht hatte. In welchem Zustand befand sich da seine Seele? Er ist seit vielen Wochen nicht mehr zur Messe in meine Kirche gekommen und auch nicht zur Beichte. Er hat nie regelmäßig den Gottesdienst besucht, wie es alle Menschen tun sollten. Wegen dieser Nachlässigkeit würde ich ihm die Bestattung nicht verweigern. Aber wann hat er zum letzten Mal gebeichtet und die Absolution erhalten? Wie kann ich ihn aufnehmen, solange ich nicht weiß, ob er bußfertig gestorben ist?«

»Ein kleiner Akt der Reue würde genügen?« fragte Girard ruhig. »Vielleicht ist er zu einem anderen Priester gegangen. Wer weiß? Vielleicht ist er irgendwo anders auf diesen Gedanken gekommen und vielleicht hatte er das Gefühl, es nicht aufschieben zu dürfen.«

»Innerhalb der Stadtmauern gibt es vier Gemeindebezirke«, sagte Elias mit widerstrebender Duldsamkeit. »Ich werde mich umhören. Allerdings, jemand, der so oft die Messe versäumt... Nun, ich werde fragen, hier in der Stadt und außerhalb. Es könnte sogar sein, daß er es nicht wagte, zu mir zu kommen. Die Menschen sind schwach und weichen aus, um ihre Schwäche zu verbergen.«

»So ist es, Vater! Müßte es ihm nicht peinlich sein, zu Euch zu kommen, nachdem er sich so lange bei der Messe nicht blicken ließ? Und hätte er es nicht vielleicht vorgezogen, zu einem anderen Priester zu gehen, der ihn nicht so gut kannte und eher geneigt war, ihm seine Sünden zu vergeben? Hört Euch um, Vater, und Ihr werdet sicherlich jemanden finden, der ihn entlastet. Und dann ist da die Sache mit Conan. Auch er arbeitet für mich, was immer er angestellt haben mag. Ihr sagt, er hätte als Zeuge ausgesagt, daß Williams Junge irgendwelche dummen Dinge über die Kirche von sich gegeben hat. Was meinst du, Jevan, haben die beiden vielleicht die Köpfe zusammengesteckt, um ihm zu schaden?«

»Es ist ziemlich wahrscheinlich«, sagte Jevan achselzuckend. »Allerdings glaube ich nicht, daß ihnen ganz klar war, was sie da anrichteten. Wie sich herausstellte, hatte Aldwin, dieser Schwachkopf, Angst, er würde hinausgeworfen, damit Elave seinen Posten wieder einnehmen konnte.«

»Das hätte man bei ihm gewiß vorhersagen können!« pflichtete ihm Girard aufseufzend bei. »Er sah die Dinge immer von ihrer schwärzesten Seite. Er hätte klüger sein müssen nach all den Jahren, die er für uns gearbeitet hat. Ich nehme an, er hat geglaubt, der Junge würde die Beine in die Hand nehmen und sich davonmachen, um sein Glück anderswo zu versuchen, sobald er sich bedroht fühlte. Aber weshalb sollte Conan ihn loswerden wollen?«

Es trat eine kurze Stille ein; dann sagte Jevan mit einem kleinen, traurigen Lächeln: »Ich glaube, unser Hirte ist gleichfalls auf die Idee gekommen, Elave für einen gefährlichen Rivalen zu halten, wenn auch nicht um seinen Arbeitsplatz. Er hat ein Auge auf Fortunata geworfen...«

»Auf mich?« Fortunata fuhr vor Erstaunen auf und starrte ihren Onkel über den Tisch hinweg an. »Davon habe ich nie etwas gemerkt! Und ich bin ganz sicher, daß ich ihn nie dazu ermutigt habe.«

»... und bildet sich ein und fürchtet«, fuhr Jevan fort, jetzt etwas breiter lächelnd, »daß Elave, wenn er bleibt, einen ansehnlichen Bewerber abgibt. Um nicht zu sagen, einen willkommeneren! Und wer könnte behaupten, daß er sich da irrt?«

»Conan hat mich nie besonders beachtet«, sagte Fortunata, die ihre Verblüffung überwunden hatte und prüfte, was daran wahr sein mochte, auch wenn es ihr entgangen war. »Nie! Ich kann nicht glauben, daß er auch nur einen Gedanken an mich verschwendet hat.«

»Er würde gewiß nicht als glühender Liebhaber auftreten«, sagte Jevan, »aber in den letzten paar Tagen hat sich einiges geändert. Du warst zu sehr damit beschäftigt, in die andere Richtung zu schauen, um es zu bemerken.«

»Du meinst, er hat meinem Mädchen Schafsblicke zugeworfen?« fragte Girard und lachte laut heraus, als er sich das vorstellte.

»Wohl kaum. Ich würde es eher berechnende Blicke nennen. Hat Margaret dir nicht erzählt, daß Fortunata ein Geschenk von William bekommen hat, als Mitgift?«

»Da wurde eine Schatulle erwähnt, die noch geöffnet werden muß. Aber hat irgend jemand geglaubt, ich würde es meiner Fortunata an einer Mitgift fehlen lassen, wenn sie ans Heiraten denkt? Aber es ist trotzdem schön, daß der alte Mann an sie gedacht hat und ihr seinen Segen gab. Wenn sie sich etwas aus Conan macht, nun, er ist vermutlich ein anständiger Kerl, und sie könnte es schlechter treffen. Er hätte wissen müssen, daß ich sie nie mit leeren Händen hätte gehen lassen, für wen sie sich auch entscheiden würde.« Und er fügte mit einem liebevollen Blick auf Fortunata hinzu: »Obwohl unser Mädchen eine wesentlich bessere Partie machen könnte!«

»Die Münze in der Hand«, sagte Jevan sarkastisch, »ist mehr wert als alle Versprechungen.«

»Da tust du dem Mann bestimmt Unrecht! Weshalb sollte ihm nicht klargeworden sein, daß unser kleines Mädchen zu einer Schönheit herangewachsen ist? Und selbst wenn er, um sich einen lästigen Mitbewerber vom Hals zu schaffen, gegen Elave ausgesagt und aus demselben, nicht übermäßig glaubwürdigen Grund auf Aldwin eingeredet hat – Männer haben schon Schlimmeres getan und brauchten nicht allzu teuer dafür zu bezahlen. Aber hier geht es um den Mord an Aldwin. Nein, dazu wäre Conan bestimmt nicht fähig!« Er blickte den Tisch entlang zu Vater Elias, der klein und aufmerksam dasaß, mit scharfen Augen unter seiner dünnen grauen Tonsur. »Was meint Ihr, Vater Elias?«

»Ich habe gelernt«, sagte der kleine Priester, »daß jeder Mensch zu jeder Schurkerei fähig ist. Und zu jedem Akt der Güte. Ein Menschenleben ist eine sehr zerbrechliche Sache, hervorgebracht mit verzweifeltem Bemühen und von einem Windhauch ausgeblasen – Wut oder Trunkenheit oder nur ein grober Scherz, es dauert nicht länger als einen Augenblick.«

»Es sind nur wenige Stunden, über die Conan Rechenschaft geben muß«, erklärte Jevan gelassen. »Sicher hat er auf dem Weg zu seinen Schafen Leute getroffen, die ihn kennen, er braucht sie nur zu benennen, sie brauchen nur zu sagen, wann und wo sie ihn gesehen haben. Ihm kann nichts passieren, wenn er jetzt die ganze Wahrheit erzählt und nicht nur die halbe.«

Und damit blieb nur Elave. Derjenige, dem man Übles angetan hatte, der den überzeugendsten Grund hatte, wütend zu sein, der sich plötzlich seinem Ankläger gegenübersah, zwischen Bäumen, ohne Zeugen, zu erbost, um abzuwarten, was sein Feind ihm zu sagen gedachte. Das war es, was fast jedermann in Shrewsbury sagen würde, ohne jeden Zweifel. Eine Anklage wegen Ketzerei, eine weitere wegen Mordes. Den ganzen Nachmittag, bis zur Vesper, hatte er sich in Freiheit befunden, und wer hatte Aldwin noch lebend gesehen, nachdem er an dem Posten am Stadttor vorbeigegangen war? Zweieinhalb Stunden zwischen diesem Zeitpunkt und der Vesper, als Elave wieder in Gewahrsam genommen wurde, zweieinhalb Stunden, in denen er ohne weiteres einen Mord hätte begehen können. Selbst der Einwand, daß Aldwin durch einen Stich in den Rücken getötet worden war, ließ sich leicht entkräften. Er kam angerannt, um zu sagen, daß er seine Tat bereute. Elave trat ihm mit einem so wütenden Gesicht und so bedrohlichen Gebärden gegenüber, daß er es mit der Angst zu tun bekam und kehrtmachte, um zu flüchten, und in diesem Augenblick traf ihn das Messer in den Rücken. Ja, so würden alle es darstellen. Und wenn eingewandt wurde, daß Elave gar kein Messer bei sich hatte, daß es in seinem Bündel im Gästehaus lag? Dann hatte er eben ein zweites, das jetzt fraglos auf dem Grunde des Flusses lag. Es gab auf alles eine Antwort.

»Vater«, sagte Fortunata unvermittelt und stand von ihrem Platz auf, »kannst du jetzt meine Schatulle öffnen? Wir wollen sehen, was ich wert bin. Und dann muß ich mit dir reden. Über Elave!«

Margaret holte die Schatulle aus dem Eckschrank und räumte ein Tischende frei, damit sie sie vor ihrem Mann hinstellen konnte. Girards buschige Brauen hoben sich bewundernd, als er sie erblickte. Er nahm sie in die Hände und betrachtete sie eingehend.

»Das ist wirklich ein herrliches Stück Arbeit. Die Schatulle allein könnte dir ein paar Extragroschen einbringen, falls du sie je brauchen solltest.« Er griff den vergoldeten Schlüssel und steckte ihn in das Schloß. Er drehte sich leicht und lautlos, und Girard öffnete den Deckel. Eine dicke, saubere Filzauskleidung kam zum Vorschein, so zusammengefaltet, daß man sie nur auseinanderzuklappen brauchte, um zu sehen, was die Schatulle enthielt. Drinnen lagen sechs kleine Beutel aus ähnlichem Filz. Alle gleich groß, so nebeneinander gepackt, daß sie den Innenraum ausfüllten.

»Nun, sie gehören dir«, sagte Girard und lächelte Fortunata an, die sich so über ihn beugte, daß ihr Gesicht im Schatten lag. »Mach einen auf!«

Sie zog einen der Beutel heraus, und unter ihren Fingern ertönte das leise Klirren von Silber. Es gab keine Zugschnur, das obere Ende des Beutels war nur zusammengefaltet. Sie schüttete den Inhalt auf den Tisch, eine Flut von Silberpennies, mehr, als sie je auf einen Haufen gesehen hatte – und dennoch seltsam enttäuschend. Die Schatulle war so wunderschön und ungewöhnlich, ein wahres Kunstwerk, und der Inhalt, so wertvoll er auch sein mochte, war ganz gewöhnliches Geld. Einerlei, es mochte seinen Zweck erfüllen, einen wichtigen Zweck, falls es zum Schlimmsten kommen sollte.

»Da siehst du es, Mädchen!« sagte Girard erfreut. »Gutes Geld, und alles gehört dir. Das sind schätzungsweise hundert Pence. Und da sind noch fünf weitere Beutel. Onkel William hat gut für dich gesorgt. Sollen wir das Geld für dich zählen?«

Sie zögerte einen Moment, dann sagte sie: »Ja!« und schob selbst mit einer Hand das Häufchen von dünnen, kleinen Silbermünzen zusammen; dann zählte sie sie, eine nach der anderen, in den Beutel zurück. Es waren dreiundneunzig. Als sie den Beutel wieder verschlossen und in einer Ecke der Schatulle verstaut hatte, hatte Girard bereits die Hälfte vom Inhalt des nächsten gezählt.

Vater Elias hatte sich ein Stück vom Tisch zurückgezogen

und wendete den Blick ab von diesem plötzlich zum Vorschein gekommenen, vergleichsweise großen Vermögen. Ein armer Gemeindepriester sah nur selten zehn Silberpennies auf einem Haufen, geschweige denn hundert. Er sagte mit hohler Stimme: »Ich gehe jetzt und erkundige mich in Saint Julian nach Aldwin« und verließ still den Raum und das Haus; nur Margaret bemerkte sein Verschwinden und eilte hinter ihm her, um ihn bis auf die Straße hinauszubegleiten.

Die sechs Beutel enthielten fünfhundert und siebzig Pennies. Fortunata packte sie alle wieder in die Schatulle und schloß den Deckel.

»Verschließ sie wieder und verwahre sie gut für mich«, sagte sie. »Das Geld gehört mir, nicht wahr? Und ich kann damit machen, was ich will?« Sie betrachteten sie alle mit wohlwollendem Interesse und dem nachsichtigen Respekt, den sie ihr immer entgegengebracht hatten, selbst als sie noch ein ernstes, empfindsames Kind gewesen war.

»Ich möchte, daß du das weißt. Seit Elave zurückgekehrt ist, und erst recht, seit dieser Schatten auf ihn gefallen ist, steht er mir wieder sehr nahe, näher als je zuvor. Ich glaube, ich liebe ihn. Das tat ich schon früher, aber dies ist eine andere Art von Liebe. Er hat mir dieses Geld gebracht, damit ich mich gut verheiraten kann, aber ich weiß jetzt, daß ich nur ihn heiraten möchte. Und selbst wenn ich das nicht kann, will ich dieses Geschenk dazu benutzen, ihm aus dem Schatten herauszuhelfen – auch wenn das bedeutet, daß er von hier fortgehen muß, irgendwohin, wo sie nicht Hand auf ihn legen können. Mit Geld kann man vieles kaufen, sogar Wege aus einem Gefängnis, sogar Männer, die die Türen öffnen. Ich kann es zumindest versuchen.«

»Mein liebes Kind«, sagte Girard sanft, aber fest, »du selbst hast mir gerade erzählt, wie du ihn gedrängt hast, um sein Leben zu laufen, als er noch Gelegenheit dazu hatte. Und daß er es abgelehnt hat. Einen Mann, der nicht davonlaufen will, kann man nicht zum Davonlaufen zwingen. Und ich finde, er hat recht. Nicht nur, weil er sein Wort gegeben hat, sondern auch, warum er es gegeben hat. Er hat gesagt, er hätte nichts Böses getan und dächte nicht daran, irgend jemanden den Beweis dafür zu liefern, daß er sich der Gerechtigkeit entzöge.«

»Das weiß ich«, sagte Fortunata. »Aber er setzt sein Vertrauen auf die Gerechtigkeit von Kirche und Staat. Was mich angeht, so bin ich da weit weniger sicher. Ich würde ihm lieber gegen seinen Willen das Leben erkaufen, als mit ansehen zu müssen, wie er es wegwirft.«

»Du würdest ihn nicht dazu bewegen können, es anzunehmen«, warnte Jevan. »Er hat es schon einmal abgelehnt.«

»Das war, bevor Aldwin ermordet wurde«, sagte sie entschlossen. »Da war er nur wegen Ketzerei angeklagt. Jetzt geht es, wenn auch noch nicht offiziell, um Mord. Er ist es nicht gewesen. Ich kann es nicht glauben; zu einem Mord wäre er niemals fähig. Aber nun sitzt er hilflos hinter Schloß und Riegel, bereits in ihrer Gewalt. Jetzt geht es um sein Leben.«

»Das hat er nach wie vor«, sagte Girard beruhigend und legte einen Arm um sie. »Hugh Beringar ist nicht der Mann, der sich mit der einfachsten Antwort begnügt und dann aufhört, sich weiter umzuschauen. Wenn der Junge nichts Böses getan hat, wird er heil und gesund aus der Sache herauskommen. Warte ab! Warte eine Weile ab und sieh zu, was er herausfindet. Mit Mord will ich nichts zu tun haben. Kann ich denn mit Sicherheit wissen, ob ein Mann unschuldig ist, sei es nun Elave oder Conan? Aber wenn es auf die simple Sache der Ketzerei hinausläuft, dann werde ich meinen ganzen Einfluß in die Waagschale werfen, um ihn sicher herauszuholen. Dann sollst du ihn haben, er soll die Stellung einnehmen, die der arme Aldwin ihm mißgönnte, und ich werde für sein Wohlverhalten geradestehen. Aber Mord – nein! Bin ich Gott, daß ich am Gesicht eines Menschen erkennen könnte, ob er schuldig oder unschuldig ist?«

NEUNTES KAPITEL

Am folgenden Morgen erschien Vater Elias, nachdem er
seine Amtsbrüder in der Stadt aufgesucht hatte, in der
Abtei und fragte vor dem Kapitel, ob einer der Brüder, die
zugleich Priester waren, dem Schreiber Aldwin vor dem
Gottesdienst zur Feier der Grablegung der heiligen Winifred
die Beichte abgenommen hätte. Am Vorabend des Festtages
waren die Beichtiger vermutlich vollauf beschäftigt gewesen;
viele der Gläubigen, die den Zustand ihrer Seele eine Zeitlang vernachlässigt hatten, waren von ihrem Gewissen in den
Beichtstuhl genötigt worden, damit sie den Festtag gereinigt
und erfrischt begehen und in erneuertem Seelenfrieden beruhigt schlafen konnten. Wenn Aldwin an einen der Geistlichen herangetreten wäre, würde sich dieser bestimmt daran
erinnern. Aber das war nicht der Fall. Es endete damit, daß
Vater Elias enttäuscht und beunruhigt den Kapitelsaal verließ, wobei er den grauen Kopf schüttelte und die weiten,
ausgefransten Ärmel seines Gewandes ihn umflatterten wie
einen kleinen, zerzausten Vogel.

Bruder Cadfael begab sich vom Kapitel aus zu seiner Arbeit im Garten, die schäbige kleine Gestalt noch vor dem
geistigen Auge. Vater Elias war ein Pedant, aber er gab nicht
so leicht auf. Irgendwo und irgendwie mußte er seine Überzeugung begründen, daß Aldwin im Zustand der Gnade gestorben war, und dann würde er dafür sorgen, daß seiner
Seele der ganze Trost und Beistand zuteil wurde, den die
Kirche zu bieten hatte. Aber er hatte es bereits bei jedem
Priester in der Stadt und in der Vorstadt versucht, und bisher
vergeblich. Und er war kein Mann, der einfach die Augen
schließen und so tun konnte, als wäre alles in bester Ordnung; sein Gewissen hatte einen stahlharten Kern und

würde ihm keine Ruhe lassen, wenn er ohne einen überzeugenden Grund von seinen Maßstäben abging. Cadfael empfand Mitgefühl sowohl für den auf Perfektion bedachten Priester als auch für das abtrünnige Mitglied seiner Gemeinde. In diesem Moment schien ihm ihr Fall sogar Vorrang zu haben vor Elaves mißlicher Lage. Elave war sicher genug untergebracht, bis Bischof Roger de Clinton entschied, was mit ihm geschehen sollte. Er konnte seine Zelle zwar nicht verlassen, aber es konnte auch kein Übereifriger eindringen und versuchen, ihm abermals den Kopf einzuschlagen. Seine Wunden verheilten, die blauen Flecke verblaßten, und Bruder Anselm, Vorsänger und Bibliothekar, hatte ihm den ersten Band der »Confessiones« des heiligen Augustinus gegeben, damit er sich die Zeit vertreiben konnte. Und damit er feststellen konnte, hatte Anselm gesagt, daß Augustinus sich auch mit anderen Themen als Prädestination, Verdammnis und Sünde beschäftigt hatte.

Anselm war zehn Jahre jünger als Cadfael, ein magerer, tatkräftiger, begabter Mann, in dem noch immer ein Körnchen ununterdrückbaren Mutwillens steckte, auch wenn es gewöhnlich nicht zum Vorschein kam. Cadfael hatte vorgeschlagen, er sollte Elave doch lieber Augustinus' »Gegen Fortunatus« zu lesen geben. Dort hätte er, geschrieben einige Jahre vor den wesentlich orthodoxeren Äußerungen des Heiligen in einer Periode stark schwankender Überzeugungen, lesen können: »Es gibt keine Sünde außer durch den eigenen Willen des Menschen, und deshalb beruht der Lohn, wenn wir das Rechte tun, gleichfalls auf unserem eigenen Willen.« Sollte Elave sich diesen Satz merken und ihn zu seiner Verteidigung zitieren! Es war mehr als wahrscheinlich, daß Anselm seinem Vorschlag folgen und den Verdächtigen mit allen Zitaten versorgen würde, die seiner Sache dienlich sein konnten. Es war ein Spiel, das jeder belesene Student der Kirchenväter spielen konnte, und Anselm konnte es besonders gut.

So war Elave für einige Tage, auf jeden Fall so lange, bis Serlo seinen Bischof in Coventry erreicht hatte und mit seiner Antwort zurückgekehrt war, sicher aufgehoben, und er konnte diese Zeit auch brauchen, um sich von der groben Mißhandlung zu erholen. Aber Aldwin, der tot war und begraben werden mußte, konnte nicht warten.

Cadfael konnte nicht umhin, sich zu fragen, wie es Hugh bei seinen Erkundigungen in der Stadt ergangen sein mochte. Er hatte ihn seit dem Morgen des Vortages nicht mehr gesehen, und die Entdeckung des Mordes hatte das Zentrum des Geschehens von der Abtei auf das weite, dichtbevölkerte Feld der weltlichen Außenwelt verlagert. Auch wenn die eigentlichen Wurzeln des Falles innerhalb dieser Mauern lagen, in der dunklen Wolke der Ketzerei, und wenn der offensichtlich Tatverdächtige hier in Gewahrsam gehalten wurde, mußten dort, außerhalb der Mauern, die letzten Stunden von Aldwins Leben ausgefüllt werden; und in der Stadt und der Vorstadt gab es Hunderte von Leuten, die ihn gekannt hatten, die ihm vielleicht einen alten Groll oder neuen Zorn entgegenbrachten, gespeist von Dingen, die mit der Anklage gegen Elave nicht das mindeste zu tun hatten. Und was Elave betraf, gab es einige schwache Punkte, die Hugh bestimmt selbst gesehen hatte und nicht zugunsten der einfachsten Antwort beiseite schieben würde. Nein, die Sache mit Aldwin war das vordringlichere Problem.

Nach dem Mittagessen, in der zur Erholung freigegebenen halben Stunde, begab sich Cadfael in die Kirche, in die beruhigende steinerne Kühle, und stand mehrere Minuten stumm vor dem Altar der heiligen Winifred. In jüngster Zeit hatte er sich angewöhnt, wenn er das Bedürfnis danach empfand, Worte an sie zu richten, dies auf Walisisch zu tun, aber für gewöhnlich verließ er sich darauf, daß sie auch ohne Worte wußte, womit er sich in Gedanken beschäftigte. Es war ohnehin fraglich, ob die Heilige aus Wales in ihrem ersten kurzen Erdendasein überhaupt Englisch oder Latein gelernt

hatte oder auch nur imstande gewesen war, ihre eigene Sprache zu lesen und zu schreiben; die stattliche Priorin, die sie
in ihrem zweiten Leben gewesen war, Rompilgerin und
Oberhirtin einer Gemeinde von heiligen Frauen, mußte genug Zeit gehabt haben, nach Herzenslust zu lernen und zu
studieren. Doch wenn Cadfael an sie dachte, dann sah er immer das junge Mädchen vor sich. Ein Mädchen, dessen
Schönheit legendär gewesen war und der Grund dafür, daß
Fürsten sie begehrten.

Bevor er sie verließ, spürte er, obwohl er sich nicht bewußt war, irgendwelche Bedürfnisse oder Wünsche geäußert
zu haben, die Ruhe und Gewißheit, die das Gebet zu ihr ihm
immer vermittelte. Er ging um den Gemeindealtar herum ins
Kirchenschiff, wo Vater Boniface gerade dabei war, die
kleine Altarlampe aufzufüllen und die Kerzen in ihren Hal-
tern geradezurichten. Cadfael blieb stehen, um ihm einen
guten Tag zu wünschen.

»Ich nehme an, Ihr hattet heute morgen Besuch von Vater
Elias von Saint Alkmund? Er erschien in der gleichen Angelegenheit vor dem Kapitel. Eine traurige Geschichte, die Sache mit Aldwin.«

Vater Boniface nickte zustimmend mit seinem dunklen
Kopf und wischte wie ein kleiner Junge die öligen Finger an
der Soutane ab. Er war dünn, aber drahtig, und fast so wortkarg wie sein Küster, aber seine vorsichtige Zurückhaltung
verschwand in dem Maße, in dem er das Zutrauen seiner Gemeinde gewann.

»Ja, er kam nach der Prim zu mir. Ich habe diesen Aldwin
zu seinen Lebzeiten nicht gekannt. Ich wollte, ich hätte ihm
jetzt, da er tot ist, helfen können, aber soweit ich weiß, habe
ich ihn bis zum Begräbnis des Wollhändlers am Tage vor
dem Fest niemals zu Gesicht bekommen. Auf jeden Fall hat
er nie bei mir gebeichtet.«

»Und auch nicht bei einem von uns«, sagte Cadfael. »Und
ebensowenig in der Stadt; dort hat Elias zuerst nachgefragt.

Und Eure Gemeinde ist sehr groß. Der arme Vater Elias würde weit laufen müssen, um den nächsten Priester zu finden. Und wenn Aldwin überhaupt an die Tür von einem seiner Amtsbrüder geklopft hat, bezweifle ich, daß er einen so weiten Weg zurückgelegt hätte, um dort von seinen Sünden freigesprochen zu werden.«

»Ich muß in Erfüllung meiner Pflichten des öfteren selbst meilenweit laufen«, sagte Boniface, eher mit Stolz als Bedauern über die Größe seiner Pfarre. »Gott weiß, daß mir das nichts ausmacht! Tag oder Nacht, ich bin glücklich über die Gewißheit, daß sie mich aus dem abgelegensten Weiler rufen können, wenn sie mich brauchen, und wissen, daß ich komme. Manchmal frage ich mich, womit ich dieses Glück verdient habe. Erst vorgestern wurde ich nach Betton gerufen und versäumte sämtliche Gottesdienste außer der Morgenmesse. Es tat mir leid, daß es dazu kam, aber mir blieb nichts anderes übrig. Da lag ein Mann im Sterben, oder er und seine Angehörigen glaubten, daß er sterben würde. Es war die Reise wert, denn sein Zustand besserte sich, und ich blieb, bis wir sicher waren, daß er am Leben bleiben würde. Es wurde bereits dunkel, als ich zurückkehrte ...« Er brach plötzlich ab, mit offenem Mund und großen Augen. »So ist es gewesen!« sagte er langsam. »Und ich habe überhaupt nicht daran gedacht!«

»Was ist so gewesen?« fragte Cadfael neugierig. Es war eine lange und zutrauliche Rede gewesen für einen so stillen, zurückhaltenden Mann, und sein plötzliches Verstummen war fast bestürzend. »Was ist Euch wieder eingefallen?«

»Daß zu jener Zeit noch ein Priester hier war, der jetzt wieder fort ist. Vater Elias kann das nicht wissen. Ich hatte einen Gast, der zum Fest der Grablegung der heiligen Winifred gekommen war, einen früheren Mitschüler, der erst vor einem Monat ordiniert wurde. Er kam am Tag vor dem Fest, am frühen Nachmittag, und blieb den ganzen nächsten Tag, und als ich nach der Morgenmesse abberufen wurde, ließ ich ihn zurück, damit er meine Pflichten übernehmen konnte. Ich wußte, daß er sich darüber freuen würde. Er blieb, bis ich zurückkam, doch da wurde es schon dunkel, und er wollte sich möglichst schnell auf den Heimweg machen. Es war nur ein kurzer Besuch, vom Nachmittag eines Tages bis zum Anbruch der Dunkelheit am nächsten, aber was ist, wenn wirklich jemand bei ihm erschien, um zu beichten?«

»Er hat nichts davon erwähnt, bevor er aufbrach?« fragte Cadfael.

»Er hatte es eilig, vor ihm lag ein Weg von vier Meilen. Ich habe ihn nicht danach gefragt. Er war sehr stolz, daß er meinen Platz einnehmen durfte, er hat die Komplet für mich abgehalten. Es wäre möglich!« sagte Boniface. »Es ist zwar nur eine geringe Chance, aber immerhin denkbar. Sollten wir uns nicht vergewissern?«

»Das können wir tun«, sagte Cadfael erfreut, »sofern er sich noch in Reichweite befindet. Aber wo sollen wir jetzt nach ihm suchen? Vier Meilen, sagtet Ihr? Das ist keine große Entfernung.«

»Er ist der Neffe von Vater Eadmer in Attingham und wurde nach seinem Onkel benannt. Allerdings weiß ich nicht, ob er noch bei ihm ist. Bis jetzt hat er noch keine eigene Pfarre. Ich würde gehen«, sagte Boniface zögernd, »aber dann wäre ich bis zur Vesper nicht zurück. Wenn es mir früher eingefallen wäre ...«

»Macht Euch deswegen keine Sorgen«, sagte Cadfael. »Ich bitte den Vater Abt um Erlaubnis und gehe selbst. Aus einem solchen Grund wird er sie mir nicht verweigern; es geht um das Heil einer Seele. Und bei dieser warmen Witterung«, fügte er praktisch hinzu, »ist Eile geboten.«

Es war seit mehr als einer Woche der erste Tag, an dem eine leichte Bewölkung aufgezogen war; doch bis zum Abend hatte sich die Wolkendecke wieder aufgelöst. In die Vorstadt hinauszutreten, mit dem Segen des Abtes hinter sich und einer Vier-Meilen-Wanderung vor sich, war ein reines Vergnügen, und das Fernweh, das Cadfael nie ganz losgeworden war, regte sich verstärkt, als er die Straßengabelung bei Saint Giles erreichte und auf den nach Attingham führenden Weg einbog. Es gab Zeiten, in denen die alte Wanderlust wieder aufflackerte, und die Tatsache, daß er erst drei Monate zuvor, im März, einen Auftrag sogar außerhalb der Grenzen der Grafschaft erledigen mußte, hatte sie eher angeregt als gestillt. Er hatte feststellen müssen, daß es ihm ebenso schwerfiel, das Gelübde der Beständigkeit zu halten, so feierlich er es auch abgelegt hatte, wie das des Gehorsams, mit dem Cadfael schon immer die größten Schwierigkeiten gehabt hatte. Er freute sich über die Freiheit dieses Nachmittages – eine gerechtfertigte Freiheit zudem, da er sie mit Erlaubnis und zu einem ganz bestimmten Zweck unternahm – und genoß sie als erfrischende Abwechslung.

Zu beiden Seiten der Straße zog sich ein breiter, grasbewachsener Randstreifen hin, auf dem man weich und bequem laufen konnte. Wegen des Wolkenschleiers war es nicht zu heiß, die Wiesen rechts und links der Straße waren grün, voller Blumen und schwirrender Insekten, und im Gebüsch und an den Rändern der Felder lärmten selbstbewußt die Vögel, um Rivalen zu vertreiben – und ihre erste Brut war bereits flügge und probierte die Flügel aus. Cadfael wanderte zufrieden auf dem grünen Bankett dahin, und das Gras strich ihm kühl und seidig um die Knöchel. Wenn der Ausgang ebenso erfreulich war wie der Weg, dann würde jeder Schritt mit doppeltem Vergnügen belohnt werden.

Vor ihm, hinter den ebenen Feldern, erhob sich der bewaldete Rücken des Wrekin, und wenig später erschien in einiger Entfernung zu seiner Linken der Fluß, der sich näher heranwand, bis er schließlich dicht neben der Straße verlief, ein sanfter, harmloser Strom zwischen flachen, grasbewachsenen Ufern, allem Anschein nach nicht imstande, irgendwelches Unheil anzurichten. Doch die Einheimischen wußten es besser und hüteten sich, ihm zu trauen. Hier gab es Vieh auf den Weiden und Wasservögel im Schilf an den Ufern. Und bald konnte er hinter einer Biegung des Severn auch den massigen, quadratischen Turm der Gemeindekirche von Saint Eata sehen und die niedrigen Dächer des Dorfes, das sie umgab. Ein Stück weiter links gab es eine Holzbrücke, aber Cadfael steuerte direkt auf die Kirche und das danebenstehende Haus des Priesters zu. Hier war der Fluß zu einem Labyrinth aus grünen und goldenen Untiefen ausgefächert und ließ sich bei diesem sommerlich niedrigen Wasserstand leicht durchqueren. Cadfael steckte seine Kutte hoch, watete hindurch und genoß die Kühle des Wassers.

Im Laufe der Jahre hatten so viele Leute Sommer um Sommer den Fluß hier durchquert, anstatt die Brücke zu benutzen, daß sie einen schmalen, sandigen Pfad ausgetreten hatten, der am jenseitigen Ufer über die grasbewachsene Ebene zwischen dem Fluß und der Kirche zum Haus des Priesters führte. Hinter dem blaßroten Gestein der Kirche und dem verwitterten Holz der bescheidenen Gebäude in ihrem Schatten wuchs ein Kreis aus alten Bäumen, die Schutz vor dem Wind boten und die Hälfte des kleinen Gartens beschatteten. Vater Eadmer hatte sein Amt hier schon seit vielen Jahren inne und bearbeitete seinen Garten liebevoll. Die Hälfte davon lieferte Gemüse für seinen Tisch und, wie es aussah, noch einen Überschuß zum Aufbessern des Speisezettels seiner ärmeren Nachbarn. Die andere Hälfte war ein hübscher kleiner Blumengarten, in dem ein kurzer, von wildem Thymian überwucherter Erdwall als Sitzbank diente. Und hier saß Vater Eadmer in seiner Mittsommerpracht, ein massiger, solide gebauter Mann mit einem Brevier, das ungeöffnet auf seinen Knien lag, und sein Gewicht ließ bei jeder Bewegung eine Aureole aus Duft um ihn herum aufsteigen. Vor ihm war ein junger Mann damit beschäftigt, den Boden zwischen Reihen von jungem Kohl zu hacken; seine Tonsur, umgeben von einem dichten Ring lockigen Haars, gab Cadfael, als er näher herankam, die Gewißheit, daß er den Weg nicht umsonst gemacht hatte. Er konnte sich also zumindest erkundigen, auch wenn die Antworten enttäuschend ausfielen.

»Ja, gibt es das!« sagte der ältere Eadmer und richtete sich so unvermittelt auf, daß ihm fast sein Brevier vom Schoß gefallen wäre. »Seid Ihr das, wieder auf Wanderschaft?«

»Nicht weiter als bis hierher«, sagte Cadfael, »jedenfalls diesmal.«

»Wie geht es diesem armen jungen Bruder, den Ihr im Frühjahr bei Euch hattet?« Und Eadmer rief über die Gemüsebeete hinweg dem jungen Mann mit der Hacke zu: »Laß das jetzt, Eddi, und hole Bruder Cadfael einen Becher Ale. Bring gleich den ganzen Krug mit!«

Der junge Eadmer legte die Hacke beiseite und eilte ins Haus. Cadfael ließ sich neben dem Priester auf der grünen Bank nieder.

»Er ist wieder bei seinen Federn und Pinseln und leistet gute Arbeit. Seine Reise hat ihm nicht geschadet, im Gegenteil, er ist sogar in einer besseren geistigen Verfassung. Sein Gehvermögen bessert sich, langsam, aber es bessert sich. Und wie ist es Euch ergangen? Ich habe gehört, daß der junge Mann Euer Neffe ist, erst kürzlich zum Priester geweiht.«

»Vor einem Monat. Jetzt wartet er ab, was der Bischof mit ihm vorhat. Der Junge hatte das Glück, ihm aufzufallen; das kann sich zu seinen Gunsten auswirken.«

Als der junge Eadmer mit einem Holztablett mit Bechern und Krug zurückkehrte und sie mit ungezwungener Anmut bediente, zweifelte Cadfael nicht daran, daß dieser junge Priester jedes aufmerksame Auge auf sich ziehen mußte; er war hochgewachsen, gut aussehend und sich dieser Vorzüge glücklicherweise überhaupt nicht bewußt. Sobald er sie versorgt hatte, ließ er sich zu ihren Füßen ins Gras sinken – einer jener glücklichen Menschen, deren Zuversicht und

Furchtlosigkeit bewirken, daß sich die Dinge immer zum Besten ordnen und rauhe Straßen sich in ebene Weiden verwandeln. Cadfael fragte sich, ob diese Natur für andere, weniger glückliche Seelen ebensoviel ausrichten konnte.

»Die Zeit, die ich damit verbringe, hier bei Euch zu sitzen und Euer Ale zu trinken«, gestand Cadfael mit leichtem Bedauern, »ist, so angenehm sie auch ist, leider gestohlene Zeit. Ich habe einen Auftrag zu erfüllen, der nicht warten kann, und sobald er erledigt ist, muß ich zurück. Und bei diesem Auftrag geht es um Euren Neffen.«

»Um mich?« sagte der junge Mann und schaute überrascht auf.

»Ihr habt doch Vater Boniface besucht, zum Fest der Grablegung der heiligen Winifred? Und habt Euch vom Nachmittag des Vortages bis nach der Komplet am Feiertag bei ihm aufgehalten?«

»Das habe ich. Wir waren zusammen Diakone«, sagte der junge Eadmer und reckte sich hoch, um ihre Becher wieder zu füllen, ohne vom Gras aufzustehen. »Warum? Habe ich etwas verlegt, als ich mich umkleidete? Ich werde ihn noch einmal aufsuchen, bevor ich von hier fortgehe.«

»Er mußte Euch den größten Teil dieses Tages allein lassen, von nach der Morgenmesse bis nach der Komplet. Ist in dieser Zeit irgend jemand zu Euch gekommen, der Rat suchte oder Euch bat, ihm die Beichte abzunehmen?«

Die offenen braunen Augen richteten sich nachdenklich auf ihn, jetzt sehr ernst. Cadfael konnte aus ihnen die Antwort ablesen, noch bevor Eadmer sagte: »Ja. Ein Mann hat das getan.«

Es war noch zu früh, um ganz sicher zu sein. Cadfael fragte vorsichtig: »Was für ein Mann war es? Wie alt?«

»Um die Fünfzig, nehme ich an, leicht ergraut, mit gelichtetem Haar. Ein bißchen krumm und mit Falten im Gesicht. Er fühlte sich nicht wohl und machte sich wegen irgend etwas Sorgen, als ich ihn sah. Seinen Händen nach zu urteilen kein Handwerker, eher ein kleiner Händler oder jemand, der in einem Haus angestellt ist.«

Das klingt besser und besser, dachte Cadfael, und fuhr ermutigt fort: »Habt Ihr ihn deutlich gesehen?«

»Es war nicht in der Kirche. Er kam in den kleinen Raum über dem Portal, in dem Cynric schläft. Auf der Suche nach Vater Boniface, doch statt dessen fand er mich. Wir standen uns von Angesicht zu Angesicht gegenüber.«

»Aber ihr wußtet nicht, wer er war?«

»Nein, ich kenne kaum jemanden in Shrewsbury. Ich bin noch nie zuvor dort gewesen.«

Es bestand keine Veranlassung, ihn zu fragen, ob er beim Kapitel und bei der anschließenden Verhandlung zugegen gewesen war, und ob er Aldwin nach dieser Begegnung wiedererkannt hätte. Cadfael wußte, daß dies nicht der Fall sein konnte. Die Priesterweihe gab dem jungen Mann noch nicht das Recht, am Kapitel teilzunehmen.

»Und Ihr habt diesem Mann die Beichte abgenommen? Und habt ihm seine Buße auferlegt und ihm die Absolution erteilt?«

»Das habe ich. Und ich habe bei der Buße geholfen. Ihr werdet verstehen, daß ich Euch über seine Beichte nichts sagen darf.«

»Danach würde ich auch nicht fragen. Wenn es der Mann war, von dem ich glaube, daß er es gewesen ist, dann ist nur von Bedeutung, daß Ihr ihn absolviert habt, daß seine Seele Frieden gefunden hat. Denn Ihr müßt wissen«, sagte Cadfael, nicht weniger ernst als der junge Mann selbst, »daß dieser Mann, wenn er es wirklich war, jetzt tot ist. Und da sein Gemeindepriester Grund hat, sich um den Seelenzustand seines verirrten Schafes zu sorgen, möchte er wissen, wie es um ihn bestellt war, bevor er ihn mit allen Riten der Kirche beerdigt. Deshalb wurde jeder Priester in der Stadt befragt, und so bin ich zuletzt zu Euch gekommen.«

»Tot?« fragte Eadmer bestürzt. »Für einen Mann seines

Alters befand er sich bei guter Gesundheit. Wie ist das möglich? Und er war glücklicher, als er mich verließ, er hätte doch nicht... Nein! Wie kommt es dann, daß er wenig später tot war?«

»Inzwischen habt Ihr bestimmt gehört«, sagte Cadfael, »daß am Morgen nach dem Festtag ein Mann aus dem Fluß geborgen wurde. Nicht ertrunken, sondern erdolcht. Der Sheriff sucht nach seinem Mörder.«

»Und das ist der Mann?« fragte der junge Priester fassungslos.

»Das ist der Mann, der dringend einen Bürgen braucht. Ob es auch der Mann ist, dem Ihr die Beichte abgenommen habt, kann ich noch nicht mit Gewißheit sagen.«

»Ich weiß nicht, wie er hieß«, sagte der junge Mann zögernd.

»Aber du würdest sein Gesicht wiedererkennen«, sagte sein Onkel, ohne sonst eine Bemerkung zu machen oder ihn irgendwie zu drängen. Das war auch nicht erforderlich. Der junge Eadmer stützte eine Hand auf die Erde, sprang auf und strich sein Gewand glatt. »Ich begleite Euch zurück«, sagte er, »und ich hoffe von ganzem Herzen, daß ich für Euren Ermordeten sprechen kann.«

Sie standen zu viert an der auf Böcken ruhenden Platte, auf der Aldwins Leichnam bis zum Begräbnis aufgebahrt worden war: Girard, Vater Elias, Cadfael und der junge Eadmer. Mehr Personen bot der schmale Schuppen im Hof, ausgefegt und mit grünen Zweigen geschmückt, nicht Platz. Aber diese Zeugen reichten aus.

Auf dem Rückweg nach Shrewsbury war nur wenig gesprochen worden. Eadmer, fest entschlossen, die Unverletzlichkeit dessen, was zwischen ihnen erörtert worden war, nicht preiszugeben, hütete sich sogar, ihre Begegnung zu erwähnen, solange er nicht sicher sein konnte, daß es tatsächlich der Tote war, dem er die Beichte abgenommen hatte.

Vielleicht war er sein erstes Beichtkind gewesen und dementsprechend ehrfürchtig, demütig und andächtig aufgenommen worden.

Sie hatten zuerst Vater Elias aufgesucht und ihn gebeten, sie zu Girards Haus zu begleiten; wenn sich herausstellte, daß diese Hoffnung nicht trog, dann würde es nicht nur sein Gewissen erleichtern, sondern ihm auch erlauben, die Vorbereitungen für die Beisetzung zu treffen. Der kleine Priester kam freudig mit. Er stand am Kopfende der Bahre, an dem Platz, der ihm von Rechts wegen zustand, und seine alten Hände, dünn und gekrümmt wie die Krallen eines kleinen Vogels, zitterten einen Moment, als er das Laken vom Kopf des Toten zurückschlug. Am Fußende stand Eadmer, der gerade ordinierte Priester, dem alten Mann gegenüber, verbraucht und dennoch standhaft nach Jahren der Siege und Niederlagen in seinem Kampf um die Seelen der Menschen.

Eadmer bewegte sich nicht und gab auch keinen Ton von sich, als das Laken ein Gesicht freigab, aus dem jetzt, dachte Cadfael, ein Teil der Entmutigung und des Argwohns des Lebenden verschwunden war. Die Sehnen von Wangen und Kiefern waren nicht mehr säuerlich angespannt; gleichzeitig schienen etliche Jahre von ihm abgeglitten. Er wirkte fast heiter. Eadmer musterte ihn eine Weile erstaunt und voller Mitgefühl, dann sagte er schlicht: »Ja, das ist mein Bußkind.«

»Seid Ihr ganz sicher?« fragte Cadfael.

»Ja, ganz sicher.«

»Und er hat gebeichtet und die Absolution erhalten? Gelobt sei Gott!« sagte Vater Elias und schlug das Laken wieder hoch. »Jetzt brauche ich nicht mehr zu zögern. Noch am Tage seines Todes hat er seine Seele geläutert. Er hat seine Buße absolviert?«

»Wir sprachen, was ihm auferlegt war, gemeinsam«, sagte Eadmer. »Er war verstört. Ich wollte, daß er mich im Frieden seiner Seele verließ, und das tat er. Ich sah keine Veranlassung, hart gegen ihn zu sein. Ich hatte den Eindruck, daß er im Laufe seines Lebens genug gebüßt hatte, um etwas gut zu haben. Es gibt Menschen, die ihren eigenen Weg steinig machen. Darin steckt keinerlei Verdienst, aber ich bezweifle, daß sie etwas daran ändern können, und ich hatte das Gefühl, daß bereits das als Buße für ein paar kleine Sünden angerechnet werden sollte.«

Das brachte ihm einen scharfen und etwas mißbilligenden Blick von Vater Elias ein, aber er unterließ es, ihm etwas, worin ein gestrenger alter Mann durchaus die Anmaßlichkeit und sogar die Oberflächlichkeit der Jugend sehen konnte, zum Vorwurf zu machen. Eadmer war sich gewiß nicht bewußt, ihm Anlaß zu derartig kritischen Gedanken gegeben zu haben. Er richtete seine ehrlichen braunen Augen auf Vater Elias und sagte schlicht: »Ich bin überaus glücklich darüber, Vater, daß Bruder Cadfael rechtzeitig auf den Gedanken gekommen ist, nach mir zu suchen. Und noch glücklicher bin ich, weil ich da war, als dieser Mann mich brauchte. Gott weiß, daß ich eigene Schwächen zu beichten habe, denn zuerst war ich ärgerlich, als er die Treppe heraufstolperte. Ich war nahe daran, ihm zu sagen, er sollte verschwinden und zu gelegener Zeit wiederkommen. Und das nur, weil ich seinetwegen zu spät zur Vesper kommen würde.«

Das wurde so natürlich und mit so einfachen Worten berichtet, daß es Cadfael für einen langen Augenblick entging. Er hatte sich der offenen Tür zugewendet, durch die Girard bereits hinausgegangen war. Er hatte die Worte gehört, ohne ihnen irgendwelches Gewicht beizumessen, und die Erleuchtung überkam ihn so plötzlich, daß er auf der Schwelle stolperte. Er fuhr herum und starrte den jungen Mann an, der ihm folgte.

»Was habt Ihr da gerade gesagt? Zur Vesper? Seinetwegen wäret Ihr zu spät zur Vesper gekommen?«

»So war es«, sagte Eadmer verblüfft. »Als er kam, wollte

ich gerade die Tür öffnen und in die Kirche hinuntergehen. Als ich ihn getröstet entließ, war der halbe Gottesdienst bereits vorüber.«

»Großer Gott!« sagte Cadfael ehrfürchtig. »Und ich habe überhaupt nicht daran gedacht, nach der Zeit zu fragen! Und das war am Tag des Festes? Nicht der Vespergottesdienst am Tage Eurer Ankunft? Nicht der Tag davor?«

»Es war der Tag des Festes, an dem Vater Boniface fort war. Was ist es, was Euch so bewegt? Was von dem, was ich gesagt habe?«

»In dem Augenblick, in dem ich Euch sah, mein Junge«, sagte Cadfael frohgemut, »wußte ich, daß das Glück auf Eurer Seite steht. Ihr habt nicht nur einen Mann erlöst, sondern zwei. Gott segne Euch dafür. Und nun kommt mit, zu Saint Mary's Close gleich um die Ecke herum, und erzählt dem Sheriff, was Ihr gerade mir erzählt habt.«

Hugh war in sein Haus und zu seiner Familie zurückgekehrt – nach einem langen, erschöpfenden Tag, an dem er bei einer anscheinend unaufmerksamen Bevölkerung Erkundigungen eingezogen und versucht hatte, aus einem verängstigten, schwitzenden Conan die Wahrheit herauszuholen. Conan gab zwar bereitwillig zu, daß er ungefähr eine Stunde damit verbracht hatte, Aldwin zu überreden, schlafende Hunde nicht zu wecken; er behauptete aber felsenfest, daß er danach keine Zeit mehr vergeudet, sondern sich geradewegs zu seiner Arbeit auf den Weiden westlich der Stadt begeben hätte. Und das konnte durchaus zutreffen, obwohl er keinen Bekannten angeben konnte, der ihn unterwegs getroffen und mit ihm gesprochen hatte. Aber es bestand immer noch die Möglichkeit, daß er Aldwin noch weiter gefolgt war und einen weiteren, verhängnisvollen Versuch unternommen hatte, einen Mann zu beeinflussen, der sich normalerweise nur allzu leicht von irgendwelchen Vorhaben abbringen ließ.

Genug und mehr als genug für einen Tag. Hugh war in

sein eigenes Haus zurückgekehrt, zu seiner Frau und seinem Sohn und seinem Abendessen, und nun saß er auf den sauberen Binsen auf dem Dielenfußboden, an dem milden Abend nur mit Hemd und Hose bekleidet, und half dem dreijährigen Giles, eine Burg zu bauen, als Cadfael vergnügt an die offene Tür klopfte und mit strahlendem Gesicht hereinmarschierte, einen unbekannten und offensichtlich verblüfften jungen Mann in priesterlichem Gewand am Ärmel hinter sich herziehend.

Hugh ließ seinen Turm aus Bauklötzen unvollendet und stand rasch auf. »Ihr kommt schon wieder Euren Pflichten nicht nach, nicht wahr? Ich war vor ungefähr einer Stunde in Eurem Kräutergarten und habe nach Euch gesucht. Wo seid Ihr diesmal gewesen? Und wen habt Ihr mir da mitgebracht?«

»Ich war nur in Attingham«, sagte Cadfael, »um Vater Eadmer zu besuchen. Und hier ist sein Neffe, gleichfalls Vater Eadmer, vor einem Monat ordiniert. Dieser junge Mann hat zum Fest der heiligen Winifred seinen Freund Vater Boniface vom Holy Cross besucht. Ihr wißt, daß Vater Elias sich sehr sorgte, ob Aldwin in einer Verfassung gestorben war, in der ihm alle Sakramente der Kirche gewährt werden können, zumal er in seiner eigenen Kirche nur höchst selten zur Messe erschienen war. Elias erkundigte sich bei sämtlichen Priestern, die er kannte, innerhalb und außerhalb der Stadt, ob jemand für den armen Kerl bürgen könnte. Boniface erzählte mir von einem weiteren Priester, der nur anderthalb Tage hier war, so unwahrscheinlich es auch war, daß ein Einheimischer während einer so kurzen Zeit seinen Weg zu ihm finden würde. Aber hier ist er, und er hat Euch eine Geschichte zu erzählen.«

Der junge Eadmer erzählte sie bereitwillig, obwohl er nicht begriff, welche Bedeutung sie haben möchte, abgesehen von der, die ihm bereits bekannt war. »Und ich kehrte mit Bruder Cadfael hierher zurück, um den Mann selbst in

Augenschein zu nehmen, um zu sehen, ob es tatsächlich derjenige war, der zu mir kam. Und er war es«, beendete er seinen Bericht. »Aber was Bruder Cadfael außerdem noch herausgehört hat und was so wichtig ist, daß ich Euch sofort aufsuchen sollte, Mylord, das ist etwas, das er Euch selbst erzählen muß, denn davon habe ich keine Ahnung.«

»Aber Ihr habt nicht erwähnt«, sagte Cadfael, »um welche Zeit dieser Mann kam, um bei Euch zu beichten.«

»Es war, als gerade die Glocke zur Vesper geläutet hatte«, wiederholte Eadmer bereitwillig, aber immer noch verblüfft. »Seinetwegen kam ich zu spät zum Gottesdienst.«

»Zur Vesper?« Hugh fuhr hoch und wendete ihnen ein Gesicht zu, aus dem plötzliches Begreifen herausleuchtete. »Ihr seid ganz sicher? An dem Tag?«

»An dem Tag!« bestätigte Cadfael triumphierend. »Und genau während des Läutens der Vesperglocke kam Elave, wie niemand besser weiß als ich, auf den großen Hof gewandert und wurde von Gerberts Leuten überfallen und zu Boden geschlagen, und seither sitzt er als Gefangener in der Abtei. In diesem Augenblick war Aldwin noch am Leben und wohlauf und wollte beichten. Wer immer ihn ermordet hat – Elave war es nicht!«

ZEHNTES KAPITEL

Das Kapitel am folgenden Morgen war fast beendet, als Girard von Lythwood am Torhaus erschien und darum bat, vom Ehrwürdigen Abt angehört zu werden. Als angesehener Bürger der Stadt und – wie sein verstorbener Onkel – großzügiger Stifter der Abtei war er sich seiner Stellung und seiner Verdienste bewußt. Er hatte seine Ziehtochter Fortunata mitgebracht, und beide waren gut gewappnet und gerüstet, wenn schon nicht zu einer Schlacht, so doch zu einer möglichen Auseinandersetzung, die sie höflich, aber entschlossen zu bestehen gedachten.

»Natürlich, laßt sie hereinkommen«, sagte Radulfus. »Ich freue mich, daß Girard wieder zu Hause ist. Sein Haushalt hat viel auszustehen gehabt und braucht sein Oberhaupt.«

Cadfael beobachtete ihr Eintreten in den Kapitelsaal mit gebannter Aufmerksamkeit. Sie trugen beide ihre besten Kleider, waren herausgeputzt, um den vorteilhaftesten Eindruck zu erwecken, das Idealbild des geachteten Bürgers und seiner züchtigen Tochter. Fortunata blieb einen Schritt hinter ihrem Vater stehen und hielt in dieser mönchischen Versammlung die Augen fromm gesenkt, doch als sie sie einen Augenblick lang weit öffnete, um einen Blick durch den Raum schweifen zu lassen und blitzschnell abzuschätzen, wer Freund und wer Feind sein mochte, waren sie eindringlich und hell. Dieser erste, abschätzende Blick registrierte mit Bedauern, daß Chorherr Gerbert nach wie vor anwesend war. In seiner Gegenwart mußte sie den Kummer, den Zorn und die Angst, die sie um Elaves willen empfand, unterdrükken und Girard für sie sprechen lassen. Gerbert würde eine vorlaute Frau zurechtweisen. Doch inzwischen hatte Fortunata ihren Vater über alle Einzelheiten unterrichtet. Sie mußten den Rest des gestrigen Abends, nach Cadfaels Weggehen, damit verbracht haben, sich auf das vorzubereiten, was sie jetzt vorzutragen gedachten.

Welche Bedeutung einem Detail zuzumessen war, ließ sich noch nicht sagen, doch es boten sich interessante Möglichkeiten. Girard trug unter dem Arm, von Alter und häufiger Handhabung dunkel patiniert und in einem Licht, das das vergoldete Schnitzwerk funkeln ließ, die Schatulle, die Fortunatas Mitgift enthielt.

»Ehrwürdiger Abt«, sagte Girard, »ich danke Euch für Euer Entgegenkommen. Ich komme in der Sache des jungen Mannes, den Ihr hier gefangengesetzt habt. Jedermann weiß, daß sein Ankläger eines gewaltsamen Todes gestorben ist, und obwohl Elave dieses Verbrechens bisher nicht angeklagt wurde, war, wie Ihr wissen werdet, überall die Rede davon, daß er der Mörder sein müsse. Inzwischen werdet Ihr vom Sheriff erfahren haben, daß dies nicht der Fall ist. Zu der Zeit, als Elave ergriffen und gefangengenommen wurde, war Aldwin noch am Leben. Was den Mord angeht, so steht seine Unschuld zweifelsfrei fest. Es war die Aussage eines Priesters, die ihn entlastete.«

»Ja, das ist uns bekannt«, sagte der Abt. »In dieser Hinsicht ist Elave von jedem Verdacht befreit. Ich freue mich, seine Unschuld bestätigen zu können.«

»Und ich begrüße Euer gutes Wort«, sagte Girard mit Nachdruck, »als jemand, der ein Recht darauf hat, in dieser Sache zu sprechen und angehört zu werden. Sowohl Aldwin als auch Elave gehörten zum Haushalt meines Onkels und jetzt zu meinem, und ich bin für beide verantwortlich. Einer meiner Leute ist eines gewaltsamen Todes gestorben, und ich will, daß sein Mörder gefunden wird. Ich heiße nicht alles gut, was er getan hat, aber ich weiß, was für ein Mensch er war, und ich kann sein Denken und Handeln verstehen. Das mindeste, was ich für ihn tun kann, ist, ihn anständig zu begraben und nach Kräften zu helfen, seinen Mörder ausfindig zu machen. Aber ich habe auch eine Pflicht gegenüber Elave, der noch am Leben ist und gegen den eine schwerwiegende Anklage jetzt zusammengebrochen ist. Wollt Ihr mich seinetwegen anhören, Ehrwürdiger Abt?«

»Das will ich gern tun«, sagte Radulfus. »Fahrt fort.«

»Ist dies die rechte Zeit und der rechte Ort für eine solche Bitte?« wendete Chorherr Gerbert ein; er bewegte sich ungeduldig auf seinem Stuhl und bedachte den soliden Bürger, der so fest auf den Steinplatten des Fußbodens stand, mit einem finsteren Blick. »Wir sind nicht hier, um die Sache dieses Mannes zu erörtern. Das Zurückziehen einer Anklage...«

»Die Anklage wegen Mordes wurde nie erhoben«, fiel Radulfus ihm ins Wort, »und kann, wie es jetzt aussieht, auch nie erhoben werden.«

»Das Zurückziehen eines Verdachtes«, fuhr Gerbert unbeirrt fort, »hat keinerlei Einfluß auf die Anklage, die erhoben worden ist und über die das Urteil noch aussteht. Es ist nicht der Sinn des Kapitels, unangebrachte Bitten anzuhören, die zu einer Befangenheit führen könnten, wenn der Bischof seine Wünsche kundtut. Sie zuzulassen, wäre ein Verstoß gegen die Form.«

»Meine Herren«, sagte Girard mit bewundernswerter Ruhe und Gelassenheit, »ich habe einen Vorschlag zu machen, von dem ich glaube, daß er vernünftig und durchführbar ist, wenn Ihr zustimmt. Bevor ich ihn mache, muß ich sagen, was ich über Elave weiß, seinen Charakter und die Dienste, die er meinem Haushalt erwiesen hat. Es ist wichtig.«

»Ich finde das vernünftig«, sagte der Abt unerschütterlich. »Wir werden Euch anhören, Master Girard. Sagt, was Ihr zu sagen habt.«

»Herr Abt, ich danke Euch! Ihr müßt wissen, daß der junge Mann einige Jahre der Angestellte meines Onkels war und sich in allen Dingen als ehrlich, verläßlich und vertrauenswürdig erwiesen hat, so daß mein Onkel ihn als Diener, Beschützer und Freund mitnahm auf seine Pilgerreise nach Jerusalem, Rom und Santiago, und in all diesen Jahren der Reise hat der junge Mann stets seine Pflicht getan. Er hat seinen Herrn während seiner Krankheit gepflegt und den alten Mann, nachdem er in Frankreich gestorben war, zur Beisetzung nach Hause gebracht. Eine lange und hingebungsvolle Dienstzeit! Neben anderen Aufträgen, die er getreulich ausführte, brachte er auf Wunsch seines Herrn den Schatz mit, der in dieser Schatulle steckt, als Mitgift für Williams und jetzt meine Ziehtochter.«

»Das wird nicht bestritten«, sagte Gerbert, der nach wie vor unruhig auf seinem Stuhl herumrutschte, »aber es hat mit der Sache nichts zu tun. Die Anklage wegen Ketzerei bleibt bestehen und kann nicht aufgehoben werden. Für mich, der ich andernorts gesehen habe, welch grauenhafte Auswirkungen sie haben kann, ist Ketzerei ein größeres Verbrechen als Mord. Schließlich wissen wir, daß dieses Gift in Gefäßen enthalten sein kann, die in den Augen der Welt rein und tugendhaft erscheinen und dennoch Tausende von Seelen verderben. Ein Mensch kann sich nicht auf gute Werke berufen, er ist auf Gottes Gnade angewiesen, und jeder, der von der wahren Doktrin der Kirche abweicht, hat die Gnade Gottes verscherzt.«

»Dennoch heißt es, daß man einen Baum an seinen Früchten erkennen soll«, bemerkte der Abt trocken. »Die Gnade Gottes, denke ich, wird auch ohne unsere Anweisung wissen, wo sie nach einer entsprechenden menschlichen Gnade zu suchen hat. Fahrt fort, Master Girard. Ihr wolltet einen Vorschlag machen.«

»So ist es, Vater. Zumindest steht jetzt fest, daß der Tod meines Schreibers ohne Elaves Zutun erfolgt ist, der nie seinen Posten anstrebte oder versuchte, ihn zu verdrängen, und der ihm auch sonst nichts angetan hat. Dennoch ist dieser Posten jetzt unbesetzt. Und ich, der ich Elave kenne und ihm vertraue, erkläre, daß ich bereit bin, ihn wieder aufzunehmen, ihm Aldwins Stelle zu geben und ihn an meinen Geschäften teilhaben zu lassen. Wenn Ihr ihn in meine Obhut entlaßt, dann verbürge ich mich dafür, daß er Shrewsbury nicht verläßt. Ich verspreche, daß er in meinem Haus bleibt und verfügbar ist, wann immer die Herren sein Erscheinen fordern, bis sein Fall verhandelt und gerecht entschieden worden ist.«

»Ohne Rücksicht darauf«, fragte Radulfus leise, »wie das Urteil ausfallen mag?«

»Herr, eine gerechte Verhandlung wird zu einem gerechten Urteil führen. Und nach diesem Tag wird er keinen Bürgen mehr brauchen.«

»Es ist anmaßend«, sagte Gerbert kalt, »von der Richtigkeit der eigenen Ansicht dermaßen überzeugt zu sein.«

»Ich sage nur, was ich glaube. Und ich weiß so gut wie jeder andere Mann, daß in der Hitze des Gefechts Worte ausgesprochen werden können, die weit über das hinausgehen, was gemeint war. Aber ich glaube nicht, daß Gott einen Menschen einer Dummheit wegen verdammen würde, jedenfalls nicht über die Folgen der Dummheit hinaus, die schon Strafe genug sein können.«

Radulfus lächelte hinter seiner strengen Maske, doch nur diejenigen, die ihm sehr nahestanden und gut mit ihm vertraut waren, hätten es bemerkt. »Nun, ich weiß die Freundlichkeit Eurer Absicht zu würdigen«, sagte er. »Habt Ihr noch etwas hinzuzufügen?«

»Nur diese Stimme, die zusätzlich zu meiner sprechen soll. Hier in dieser Schatulle befinden sich fünfhundert und siebzig Silberpennies, die Mitgift, die mein Onkel dem Mädchen zugedacht hat, das er als seine Tochter annahm. Da Elave große Mühen auf sich genommen hat, sie sicher zu ihr zu bringen, wünscht Fortunata aus Verehrung für Onkel William, der ihr das Geld geschenkt hat, es jetzt für Elaves Entlassung aus dem Gefängnis zu verwenden. Sie bietet es als Bürgschaft für ihn an, und ich garantiere, daß er, wenn die Zeit gekommen ist, vor Euch erscheinen wird.«

»War das tatsächlich Euer eigener Wunsch, Kind?« fragte der Abt und nahm Fortunatas behutsame Gelassenheit mit Interesse zur Kenntnis. »Niemand hat Euch zu diesem Angebot überredet?«

»Niemand, Vater«, sagte sie fest. »Es war mein Gedanke.«

»Und Ihr wißt«, beharrte er, »daß alle, die für einen anderen bürgen, das Risiko des Verlustes eingehen?«

Sie hob die Lider, und einen Augenblick lang blitzten ihre nußbraunen Augen auf. »Nicht alle, Vater«, sagte sie, und aus der leisen, töchterlich zurückhaltenden Stimme klang Herausforderung. Und für Cadfael, der sie beobachtete, war offensichtlich, daß Radulfus, obwohl er seine strenge Miene beibehielt, Gefallen daran fand.

»Möglicherweise wißt Ihr nicht, Vater«, erklärte Girard bedächtig und sogar ein wenig selbstzufrieden, »daß Frauen nur auf Gewißheit setzen. Nun, das ist es, was ich vorschlagen wollte, und ich verspreche Euch, daß ich meinen Teil daran getreulich erfüllen werde, wenn Ihr Euch entschließt, ihn in meine Obhut zu entlassen. Ihr könnt sicher sein, daß Ihr ihn jederzeit in meinem Hause finden werdet. Man hat mir berichtet, daß er nicht davonlaufen wollte, als er noch die Gelegenheit dazu hatte; jetzt wird er es erst recht nicht tun, weil Fortunata dadurch einen großen Verlust erleiden würde. Wie *Ihr* annehmt«, setzte er hinzu, »denn *ich* habe nicht die geringsten Befürchtungen.«

Radulfus hatte den Chorherrn Gerbert zu seiner Rechten und Prior Robert zu seiner Linken und wußte, daß er sich zwischen zwei Säulen der Orthodoxie befand. Der Buchstabe des kanonischen Rechts war Robert heilig, und der Einfluß eines Erzbischofs, vertreten durch den sein Vertrauen genießenden Abgesandten, förderte ein Denken, das ohnehin zur Starre neigte. Robert mochte zwar zwischen seinem Abt und Erzbischof Theobalds Stellvertreter hin und her gerissen sein und würde sich gewiß bemühen, es beiden recht zu machen, aber wenn es hart auf hart ging, würde er Gerberts Partei ergreifen. Cadfael, der beobachtete, wie er mit fromm gefalteten Händen, gewölbten Brauen und verkniffenem Mund innerlich Argumente formulierte, konnte fast schon die Worte hören, mit denen er dem zustimmte, was Gerbert sagte, und es gleichzeitig subtil vermied, genau dasselbe zu sagen. Und wenn Cadfael seinen Mann kannte, so kannte ihn auch der Abt. Was Gerbert selbst anging, so gewann Cadfael einen plötzlichen, bestürzenden Einblick in eine Denkweise, die ihm selbst völlig fremd war. Dieser Mann hatte tatsächlich irgendwo in Europa das gähnende Chaos erblickt und es mit der Angst zu tun bekommen, nachdem er erlebt hatte, mit welchen Schlichen der Teufel durch den Mund der Menschen wirkte, wie die Christenheit durch die falschen Lehren lautstarker Propheten beschädigt wurde, die aus der Hölle hervorquollen wie Blasen aus einem Kochtopf und durch die bösartigen Exzesse ihrer verblendeten Gefolgsleute in aller Welt zerstreut wurden. Da war nichts unecht an dem Entsetzen, mit dem Gerbert die Bedrohung durch die Ketzerei betrachtete, aber wie er es fertigbrachte, sie in einer offenen Seele wie der Elaves zu finden, blieb unerklärlich.

Auch der Abt konnte es sich nicht leisten, sich dem Abgesandten des Erzbischofs zu widersetzen, wenn auch zu vermuten stand, daß Theobald selbst ausgeglichenere und gemäßigtere Ansichten hegte über Leute, die sich veranlaßt fühlten, sich Gedanken über den Glauben zu machen. Eine Bedrohung, die dem Papst, den Kardinälen und Bischöfen in anderen Ländern schwere Sorgen machte, mußte, so verschwommen sie auch erscheinen mochte, ernstgenommen werden. Es hat vieles für sich, eine Insel abseits des großen Stroms zu sein. Invasionen, Unheil und Seuchen erreichen einen langsamer, und dann treffen sie so geschwächt ein, als hätten sie sich bereits verausgabt. Doch selbst die Abgelegenheit war nicht immer ein sicherer Schild.

»Ihr habt«, sagte Radulfus, »ein Angebot gehört, das großmütig ist. Es kommt von einem Mann, dessen Aufrichtigkeit außer Zweifel steht. Wir müssen uns darüber klarwerden, wie wir darauf antworten sollen. Ich selbst habe nur einen Vorbehalt, und wenn diese Angelegenheit ausschließlich unsere klösterliche Gemeinschaft beträfe, hätte ich überhaupt keinen. Laßt mich hören, wie Ihr darüber denkt, Chorherr Gerbert.«

Es half nichts, er würde seine Meinung gewiß nachdrücklich vertreten, aber da er gezwungen war, als erster zu sprechen, konnte seiner Unerbittlichkeit hinterher wenigstens die Spitze genommen werden.

»In einer derart schwerwiegenden Sache«, sagte Gerbert, »bin ich strikt gegen jede Milderung. Es stimmt, und ich erkenne es an, daß sich der Angeklagte einmal in Freiheit befunden hat und seinem Wort gemäß aus freien Stücken zurückgekehrt ist. Aber ich finde, daß wir mit einem Gefangenen, der eines derart schweren Verbrechens angeklagt ist, keinerlei Risiko eingehen dürfen. Hier hat niemand das rechte Verständnis für die Gefahr, die der Christenheit droht, sonst würde es keine Diskussionen geben, überhaupt keine! Er muß hinter Schloß und Riegel bleiben, bis sein Fall verhandelt wird.«

»Robert?«

»Ich kann dem nur zustimmen«, sagte der Prior und schaute geflissentlich an seiner langen Nase herunter. »Die Anklage ist zu schwerwiegend, als daß wir auch nur das geringste Risiko eines Fluchtversuches eingehen dürften. Außerdem ist die Zeit, die er im Gewahrsam verbringt, keineswegs vergeudet. Bruder Anselm hat zur besseren Unterweisung seines Geistes Bücher zur Verfügung gestellt. Wenn wir ihn hierbehalten, kann der gute Same auf einen Boden fallen, der noch nicht völlig unfruchtbar ist.«

»So ist es«, sagte Bruder Anselm ohne erkennbare Ironie, »er liest, und er denkt über das nach, was er gelesen hat. Er hat mehr als nur Silberpennies aus dem Heiligen Land mit heimgebracht. Ein intelligenter Mann muß sich auf einer derartigen Reise mit leichtem Gepäck begnügen, aber in seinem Kopf kann er eine Welt zusammentragen.« Er ließ es weise bei dieser nicht ganz eindeutigen Bemerkung bewenden, bevor Chorherr Gerbert sie mit seinem schwerfälligen Verstand durchschauen und in ihr einen winzigen Anflug von Ketzerei entdecken konnte. Es empfahl sich nicht, einen völlig humorlosen Mann zu reizen.

»Anscheinend wäre ich überstimmt, wenn ich mich für eine Freilassung hätte aussprechen wollen«, sagte der Abt trocken, »aber wie die Dinge liegen, bin ich gleichfalls dafür, den jungen Mann auch weiterhin hier in Gewahrsam zu behalten. In diesem Haus habe ich zu bestimmen, aber für den Fall bin ich nicht mehr zuständig. Wir haben den Bischof informiert und hoffen, bald von ihm zu hören. Die Entscheidung liegt jetzt bei ihm, und unsere Aufgabe besteht lediglich darin, ihm oder seinen Beauftragten den Angeklagten auszuhändigen, sobald er seinen Willen kundgetan hat. Ich bin in dieser Angelegenheit jetzt nicht mehr als ein Werkzeug des Bischofs. Es tut mir leid, Master Girard, aber das muß meine Antwort sein. Ich kann Euch nicht als Bürgen annehmen, ich kann Elave nicht in Eure Obhut geben. Ich kann Euch nur zusichern, daß er in meinem Haus nicht zu Schaden kommen wird – oder weitere Gewalttätigkeiten erleiden muß«, setzte er bestimmt, wenn auch ohne besonderen Nachdruck hinzu.

Girard sah ein, was er als unabänderlich hinnehmen mußte, versuchte aber trotzdem, aus dem, was ihm geblieben war, soviel wie möglich herauszuholen. »Kann ich dann«, sagte er schnell, »wenigstens damit rechnen, daß mich der Bischof, wenn es zu einer Verhandlung kommt, ebenso bereitwillig anhören wird, wie Ihr es gerade getan habt?«

»Ich werde dafür sorgen, daß er über Euren Wunsch und

Euer Recht, angehört zu werden, informiert wird«, sagte der Abt.

»Und dürfen wir jetzt, da wir einmal hier sind, Elave sehen und mit ihm reden? Zu wissen, daß ein Dach über dem Kopf und eine Stellung auf ihn warten, wenn er frei ist und sie annehmen kann, könnte sehr beruhigend für ihn sein.«

»Ich habe keine Einwände«, sagte Radulfus.

»In Begleitung«, sagte Gerbert schnell und laut. »Es muß ein Bruder zugegen sein, als Zeuge für alles, was gesprochen wird.«

»Das läßt sich leicht einrichten«, sagte der Abt. »Bruder Cadfael stattet dem jungen Mann nach dem Kapitel seinen täglichen Besuch ab, um zu sehen, wie seine Verletzungen heilen. Er kann Master Girard begleiten und die ganze Zeit dabeibleiben.« Und damit erhob er sich gebieterisch, um weitere Einwände, auf die Chorherr Gerberts zweifellos weniger beweglicher Verstand vielleicht noch verfallen mochte, von vornherein zu verhindern. Er hatte nicht einmal einen Blick in Cadfaels Richtung geworfen. »Dieses Kapitel ist beendet«, sagte er und verließ vor seinen weltlichen Besuchern den Kapitelsaal.

Elave saß auf einer Pritsche unter dem schmalen Fenster seiner Zelle. Auf dem Lesepult neben ihm lag ein aufgeschlagenes Buch, aber er las nicht mehr, sondern dachte über das Gelesene nach. Seinem Gesicht war anzusehen, daß er in den Werken der frühen Kirchenväter, die Anselm ihm gebracht hatte, nicht viel Begreifbares gefunden hatte. Er hatte den Eindruck, daß die meisten von ihnen mehr Zeit damit verbrachten, sich gegenseitig herabzusetzen, als Gott zu loben, mit mehr Giftigkeit bei der einen Beschäftigung als Inbrunst bei der anderen. Vielleicht hatte es andere gegeben, die weniger bereit waren, den Krieg zu erklären, wenn jemand nur ein Wort fallenließ, und die von ihren Theologen-Kollegen gut sprachen und dachten, selbst wenn sie anderer Ansicht waren; aber wenn dem so war, so mußten all ihre Bücher und möglicherweise auch sie selbst verbrannt worden sein.

»Je länger ich in diesen Büchern lese«, hatte er zu Bruder Anselm gesagt, »desto mehr beginne ich von Ketzern zu halten. Vielleicht bin ich wirklich einer. Wenn sie alle behauptet haben, sie glaubten an Gott und versuchten, auf eine ihm gefällige Art zu leben, wie konnten sie sich dann gegenseitig so sehr hassen?«

Im Verlauf von ein paar Tagen vertraulichen Umgangs miteinander hatte sich zwischen ihnen ein Verhältnis herausgebildet, bei dem es möglich war, solche Fragen offen zu stellen und zu beantworten. Und Anselm hatte eine Seite des Origenes aufgeschlagen und gelassen geantwortet: »Es liegt daran, daß sie zu formulieren versuchten, was zu gewaltig und zu geheimnisvoll ist, als daß es formuliert werden könnte. Sobald sie einmal Blut geleckt hatten, konnten sie nichts anderes mehr tun, als über jeden herzufallen, dessen Ansichten von ihren eigenen Vorstellungen abwichen. Und jede rivalisierende Ansicht führte denjenigen, der zu ihr gelangt war, immer tiefer in den Sumpf. Die einfältigen Seelen, die keinerlei Schwierigkeiten hatten und keine Ahnung von Formeln, wanderten trockenen Fußes über den gleichen Sumpf und wußten nicht einmal, daß es ihn gab.«

»Das war vermutlich das, was ich getan habe«, sagte Elave traurig, »bis ich hierherkam. Jetzt stecke ich bis zu den Knien darin und weiß nicht, ob ich je wieder herauskomme.«

»Oh, Ihr habt vielleicht Eure rettende Unschuld verloren«, sagte Anselm beruhigend, »aber wenn Ihr versinkt, dann im Morast der Worte anderer Männer, nicht in Eurem eigenen. Sie haben keinen so festen Zugriff. Ihr braucht das Buch nur zuzuklappen.«

»Zu spät! Jetzt gibt es Dinge, die ich wissen möchte. Wie sind Vater und Sohn erstmals drei geworden? Wer hat als erster über die Dreifaltigkeit geschrieben, um uns alle zu verwirren? Wie können es drei sein, alle gleichrangig, die dennoch nicht drei sind, sondern nur einer?«

»Wie die drei Blätter eines Kleeblatts drei sind und gleichrangig, aber in einem Blatt vereinigt«, schlug Anselm vor.

»Und das vierblättrige Kleeblatt, das Glück bringt? Was bedeutet das vierte Blatt? Die Menschheit? Oder sind wir der Stengel der Dreifaltigkeit, der alles zusammenhält?«

Anselm schüttelte den Kopf, aber mit gelassener Heiterkeit und einem duldsamen Lächeln. »Ihr solltet nie ein Buch schreiben, mein Sohn! Man würde Euch zwingen, es zu verbrennen!«

Jetzt saß Elave in seiner Abgeschiedenheit, in der er sich nicht übermäßig einsam fühlte, und dachte über dieses und andere Gespräche nach, die in den letzten paar Tagen zwischen dem Gefangenen und dem Vorsänger geführt worden waren. Er dachte darüber nach, ob ein Mensch besser daran war, wenn er überhaupt nichts las, ganz zu schweigen von diesen labyrinthischen theologischen Werken, die nichts anderes zu bewirken schienen, als das Klare und Helle schlammig und trübe zu machen, indem sie alles, was sie anrührten, in Worte kleideten, die so undurchschaubar und formlos waren wie Nebel, weit außerhalb des Begriffsvermögens der gewöhnlichen Leute, die den größten Teil der Menschheit ausmachen. Wenn er durch das Fenster seiner Zelle hinausschaute auf einen schmalen Spitzbogen aus blaßblauem Himmel, bewegt von bebenden Blättern und gefiedert mit ein paar leuchtendweißen Wolkenstreifen, dann kam ihm alles wieder strahlend und einfach vor, in Reichweite selbst der simpelsten Gemüter, unparteiisch und gütig gegen jedermann.

Er fuhr zusammen, als er hörte, wie sich der Schlüssel im Schloß drehte. Tagsüber drangen die Geräusche der Außenwelt durch das Fenster zu ihm herein, und das Läuten der Glocke informierte ihn über die Tageszeit. Er hatte sich sogar an das Horarium gewöhnt und nahm niederkniend an den regelmäßigen Gottesdiensten teil. Denn Gott war kein Teil des Morastes oder des Labyrinths, und ihm konnte man nicht vorwerfen, was die Menschen aus seiner leuchtenden Eindeutigkeit gemacht hatten.

Doch das Geräusch des Schlüssels im Schloß gehörte zu seiner eigenen, praktischen Alltagswelt. Seine Verbannung aus ihr konnte nur vorübergehend sein, sie erfüllte vielleicht einen ganz bestimmten Zweck, eine Rast zum Nachdenken nach einer Reise durch die halbe Welt. Er saß da und beobachtete, wie sich die Tür öffnete, und sie wurde nicht vorsichtig Zoll um Zoll geöffnet, sondern schwungvoll und bis an die Wand schlagend, und Bruder Cadfael kam herein.

»Mein Sohn, Ihr bekommt Besuch!« Er winkte sie an sich vorbei in den kleinen, steinernen Raum und sah, wie Elaves verblüfftes Gesicht plötzlich zu strahlen begann. »Wie geht es Eurem Kopf heute morgen?«

Cadfael hatte schon am Vortag den Verband für überflüssig erklärt; in Elaves dichtem Haar sah man nur noch eine trockene, verschorfte Stelle. Elave sagte benommen: »Gut, sehr gut.«

»Keine Schmerzen mehr? Dann ist meine Arbeit getan. Und nun«, sagte Cadfael und zog sich ans Fußende des Bettes zurück, wo er sich mit dem Rücken zur Zelle niederließ, »bin ich einer der Steine der Mauer. Ich habe Anweisung, bei Euch zu bleiben, aber Ihr könnt mich für taubstumm halten.«

Wie es schien, hatte er aus zweien der drei Personen, die er auf so unzeremoniöse Art zusammengebracht hatte, Stumme gemacht. Elave war aufgesprungen und starrte Fortunata ebenso an, wie sie ihn anstarrte, errötet und großäugig, ohne ein Wort hervorzubringen. Nur ihre Augen waren noch beredt; Cadfael hatte ihnen nicht so vollständig den Rücken zugekehrt, daß er sie nicht aus dem Augenwinkel heraus beobachten konnte, und er las aus ihnen, was nicht ausgesprochen wurde. Die beiden hatten nicht lange gebraucht, um sich füreinander zu entscheiden. Aber er durfte nicht vergessen, daß nur das Entdecken so plötzlich gekommen war. Sie hatten sich vom Kindesalter bis zu ihrem elften Lebensjahr gekannt und im gleichen Haushalt gelebt, und auf andere Art hatte gewiß eine Bindung zwischen ihnen bestanden, zweifelos von seiner Seite aus nachsichtig und herablassend, von ihrer vermutlich scheu und sehnsüchtig. Auf die Befriedigung ihrer Sehnsucht hatte sie warten müssen, bis er wieder nach Hause gekommen war und gesehen hatte, daß die Knospe erblüht war.

»Nun, mein Junge!«, sagte Girard herzlich, nachdem er den jungen Mann von Kopf bis Fuß gemustert und ihm beide Hände geschüttelt hatte. »Da bist du nun endlich von deiner langen Reise zurückgekehrt, und ich war nicht einmal da, um dich willkommen zu heißen! Aber jetzt tue ich es, und mit Freuden. Ich hätte nie damit gerechnet, dich in einer derart mißlichen Lage anzutreffen, aber mit Gottes Hilfe wird alles gut ausgehen. Nach allem, was ich gehört habe, hast du Onkel William getreulich beigestanden. Und soweit es in unseren Kräften steht, werden wir dir helfen.«

Elave schüttelte mühsam seine Verblüffung ab, schluckte und ließ sich auf sein Bett sinken. »Ich hätte nie gedacht«, sagte er, »daß man Euch erlauben würde, mich zu besuchen. Ich danke Euch, daß Ihr Euch um mich sorgt, aber geht meinetwegen kein Risiko ein. Wer Pech anfaßt, muß damit rechnen, daß er sich besudelt! Ihr wißt, was man mir vorwirft? Ihr solltet nicht in meine Nähe kommen«, setzte er nachdrücklich hinzu, »noch nicht, nicht, bevor ich meine Freiheit wiederhabe. Ich bin ansteckend!«

»Aber weißt du«, sagte Fortunata, »daß du nicht mehr verdächtigt wirst, Aldwin etwas angetan zu haben? Das ist vorbei und eindeutig bewiesen.«

»Ja, ich weiß es. Bruder Anselm hat es mir gesagt, nach der Prim. Aber das ist nur die eine Hälfte.«

»Die größere Hälfte«, sagte Girard und ließ sich auf dem

kleinen, hohen Schemel nieder, auf dem sein massiger Körper an beiden Seiten überquoll.

»So denken nicht alle hier«, sagte Elave ernst. »Fortunata hat sich schon einige Mißbilligung zugezogen, weil sie nicht eifrig genug Partei gegen mich ergriff, als sie befragt wurde. Ich möchte um nichts in der Welt ihr oder Euch in irgendeiner Weise schaden. Ich wäre wesentlich beruhigter, wenn Ihr Euch von mir fernhalten würdet.«

»Wir haben die Erlaubnis des Abtes, dich aufzusuchen«, sagte Girard, »und, soweit ich feststellen konnte, auch sein Wohlwollen. Wir sind zum Kapitel gekommen, Fortunata und ich, weil wir deinetwegen ein Angebot machen wollten. Und wenn du glaubst, daß einer von uns sich zurückzieht und dich im Stich läßt, nur weil ein paar übereifrige Leute ständig nach Bösem schnüffeln, dann irrst du dich. Mein Name hat in dieser Stadt einen guten Klang und kann eine ganze Menge Klatsch aushalten. Und das soll deiner auch, sobald dies vorüber ist. Wir hatten gehofft, daß man dich freiläßt, damit du mit mir als Bürgen für dein Wohlverhalten in unser Haus kommen kannst. Ich habe versprochen, daß du erscheinen würdest, wenn du gerufen wirst, und ich habe ihnen mitgeteilt, daß ich dich wieder in meine Dienste aufnehmen werde. Warum auch nicht? Du hast nicht die Hand gegen Aldwin erhoben, ich auch nicht, und keiner von uns hätte ihn hinausgesetzt, um für dich Platz zu machen. Aber nun ist es passiert, der arme Kerl ist tot, ich brauche einen Schreiber, und du brauchst einen Ort, wo du deinen Kopf hinlegen kannst, wenn du hier herausgekommen bist. Wo wärest du besser aufgehoben als in dem Haus, das du einst so gut kanntest, bei einer Arbeit, mit der du einst vertraut warst und die du schnell wieder beherrschen wirst? Also, wenn du willst, hier ist meine Hand darauf, und wir sind beide gebunden. Was meinst du dazu?«

»Es gibt nichts in der Welt, was ich lieber täte!« Elaves Miene, in den letzten paar Tagen sehr gesetzt und zu behutsamer Gelassenheit gezwungen, strahlte jetzt eine herzliche Freude und Dankbarkeit aus, die ihn sehr jung und verletzlich erscheinen ließ. Es dürfte ihm nicht leichtfallen, den durchbrochenen Schutzwall wieder aufzubauen, wenn sie gegangen sind, dachte Cadfael. »Aber darüber sollten wir jetzt nicht sprechen! Wir dürfen es nicht!« protestierte Elave zitternd. »Gott weiß, wie dankbar ich für Eure Großherzigkeit bin, aber ich wage nicht, an die Zukunft zu denken, bevor ich hier heraus bin. Hier heraus – und gerechtfertigt! Ihr habt mir noch nicht erzählt, was sie erwidert haben, aber ich kann es mir denken. Sie wollten mich nicht freilassen, nicht einmal in Eure Obhut.«

Girard gab es betrübt zu. »Aber der Abt hat uns erlaubt, zu kommen und dich zu sehen und dir zu sagen, was ich mit dir vorhabe, damit du zumindest weißt, daß du Freunde hast, die sich für dich einsetzen. Jede Stimme, die für dich spricht, muß etwas für dich bewirken. So, nun habe ich dir gesagt, was ich für dich bereithalte. Und jetzt möchte Fortunata dir auch noch etwas sagen.«

Beim Eintreten hatte Girard den Gegensand, den er bei sich trug, neben Elave auf der Pritsche abgesetzt. Fortunata trat zu ihm, beugte sich nieder, um ihn zu ergreifen, und setzte sich dann mit der Schatulle auf den Knien neben ihn.

»Du erinnerst dich, daß du das in unser Haus gebracht hast? Vater und ich haben es heute hergebracht, um es als Bürgschaft für deine Freilassung zu verpfänden. Aber sie wollten dich nicht gehen lassen. Nun, wenn wir deine Freiheit nicht auf diese Weise erkaufen können«, sagte sie mit leiser, entschlossener Stimme, »gibt es noch andere Wege. Erinnere dich, was ich zu dir gesagt habe, als wir beisammen waren.«

»Ich erinnere mich«, sagte er.

»Für derartige Dinge braucht man Geld«, sagte Fortunata, wobei sie ihre Worte sehr vorsichtig wählte. »Onkel William hat mir eine Menge Geld geschickt. Ich will, daß es für dich verwendet wird, auf jede Weise, dir nützen kann. Jetzt bist du nicht mehr an dein Wort gebunden. Das Wort, das du gegeben hattest, haben *sie* gebrochen, nicht du.«

Girard legte eine warnende Hand auf ihren Arm und sagte mit kaum hörbarem Flüstern, das dennoch ein verräterisches Echo von der steinernen Wand auslöste: »Vorsichtig, Mädchen! Die Wände haben Ohren!«

»Aber keine Zungen«, sagte Cadfael ebenso leise. »Nein, sprecht offen, Kind, von mir habt Ihr nichts zu befürchten. Sagt alles, was Ihr zu sagen habt, und laßt ihn antworten. Ich werde mich nicht einmischen, weder auf die eine noch auf die andere Art.«

Anstelle einer Antwort hob Fortunata die Schatulle hoch und legte sie Elave in die Hände. Cadfael vernahm ein kaum hörbares Klirren kleiner Münzen, die sich darin bewegten, und drehte gerade noch rechtzeitig den Kopf, um zu sehen, wie Elave ein wenig zusammenfuhr, als er das Gewicht entgegennahm, und wie die Schultern des jungen Mannes erstarrten und seine Brauen sich zusammenzogen. Er sah, wie er die Schatulle in den Händen kippte, um ein schwächeres Echo des leisen Geräuschs zu erzeugen, und sie nachdenklich auf den Händen wog.

»Es war Geld, was Master William dir schickte?« sagte Elave nachdenklich. »Ich wußte nicht, was darin war. Aber es gehört dir. Er hat es für dich bestimmt, und ich habe es für dich mitgebracht.«

»Wenn es dir nützt, dann nützt es auch mir«, sagte Fortunata. »Ja, ich will sagen, was zu sagen ich gekommen bin, obwohl ich weiß, daß Vater es nicht gutheißt. Ich vertraue nicht darauf, daß man dir Gerechtigkeit widerfahren läßt. Ich habe Angst um dich. Ich möchte dich weit fort von hier und in Sicherheit wissen. Dieses Geld gehört mir, ich kann damit tun, was ich will. Ich kann damit ein Pferd kaufen, eine Unterkunft, Essen, vielleicht sogar einen Mann, der einen Schlüssel dreht und die Tür öffnet. Ich möchte, daß du es annimmst – daß du den Gebrauch annimmst, den man davon machen kann, und alles, was ich damit für dich erkaufen kann. Ich fürchte nichts, außer für dich. Und ich schäme mich nicht. Wo immer du auch hingehst und wie weit fort, ich werde dir folgen.«

Sie hatte mit herausfordernder Gelassenheit begonnen, aber sie endete mit gedämpfter Leidenschaftlichkeit; ihre Stimme war nach wie vor leise und beherrscht, ihre Hände in ihrem Schoß verkrampft, ihr Gesicht sehr blaß und eindringlich. Elaves Hand zitterte, als er ihre Hände ergriff, nachdem er die Schatulle auf seinem Bett beiseitegeschoben hatte. Nach einer langen Pause, die kein Zögern war, sondern eher das Zeichen einer Entschlossenheit, die Mühe hatte, die deutlichsten, aber am wenigsten verletzenden Worte zu finden, sagte er ruhig: »Nein! Ich kann es nicht annehmen oder zulassen, daß du um meinetwillen solchen Gebrauch davon machst. Du weißt, weshalb. Ich habe meine Meinung nicht geändert, und ich werde sie auch nicht ändern. Wenn ich vor dieser Anklage davonlaufe, dann öffne ich die Tür für Teufel, die bereit sind, über ehrliche Männer herzufallen. Wenn dieser Kampf jetzt nicht bis zum Ende durchgestanden wird, dann kann jeder der Ketzerei beschuldigt werden, der seinem Nachbarn nicht gefällt. Es ist so leicht, jemanden anzuklagen, solange es Leute gibt, die willens sind, schon wegen eines Zweifels, einer Frage, eines unangebrachten Wortes zu verdammen. Ich werde nicht flüchten. Ich bleibe hier, bis sie kommen und mir sagen, daß man mir nichts vorzuwerfen hat und es mir freisteht, nach Belieben zu kommen und zu gehen.«

Sie hatte die ganze Zeit gewußt, daß er trotz ihrer Beharrlichkeit nein sagen würde. Sie entzog ihm sehr langsam ihre Hände und stand auf, aber für einen Moment gelang es ihr nicht, sich von ihm abzuwenden, nicht einmal, als Girard sanft ihren Arm ergriff.

»Aber dann«, sagte Elave entschlossen, während er ihr in die Augen blickte, »dann will ich dein Geschenk annehmen – wenn ich auch die Braut haben kann, die dazugehört.«

ELFTES KAPITEL

Ich habe eine Bitte an Euch, Fortunata«, sagte Cadfael, als er zwischen den schweigenden Besuchern den großen Hof überquerte, dem verzweifelten Mädchen und seinem Ziehvater, der offensichtlich erleichtert war, daß Elave so unverbrüchlich darauf bestand, zu bleiben, wo er war, und auf die Gerechtigkeit zu vertrauen. Offenbar glaubte auch Girard an die Gerechtigkeit. »Würdet Ihr mir erlauben, Bruder Anselm Eure Schatulle zu zeigen? Er ist in allen Kunstfertigkeiten bewandert und kann uns vielleicht sagen, woher sie stammt und wie alt sie ist. Ich wüßte auch gern, zu welchem Zweck sie hergestellt wurde. Es wird Euch gewiß nicht zum Schaden gereichen. Anselm ist in unserer Bruderschaft ein angesehener Mann und Elave wohlgesinnt. Habt Ihr Zeit, mit mir ins Scriptorium zu kommen? Vielleicht möchtet Ihr selbst gern mehr über die Schatulle erfahren. Ich bin sicher, daß sie ziemlich wertvoll ist.«

Sie gab ihre Zustimmung fast geistesabwesend; in Gedanken war sie noch immer bei Elave.

»Der Junge braucht alle Freunde, die er bekommen kann«, sagte Girard. »Ich hatte gehofft, daß jetzt, da die schwere Anklage gegen ihn in sich zusammengebrochen ist, diejenigen, die ihn für schuldig hielten, einige Scham empfinden und auch die andere Anklage nachsichtiger beurteilen würden. Aber da ist dieser große Herr aus Canterbury, der behauptet, vorwitzige Gedanken über den Glauben seien schlimmer als Mord. Was soll man davon halten? Ich weiß es nicht – aber ich glaube, ich hätte dem Jungen selbst ein Pferd besorgt, wenn er zugestimmt hätte; aber es wäre mir lieber, wenn mein Mädchen damit nichts zu tun hätte.«

»Er läßt ja nicht zu, daß ich etwas damit zu tun habe«, sagte Fortunata bitter.

»Und das rechne ich ihm hoch an! Was ich im Rahmen des Gesetzlichen tun kann, um ihn sicher aus dieser Schlinge herauszuholen, das werde ich tun, was immer es mich kostet. Wenn er der Mann ist, den du haben willst, so wie er offensichtlich dich haben will, dann sollt ihr beide nicht vergeblich hoffen«, erklärte Girard rundheraus.

Bruder Anselm hatte seine Werkstatt in einer Nische am Nordende des Kreuzgangs, wo er seine Notenhandschriften ordentlich und liebevoll aufbewahrte. Er war gerade damit beschäftigt, die Bälge seiner kleinen, tragbaren Orgel zu reparieren, als sie bei ihm auftauchten, aber er stellte das Instrument bereitwillig beiseite, als er die Schatulle sah, die Girard vor ihm niedersetzte. Er ergriff sie und drehte sie so, daß möglichst viel Licht darauf fiel, um die Feinheiten der Schnitzerei bewundern zu können und die satte Farbe, die die Zeit dem Holz verliehen hatte.

»Das ist ein herrliches Stück! Der Mann, der sie angefertigt hat, verstand sein Handwerk. Seht Euch das Elfenbein an, die große runde Stirn, als hätte der Schnitzer zuerst einen Kreis geschlagen und dann die Linien des Alters und der Nachdenklichkeit eingearbeitet. Ich frage mich, wer hier dargestellt ist? Gewiß einer der Kirchenväter. Es könnte Johannes Chrysostomus sein.« Mit der Fingerspitze folgte er behutsam den Windungen und Ranken des Weinlaubs. »Wo ist er an ein derart schönes Stück gekommen?«

»Elave hat mir erzählt«, sagte Cadfael, »daß William es auf einem Markt in Tripoli kaufte, von irgendwelchen Mönchen, die in der Gegend um Edessa vor den Horden aus Mosul aus ihren Klöstern flüchten mußten. Glaubt Ihr, daß es dort angefertigt wurde, im Osten?«

»Für das Elfenbein könnte das zutreffen«, sagte Anselm. »Das dürfte im Byzantinischen Reich entstanden sein. Das rundliche Gesicht, die großen, starren Augen ... Was die

Schnitzerei an der Schatulle angeht, bin ich mir nicht so sicher. Ich glaube eher, daß sie irgendwo näherbei geschaffen wurde. Nicht in einem englischen Haus – vielleicht in Frankreich oder Deutschland. Haben wir Eure Erlaubnis, Tochter, sie von innen zu betrachten?«

Fortunatas Neugier war geweckt; sie lehnte sich interessiert vor, um sich nichts von dem entgehen zu lassen, was Anselm zu zeigen hatte. »Ja, öffnet sie!« sagte sie und reichte ihm den Schlüssel.

Girard drehte den Schlüssel im Schloß und hob den Deckel, um die kleinen Filzbeutel herauszuholen, die, als er sie auf das Pult legte, ihr leises Klirren von sich gaben. Das Innere der Schatulle war mit blaßbraunem Pergament ausgekleidet. Anselm hob sie ins Licht und schaute hinein. An einer Ecke hatte sich die Auskleidung ein wenig vom Holz gelöst und aufgerollt, und dort war zwischen Pergament und Holz ein schmaler Streifen von dunklerer Farbe zu sehen. Er holte ihn mit einem Fingernagel vorsichtig heraus und entrollte ein Stückchen purpurnen Pergaments, das von einem größeren Stück abgerissen war – eine Kante war ausgefranst, der Rest zeigte den sauberen Rand eines Ausschnitts aus einem Kreis oder Halbkreis. Ein so winziges Stück, kaum größer als ein Daumennagel, und so unerklärlich. Er legte es auf sein Pult und strich es glatt. Die Farbe, obwohl abgegriffen und vielleicht blasser, als sie einst gewesen war, war ein sattes Purpur.

Auch die helle Auskleidung auf dem Boden der Schatulle zeigte hier und dort einen ganz schwachen Anflug dunklerer Flecken. Cadfael strich vorsichtig mit einem Fingernagel von einem Ende zum anderen und betrachtete dann den feinen Pergamentstaub, der sich dabei abgelöst hatte, und den sauberen Strich, der auf dem Pergament entstanden war. Anselm fuhr mit dem Finger darüber, aber der Strich war auch danach noch deutlich zu sehen. Er betrachtete eingehend seine Fingerspitze und fand dort etwas, das ihn veranlaßte, noch genauer hinzuschauen und dann wieder nach der Schatulle zu greifen und sie ins volle Sonnenlicht zu halten. Und Cadfael sah, was Anselm gesehen hatte: eingefangen in der samtigen Oberfläche des Pergaments, unsichtbar außer in ganz hellem Licht, das Funkeln von Goldstaub.

Fortunata betrachtete neugierig das auf dem Pult liegende purpurne Stückchen. Man hätte es mit einem Atemhauch fortblasen können. »Was kann das gewesen sein? Wozu hat es gehört?«

»Es ist ein Stück von einer Lasche, wie man sie gewöhnlich bei Büchern an das obere und untere Ende des Rückens näht, wenn sie in einer Truhe aufbewahrt werden sollen, nebeneinander, mit dem Rücken nach oben. Die Laschen erleichtern das Herausziehen des einzelnen Buches.«

»Dann glaubt Ihr also«, fragte sie, »daß in dieser Schatulle früher ein Buch aufbewahrt worden ist?«

»Es wäre möglich. Die Schatulle dürfte hundert, vielleicht sogar zweihundert Jahre alt sein. Sie mag sich an vielen Orten befunden und alles mögliche enthalten haben, bevor sie auf den Markt von Tripoli gelangte.«

»Aber ein Buch, das darin lag, hätte solche Laschen nicht gebraucht«, wendete sie mit wachsendem Interesse ein. »Es hätte flach gelegen. Und für sich allein. Für mehr als ein Buch reicht der Platz nicht aus.«

»Richtig. Aber Bücher wie Schatullen können viele Meilen zurücklegen und auf vielerlei Art aufbewahrt werden, bevor sie zusammengeraten und das eine im anderen Platz findet. Diesem abgerissenen Stückchen nach zu urteilen hat die Schatulle zweifellos einst ein Buch enthalten, wenn auch nur eine Zeitlang. Vielleicht bewahrten die Mönche, die sie verkauften, ihr Brevier darin auf. Von dem Buch selbst wollten sie sich vielleicht nicht trennen, auch wenn sie Not litten. In ihrem Kloster mag es eines von vielen in einer Truhe gewesen sein, und sie konnten nicht alle mitnehmen, als die Horden aus Mosul sie vertrieben.«

»Die Lasche ist ziemlich abgegriffen.« Fortunata setzte ihre Erkundung fort und befingerte das ausgefranste Ende des dünnen Pergaments. »Das Buch muß genau hineingepaßt haben, sonst wäre das Stückchen nicht abgerissen.«

»Leder hält nicht ewig«, sagte Girard. »Wenn oft damit hantiert wird, kann es sich in trockenen Staub auflösen. Und Gebetbücher werden ständig benutzt. Unter der ständigen Bedrohung durch die Mamelucken aus Mosul hatten die armen Seelen von Edessa kaum Gelegenheit, neue Abschriften ihrer Gebetbücher herzustellen.«

Cadfael hatte nachdenklich damit begonnen, die Filzbeutel mit den Münzen wieder in die Schatulle zurückzupacken. Vorher war er noch einmal mit einem Finger über das Pergament gefahren und hatte die Fingerspitze im Licht der Sonne betrachtet. Die nahezu unsichtbaren Goldkörnchen fingen das Licht ein, wurden sekundenlang sichtbar und verschwanden dann wieder, als er die Hand bewegte. Girard klappte den Deckel zu und drehte den Schlüssel um; dann ergriff er die Schatulle und klemmte sie unter den Arm. Cadfael hatte die Beutel fest zusammengedrückt, um zu verhindern, daß sie sich bewegten, trotzdem hörte er, als die Schatulle gekippt wurde, das schwache Klirren der Silberpennies.

»Habt Dank dafür, daß Ihr mir ein so schönes Stück Handwerksarbeit gezeigt habt«, sagte Anselm mit einem leisen Aufseufzen. »Es ist das Werk eines Meisters, und Ihr könnt Euch glücklich schätzen, es zu besitzen. Master William hatte ein Auge für Qualität.«

»Das habe ich ihr schon gesagt«, pflichtete Girard ihm bei. »Wenn sie sich einmal davon trennen will, dann wird es ihr zusätzlich zu dem, was darin steckt, noch ein hübsches Sümmchen einbringen.«

»Es könnte mehr einbringen als die Summe, die es enthält«, sagte Anselm ernsthaft. »Ich frage mich, ob die Schatulle vielleicht für eine Reliquie angefertigt wurde. Das Elfenbein deutet darauf hin. Natürlich konnte sie auch einem ganz anderen Zweck dienen, und der Hersteller hatte einfach nur Freude daran, sein Werk auszuschmücken, für welchen Zweck es auch bestimmt war.«

»Ich begleite Euch zum Torhaus«, sagte Cadfael. Er schüttelte seine Nachdenklichkeit ab, als sich Girard und Fortunata von Bruder Anselm verabschiedeten. Während sie den nördlichen Kreuzgang entlangschritten, gesellte er sich zu Girard; Fortunata ging ein oder zwei Schritte vor ihnen, den Blick auf die Pflastersteine des Weges gesenkt, mit geschlossenen Lippen und zusammengezogenen Brauen, weit weg in der verschlossenen Welt ihrer eigenen Gedanken. Erst als sie den großen Hof überquert hatten und sich dem Tor näherten und Cadfael stehenblieb, um sich von ihnen zu verabschieden, drehte sie sich um und sah ihn an. Ihre Augen fielen auf einen Gegenstand, den er nach wie vor in der Hand hielt, und plötzlich lächelte sie.

»Ihr habt vergessen, den Schlüssel zu Elaves Zelle zurückzubringen. Oder«, sagte sie, wobei sich ihr Lächeln vertiefte und sich von ihren Lippen bis zu den Augen ausbreitete, »denkt *Ihr* etwa daran, ihn herauszulassen?«

»Nein«, sagte Cadfael, »ich denke daran, mich hineinzulassen. Es gibt da einiges, über das ich mit Elave sprechen muß.«

Inzwischen hatte Elave die abweisende, fast aggressive Miene abgelegt, mit der er anfangs jedem begegnet war, der seine Zelle betrat. Niemand besuchte ihn regelmäßig außer Anselm, Cadfael und dem Novizen, der ihm sein Essen brachte, und mit ihnen allen stand er jetzt auf erstaunlich vertrautem Fuß. Das Geräusch des Schlüssels veranlaßte ihn, den Kopf zu drehen, aber beim Anblick Cadfaels, so kurze Zeit nach seinem letzten Besuch, verwandelte sich sein fragender Blick in ein Willkommenslächeln. Er hatte auf dem Bett gelegen, das Gesicht dem Licht aus dem schmalen Spitzbogenfenster zugewandt, aber jetzt schwang er die

Beine auf den Boden und rutschte zur Seite, um auf der Pritsche für Cadfael Platz zu machen.

»Ich hatte nicht damit gerechnet, Euch so schnell wiederzusehen«, sagte er. »Sind sie fort? Gott behüte, daß ich sie jemals verletzen muß; aber was hätte ich tun sollen? Sie will sich nicht eingestehen, was sie in ihrem Herzen weiß! Wenn ich davonliefe, würde ich mich schämen – und sie sich auch. Das könnte ich nicht ertragen. Jetzt schäme ich mich nicht. Es gibt nichts, dessen ich mich schämen müßte. Haltet *Ihr* mich für einen Narren, weil ich mich weigere, die Flucht zu ergreifen?«

»Für eine sehr seltene Art von Narren, wenn überhaupt«, sagte Cadfael. »Und in jeder praktischen Hinsicht keineswegs für einen Narren. Und wer außer Euch könnte über die Schatulle, die Ihr mitgebracht habt, alles wissen, was es darüber zu wissen gibt? Also sagt mir – was hat Euch so überrascht, als Fortunata sie vorhin in Eure Hände legte? Ich habe gesehen, wie Ihr damit umgegangen seid. In dem Augenblick, in dem Ihr das Gewicht spürtet, wart Ihr verblüfft, auch wenn Ihr kein Wort darüber verloren habt. Was war anders als früher? Wollt Ihr es mir erzählen, oder soll ich anfangen? Dann können wir sehen, ob wir die gleiche Feststellung gemacht haben.«

Elave schaute ihn über die Schulter hinweg an, mit Staunen, Zweifel und Nachdenklichkeit im Blick. »Ja, ich entsinne mich, daß Ihr sie schon einmal in der Hand hattet, an dem Tag, an dem ich sie in die Stadt brachte. Hat Euch das genügt, um einen so geringfügigen Unterschied festzustellen, als Ihr sie abermals in den Händen hieltet?«

»Das war es nicht«, sagte Cadfael, »Ihr habt es mir verdeutlicht. Ihr kanntet ihr Gewicht, weil Ihr sie auf dem ganzen Weg von Frankreich bis hierher befördert, mit ihr gelebt und sie immer wieder angefaßt habt. Als Fortunata sie in Eure Hände legte, wußtet Ihr, was Ihr zu erwarten hattet. Doch als Ihr sie entgegennahmt, hoben sich Eure Hände an, ich habe es gesehen, und ich habe auch gesehen, daß Euch nicht entging, was das bedeutete. Denn danach habt Ihr sie gekippt, erst zur einen und dann zur anderen Seite. Und Ihr wißt, was Ihr gehört habt. Daß die Schatulle jetzt um einiges leichter war als beim letzten Mal, als Ihr sie in der Hand hieltet, das hat Euch ebenso überrascht, wie es mich überraschte. Daß das leise Klirren von Münzen zu hören war, konnte mich nicht überraschen, denn uns war im Kapitel gerade mitgeteilt worden, daß sie fünfhundert und siebzig Silberpennies enthielt. Aber ich sah, daß es Euch überraschte, denn Ihr habt die Probe wiederholt. Weshalb habt Ihr Euch nicht dazu geäußert?«

»Ich war mir nicht sicher«, sagte Elave kopfschüttelnd. »Wie hätte ich das sein können? Ich weiß, was ich gehört habe, aber seit ich die Schatulle zuletzt in den Händen hielt, wurde sie geöffnet und vielleicht irgend etwas nicht wieder hineingelegt, als sie das, was darin gewesen war, erneut verstauten – weitere Umhüllungen, die jetzt nicht mehr erforderlich waren... Genug, um das Gewicht zu verändern und zuzulassen, daß sich die Münzen bewegen konnten, während sie zuvor so fest hineingepackt waren, daß sie es nicht konnten. Und wenn Ihr nicht gekommen wäret...«

»Ich weiß«, sagte Cadfael. »Dann hättet Ihr es als unwichtig, als falsche Erinnerung aus Eurem Gedächtnis getilgt. Schließlich hattet Ihr Euren Auftrag erledigt und die Schatulle abgeliefert. Fortunata hatte ihr Geld. Weshalb solltet Ihr dann Zeit und Gedanken verschwenden auf einen geringfügigen Gewichtsunterschied und ein paar leise klirrende Münzen? Zumal Euch gerade jetzt wesentlich schwerwiegendere Dinge durch den Kopf gehen. Und Ihr habt gerade überaus vernünftige Gründe dafür gefunden. Aber jetzt bin ich gekommen und rühre wieder auf, was sich schon absetzen wollte. Mein Sohn, ich habe eben die Schatulle selbst noch einmal in den Händen gehabt. Ich will nicht behaupten, daß mir der Gewichtsunterschied aufgefallen ist, außer als ich bemerkte, daß er Euch verblüffte. Aber woran ich mich am deutlichsten erinnere, ist, wie solide, wie unverrückbar dieses Gewicht war. Nichts hat sich bewegt, als ich sie zum ersten Mal hielt. Was ich in den Händen hatte, hätte ein massives Stück Holz sein können. Das ist jetzt anders. Ich bezweifle, daß irgendwelche jetzt beiseitegelegte Filzumhüllungen das Klirren der Münzen, die sich jetzt darin befinden, völlig hätte verhindern können, denn ich habe sie gerade selbst wieder eingepackt – sechs kleine Filzbeutel, fest zusammengerollt und dicht an dicht liegend, und dennoch hörte ich sie klirren, als die Schatulle aufgehoben und getragen wurde. Nein, Ihr habt Euch nicht geirrt. Die Schatulle ist jetzt leichter als zuvor, und sie hat die Solidität eingebüßt, die sie früher hatte.«

Elave schwieg einen langen Moment. Er akzeptierte Cadfaels Ausführungen, war sich aber über ihre Bedeutung nicht sicher. »Ich begreife nicht«, sagte er langsam, »welchen Sinn es haben soll, diese Dinge zu wissen oder auch nur über sie nachzudenken. Was spielt das schon für eine Rolle? Selbst wenn das alles zutreffen sollte, was könnte der Grund dafür sein? Es lohnt sich nicht, so ein kleines Geheimnis zu lösen. Niemand hat einen Nutzen oder Schaden davon, ob wir es nun ergründen oder nicht.«

»Alles, was nicht das ist, was es zu sein scheint, und nicht das, was es eigentlich sein sollte«, sagte Cadfael entschlossen, »muß von Bedeutung sein. Und solange ich nicht weiß, wie diese Bedeutung aussieht, zumal sie verbunden ist mit Mord und Bosheit, kann ich die Frage nicht auf sich beruhen lassen. Gott sei Dank steht jetzt fest, daß Ihr mit Aldwins Tod nichts zu schaffen hattet. Aber *irgend jemand* hat ihn ermordet. Und was immer er getan und welche Fehler er begangen hat, ihm wurde Schlimmeres angetan, und er hat ein Recht darauf, daß sein Mörder gefunden wird. Ich gebe zu, es war nur natürlich, daß die meisten Leute glaubten, sein plötzlicher Tod hätte mit Euch zu tun und den Anschuldigungen, die er gegen Euch vorbrachte. Aber ist jetzt, da Eure Unschuld erwiesen ist, nicht auch dieses Motiv hinfällig geworden? Wer sonst hätte Veranlassung gehabt, ihn umzubringen? Muß man da nicht nach einem anderen Grund suchen, der nichts mit Euch und Euren Problemen zu tun hat, aber dennoch etwas mit Eurer Heimkehr? Aldwin starb kurz nach Eurem Eintreffen. Und alles, was in den paar Tagen seit Eurer Rückkehr merkwürdig ist, wofür es keine Erklärung gibt, kann durchaus von Bedeutung sein.«

»Und die Schatulle ist mit mir eingetroffen«, sagte Elave und folgte damit dem Gedanken bis zu seinem logischen Ende. »Und an der Schatulle ist etwas merkwürdig, und es gibt dafür keine Erklärung. Es sei denn, Ihr wollt mir jetzt sagen, daß Ihr eine Erklärung dafür habt.«

»Eine mögliche, ja. Ihr müßt wissen – wir haben uns gerade die Schatulle genauer angesehen, ohne die Beutel mit den Pennies, von innen und außen. Auf der Pergamentauskleidung des Bodens finden sich Spuren von Blattgold, zu einem feinen Staub zerfallen, aber im Licht deutlich zu erkennen. Und auf dem dunkel elfenbeinfarbenen Pergament liegt ein ganz leichter bläulicher Reif, wie auf einer Pflaume. Ich glaube, und auch Bruder Anselm glaubt es, obwohl wir noch nicht darüber gesprochen haben, daß es sich dabei um den feinen Abrieb eines weiteren, purpurn gefärbten Pergaments handelt, das einst ständig daraufgelegen hat. Und in einer Ecke eingeklemmt fanden wir ein Stückchen purpurfarbenes Pergament, abgerissen von einer Lasche, wie wir sie an den Rücken von Büchern anbringen, die in unserer Bibliothek in Truhen aufbewahrt werden.«

»Ihr wollt damit sagen«, sagte Elave nachdenklich und mit geweiteten Augen, »daß das, was die Schatulle irgendwann einmal enthielt, ein Buch war – oder Bücher. Ein Buch, das sich früher zwischen anderen in einer Truhe befand. Das könnte sein, aber ist es jetzt für uns von irgendwelchem Belang? Das Ding ist alt, es könnte für alles mögliche benutzt worden sein, seit es angefertigt wurde. Es könnte hundert Jahre her sein, seit es ein Buch enthielt.«

»Das könnte es«, pflichtete Cadfael ihm bei, »wenn da nicht diese eine Sache wäre. Daß wir beide, Ihr und ich, die Schatulle erst vor fünf Tagen in der Hand hielten und heute wieder, und dabei festgestellt haben, daß sie jetzt leichter ist, sich anders anfühlt und mit etwas gefüllt ist, das hörbar klirrt, wenn sie gekippt oder geschüttelt wird. Was ich damit sagen will, Elave, ist, daß das, was sie nicht vor hundert Jahren, sondern vor nur fünf kurzen Tagen, am zwanzigsten Tag dieses Monats Juni, enthielt, nicht dasselbe ist, was sie heute, am fünfundzwanzigsten, enthält.«

»Ein normales Format«, sagte Bruder Anselm und demonstrierte es mit den Händen auf dem Pult. »Der Bogen wird so gefaltet, daß er acht Blätter ergibt – das würde genau in die Schatulle passen. Höchstwahrscheinlich wurde sie eigens dafür angefertigt.«

»Aber wenn die Schatulle und das Buch gleichzeitig entstanden wären«, wendete Cadfael ein, »dann wäre das Buch nicht mit Laschen am Rücken versehen worden. Das wäre unnötig gewesen.«

»Das kann sein, aber vielleicht hat der Buchbinder sie nur angebracht, weil es allgemein üblich ist. Es ist durchaus möglich, daß die Schatulle erst später dafür angefertigt wurde. Wenn das Buch zuerst in Auftrag gegeben wurde, dann hätten Schreiber und Binder es auf die übliche Art hergestellt. Aber wenn es die Art von Buch war, die es in Anbetracht der Spuren, die es zurückgelassen hat, gewesen sein könnte, dann ist durchaus denkbar, daß sein Besitzer später ein Behältnis dafür nach seinen eigenen Wünschen anfertigen ließ, damit es nicht durch das ständige Herausziehen aus einer Truhe zwischen anderen, weniger wertvollen Büchern abgerieben wurde.«

Cadfael strich mit den Fingern über das Stückchen aus

purpurfarbenem Pergament, glättete den Saum aus hauchdünnem Flaum an der Rißkante. Winzige Fäserchen blieben an seinen Fingern haften, Stäubchen aus blauem Dunst. »Ich habe mit Haluin gesprochen, der mehr über Pergament und Farbstoffe weiß, als ich je wissen werde. Ich wünschte, er wäre hier gewesen, um es selbst sehen zu können. Aber er sagte dasselbe, was Ihr eben sagtet. Purpur ist die Farbe der Herrscher, Gold auf purpurnem Pergament müßte ein Buch für einen Kaiser sein. Sowohl im Osten wie im Westen sind solche Bücher geschrieben worden. Gold und Purpur waren die Symbole der Herrscher.«

»Sie sind es nach wie vor. Und hier haben wir Purpur und Spuren von Gold. Im Alten Rom«, sagte Anselm, »kleideten sich die Caesaren auf die gleiche Art – ein Vorrecht, das eifersüchtig gehütet wurde. Ich glaube nicht, daß ein anderer gewagt hätte, sich derart hervorzuheben. Und es ist bekannt, daß die Kaiser in Aachen und Byzanz dem Beispiel der Caesaren gefolgt sind.«

»Und aus welchem Reich, sofern wir recht haben, daß diese Schatulle ein Buch enthielt, stammen diese Kunstwerke? Könnt Ihr die Zeichen deuten?«

»Dazu müßtet Ihr eigentlich eher imstande sein als ich«, sagte Anselm. »Schließlich seid Ihr, anders als ich, in diesen Teilen der Welt gewesen. Löst Euer Rätsel selbst.«

»Das Elfenbein wurde von einem Handwerker geschnitzt, der aus Konstantinopel oder seiner Umgebung stammt. Aber er kann auch im Westen gearbeitet haben. Zwischen den beiden Höfen herrschte reger Verkehr, schon seit der Zeit Karls des Großen. Merkwürdig ist, daß die Schatulle Merkmale von beidem zeigt, denn die Holzschnitzerei ist kein Werk des Ostens. Das Holz selbst kenne ich nicht, aber ich nehme an, daß es aus dem Mittelmeerraum stammt. Vielleicht Italien? Wie all diese Materialien und Kunstformen von so unterschiedlichen Orten zusammenkamen und sich zu einem so kleinen und einzigartigen Gegenstand vereinigten!«

»Der einst, vielleicht, einen noch kleineren und einzigartigeren enthielt. Und wer weiß, wer der Schreiber war, der – durchweg in Gold, meint Ihr nicht auch, auf purpurnem Pergament – einen Text schrieb, und für welchen Fürsten von Byzanz oder Rom er geschrieben wurde? Oder wer der Maler war, der das Buch ausschmückte, und in welchem Stil, dem des Ostens oder dem des Westens?«

Bruder Anselm schaute auf den sonnigen Hof hinaus, versunken in einen Traum von einem Schatz, der Art von Schatz, die ihm am besten gefiel, Worte und Neumen, geschrieben mit liebevoller Sorgfalt zum Vergnügen von Königen, und geschmückt mit kunstvoll ausgeführten Ranken und Blüten.

»Es könnte durchaus ein Wunderwerk gewesen sein«, sagte er andächtig.

»Und ich frage mich«, sagte Cadfael, eher für sich als für jemand anderen, »wo es sich jetzt wohl befindet.«

Am frühen Abend kam Fortunata in Jevans Werkstatt und traf ihn dabei an, wie er gerade sein Werkzeug aufräumte und das feine, weiße Pergament, das er gerade zusammengefaltet hatte, ins Regal legte. Durch dreifache Faltung war es zu einer Lage aus acht Blättern geworden, aber er hatte die Kanten noch nicht beschnitten. Fortunata trat neben ihn und strich mit dem Zeigefinger über die glatte Fläche.

»Das wäre das richtige Format«, sagte sie nachdenklich.

»Das richtige Format für viele Zwecke«, sagte Jevan. »Aber wie kommst du darauf? Richtig wofür?«

»Für ein Buch, das genau in meine Schatulle paßt.« Sie blickte mit ihren klaren braunen Augen zu ihm auf. »Du weißt, daß ich mit Vater in der Abtei war, und daß wir versucht haben, Elave freizubekommen, damit er bei uns wohnen kann, bis sein Fall verhandelt wird? Sie haben es abgelehnt. Aber sie haben sich sehr für die Schatulle interessiert. Bruder Anselm, in dessen Obhut sich alle Bücher der Abtei befinden, wollte sie sich genauer ansehen. Stell dir vor, sie glauben, daß sie einst ein Buch enthalten hat! Weil sie genau die richtige Größe hat für eine dreifach gefaltete Schafhaut. Und weil die Schatulle so hübsch ist, muß es ein sehr kostbares Buch gewesen sein. Glaubst du, daß sie recht haben könnten?«

»Möglich ist alles«, sagte Jevan. »Der Gedanke war mir noch nicht gekommen. Aber jetzt, da du es erwähnst, muß ich zugeben, daß das Format der Schatulle darauf hindeuten könnte. Sie wäre gewiß ein prächtiges Behältnis für ein Buch.« Er blickte mit seinem vertrauten dunklen Lächeln auf ihr Gesicht herab. »Ein Jammer, daß der Inhalt verlorenging, bevor Onkel William in Tripoli darauf stieß! Aber ich könnte mir vorstellen, daß sie bis dahin schon für alle möglichen Zwecke verwendet worden ist. Das ist eine unruhige Gegend, in der es leichter ist, ein Königreich der Christenheit zu gründen, als es zu bewahren.«

»Ich bin jedenfalls froh«, sagte Fortunata, »daß nicht irgendein altes Buch in der Schatulle war, sondern gute Silbermünzen. Ich kann nicht lesen – was sollte ich mit einem Buch anfangen?«

»Auch ein Buch hätte seinen Wert gehabt. Einen großen Wert, wenn es schön geschrieben und illuminiert gewesen wäre. Aber ich freue mich, daß du zufrieden bist mit dem, was du hast, und ich hoffe, es bringt dir ein, was du haben möchtest.«

Sie strich mit der Hand über das Bord und betrachtete stirnrunzelnd den feinen Belag aus Staub, den sie auf ihrer Handfläche entdeckte. Genau so, wie die Mönche über die Auskleidung der Schatulle gestrichen und in dem Staub, der sich darin befand, etwas Bedeutsames gesehen hatten. Sie hatte das sekundenlange Aufblitzen von Gold im Sonnenlicht gesehen; mehr hatte sie nicht begriffen. Sie betrachtete ihre Hand und wischte dann den kaum wahrnehmbaren samtigen Staub ab. »Es ist Zeit, daß ich dein Zimmer wieder einmal saubermache«, sagte sie. »Du hältst alles so ordentlich, aber es muß abgestaubt werden.«

»Wann immer du willst!« Jevan ließ einen beiläufigen Blick durch den Raum schweifen. »Ja. Es sammelt sich an. Sogar hier, wo ich nur die fertigen Häute aufbewahre, sondern sie einen ganz besonderen Staub ab. Ich lebe damit, ich atme ihn ein, deshalb fällt er mir nicht auf. Ja, du kannst abstauben und putzen, wann immer es dir paßt.«

»In deiner anderen Werkstatt am Fluß muß es noch viel schlimmer aussehen«, sagte sie, »bei all dem Abschaben von Häuten, den ständigen Gängen zum Fluß und zurück, von denen du mit schlammigen Schuhen zurückkommst, und dann die Häute, wenn du sie zum Einweichen hinbringst, und all das Haar ... Und ziemlich übel riechen muß es auch«, sagte sie und rümpfte schon beim Gedanken daran die Nase.

»Aber nein, mein Kind!« Jevan lachte über ihre angewiderte Miene. »Conan macht meine Werkstatt sauber, sooft es nötig ist, und er tut es gründlich. Wenn er nicht bei den Schafen gebraucht würde, könnte ich ihn sogar das Handwerk lehren. Er ist nicht dumm, er weiß bereits jetzt eine ganze Menge davon, wie man Pergament macht.«

»Aber Conan wird in der Burg festgehalten«, erinnerte sie ihn ernst. »Der Sheriff ist immer noch auf der Suche nach jemandem, der Auskunft darüber geben kann, wo er an dem Tag, an dem Aldwin getötet wurde, gewesen ist und was er getan hat, bevor er zu den Weiden hinausging. Du glaubst doch auch nicht, daß er einen Menschen umbringen könnte?«

»Wer könnte das nicht«, sagte Jevan gleichgültig, »wenn Zeit und Gelegenheit günstig sind? Aber nein, nicht Conan. Früher oder später werden sie ihn freilassen. Er wird wiederkommen. Was kann es ihm schon schaden, wenn er ein paar Tage schwitzen muß? Und meiner Werkstatt schadet es auch nicht, wenn es eine Weile dauert, bis sie wieder saubergemacht wird. Und wie wäre es jetzt mit Abendessen? Ich mache hier zu, und dann gehen wir hinüber.«

Sie achtete nicht auf seine Worte. Ihre Augen wanderten über seine Regale und das Gestell, auf dem die größten Bogen hingen, auf Doppelfolio zugeschnitten für eine große Chorpult-Bibel. Sie glitten darüber hinweg zu den achtblättrigen Lagen des Formats, das in ihre Schatulle paßte.

»Onkel, du hast doch ein paar Bücher in diesem Format, nicht wahr?«

»Es ist das gebräuchlichste«, sagte er. »Ja, das beste Stück, das ich habe, hat dieses Format. Es ist in Frankreich entstanden. Gott weiß, wie es seinen Weg auf den Jahrmarkt von Shrewsbury gefunden hat. Warum fragst du?«

»Dann würde es in meine Schatulle passen. Ich möchte sie dir schenken. Warum auch nicht? Sie ist so hübsch, und sie ist wertvoll; sie sollte hier im Hause bleiben. Aber ich kann nicht lesen und habe kein Buch, das ich hineinlegen könnte. Außerdem«, sagte sie, »bin ich mit meiner Mitgift zufrieden und Onkel William dankbar, daß er sie mir vermacht hat. Wir wollen es nach dem Abendessen versuchen. Zeig mir deine Bücher noch einmal. Sie sind wunderschön anzusehen, auch wenn man nicht darin lesen kann.«

Jevan stand da und schaute von seiner mageren Höhe auf sie herab, ernst und still. Wie er so reglos dastand, wirkte alles an ihm ein wenig länger als sonst; er sah aus wie ein in die Kehlung eines Kirchenportals gemeißelter Heiliger, von seinem schmalen Gelehrtengesicht bis zu den Schnabelschuhen an seinen schmalen, sehnigen Füßen und den schlanken, geschickten Händen. Seine tiefliegenden Augen musterten ihr Gesicht, und er schüttelte den Kopf über ihr voreiliges und unüberlegtes Anerbieten.

»Kind, du solltest nicht alles, was du hast, einfach wegschenken, bevor du seinen Wert kennst oder weißt, wozu du es in Zukunft noch brauchen wirst. Tu nichts aus einer Laune heraus, es könnte dir später leid tun.«

»Nein«, sagte Fortunata. »Weshalb sollte es mir leid tun, wenn ich etwas, für das ich keine Verwendung habe, jemandem schenkte, der guten und angemessenen Gebrauch davon machen wird? Und willst du etwa behaupten, daß du die Schatulle nicht gern hättest?« Gewiß funkelten seine dunklen Augen – nicht direkt vor Habgier, aber doch mit unbestreitbarem Verlangen. »Komm mit zum Essen, und hinterher probieren wir aus, wie sie zusammenpassen. Und ich bitte Vater, mein Geld für mich aufzubewahren.«

Das französische Brevier war eines von den sieben handgeschriebenen Büchern, die Jevan im Lauf der Jahre bei seinen Geschäften mit Kirchenmännern und Gönnern erworben hatte. Als er den Deckel der Truhe öffnete, in der er sie aufbewahrte, sah Fortunata, wie sie nebeneinander und mit den Rücken nach oben dastanden, zu einer Seite geneigt, weil er noch nicht genug Bücher besaß, um den Raum ganz ausfüllen zu können. Zwei trugen auf dem Rücken verblassende lateinische Aufschriften, eines hatte einen rot gefärbten Einband; die übrigen waren ursprünglich alle in elfenbeinfarbenes, über dünne Holzdeckel gezogenes Leder gebunden gewesen, aber einige davon waren so alt, daß sie die gleiche blaßbraune Farbe angenommen hatten wie die Auskleidung ihrer Schatulle. Sie hatte sie zuvor schon etliche Male gesehen, aber noch nie so genau betrachtet wie jetzt. Und am oberen und am unteren Ende jedes Rückens saßen die kleinen, runden Lederlaschen, an denen man die Bücher herausziehen konnte.

Jevan nahm sein Lieblingsbuch heraus, dessen Einband fast noch jungfräulich weiß war. Er schlug es auf gut Glück auf, und die leuchtenden Farben traten hervor, als wären sie gerade erst aufgetragen worden, eine Bordüre am rechten Rand, die sich über die ganze Länge der Seite erstreckte, sehr schmal und zierlich, aus ineinander verwobenen Blättern und Ranken und Blüten, der Rest der Seite in zwei Spalten beschrieben, mit einem großen Initial und fünf kleineren am Anfang von Absätzen, und bei jedem diente der Buchstabe als Rahmen für eine reizvolle Miniatur aus Blüten und Farn. Der Exaktheit der Malerei entsprach die Reinheit des Blaus, Rots, Goldes und Grüns, doch vor allem das Blau erfüllte und befriedigte das Auge mit einer durchscheinenden Kühle, die eine wahre Wohltat war.

»Es ist in einem so hervorragenden Zustand«, sagte Jevan und strich liebevoll über den glatten Einband, »daß ich annehme, daß es gestohlen und weit von dem Ort fortgeschafft wurde, an dem es sich einst befand, bevor der Händler es zu verkaufen wagte. Das ist der Anfang der Heiligengebete, deshalb das große Initial. Sieh dir die Veilchen an, wie naturgetreu ihre Farbe ist!«

Fortunata öffnete die Schatulle auf ihren Knien. Die Farbe der Auskleidung verschmolz mit der helleren Farbe des Einbands. Das Buch paßte genau hinein. Als der Deckel geschlossen war, hielt die leichte Haftkraft der Auskleidung das Buch unverrückbar an Ort und Stelle.

»Siehst du?« sagte sie. »Es ist doch viel besser, wenn sie einen Zweck erfüllt! Und es sieht wirklich und wahrhaftig so aus, als wäre sie eigens dafür angefertigt worden.«

In der Truhe war noch Platz für die Schatulle. Jevan klappte den Deckel zu und blieb einen Moment auf den Knien; seine langen Hände lagen liebkosend und ehrfürchtig auf dem Holz. »Also gut! Auf jeden Fall kannst du sicher sein, daß ich sie in Ehren halten werde.« Er erhob sich, doch seine Augen ruhten nach wie vor auf der Truhe, die seine Schätze enthielt, und ein verstohlenes, schattenhaftes Lächeln umspielte seine Lippen. »Weißt du, Kind, daß ich diese Truhe bisher nie verschlossen habe? Aber jetzt, da dein Geschenk darin liegt, werde ich sie immer abschließen.«

Sie gingen zusammen zur Tür, wobei seine Hand auf ihrer Schulter lag. Am Kopf der Treppe, die in die Diele hinunterführte, blieb sie stehen und wendete ihm plötzlich das Gesicht zu. »Onkel, du sagtest vorhin, Conan hätte dadurch, daß er dir gelegentlich hilft, eine Menge von deinem Handwerk gelernt. Würde er wissen, welchen Wert Bücher haben können? Und wenn er zufällig auf ein überaus wertvolles Buch stieße – würde er wissen, was er vor sich hat?«

Zwölftes Kapitel

Am sechsundzwanzigsten Tag des Juni stand Fortunata früh auf; ihr erster wacher Gedanke war, daß es der Tag von Aldwins Begräbnis war. Es verstand sich von selbst, daß der ganze Haushalt daran teilnahm, das war man ihm aus vielerlei Gründen schuldig für Jahre treuer Dienste, nicht überragend, aber gewissenhaft, Jahre der Vertrautheit mit seiner harmlosen, immer etwas unglücklichen Gestalt im Hause, und dem Mitleid und dem unbestimmten Gefühl, ihn jetzt, da er ein so unerwartetes Ende gefunden hatte, irgendwie im Stich gelassen zu haben. Und die letzten Worte, die sie zu ihm gesprochen hatte, waren Vorwürfe gewesen! Berechtigte Vorwürfe vielleicht, die sie sich jetzt, weniger vernünftig, selbst vorwarf.

Armer Aldwin! Er hatte nie zu würdigen gewußt, was er besaß, und immer seinen Verlust gefürchtet wie ein Geizhals den Verlust seines Goldes. In seiner Angst, er könnte vor die Tür gesetzt werden, hatte er Elave etwas Schlimmes angetan. Aber von hinten erdolcht und in den Fluß geworfen zu werden, das hatte er nicht verdient. Und sie hatte ihn irgendwie auf dem Gewissen, trotz ihrer Angst um Elave, den er in diese Lage gebracht hatte. Ausgerechnet an diesem Morgen füllte er Fortunatas Denken aus und führte sie auf einen Weg, den sie nur ungern ging. Aber wenn dem Unzulänglichen, Verdrossenen und Betrübten die Gerechtigkeit verweigert wird – wem sonst sollte sie widerfahren?

So früh sie aufgestanden war, ein anderer schien noch früher auf den Beinen gewesen zu sein. Die Werkstatt würde an diesem Tag geschlossen bleiben, düster bei vorgelegten Läden; deshalb gab es eigentlich keinen Grund für Jevan, so früh aufzustehen, aber er war bereits fort, als Fortunata in die Diele hinunterkam.

»Er wollte zu seinem Schuppen«, sagte Margaret, als Fortunata nach ihm fragte. »Er hat ein paar frische Häute, die er zum Einweichen in den Fluß legen muß. Aber er wollte rechtzeitig zum Begräbnis des armen Aldwin wieder hier sein. Wolltest du etwas von ihm?«

»Nichts, das nicht warten könnte«, sagte Fortunata. »Ich habe ihn nur vermißt, das ist alles.«

Sie war froh, daß der Haushalt vollauf beschäftigt war mit den Vorbereitungen für einen weiteren Leichenschmaus, so bald nach dem ersten, dem Abend, der Onkel Williams Gedächtnis gewidmet gewesen war und an dem diese ganze Serie unglücklicher Ereignisse begonnen hatte. Margaret und das Dienstmädchen waren in der Küche beschäftigt, Girard war sofort nach dem Frühstück auf den Hof hinausgeeilt, um Aldwins würdige Überführung in die Kirche zu veranlassen, die er zu Lebzeiten vernachlässigt hatte. Fortunata begab sich in Jevans Werkstatt und machte sich ohne mehr Licht als das, das durch die Ritzen der Läden einfiel, daran, leise und schnell den Raum zu durchsuchen, die Regale mit ihren noch nicht zugeschnittenen Häuten, die Werkzeuge, jede Ecke des ordentlichen, bescheiden möblierten Raumes. Alles lag offen sichtbar da. Sie hatte kaum damit gerechnet, hier etwas zu finden, was nicht hergehörte, und vergeudete nicht viel Zeit mit der Suche. Sie schloß die Tür des schattigen Raums hinter sich, kehrte in die leere Diele zurück und stieg, den Eingang von der Straße aus benutzend, in Jevans Schlafkammer hinauf.

Vielleicht hatte er vergessen, daß sie seit ihrer Kindheit wußte, wo sich alles im Hause befand, oder nicht daran gedacht, daß selbst Einzelheiten, die sie früher nie interessiert hatten, jetzt für sie von größter Bedeutung sein konnten. Bisher hatte sie ihm noch keine Veranlassung gegeben, über diese Dinge nachzudenken, und in diesem Augenblick betete sie innerlich, daß sie ihm eine solche Veranlassung nie zu geben brauchte. Was immer sie jetzt tat, sie würde Schuldbewußtsein empfinden; aber das konnte sie ertragen, weil sie es mußte. Was sie nicht ertragen konnte, war die quälende Ungewißheit.

Nie zuvor, hatte Jevan gesagt, hatte er sich die Mühe gemacht, seine Handschriften einzuschließen, nie, bis er ihre kostbare Mitgiftschatulle dazugepackt hatte. Und das hätte durchaus eine belanglose, liebenswürdige Geste der Freude und des Dankes gewesen sein können, die ihr schmeicheln sollte, hätte er nicht tatsächlich die Truhe mit ihrem Geschenk abgeschlossen, als er am Abend in seinem Zimmer allein gewesen war. Sie wußte es, noch bevor sie die Hand an den Deckel legte, um ihn anzuheben. Die Truhe war verschlossen. Wenn er seine Schlüssel mitgenommen hatte, als er das Haus verließ, dann konnte sie auf diesem beängstigenden Weg nicht weitergehen. Aber das hatte er nicht für erforderlich gehalten: sie hingen an ihrem üblichen Platz, an einem Haken in dem Schrank, in dem er seine Kleidung aufbewahrte, in einer Ecke der Kammer. Ihre Hand zitterte, als sie den kleinsten ausprobierte, und Metall knirschte scharf auf Metall, bevor es ihr gelang, ihn in das Schloß der Büchertruhe zu stecken.

Sie hob den Deckel und kniete bewegungslos neben der Truhe, umklammerte mit beiden Händen den geschnitzten Rand so fest, daß ihre Finger vor Anspannung schmerzten. Es wäre nur ein einziger Blick erforderlich gewesen und nicht dieses lange, bestürzte Starren in das Innere der Truhe, auf die dicht an dicht stehenden Buchrücken, den leeren Platz an einem Ende. Es war keine dunkle Schatulle darin, kein großäugiger, rundgesichtiger Heiliger, der ihren Blick erwiderte. Mit dem weißesten der hellen Einbände, Seite an Seite mit dem rotgefärbten Band, stand Jevans kostbares französisches Brevier, vor ein paar Jahren auf dem Jahrmarkt von Saint Peter von einem vorsichtigen Dieb oder Händler mit gestohlenem Gut erworben, auf seinem gewohnten Platz zwischen den anderen, seines neuen, prächtigen Behältnisses beraubt.

Das Buch war geblieben, die Schatulle, in die es so exakt hineinpaßte, war fort, und Fortunata konnte sich dafür nur einen Grund vorstellen und nur einen Ort, an den sie gebracht worden war.

In einem plötzlichen Anfall von Hast und Panik klappte sie den Deckel zu und drehte den Schlüssel im Schloß. Dabei verfing sich eine Strähne ihres Haars im Gitterwerk des Schließblechs; sie zerrte sie heraus, als sie aufstand, getrieben von dem Verlangen, diesen Raum so schnell wie möglich zu verlassen und anderswo Zuflucht zu suchen – unter normalen Ereignissen und unschuldigen Menschen, fort von dem Wissen, von dem sie jetzt wünschte, daß sie es nicht besäße, das sie aber nicht wieder loswerden konnte; fort von dem Weg, den sie betreten hatte in der Hoffnung, daß er unter ihren Füßen verschwinden würde, und dem sie nun bis zu seinem Ende folgen mußte.

Aldwin wurde am späten Vormittag zu Grabe getragen, begleitet von Girard von Lythwood und seinem gesamten Haushalt und feierlich in die nächste Welt geleitet von Vater Elias, der jetzt vom Wohlverhalten seines Pfarrkindes überzeugt und von seinen früheren Zweifeln befreit war. Fortunata stand neben Jevan am Grabe, und als sein Ärmel den ihren berührte, spürte sie, wie Mitleid und Entsetzen ihr Denken zerrissen. Sie hatte beobachtet, wie er als einer der Sargträger fungiert und eine Handvoll Erde auf den Sarg geworfen hatte und nun mit ernstem und gefaßtem Gesicht in die dunkle Grube hinabblickte, während die Schollen hinabfielen und den Toten bedeckten. Es mochte zwar den Anschein haben, als wäre ein in Enttäuschung und Pessimismus befangenes Leben kein großer Verlust, aber wenn es einem Mord zum Opfer fällt, dann nehmen Tat und Beraubung ungeheuerliche Dimensionen an.

So also ging Aldwin aus dieser Welt, die nie dazu angetan gewesen war, ihn zufriedenzustellen. Girard und seine Familie kehrten nach Hause zurück, nachdem sie ihrem unglücklichen Hausgenossen die letzte Ehre erwiesen hatten. Bei Tisch waren sie alle still, aber die Lücke, die Aldwin hinterlassen hatte, war allenfalls schmal und würde sich bald wie eine belanglose Wunde schließen, ohne eine Narbe zu hinterlassen.

Fortunata räumte den Tisch ab und ging dann in die Küche, um beim Abwaschen des Geschirrs zu helfen. Sie war sich nicht sicher, ob sie das, von dem sie wußte, daß sie es tun mußte, hinauszögerte, damit ihre Handlungen keine besondere Aufmerksamkeit erregten, oder aus dem verzweifelten Verlangen, es überhaupt nicht zu tun. Aber letzten Endes konnte sie es nicht auf sich beruhen lassen. Und vielleicht quälte sie sich auch unnötig. Es mochte eine gute Antwort geben, selbst jetzt noch, und wenn sie nicht zu Ende führte, was sie angefangen hatte, würde sie es vielleicht nie herausfinden. Die Wahrheit ist ein entsetzlicher Zwang.

Sie überquerte den Hof und schlüpfte unbemerkt in die mit Läden verschlossene Werkstatt. Der Schlüssel zum Schuppen in Frankwell hing an seinem üblichen Ort, wo Jevan ihn offen und gleichmütig hingehängt hatte, als er von seinem frühmorgendlichen Ausflug zurückgekehrt war. Fortunata nahm ihn und versteckte ihn im Mieder ihres Kleides.

»Ich gehe hinunter zur Abtei«, sagte sie an der Schwelle zur Diele, »und sehe zu, ob sie mich wieder zu Elave hineinlassen. Wenn nicht, erfahre ich vielleicht, ob sich inzwischen irgend etwas getan hat. Eigentlich müßte jetzt jeden Tag eine Botschaft vom Bischof kommen. Coventry ist nicht weit.«

Niemand widersprach, niemand erbot sich, sie zu begleiten. Zweifellos hatten alle das Gefühl, daß es nach der morgendlichen Beschäftigung mit dem Tode für sie das Beste sein würde, hinauszugehen in den Sommernachmittag und ihre Gedanken, so sorgenvoll sie auch sein mochten, dem Leben und der Jugend zuzuwenden.

Da nur die Fenster der Werkstatt, jetzt der vorgelegten Läden wegen blind, auf die Straße hinausgingen und die anderen Fenster des Hauses sich in dem langen Balken des L befanden und man von ihnen aus nur den Streifen von Hof und Garten überblicken konnte, sah niemand sie durch die Pforte hinausgehen und dann nicht nach links zum Stadttor und der Abtei abbiegen, sondern nach rechts, zur westlichen Brücke und dem Vorort Frankwell.

Bruder Cadfael, normalerweise kein zögerlicher Mensch, hatte den ganzen Vormittag und eine Stunde des frühen Nachmittags damit verbracht, über die Ereignisse des Vortages nachzudenken und sich darüber klar zu werden, wieviel von dem, was ihn beunruhigte, Wissen war und wieviel bloße Vermutung. Sicher war, daß Fortunatas Schatulle irgendwann ein Buch enthalten hatte, und den Spuren nach zu urteilen, die es hinterlassen hatte, mußte sie lange Zeit für diesen Zweck benutzt worden sein, um diesen blaßblauen Reif auf der Auskleidung und ein ausgefranstes Stückchen purpurnen Pergaments, in einer Ecke zwischen Auskleidung und Holz eingeklemmt, zu hinterlassen. Blattgold wird auf Leim aufgetragen und dann poliert, und obwohl die Blätter zu zart und zu empfindlich sind, als daß sie im Kreuzgang oder an irgendeiner anderen Stelle, wo ein Lüftchen wehen kann, verarbeitet werden könnten, ist eine richtig verarbeitete Vergoldung sehr dauerhaft. Es war schon ständiger Gebrauch und häufiges Herausnehmen und Wiederzurücklegen in ein gut passendes Behältnis erforderlich, damit auch nur diese wenigen winzigen Goldstäubchen abgerieben wurden. Je mehr er darüber nachdachte, desto sicherer war er: irgendwo gab es ein Buch, das zu dieser Schatulle gehörte, und beide waren ein Jahrhundert oder länger beieinander gewesen. Und wenn sie schon vor langer Zeit voneinander getrennt worden waren, das Buch vielleicht gestohlen, irgendeinem räuberischen Heiden in die Hände gefallen oder sogar vernichtet, wie war dann die Mitgift beschaffen gewesen, die der alte William seiner Ziehtochter geschickt hatte? Denn er war sich ebenso sicher, wie Elave es jetzt war, daß es nicht diese sechs Filzbeutel mit Silberpennies gewesen waren.

Und angenommen, daß es tatsächlich noch das Buch gewesen war, sicher untergebracht in seinem herrlichen Behältnis, unangetastet und ungelesen durch die halbe Welt getragen, welchen Wert hatte es dann für eine junge Frau, wenn sie das heiratsfähige Alter erreicht hatte? War es nur etwas, das man verkaufen konnte, und zwar wohlüberlegt, um den höchstmöglichen Preis zu erzielen? Bücher haben noch einen anderen Wert, für diejenigen, die sich für immer und von ganzem Herzen in sie verliebt haben. Es gab Leute, die für sie betrügen würden, für sie stehlen, für sie lügen, selbst wenn sie sich nie einem anderen Menschen gegenüber ihrer Schätze rühmen konnten. Auch für sie morden? Unmöglich war es nicht.

Aber damit schoß er vermutlich weit über den vorliegenden Fall hinaus, denn wo sollte da ein Zusammenhang bestehen? Wer stellte eine Bedrohung dar? Wer stand im Wege? Doch gewiß nicht ein kaum des Lesens mächtiger Schreiber, der gewiß keinerlei Interesse aufbrachte für herrliche, vor langer Zeit von hingebungsvollen Künstlern geschaffene Handschriften.

Unvermittelt und bis zu einem gewissen Grade zu seiner eigenen Überraschung hörte Cadfael auf, seine Kräuterbeete von kleinen Unkräutern zu befreien; er stellte seine Hacke weg und machte sich auf die Suche nach Bruder Winfrid, der im Gemüsegarten jätete.

»Mein Sohn, ich habe etwas zu erledigen, wenn der Vater Abt es erlaubt. Ich werde voraussichtlich zur Vesper zurück sein, aber wenn es später wird, sorgt dafür, daß alles in Ordnung ist und schließt meine Hütte ab, bevor Ihr geht.«

Bruder Winfrid richtete sich einen Moment zu seiner vollen, muskulösen Höhe auf, um die ihm erteilten Anweisungen zu bestätigen, eine große Faust voll von dem Grünzeug, das er ausgejätet hatte. »Wird gemacht. Ist irgend etwas darin, was umgerührt werden muß?«

»Nein, nichts. Ihr könnt es Euch bequem machen, wenn Ihr hier fertig seid.« Nicht, daß damit zu rechnen gewesen wäre, daß er das wörtlich nahm. Bruder Winfrid steckte dermaßen voller Energie, daß er ständig einen Auslaß für sie finden mußte, sonst würde sie ihn vermutlich in Stücke reißen. Cadfael klopfte ihm auf die Schulter, überließ ihn seinem kraftvollen Tun und machte sich auf die Suche nach Abt Radulfus.

Der Abt saß in seinem Arbeitszimmer, in den Bericht des Kellermeisters vertieft, doch als Cadfael um Audienz bat, legte er den Bericht beiseite und widmete seine ganze Aufmerksamkeit dem Bittsteller.

»Vater«, sagte Cadfael, »hat Bruder Anselm Euch berichtet, was wir gestern morgen bezüglich der Schatulle entdeckt haben, die aus dem Osten für das Mädchen Fortunata mitgebracht wurde? Und zu welchen Schlüssen, unter Vorbehalten, wir bei der Untersuchung gelangt sind?«

»Das hat er«, sagte der Abt. »In solchen Dingen würde ich Anselms Urteil trauen, dennoch ist es nur eine Vermutung. Es ist anzunehmen, daß es ein solches Buch gegeben hat. Ein Jammer, daß es verlorengegangen ist.«

»Vater, ich bin nicht sicher, daß es verlorengegangen ist. Ich habe Grund zu der Annahme, daß das, was in dieser Schatulle nach England kam, nicht das Geld war, das sich jetzt darin befindet. Das Gewicht hat sich verändert, und sie fühlt sich auch anders an. Das sagt der junge Mann, der sie aus dem Osten hergebracht hat, und das sage auch ich, denn ich hatte sie an dem Tag in der Hand, an dem er sie in Girard von Lythwoods Haus ablieferte. Ich finde«, sagte Cadfael mit Nachdruck, »daß das, was wir festgestellt haben, auch dem Sheriff mitgeteilt werden sollte.«

»Ihr glaubt«, sagte Radulfus und musterte ihn ernst, »daß es etwas mit dem einzigen Fall zu tun haben könnte, mit dem

Hugh Beringar momentan beschäftigt ist? Aber das ist ein Mordfall. Was kann ein Buch, ob es nun da ist oder nicht, für dieses Verbrechen bedeuten?«

»Als der Schreiber ermordet wurde, Vater, haben da nicht die meisten Leute als erwiesen hingenommen, daß der junge Mann, den er angeklagt hatte, ihn aus Rache tötete? Jetzt wissen wir, daß es sich nicht so verhalten hat. Wer sonst hätte Veranlassung gehabt, um der von ihm erhobenen Anklage willen die Hand gegen ihn zu erheben? Niemand. Ich bin jetzt überzeugt, daß sein Tod nichts mit der Denunzierung von Elave zu tun hatte. Dennoch hat es den Anschein, als hätte er trotzdem etwas mit Elave zu tun, mit seiner Heimkehr nach Shrewsbury. Alles, was geschehen ist, geschah seit seiner Heimkehr. Ist es nicht möglich, Vater, daß es etwas mit dem zu tun hat, was er in dieses Haus mitbrachte? Eine Schatulle, deren Gewicht sich verändert, die sich an einem Tag anfühlt wie eine solide Masse aus Holz, und in der ein paar Tage später Silbermünzen klirren. Schon das ist merkwürdig. Und alles, was merkwürdig ist in und an dem Haushalt, in dem der Tote jahrelang gelebt und gearbeitet hat, könnte von Bedeutung sein.«

»Und sollte nicht außer acht gelassen werden«, schloß der Abt und dachte ein paar Minuten schweigend über das Gehörte nach. »Also gut, so sei es. Hugh Beringar sollte es erfahren. Was er damit anfängt, kann ich nicht einmal vermuten. Gott weiß, daß ich nichts damit anfangen kann, noch nicht, aber wenn es nur einen Lichtstrahl von sich gibt, der einen einzigen Schritt auf dem Wege zur Gerechtigkeit erhellt, ja, dann sollte er es erfahren. Geht zu ihm, wenn Ihr wollt. Laßt Euch so viel Zeit, wie erforderlich ist, und ich bete, daß sie einem guten Zweck gewidmet ist.«

Cadfael fand Hugh nicht in seinem Haus bei Saint Mary, sondern in der Burg. Als Cadfael die Rampe von der Straße heraufgekommen und die dunkle Höhle des Wachtturms hinter sich gebracht hatte, durchquerte Hugh gerade den äußeren Ring mit einer gedankenverlorenen Hast, die seltsamerweise sowohl auf Fröhlichkeit als auch auf Verärgerung schließen ließ. Hugh blieb sofort stehen und wendete sich ihm zu.

»Bruder Cadfael! Ihr kommt gerade zur rechten Zeit, ich habe Neuigkeiten für Euch!«

»Und ich habe welche für Euch«, sagte Cadfael, »wenn man in meinem Fall von Neuigkeiten sprechen kann. Aber was immer sie wert sein mögen, ich finde, Ihr solltet sie wissen.«

»Und der Abt war einverstanden? Also müssen sie schon recht gewichtig sein. Kommt mit hinein, damit wir unsere Neuigkeiten austauschen können«, sagte Hugh und führte Cadfael durch den Vorraum in die Wachtstube des Turmes, wo sie sich ungestört unterhalten konnten. »Ich wollte gerade unseren Freund Conan aufsuchen«, sagte er mit einem etwas gequälten Lächeln, »bevor ich ihn freilasse. Ja, das ist meine Neuigkeit. Es hat eine Weile gedauert, bis wir allem Kommen und Gehen an diesem Tag nachgespürt hatten, aber jetzt haben wir einen Häusler am Rande von Frankwell ausfindig gemacht, der ihn kennt und gesehen hat, wie er an diesem Nachmittag eine ganze Weile vor der Vesper zu der Weide mit seiner Herde hinausging. Es ist ausgeschlossen, daß er Aldwin getötet hat. Der Mann war eine gute Stunde später noch am Leben und wohlauf.«

Cadfael ließ sich langsam und mit einem langen Seufzer nieder. »Also ist auch er aus der Sache heraus! Nun ja! Ich muß gestehen, ich habe nie geglaubt, daß er der Mörder gewesen sein könnte, aber Gewißheit ist natürlich etwas anderes.«

»Ich habe auch nicht geglaubt, daß er der Mörder gewesen sein könnte«, gab Hugh verdrossen zu, »aber mich ärgern die Tage, die es uns gekostet hat, Zeugen für ihn aufzutreiben. Der Kerl war dermaßen verängstigt, daß er sich kaum erinnern konnte, ob er auf seinem Weg durch Frankwell irgendwelchen Bekannten begegnet war. Und er hat weiter gelogen, wenn sein Verstand überhaupt arbeitete. Aber er hat nichts verbrochen und wird bald wieder seiner Arbeit nachgehen können, frei wie ein Vogel. Ich wünsche Girard viel Spaß mit ihm!« Hugh stützte seine Ellenbogen auf den kleinen Tisch, der zwischen ihnen stand, und schaute Cadfael in die Augen. »Könnt Ihr das glauben? Er hat geschworen, er hätte Aldwin nicht mehr gesehen, nachdem die Vorwürfe des Mädchens den armen Kerl zu dem Versuch veranlaßt hatten, den Schaden, den er angerichtet hatte, wieder gutzumachen – bis er wußte, daß wir über die halbe Stunde informiert waren, die er mit Aldwin in der Schenke verbracht hatte. Dann gab er das zu, schwor aber, damit hätte es sich. Nichts dergleichen, wie sich herausstellte. Einer der Bluthunde, die auf der Suche nach Elave die Vorstadt durchstreiften, erzählte uns den nächsten Teil der Geschichte. Er sah, wie die beiden die Brücke überquerten und auf der Straße an ihm vorüberkamen, wobei Conan einen Arm um Aldwins Schulter gelegt hatte und schnell und eindringlich auf ihn einredete. Bis sie beide sahen und hörten, daß die Jagd in vollem Gange war! Da hätten sie einen Heidenschrecken bekommen, sagt er, man hätte meinen können, sie wären es gewesen, hinter denen die Hunde her waren. Sie verschwanden so schnell zwischen den Bäumen, daß nichts mehr zu sehen war als eine Staubwolke. Ich nehme an, das war es, was Aldwins Absicht, mit seinem schlechten Gewissen die Abtei aufzusuchen, ein für allemal ein Ende machte. Wer weiß, vielleicht hätte er, nachdem er bei diesem jungen Priester die Beichte abgelegt hatte, seinen Mut zurückgewonnen, wenn … Erst heute hat Conan zugegeben, daß er ihm noch ein zweites Mal nachgelaufen ist. Ich nehme an, sie waren beide nicht ganz nüchtern. Aber schließlich ist er doch zu seiner Herde gegangen, als er sicher war, daß Aldwin viel zu viel Angst hatte, um etwas zu unternehmen.«

»Also habt Ihr Euren besten Verdächtigen verloren«, sagte Cadfael nachdenklich.

»Den einzigen, den ich hatte. Was den Mann selbst angeht, bin ich natürlich froh, daß er unschuldig ist. Zumindest, soweit es den Mord betrifft«, korrigierte sich Hugh. »Aber die Verdächtigen waren von Anfang an dünn gesät. Und wie geht es jetzt weiter?«

»Es geht damit weiter«, sagte Cadfael, »daß ich Euch berichte, weswegen ich hergekommen bin. Nachdem Conan als Verdächtiger ausgeschieden ist, dürfte es sogar noch wichtiger sein, als ich vermutete. Und anschließend könnten wir, wenn es Euch recht ist, aus Conan alles herausquetschen, was er weiß, bevor Ihr ihn freilaßt. Ich weiß nicht einmal, ob irgend jemand Euch gegenüber die Schatulle erwähnt hat, die Elave als Mitgift für das Mädchen mitgebracht hat. Von dem alten Mann, bevor er in Frankreich starb.«

»Ja«, sagte Hugh nachdenklich, »sie wurde erwähnt. Jevan erzählte mir davon, als er mir erklärte, warum Conan Elave loswerden wollte. Er mochte die Tochter, dieser Conan, auf eine ziemlich kühle Art, aber sie gefiel ihm wesentlich besser, nachdem sie eine Mitgift hatte. Das jedenfalls sagte Jevan. Aber mehr weiß ich nicht darüber. Warum? Was hat die Schatulle mit dem Mord zu tun?«

»Was mir von Anfang an zu schaffen gemacht hat«, sagte Cadfael, »war das Fehlen eines Motivs. Rache, sagte jedermann, und zeigte mit dem Finger auf Elave. Aber nachdem das von dem jungen Vater Eadmer ausgeräumt worden war, was war dann noch übrig? Conan mag begierig genug gewesen sein, Aldwin am Zurückziehen seiner Anklage zu hindern; doch selbst dieses Motiv war ziemlich dünn, und nun sagt Ihr mir, daß auch er nicht mehr unter Verdacht steht. Wer hatte etwas gegen Aldwin, das so schwerwiegend war, daß es einen Kampf wert gewesen wäre, von einem Mord gar nicht zu reden? Es war schon schwierig genug, den armen

Teufel überhaupt zur Kenntnis zu nehmen, und noch schwieriger, ihm etwas zu verübeln. Er hatte nichts, was die Begierde anderer hätte wecken können, und er hatte bisher niemandem irgendwelchen Schaden zugefügt. Kein Wunder, daß die Verdächtigen dünn gesät waren. Dennoch muß er jemandem im Wege gestanden oder eine Bedrohung dargestellt haben, ob er es wußte oder nicht, und da er nicht wegen seines Verrats an Elave umgebracht wurde, begann ich, mich eingehender mit den Angelegenheiten des Haushalts zu beschäftigen, mit dem beide Männer, wenn auch nur locker, in Verbindung standen, mit jeder Einzelheit, insbesondere allem, was neu war; schließlich traten diese unerfreulichen Ereignisse so plötzlich ein. Bis Elave zurückkehrte, war alles friedlich genug. Und das einzige, was er außer sich selbst in dieses Haus brachte, war Fortunatas Schatulle. Und das war, selbst flüchtig betrachtet, keine gewöhnliche Schatulle. Als dann Fortunata diese Schatulle in die Abtei mitbrachte, weil sie hoffte, mit dem darin befindlichen Geld Elaves Freilassung zu erreichen, da fragte ich sie, ob wir sie uns genauer ansehen dürften. Und das, Hugh, haben wir dabei festgestellt.«

Er berichtete gewissenhaft und mit allen Einzelheiten über das Gold und Purpur, die Gewichtsveränderung, den möglichen Austausch ihres Inhalts. Hugh hörte bis zum Ende zu, ohne Cadfael zu unterbrechen, dann sagte er langsam: »Ein solcher Gegenstand, wenn er tatsächlich in dieses Haus gelangte, wäre durchaus dazu angetan, jeden Menschen in Versuchung zu führen.«

»Jeden, der seinen Wert erkennt«, sagte Cadfael. »Entweder in Geld oder als einzigartiges Stück.«

»Und vor allem müßte es jemand sein, der die Schatulle geöffnet und gesehen hat, was sich darin befand. Und zwar vor allen anderen. Wissen wir, ob sie sofort geöffnet wurde, als der Junge sie brachte? Oder wann das geschehen ist?«

»Das«, sagte Cadfael, »weiß ich nicht. Aber Ihr habt jemanden in Gewahrsam, der es wissen könnte. Der vielleicht sogar weiß, wo sie aufbewahrt und was während dieser paar Tage über sie gesprochen wurde, was Elave nicht wissen kann, weil er nicht dabei war. Warum verhören wir Conan nicht noch einmal, bevor Ihr ihn freilaßt?«

»Wobei wir darauf gefaßt sein müssen«, warnte Hugh, »daß auch das zu nichts führt. Es kann durchaus sein, daß die Schatulle von Anfang an nur Münzen enthielt, lediglich besser verpackt.«

»Englische Münzen, und so viele?« sagte Cadfael, einen Faden ergreifend, der ihm bisher entgangen war, den er jetzt aber als sehr dünn erkannte. »Am Ende einer solchen Reise, und ihr aus Frankreich zugeschickt? Sicher, wenn er ihr tatsächlich Geld zukommen lassen wollte, hätten es schon englische Münzen sein müssen. Es ist denkbar, daß er sie für einen solchen Zweck in Reserve gehalten hatte, als er erkrankte. Nein, nichts ist gewiß, alles gleitet einem durch die Finger.«

Hugh erhob sich entschlossen. »Kommt, wir wollen gehen und zusehen, was wir aus Master Conan herausholen können, bevor er uns auch durch die Finger geglitten ist.«

Conan saß in seiner steinernen Zelle und musterte sie vom Moment ihres Eintretens an argwöhnisch und verschlagen. Er bekam frische Luft durch einen Fensterschlitz, hatte ein hartes, aber erträgliches Bett, ausreichend Essen und keine Arbeit und gewöhnte sich gerade an die – zuerst überraschende – Tatsache, daß niemand daran interessiert war, ihn zu mißhandeln; dennoch war er immer nervös und ängstlich, wenn Hugh erschien. In seinem Bestreben, sich von dem Mordverdacht zu befreien, hatte er so viele Lügen vorgebracht, daß es ihm jetzt schwerfiel, sich genau an das zu erinnern, was er gesagt hatte, und er fürchtete, sich in einer noch engeren Schlinge zu verfangen.

»Conan, mein Junge«, sagte Hugh, der entschlossenen

Schrittes hereingekommen war, »da ist noch eine kleine Sache, in der Ihr mir helfen könntet. Ihr wißt über fast alles Bescheid, was im Hause des Girard von Lythwood vor sich geht. Ihr kennt die Schatulle, die Fortunata aus Frankreich mitgebracht wurde. Beantwortet mir ein paar Fragen darüber, aber diesmal ohne Lügen. Erzählt mir von der Schatulle. Wer war dabei, als sie ins Haus gebracht wurde?«

Nervös wegen dieser und überhaupt jeder Abschweifung, die er nicht verstand, erwiderte Conan vorsichtig: »Da waren Jevan, Dame Margaret, Aldwin und ich. Und Elave! Fortunata war nicht dabei, sie kam erst später.«

»Wurde die Schatulle zu dieser Zeit geöffnet?«

»Nein, die Herrin sagte, das sollte erst geschehen, wenn Master Girard wieder zu Hause war.« Wortkarg, solange er nicht wußte, woher der Wind wehte, fügte Conan dem nichts hinzu.

»Also hat sie sie weggestellt? Und habt Ihr gesehen, wohin? Redet, Mann!«

Er wurde immer nervöser. »Sie stellte sie in einen Schrank, auf eines der oberen Borde. Das haben wir alle gesehen.«

»Und der Schlüssel, Conan? War der Schlüssel dabei? Und wart Ihr nicht neugierig? Wolltet Ihr nicht wissen, was sich darin befand? Hat es Euch nicht in den Fingern gejuckt, noch bevor die Nacht hereingebrochen war?«

»Ich habe mich nie daran zu schaffen gemacht!« rief Conan erschrocken und abwehrend. »Nicht ich war es, der seine Nase hineingesteckt hat! Ich bin nicht einmal in die Nähe von dem Ding gekommen.«

So einfach war das! Hugh und Cadfael wechselten einen Blick verblüffter Befriedigung. Man brauchte nur die richtigen Fragen zu stellen, dann lag der Weg offen vor einem. Sie trieben den schwitzenden Conan fast freudig weiter in die Enge.

»Wer war es dann?« fragte Hugh.

»Aldwin! Der steckte seine Nase in alles. Er hat nie etwas

mitgehen heißen«, sagte Conan fieberhaft, verzweifelt bemüht, die Pfeile des Verdachtes um jeden Preis von sich abzulenken, »aber er konnte es nicht ertragen, nicht Bescheid zu wissen. Er hatte immer Angst, daß etwas gegen ihn im Busche war. *Ich* habe das Ding nicht angerührt, aber *er* hat es getan.«

»Und woher wißt Ihr das, Conan?« fragte Cadfael.

»Er hat es mir erzählt, später. Aber ich habe sie gehört, unten in der Diele.«

»Und wann war das, als ihr *sie* gehört habt – unten in der Diele?«

»Am gleichen Abend.« Conan holte tief Luft und begann, sich wieder etwas sicherer zu fühlen, da doch nichts von alledem in seine Richtung zu deuten schien. »Ich ging zu Bett und ließ Aldwin unten in der Küche zurück, aber ich habe noch nicht geschlafen. Ich habe nicht gehört, daß er in die Diele gegangen war, aber plötzlich hörte ich, wie Jevan ihn vom oberen Ende der Treppe aus anschrie: ›Was machst du da?‹ und dann hat Aldwin, unten, ganz schnell gesagt, er hätte sein Messer im Schrank liegengelassen, und das brauchte er am Morgen. Und Jevan sagte, nimm es und geh zu Bett und hör auf, den Haushalt um diese Zeit zu stören. Und Aldwin kam schleunigst herauf, mit eingekniffenem Schwanz. Ich hörte, wie Jevan in die Diele und zu dem Schrank ging, und ich nehme an, er hat ihn verschlossen und den Schlüssel mitgenommen, denn am nächsten Morgen war er zugeschlossen. Ich habe Aldwin später gefragt, was er da gemacht hätte, und er hat gesagt, er hätte nur einen Blick hineinwerfen wollen, und er hatte die Schatulle schon geöffnet; doch dann mußte er sie blitzschnell wieder zumachen und versuchen, sich nicht anmerken zu lassen, was er vorhatte, als Jevan ihn anrief.«

»Und *hat* er gesehen, was darin war?« fragte Cadfael, der die Antwort bereits vorausahnte und ihre bittere Ironie schmeckte.

»Natürlich nicht! Erst tat er so, als hätte er es gesehen, wollte es mir aber nicht verraten, und schließlich mußte er zugeben, daß er nicht einmal einen flüchtigen Blick darauf erhascht hatte. Er hatte den Deckel kaum angehoben, als er ihn in aller Eile wieder zumachen mußte. Es hat ihm nichts eingebracht!« sagte Conan fast befriedigt, als geriete ihm die unerfüllt gebliebene Neugierde des Mannes auf irgendeine Weise zum Vorteil.

Es hat ihm den Tod eingebracht, dachte Cadfael mit bestürzender Gewißheit. Und alles für nichts! Er hatte gar nicht die Zeit gehabt, um zu sehen, was die Schatulle enthielt. Vielleicht hatte niemand es gesehen. Vielleicht war es gerade seine Neugierde gewesen, die die Wißbegier eines anderen Mannes ausgelöst hatte, mit verhängnisvollen Folgen für beide.

»Nun, Conan«, sagte Hugh, »Ihr könnt aufatmen und Euch glücklich schätzen. Da ist ein Mann von der Waliser Seite der Stadt, der beschwören kann, daß Ihr an dem Tag, an dem Aldwin getötet wurde, schon geraume Zeit vor der Vesper zu Eurer Herde unterwegs wart. Damit ist Eure Unschuld erwiesen. Wenn Ihr wollt, könnt Ihr nach Hause gehen. Die Tür ist offen.«

»Und er hat es nicht einmal gesehen«, sagte Hugh, als sie Seite an Seite wieder den äußeren Ring durchquerten.

»Aber da war jemand, der glaubte, daß er es gesehen hätte. Und der selbst einen Blick darauf warf«, sagte Cadfael, »und abstürzte. Klaftertief! Und in ein oder zwei, höchstens drei Tagen würde Girard wieder zu Hause sein, die Schatulle würde geöffnet werden, alle würden wissen, was sich darin befand, und das würde Fortunata gehören. Girard ist ein tüchtiger Kaufmann, er würde für sie die höchstmögliche Summe herausholen – eine Summe, die nicht einmal annähernd seinem Wert entsprechen würde. Aber wenn er selbst nicht wußte, wo er es am besten verkaufen konnte, dann würde er doch wissen, wo er sich erkundigen mußte. Wenn es das war, wovon ich allmählich überzeugt bin, dann hätte die Summe, die er statt dessen hineinpackte, nicht einmal für ein Blatt ausgereicht.«

»Und nur ein Mann stand im Wege, der ihn hätte verraten können«, sagte Hugh. »So schien es jedenfalls! Und alles um nichts; der arme Kerl hatte nicht die Zeit, zu sehen, was sich in der Schatulle hätte befinden müssen, als sie geöffnet wurde. Bruder Cadfael, da kommt mir ein schrecklicher Gedanke – gestern, als Anselm die Schatulle untersuchte, das Blattgold, den Purpur und das alles, waren da Girard und das Mädchen dabei? Was ist, wenn einer von ihnen so intelligent war, zu demselben Schluß zu gelangen, zu dem wir gelangt sind? Kann ein Mann, der bereits so weit gegangen ist, jetzt innehalten, wenn seiner Beute nochmals dieselbe Gefahr droht?«

Das war ein neuer, bestürzender Gedanke. Cadfael blieb einen Moment erschüttert stehen und dachte nach.

»Ich glaube, Girard hat nicht weiter darüber nachgedacht. Aber Fortunata – da bin ich nicht so sicher! Sie ist klüger, als man glauben sollte, und sie ist es, für die vieles auf dem Spiele steht. Und sie ist jung und hat noch nie etwas mit einem plötzlichen, unverdienten Tod zu tun gehabt. Es könnte sein! Es könnte durchaus sein! Sie paßte genau auf, ließ sich nichts entgehen, sprach nur wenig. Hugh, was wollt Ihr tun?«

»Kommt!« sagte Hugh, der einen Entschluß gefaßt hatte. »Wir gehen in Lythwoods Haus. Vorwände dazu haben wir genug. Sie haben heute morgen ihren Ermordeten begraben, ich habe gerade einen ihrer Leute als unverdächtig entlassen, und ich bin immer noch auf der Suche nach einem Mörder. Kein Mitglied des Haushalts hat mehr Veranlassung als andere, bei meinen Fragen auf der Hut zu sein, jedenfalls so lange nicht, bis ich seinen Bewegungen an dem fraglichen Tag so nachgespürt habe, wie ich es bei Conan tat. Zumindest können wir feststellen, wo sich das Mädchen aufhält, bis einer von uns Gelegenheit findet, noch einmal mit ihr zu reden und sicherzustellen, daß sie nichts unternimmt, was sie in Gefahr bringen könnte.«

Ungefähr um die gleiche Zeit, zu der Hugh und Cadfael die Burg verließen, hatte Jevan von Lythwood Gelegenheit, in seine Kammer hinaufzugehen, um seinen besten Rock, den er zu Aldwins Beerdigung getragen hatte, auszuziehen und wegzulegen und statt dessen in den bequemeren Kittel zu schlüpfen, in dem er arbeitete. Er betrat den Raum nur selten, ohne einen freudigen, besitzstolzen Blick auf die Truhe zu werfen, die seine Bücher enthielt, und das tat er auch jetzt. Das Sonnenlicht, das vom Zenit in die goldenen, satten Stunden des späten Nachmittags hinabglitt, fiel schräg durch das Fenster ein, vergoldete eine Ecke des Deckels und hatte gerade das Schließblech des Schlosses erreicht. Irgend etwas Hauchdünnes flatterte an der dekorativen Kante, kam in der nicht völlig unbewegten Luft zum Vorschein und verschwand wieder. Vier oder fünf lange Haare, dunkel und leuchtend, hier und da mit einem leichten Anflug von Rot. Ohne das Licht, das sie gerade eben aus dem Schatten heraushob, wären sie unsichtbar gewesen.

Jevan sah sie, starrte sie einen Moment lang mit unbewegtem Gesicht an. Dann holte er den Schlüssel von seinem Platz, schloß die Truhe auf und hob den Deckel. Nichts darin war angerührt worden. Nichts war anders als sonst, abgesehen von den wenigen von der Sonne beschienenen Haaren, die sich bewegten, als wären sie lebendig, und die sich um seine Finger ringelten, als er sie von der Kante des Schließbleches löste, hinter der sie sich verfangen hatten.

In nachdenklichem Schweigen klappte er den Deckel zu und verschloß die Truhe wieder, dann ging er hinunter in die dämmerige Werkstatt. Der Schlüssel zu seinem Schuppen am rechten Ufer des Severn, ein gutes Stück außerhalb der Stadt, war von seinem Haken verschwunden.

Er überquerte den Hof und schaute in die Diele, wo Girard über der Buchführung saß, die Aldwin im Rückstand hinterlassen hatte, und Margaret an der anderen Seite des Tisches ein Hemd flickte.

»Ich gehe noch einmal hinunter zu den Häuten«, sagte Jcvan. »Da ist etwas, was ich noch tun muß.«

DREIZEHNTES KAPITEL

Die Begrüßung in Girards Haus war besonders herzlich; Conan war erst eine Viertelstunde zuvor eingetroffen, überschäumend vor Erleichterung und nach den wenigen Tagen Haft in guter Verfassung. Girard, ein praktischer Mann, war der Ansicht, daß die Toten ihre Toten begraben sollen, nachdem die Lebenden dafür gesorgt hatten, daß sie bekommen hatten, was ihnen zustand. Was von seinem Haushalt übrig war, schien jetzt frei zu sein von allen Verdächtigungen, und man konnte ohne weitere Störungen seinen Geschäften nachgehen.

Aber zwei Personen fehlten.

»Fortunata?« erwiderte Margaret auf Cadfaels Frage. »Sie ist nach dem Mittagessen ausgegangen. Sie sagte, sie wollte zur Abtei und versuchen, Elave noch einmal zu sehen oder wenigstens zu erfahren, ob sich in seinem Fall schon etwas getan hat. Ich nehme an, Ihr werdet ihr auf Eurem Heimweg begegnen; falls nicht, werdet Ihr sie wohl dort antreffen.«

Eine Last fiel von Cadfaels Seele. Wo wäre sie besser und sicherer aufgehoben gewesen? »Dann sollte ich jetzt lieber gehen«, sagte Cadfael, »sonst komme ich zu spät zurück.«

»Und ich kam in der Hoffnung, einige Auskünfte von Eurem Bruder zu erhalten«, sagte Hugh. »Ich habe eine Menge über diese Schatulle Eurer Tochter gehört, und ich würde sie gern sehen. Mir wurde gesagt, daß sie möglicherweise als Behältnis für ein Buch angefertigt wurde, und ich wüßte gern, wie Jevan darüber denkt. Er weiß alles über die Herstellung von Büchern, von der rohen Haut bis zum Binden. Ich würde gern seine Meinung hören, wenn er die Zeit erübrigen kann. Aber vielleicht könnte ich die Schatulle sehen?«

Es machte ihnen nicht das mindeste aus, ihm alles zu sagen, was sie wußten. In diesem Haus gab es keinen Argwohn, kein Zittern. »Im Augenblick ist er nicht hier, sondern in seinem Schuppen unten am Fluß«, sagte Girard. »Er war heute morgen schon dort, aber er sagte, er hätte dort noch etwas zu tun. Er wird sicher bald zurück sein. Kommt herein und wartet eine Weile auf ihn. Die Schatulle? Ich nehme an, daß er sie weggeschlossen hat. Fortunata hat sie ihm gestern abend geschenkt. Wenn sie für ein Buch bestimmt ist, hat sie gesagt, dann kann Onkel Jevan sie brauchen – er hat Bücher, ich will sie ihm schenken. Und er benutzt sie für sein kostbarstes Stück, wie sie es wollte. Er wird sie Euch bestimmt gern zeigen. Es ist ein wundervolles Stück Arbeit.«

»Wenn er nicht da ist, möchte ich Euch nicht weiter stören«, sagte Hugh. »Ich komme später noch einmal vorbei, es ist ja kein weiter Weg.«

Sie verabschiedeten sich, und Hugh begleitete Cadfael bis zum Ende der Wyle. »Sie hat ihm die Schatulle geschenkt«, sagte Hugh verblüfft und stirnrunzelnd. »Was hat das zu bedeuten?«

»Ein Köder«, sagte Cadfael nüchtern. »Jetzt bin ich sicher, daß ihre Gedanken dieselbe Richtung eingeschlagen haben wie die meinen. Aber nicht, um seine Schuld zu beweisen, sondern um sie zu widerlegen, wenn es ihr möglich ist. Und um sich Gewißheit zu verschaffen, um jeden Preis. Er ist ihr naher und geschätzter Verwandter, aber sie ist nicht jemand, der die Augen verschließen und sich einreden kann, daß nie etwas Böses geschehen ist. Aber noch können wir uns beide irren, sie ebenso wie ich. Und im schlimmsten Fall ist sie in der Abtei sicher aufgehoben. Ich werde gehen und sie dort vorfinden. Und was den anderen angeht...«

»Den anderen«, sagte Hugh, »könnt Ihr mir überlassen.«

Cadfael durchschritt den Bogen des Torhauses und fand sich plötzlich in einem Durcheinander eifriger Tätigkeit. Wie es schien, war er unmittelbar nach einer wichtigen Persönlichkeit eingetroffen, zu deren Empfang sich die Oberen des Hauses eilfertig versammelten. Der Bruder Pförtner kam mit wehender Kutte, um einen Zügel zu ergreifen, Bruder Jerome machte einem Stallburschen einen weiteren streitig, Prior Robert eilte mit seinen längsten Schritten vom Kreuzgang herbei, Bruder Denis wartete nahebei, nicht sicher, ob der Neuankömmling im Gästehaus untergebracht werden mußte oder ob er beim Abt wohnen würde. Weitere Brüder und Novizen hielten respektvollen Abstand, bereit, jeden Auftrag zu erfüllen, der ihnen vielleicht zuteil wurde, und drei oder vier Schüler, die klug genug waren, sich so weit abseits zu halten, daß sie nicht bemerkt oder getadelt werden konnten, beobachteten mit weit aufgerissenen Augen und gespitzten Ohren die Szene.

Und in der Mitte dieses Gewimmels stand Diakon Serlo, gerade von seinem Maultier abgesessen, und klopfte den Staub aus den Falten seines Habits – rundlich und rotwangig und wohlauf wie immer, und entschieden glücklicher jetzt, da er seinen Bischof mitgebracht hatte und unbesorgt alle Entscheidungen ihm überlassen konnte.

Bischof Roger de Clinton saß gerade von einem großen Schecken ab, mit der Kraft und Elastizität eines nur halb so alten Mannes. Er mußte, erinnerte sich Cadfael, auf die Sechzig zugehen. Er war seit vierzehn Jahren Bischof und trug seine Autorität wie seine schlichte Reitkleidung mit derselben aristokratischen Selbstsicherheit. Er war hochgewachsen, und seine aufrechte Haltung ließ ihn noch größer erscheinen. Ein gestrenger Mann, einsichtig und ohne eine Spur von Anmaßung, weil er auf sie nicht angewiesen war, denn er hatte, dachte Cadfael, etwas von einem dieser Kriegerbischöfe an sich, die neuerdings sehr selten geworden waren. Sein Gesicht hätte einem Soldaten ebensogut angestanden wie einem Priester, scharf geschnitten, offen und entschlossen, mit durchdringenden grauen Augen, die blitzschnell und mit sicherem Urteil wahrnahmen, was sie sahen. Er erfaßte die Szene um sich herum mit einem Blick und übergab die Zügel seines Pferdes dem Pförtner, als Prior Robert, ganz Ehrerbietung und Willkommen, ihn begrüßte.

Sie begaben sich zusammen zu den Gemächern des Abtes, und die Versammlung löste sich, nachdem sie ihren Mittelpunkt verloren hatte, allmählich auf. Die Pferde wurden von ihren Satteltaschen befreit und zu den Stallungen geführt, die wartenden Brüder widmeten sich wieder ihrer Arbeit, die Kinder verschwanden auf der Suche nach anderen Unterhaltsamkeiten, bis sie zu ihrem frühen Abendessen zu erscheinen hatten. Und Cadfael dachte an Elave, der, wenn auch auf der anderen Seite des Hofes etwas gedämpft, die Geräusche gehört haben mußte, die die Ankunft seines Richters verkündeten. Cadfael war Roger de Clinton bisher nur zweimal begegnet und hatte keine Ahnung, in welcher Stimmung er gekommen war, um sich dieses unseligen Falles anzunehmen. Aber zumindest war er selbst gekommen, und er machte den Eindruck, als wäre er durchaus imstande, die Verantwortung für seine Diözese und ihre spirituelle Gesundheit jedem aus den Händen zu winden, der sich anmaßte, in seinen Amtsbereich einzudringen.

Inzwischen war es Cadfaels vordringlichste Aufgabe, Fortunata zu finden. Er wendete sich an den Pförtner. »Wo könnte ich Girard von Lythwoods Tochter am ehesten finden? Man sagte mir, sie wäre hier.«

»Ich kenne sie«, sagte der Pförtner. »Aber heute habe ich sie noch nicht gesehen.«

»Sie hat zu Hause gesagt, sie wollte in die Abtei. Kurz nach dem Mittagsmahl, wie mir die Mutter berichtete.«

»Ich habe sie weder gesehen noch gesprochen, und ich war seit Mittag fast die ganze Zeit hier. Ich hatte ein oder zwei Dinge zu erledigen, aber das dauerte jeweils nur ein paar Minuten. Sie mag natürlich hereingekommen sein, während ich ihr den Rücken zukehrte. Aber sie hätte bestimmt mit jemandem sprechen wollen, der etwas zu bestimmen hat, und ich glaube, sie hätte hier am Tor gewartet, bis ich wieder da war.«

Das glaubte Cadfael auch. Aber wenn sie, während sie wartete, den Prior gesehen hatte oder Anselm oder Denis, dann war es durchaus möglich, daß sie einem von ihnen ihre Bitte vorgetragen hatte. Cadfael suchte nach Denis, dessen Pflichten es mit sich brachten, daß er sich die meiste Zeit auf dem Hof und in der Nähe des Tores aufhielt, aber Denis hatte Fortunata nicht gesehen. Sie wußte jetzt, wo sich Anselms kleines Königreich im Kreuzgang befand, vielleicht war sie dorthin gegangen auf der Suche nach jemandem, den sie kannte. Aber Anselm schüttelte den Kopf, nein, bei ihm war sie nicht gewesen. Sie war nicht nur innerhalb der Klostermauern nicht aufzufinden, sondern es hatte den Anschein, als wäre sie an diesem Tag überhaupt nicht hier gewesen.

Als die Glocke zur Vesper ertönte, war Cadfael noch unentschlossen, was er unternehmen sollte, aber sie erinnerte ihn streng an die Verpflichtung, die er aus freien Stücken eingegangen war und deren Vernachlässigung er sich manchmal vorwarf. Es gibt mehr Möglichkeiten, ein Problem anzupakken, als mit kriegerischem Handeln. Auch der Verstand und der Wille haben in dem endlosen Kampf etwas zu sagen. Cadfael begab sich zum Südportal und schloß sich der Prozession der Brüder in die düstere, kühle Höhle des Chores an und betete inbrünstig für Aldwin, tot und begraben in seiner bemitleidenswerten menschlichen Unvollkommenheit, und für William von Lythwood, zufrieden und von seinen Sünden losgesprochen heimgekehrt, um an dem von ihm erwählten Ort zu ruhen, und für alle diejenigen, die gepeinigt wurden von Argwohn und Zweifeln und Angst, die Schuldigen ebenso wie die Unschuldigen. Ob er nun um ein Buch herum, das es vielleicht überhaupt nicht gab, ein phantastisches Gebäude errichtete oder jeden, der zuviel wußte, in größter Gefahr sah, so war doch ein Verbrechen geschehen, hart und kalt wie ein schwarzer Kristall. Jemand hatte den Schreiber Aldwin um sein harmloses, trauriges Leben gebracht, Aldwin, über den der einzige Mann, dem er je geschadet hatte, ehrlich erklärte: »Alles, von dem er behauptet, ich hätte es gesagt, *habe* ich gesagt.« Aber ein anderer, dem er nichts zuleide getan hatte, hatte ihm von hinten einen Dolch zwischen die Rippen gestoßen und ihn ermordet.

Cadfael verließ den Vespergottesdienst getröstet, aber seiner Verantwortung nicht weniger bewußt als vorher. Noch herrschte Tageslicht, das die schräg einfallenden Sonnenstrahlen bereits abendlich gedämpft hatten, und die Luft war so unbewegt, daß sie über alle Farben einen durchsichtigen Schleier zu legen schien. Einen Ort gab es, an dem er sich noch erkundigen konnte, bevor er weitere Schritte unternahm. Es war immerhin möglich, daß Fortunata, nachdem ihr Zweifel gekommen waren, ob sie es wagen konnte, so bald nach ihrem ersten Besuch abermals um Zutritt zu Elaves Zelle zu bitten, in der kurzen Abwesenheit des Pförtners jemanden beim Tor gebeten hatte, dem Gefangenen eine Nachricht zu überbringen, nichts, wogegen jemand Einwände hätte erheben können, nur ein paar Worte, um ihn daran zu erinnern, daß seine Freunde an ihn dachten und er den Mut nicht sinken lassen sollte. Möglicherweise hatte es nichts zu bedeuten, daß Cadfael ihr auf dem Heimweg nicht begegnet war; es konnte sein, daß sie sich wieder in der Stadt befand und die Zeit mit irgendwelchen anderen Dingen verbracht hatte, bevor sie ins Haus zurückkehrte. Auf jeden Fall würde er ein paar Worte mit dem Jungen reden und sich Gewißheit verschaffen, daß er sich grundlos ängstigte.

Er holte den Schlüssel von seinem Haken am Portal und begab sich zu der Zelle, um sich einzulassen. Elave fuhr an seinem kleinen Pult herum und wendete ihm ein angespanntes Gesicht zu; er hatte in dem schwindenden Licht bei der Lektüre einer der menschenfreundlicheren und ekstatische-

ren Predigten des Augustinus die Augen zusammengekniffen und die Stirn gerunzelt. Die unübersehbare Wolke verzog sich, sobald er aufgehört hatte, sich durch die dichtge-
drängten Minuskeln des Textes hindurchzumühen. Andere
Menschen fürchteten für ihn, aber Cadfael hatte den Eindruck, daß Elave selbst völlig frei von Furcht war, und nicht
einmal das Eingesperrtsein hatte ihn nervös gemacht.

»Ihr habt etwas von einem Mönch an Euch«, sagte Cadfael. »Ich könnte mir durchaus vorstellen, daß Ihr irgendwann einmal die Kutte anlegt.«

»Niemals!« sagte Elave inbrünstig und lachte über diese
Vorstellung.

»Nun, vielleicht wäre es eine Verschwendung, wenn man
an die Ideen denkt, die Ihr über Eure Zukunft habt. Aber Ihr
habt die Veranlagung dazu. Ob Ihr durch die Welt wandert
oder in einer Steinzelle eingeschlossen seid, nichts bringt
Euch aus dem Gleichgewicht. Um so besser für Euch! Hat
man Euch berichtet, daß der Bischof höchstpersönlich eingetroffen ist? Damit erweist er Euch eine Ehre, denn Coventry ist den Unruhen näher, als wir es hier sind, und er muß
seine Kirche dort im Auge behalten. Also ist die Zeit, die er
Eurem Fall widmet, ein deutlicher Hinweis darauf, wie
wichtig Ihr ihm seid. Und diese Zeit könnte sehr kurz sein,
denn er ist ein Mann, der zu schnellen Entschlüssen fähig
ist.«

»Ich hörte, daß jemand gekommen sein muß«, sagte
Elave, »und das Klappern von Hufen auf den Kopfsteinen.
Aber ich wußte nicht, wer es war. Dann wird er mich wohl
bald sehen wollen?« Als Cadfael ihm einen fragenden Blick
zuwarf, lächelte er, wenn auch recht ernst. »Ich bin bereit.
Und mich verlangt sogar danach. Ich habe meine Zeit hier
gut genutzt. Ich weiß jetzt, daß sogar Augustinus im Laufe
der Jahre seine Ansichten des öfteren geändert hat. In einigen seiner frühen Schriften steht genau das Gegenteil von
dem, was er im Alter behauptet hat. Und dazwischen liegt

noch ein Dutzend weiterer anderer Ansichten. Bruder Cadfael, ist Euch je der Gedanke gekommen, was für eine Verschwendung es wäre, wenn man einen Mann um dessentwillen verbrennt, was er mit zwanzig geglaubt hat, wo es doch durchaus sein kann, daß das, was er mit vierzig glaubt und schreibt, als Heilige Schrift gepriesen wird?«

»Das ist ein Argument, wie es die meisten Menschen nicht hören wollen«, sagte Cadfael. »Sonst würden sie davor zurückscheuen, irgend jemandes Leben zu fordern. Ihr habt heute noch keinen Besuch gehabt, oder doch?«

»Nur von Anselm. Warum?«

»Und auch keine Botschaft von Fortunata erhalten?«

»Nein. Warum?« wiederholte Elave, jetzt eindringlicher als er sah, wie Cadfael die Stirn runzelte. »Ich hoffe doch, daß es ihr gut geht.«

»Das hoffe ich auch«, erklärte Cadfael, »und so sollte es eigentlich sein. Sie hat ihrer Familie gesagt, sie wollte in die Abtei und fragen, ob sie Euch wieder sehen dürfte, oder um zu erfahren, ob sich in Eurer Sache irgend etwas getan hat. Deshalb habe ich gefragt. Aber niemand hat sie hier gesehen. Sie war nicht hier.«

»Und das beunruhigt Euch«, sagte Elave scharf. »Warum? Was geht Euch im Kopf herum? Ist sie in irgendeiner Gefahr? Habt Ihr *Angst* um sie?«

»Sagen wir es so: Ich wäre froh, wenn ich sie sicher zu Hause wüßte. Wo sie inzwischen bestimmt eingetroffen ist. Ihr müßt bedenken, daß ein Mörder frei herumläuft, und mir wäre es lieber, wenn sie sich zu Hause in sicherer Gesellschaft aufhielte, anstatt irgendwo allein hinzugehen. Aber was den heutigen Tag angeht – Hugh Beringar behält das Haus und alle, die es betreten oder verlassen, im Auge, es besteht also kein Grund zur Besorgnis.«

Sie hatten beide nicht auf die von draußen hereindringenden Geräusche geachtet, das kurze Klappern von Hufen am anderen Ende des Hofes, den schnellen und kurzen Wortwechsel und dann die leichten Schritte, die eilends näher kamen. Deshalb fuhren sie beide zusammen, als die Zellentür aufflog und ein Schwall Abendwind und Hugh Beringar hereinfegten.

»Man sagte mir, daß ich Euch hier finden würde«, sagte er, vor Eile ein wenig außer Atem. »Ich habe gehört, daß das Mädchen *nicht* hier ist und seit gestern nicht hier war. Stimmt das?«

»Sie ist noch nicht nach Hause gekommen?« fragte Cadfael bestürzt.

»Nein, sie nicht, und der andere auch nicht. Dame Margaret macht sich allmählich Sorgen. Ich dachte, es wäre vielleicht das Beste, wenn ich herkäme und die junge Frau selbst abholte, wenn sie noch hier ist. Und nun höre ich, daß sie überhaupt nicht hier war, und ich weiß, daß sie auch nicht zu Hause ist. Sie ist schon sehr lange fort und nicht an dem Ort, den sie angeblich aufsuchen wollte.«

Elave umklammerte Cadfaels Arm und schüttelte ihn heftig, erschrocken und verwirrt. »Der andere? Welcher andere? Was geht da vor? Wollt Ihr damit sagen, daß sie in Gefahr ist?«

Cadfael legte eine beruhigende Hand auf die seine und fragte Hugh: »Habt Ihr jemandem zu dem Schuppen geschickt?«

»Noch nicht. Es kann sein, daß sie dort war, und in völliger Sicherheit. Jetzt gehe ich selbst dorthin. Kommt mit! Ich sorge später dafür, daß der Vater Abt Euer Verschwinden billigt.«

»Das tue ich«, sagte Cadfael inbrünstig und machte sich auf den Weg zur Tür, aber Elave klammerte sich verzweifelt an ihn und ließ sich nicht abschütteln.

»Ihr *müßt* es mir sagen! Welcher andere? Welcher Mann? Wer ist es, von dem ihr Gefahr droht? Der Schuppen – wessen Schuppen?« Und im gleichen Augenblick wußte er es und stöhnte den Namen laut heraus: »Jevan! Das Buch – Ihr seid davon überzeugt... Ihr glaubt, daß er...?« Er versuchte, durch die offene Tür zu stürmen, aber Hugh stand ihm im Wege, unverrückbar zwischen den Türpfosten.

»Laßt mich gehen! Ich *werde* gehen! Laßt mich heraus, damit ich zu ihr kann!«

»Narr!« sagte Hugh schroff, »Macht die Sache nicht noch schlimmer für Euch. Überlaßt das uns! Was könntet Ihr mehr tun, als wir tun können und wollen? Jetzt, da der Bischof eingetroffen ist, solltet Ihr Euch um Euer eigenes Wohlergehen kümmern und darauf vertrauen, daß wir uns um das ihre kümmern.« Und er trat gerade so weit beiseite, daß er Cadfael mit einer schnellen Kopfbewegung anweisen konnte: »Hinaus, und steckt den Schlüssel ins Schloß!« Dann packte er Elave, der sich in seinen Armen wand, beförderte ihn zurück und stellte ihm dabei ein Bein, so daß er rücklings auf seine Pritsche fiel. Bis er wieder aufgesprungen war, befand sich Hugh bereits vor der Tür, Cadfael hatte den Schlüssel im Schloß, und Elave prallte, vor Wut und Verzweiflung heulend, gegen das Holz, nach wie vor ein Gefangener.

Während sie auf das Torhaus zueilten, hörten sie, wie er an die Tür hämmerte und ihnen flehentliche Bitten nachrief. Da wegen des schönen Wetters alle Fenster geöffnet waren, würde man ihn bestimmt rings um den Hof herum und im Gästehaus hören.

»Sobald ich erfahren hatte, daß sie nicht hier ist«, sagte Hugh, »habe ich Auftrag gegeben, ein Pferd für Euch zu satteln. Ich kann mir nicht vorstellen, wo sie sonst hingegangen sein könnte, und da auch er dorthin zurückgekehrt ist... Hat sie es gesucht? Hat er es herausgefunden?«

Der Pförtner hatte Hughs Anweisungen befolgt, als wären sie ihm vom Abt selbst erteilt worden, und hielt bereits ein gesatteltes Pony aus den Stallungen am Zügel.

»Wir nehmen den Weg durch die Stadt, das geht schneller, als wenn wir um sie herumreiten würden.«

Das wütende Hämmern an die Zellentür hatte bereits aufgehört. Elaves Stimme war verstummt. Aber die Stille war beängstigender, als die laute Wut es gewesen war. Elave sparte seine Kräfte und wartete den rechten Augenblick ab.

»Mir tut derjenige leid, der heute abend als nächster seine Tür öffnet«, sagte Cadfael atemlos, während er nach dem Zügel griff. »Und im Laufe der nächsten Stunde wird ihm irgend jemand sein Abendessen bringen müssen.«

»So Gott will, werdet Ihr bis dahin mit besseren Nachrichten zurück sein«, sagte Hugh, schwang sich in den Sattel und ritt, von Cadfael gefolgt, hinaus in die Vorstadt.

Zwischen dem Läuten der Glocken, die zu den Gottesdiensten des Horariums riefen, war Elaves Zeitmesser das Licht, und er konnte genau erkennen, daß sich nach denen, die er bereits in seiner engen Zelle verbracht hatte, ein weiterer klarer Tag seinem Ende zuneigte. Sobald er Luft geholt und sich zum Stillhalten gezwungen hatte, wußte er, daß es nicht mehr lange dauern konnte, bis der Novize, der ihm sein Essen brachte, mit seinem Holzteller und seinem Krug erscheinen würde, nichts Aufregenderes erwartend als den höflichen Empfang, an den er gewohnt war, von seiten eines Gefangenen, der sich entschlossen mit Geduld gewappnet hatte und zu gerecht war, um einem jungen, nur weisungsgemäß handelnden Bruder seine mißliche Lage zum Vorwurf zu machen. Ein großer, stämmiger junger Mann mit arglosem Gesicht und freundlichem Wesen hatte diese Aufgabe übernommen. Elave wünschte ihm nichts Böses und würde ihm, wenn es sich vermeiden ließ, auch nichts antun, aber jeder, der zwischen ihm und dem Weg zu Fortunata stand, würde auf sich selbst achtgeben müssen.

Die Einrichtung der Zelle war seinem Vorhaben günstig. Das Fenster und das Pult darunter waren so postiert, daß sie beim Öffnen der Tür für den Eintretenden nur teilweise sichtbar waren, bis die Tür wieder geschlossen war; und der

Platz, an dem der Novize sein Tablett normalerweise absetzte, war das Fußende des Bettes. Im Laufe seiner ständigen Besuche hatte er seine Ängstlichkeit abgelegt – bisher hatte er keine Veranlassung gehabt, sich zu ängstigen – und sich angewöhnt, schnurstracks hereinzukommen, die Tür mit Ellenbogen und Schulter weit aufzustoßen, direkt aufs Bett zuzugehen und seine Last dort abzusetzen. Erst danach pflegte er die Tür zu schließen, sich mit seinem breiten Rükken dagegen zu lehnen, ihm einen guten Morgen oder Abend zu wünschen und zu warten, bis er aufgegessen hatte.

Elave hörte auf, Bitten herauszuschreien, die niemand hören und auf die niemand reagieren würde, und ließ sich ingrimmig nieder, um auf die gewohnten Schritte zu warten. Sein Novize, dessen Namen er nicht kannte, hatte die Gangart eines Riesen und einen massigen Körperbau, und das Klatschen seiner Sandalen auf den Kopfsteinen hörte sich an wie schwere Schläge. Es war kein Irrtum möglich, obwohl das schmale Spitzbogenfenster, das er passieren mußte, bevor er um die Ecke bog und die Tür erreichte, ihm keinen Blick auf den drahtigen braunen Ring seiner Tonsur gestattete. Und an der Tür mußte er sein Tablett mit einer Hand balancieren, während er mit der anderen den Schlüssel drehte. Reichlich Zeit für Elave, hinter der Tür zu warten, als der junge Mann, arglos wie immer, hereinkam und direkt auf das Bett zusteuerte.

Der Raum war so eng, daß Elave seitlich mit dem nichts Böses ahnenden Jungen zusammenprallte, so daß dieser an die gegenüberliegende Wand flog; der Gefangene war aus der Zelle heraus und rannte über den Hof auf das Torhaus zu, bevor irgend jemand begriffen hatte, was vorging. Er wurde von dem Novizen verfolgt, der längere Beine hatte und mit einem lauten Ruf den Pförtner alarmierte und bewirkte, daß andere Brüder, Stallburschen und Gäste wie ein Bienenschwarm aus dem Kreuzgang, den Stallungen und dem Gästehaus herbeieilten. Diejenigen, die am schnellsten und am begierigsten waren, an der Jagd teilzunehmen, kreisten den flüchtenden Elave ein. Die weniger Tatkräftigen kamen näher, um zuzuschauen. Und es hatte den Anschein, als wäre der erste Alarmruf bis in die Gemächer des Abtes gedrungen und hätte Radulfus und seinen Gast veranlaßt zu erscheinen, um den Aufruhr zu unterdrücken.

Elaves Chancen waren von Anfang an sehr gering gewesen. Doch selbst als vier oder fünf empörte Brüder sich ihm in den Weg gestellt und ihn zwischen sich eingekesselt hatten, drängte er die ganze wankende Truppe fast bis zum Torbogen zurück, bevor die Brüder sich so fest an ihn klammerten, daß er nicht mehr von der Stelle kam. Trotz seiner heftigen Gegenwehr wurde er auf die Knie gezwungen und fiel, nach Atem ringend, mit dem Gesicht nach vorn auf das Pflaster.

Über ihm sagte eine leidenschaftslose Stimme: »Ist das der Mann, von dem Ihr mir erzählt habt?«

»Das ist er«, sagte der Abt.

»Und bisher hat er keinerlei Ärger gemacht, niemanden bedroht, keinen Fluchtversuch unternommen?«

»Keinen«, sagte der Abt, »und ich hatte auch keinen erwartet.«

»Dann muß es einen Grund geben«, sagte die ruhige Stimme. »Sollten wir nicht zu erfahren suchen, was es ist?« Und zu den Häschern, die den keuchend daliegenden Elave noch immer festhielten: »Laßt ihn aufstehen.«

Elave stützte die Hände auf die Kopfsteine und kam auf die Knie, schüttelte benommen seinen angeschlagenen Kopf und blickte in ein kraftvolles, kantiges, gebieterisches Gesicht mit einer schmalen Hakennase und grauen Augen, die unverwandt und unerschüttert auf das zerzauste Haar und das verschmutzte Gesicht des angeblichen Ketzers gerichtet waren. Sie sahen sich eindringlich und mit fasziniertem Interesse an, Richter und Angeklagter, nahmen sorgfältig Maß von einem ganzen Feld von Glaube und Irrtum, Gerechtigkeit und Ungerechtigkeit, auf dem sie einander zu begegnen

versuchen mußten, trotz aller Fallgruben und Schwemm-
sande.

»Ihr seid Elave?« sagte der Bischof sanft. »Elave, weshalb
wolltet Ihr jetzt weglaufen?«

»Ich wollte nicht weg-, sondern hinlaufen«, sagte Elave.
»Mylord, eine Frau ist in Gefahr, wenn es sich so verhält,
wie ich befürchte. Ich habe es gerade erst erfahren. Und ich
war es, der sie in Gefahr gebracht hat. Erlaubt mir, daß ich
zu ihr gehe und sie in Sicherheit bringe; dann komme ich zurück, ich schwöre es. Mylord, ich liebe sie, ich möchte sie
heiraten... Wenn sie in Gefahr ist, muß ich zu ihr.« Inzwischen war er wieder zu Atem gekommen, er streckte die
Hände aus, ergriff den Rock des Bischofs und ließ ihn nicht
wieder los. Eine unglaubliche Hoffnung wallte in ihm auf,
da er nicht zurückgewiesen wurde und der Bischof auch
nicht versuchte, sich ihm zu entziehen. »Mylord, der Sheriff
ist unterwegs und versucht sie zu finden, er wird Euch später
bestätigen, daß das, was ich sage, wahr ist. Aber sie ist mein,
sie ist ein Teil von mir und ich von ihr, und ich muß zu ihr.
Mylord, nehmt mein Wort, mein allerheiligstes Ehrenwort,
meinen Eid, daß ich zurückkehren und mein Urteil hinnehmen werde, wie immer es ausfallen mag, wenn Ihr mich nur
für diese paar Abendstunden gehen laßt.«

Abt Radulfus entfernte sich zwei Schritte weit von dieser
Begegnung, sehr bestimmt und so gebieterisch, daß alle Umstehenden gleichfalls stillschweigend zurückwichen und die
Szene mit weit aufgerissenen Augen verfolgten. Und Roger
de Clinton, der sich in Sekundenschnelle ein Urteil über einen Menschen zu bilden vermochte, streckte eine Hand aus,
ergriff kraftvoll Elaves Hand und zog ihn hoch. Dann trat er
mit einer gebieterischen Geste von seinem Platz zwischen
Elave und dem Tor beiseite und wies den Pförtner an: »Laßt
ihn gehen!«

Der Schuppen, in dem Jevan von Lythwood seine Häute bearbeitete, lag ein gutes Stück von den letzten Häusern von Frankwell entfernt, einsam am rechten Ufer des Flusses, am Fuß einer steil abfallenden Wiese, an deren oberem Rand sich eine Reihe von Bäumen und Sträuchern hinzog. Das Wasser war selbst jetzt im Sommer recht tief und hatte eine kräftige Strömung, die ideal war für Jevans Zwecke. Die Pergamentherstellung erforderte das ständige Vorhandensein von Wasser, in den ersten Tagen sogar von fließendem Wasser, und diese Stelle, an der der Severn sehr schnell floß, bot einen hervorragenden Ankerplatz für die offenen, mit Netzen überzogenen Holzrahmen, an denen die rohen Häute so aufgespannt wurden, daß das Wasser ungehindert auf ganzer Länge über sie hinwegströmen konnte, Tag und Nacht, bis sie soweit waren, um in die Lösung aus Kalk und Wasser gelegt zu werden, in der sie zwei Wochen verbrachten; dann wurden alle noch vorhandenen Haare abgeschabt und es folgten noch weitere zwei Wochen, in denen sie vollends bleichten. Fortunata war vertraut mit diesen Arbeitsgängen, deren Endergebnis die dünnen, weißen Häute waren, auf die ihr Onkel mit Recht so stolz war. Aber sie vergeudete keine Zeit mit den Netzrahmen im Fluß. Niemand würde dort etwas von Wert verstecken, auch nicht, wenn es mit vielen Lagen von schützendem Wachstuch umwickelt war. Ein leichter Fleischgeruch von den eingeweichten Häuten drang ihr im Vorbeigehen in die Nase, aber die Strömung war stark genug, um übleren Gestank zu verhindern. In dem Schuppen vermischte sich der Fleischgeruch mit dem beißenden Aroma der Kalkbottiche und dem erfreulicheren Duft fertigen Leders.

Sie drehte den Schlüssel im Schloß und trat ein, behielt den Schlüssel bei sich und machte die Tür hinter sich zu. Es war düster und stickig hier drinnen, der Schuppen war seit dem Morgen geschlossen gewesen, aber sie wagte nicht, die Läden zu öffnen, durch die das Licht direkt auf Jevans großen Tisch gefallen wäre, auf dem er seine Häute säuberte, abschabte und mit Bimsstein glättete. Alles mußte einen verschlossenen und verlassenen Eindruck machen. Es gab keine Nachbarhäuser, kein Pfad führte in der Nähe vorbei, und sie hatte jetzt genügend Zeit und keinen Grund zur Eile. Was sich nicht mehr im Haus befand, mußte sich hier befinden. Jevan hatte keinen anderen Ort, der so abgeschieden war und ihm ganz allein gehörte.

Sie kannte die Einrichtung des Schuppens, wußte, wo die Kalkbottiche standen, einer für das erste Einweichen, wenn die Häute aus dem Fluß kamen, einer für das zweite, nachdem alle Haar- und Fleischreste von ihnen abgeschabt worden waren. Das letzte Spülen erfolgte im Fluß, bevor die Häute auf Rahmen gespannt wurden, damit sie in der Sonne trocknen und danach noch mehrfach mit Wasser und Bimsstein bearbeitet werden konnten. Jevan hatte den einzigen Rahmen, den er gerade benutzte, bei seinem Besuch am Morgen hereingeholt; die auf ihn gespannte Haut fühlte sich glatt und warm an.

Sie wartete ein paar Minuten, bis ihre Augen sich an die Düsterkeit gewöhnt hatten. Etwas Licht fiel durch den Spalt zwischen den Läden ein. Das Dach war mit einer dicken, jetzt von der Sonne erwärmten Strohschicht gedeckt, und die Luft war drückend und stickig.

In Jevans Werkstatt herrschte peinliche Ordnung, aber sie war überfüllt mit all den Gerätschaften seines Gewerbes, Kalkbottichen, Reservenetzen für die Rahmen im Fluß, Haufen von Häuten in verschiedenen Stadien der Bearbeitung, Trockenrahmen und Regalen mit Messern, Bimsstein und Lappen zum Abreiben. Auch eine kleine Öllampe gab es für den Fall, daß er einen Arbeitsgang bei schwindendem Licht beenden mußte, und eine Schachtel mit Feuerstein, Zunder und verkohltem Stoff zum Anzünden. Fortunata begann ihre Suche in dem schwachen Licht, das zwischen den Läden hereinkam. Die Kalkbottiche konnte sie außer acht lassen, aber sie standen so, daß ein Ende der Werkstatt im Dunkeln lag, und hinter ihnen ragte ein hohes Gestell mit Häuten in verschiedenen Stadien der Bearbeitung. Es wäre einfach genug, sie als Versteck für eine relativ kleine Schatulle zu benutzen, sie konnte so zwischen ihnen liegen, daß die unbeschnittenen Kanten der Häute sie verdeckten. Es kostete sie viel Zeit, sie alle zu durchsuchen; sie mußten alle in der richtigen Reihenfolge beiseite gelegt und genauso wieder eingeordnet werden, wie sie sie vorgefunden hatte, erst recht, wenn sie sich irren sollte und die Schatulle nicht zu finden war. Aber inzwischen war es viel zu spät, um das zu glauben. Wenn es so wäre – warum sollte er sie dann von ihrem Platz in der Truhe fortschaffen und sein Brevier seines prachtvollen Behältnisses berauben?

Der leichte, pelzige Staub tanzte in dem schmalen Streifen abendlichen Sonnenlichts und drang ihr in die Nase, während sie Haut um Haut durchsuchte. Ein Stapel war gerade wieder an Ort und Stelle verstaut worden, ein zweiter wurde Falte um Falte auseinandergenommen – aber es war nichts da außer Schafhäuten. Als sie damit fertig war, wurde es noch dämmriger, die Sonne war weiter nach Westen gewandert und fiel nicht mehr durch den Spalt zwischen den Läden ein. Sie brauchte die Lampe, um die dunklen Ecken des Raumes durchsuchen zu können, wo zwei oder drei Holztruhen Pergamentreste enthielten, fehlerhafte, aber trotzdem des Aufbewahrens werte Häute und fertige Lagen von Blättern, von den Großfolios bis hin zu den kleinen, schmalen, viermal gefalteten, die für kleine Grammatiken oder Lehrbücher benutzt wurden. Sie wußte genau, daß Jevan diese Truhen nicht verschloß. Der Schuppen selbst war abgeschlossen, wenn er sich nicht darin aufhielt, und Pergament war normalerweise nicht eben das, was Diebe reizte. Wenn eine dieser Truhen jetzt verschlossen war, dann würde sich allerhand daraus folgern lassen.

Es dauerte eine Weile, bis sie einen Funken geschlagen und

mit Hilfe des Zunders eine winzige Flamme erzeugt hatte, gerade groß genug, um den Docht der Lampe zu entzünden. Sie trug sie zu den Truhen und stellte sie auf den Deckel der mittleren, so daß ihr Licht in die erste fallen konnte, wenn sie sie öffnete. Wenn in den Truhen nichts war, was nicht hineingehörte, dann gab es nichts mehr zu untersuchen; die Werkzeugregale waren offen einsehbar, der massive Tisch war leer bis auf den Schlüssel zur Tür, den sie dort abgelegt hatte.

Sie war bei der dritten Truhe angekommen, in der die verschnittenen Häute und Pergamentreste lagen, aber auch hier war alles so, wie es sein sollte. Sie hatte überall gesucht und nichts gefunden.

Sie lag auf dem Boden aus festgestampfer Erde auf den Knien und senkte den Deckel, als sie hörte, wie die Tür geöffnet wurde. Das leise Knarren der Scharniere ließ sie erstarren und den Atem anhalten. Dann machte sie ganz langsam den Deckel zu.

»Du hast nichts gefunden«, sagte Jevans Stimme hinter ihr, leise und sanft. »Du wirst auch nichts finden. Es gibt nichts zu finden.«

Fortunata stützte die Hände auf die Truhe, vor der sie kniete, und kam langsam auf die Beine, bevor sie sich zu ihm umdrehte. Im gelben Schein der Lampe sah sie sein Gesicht, ausdruckslos, völlig unbewegt und nichts verratend. Und dennoch war es zu spät für Täuschungsmanöver, sie hatten sich beide bereits verraten, sie mit der Spur, die sie unabsichtlich hinterlassen und mit der sie ihn gewarnt hatte, und mit ihrer jetzigen Suche, er, indem er ihr hierher gefolgt war. Bei weitem zu spät, um noch so zu tun, als gäbe es nichts zu verstecken, nichts zu erklären, für nichts Rechenschaft abzulegen. Zu spät, um das schlichte Vertrauen wiederherzustellen, das sie ihm immer entgegengebracht hatte. Er wußte, daß es dieses Vertrauen nicht mehr gab, genau wie sie jetzt ohne jeden Zweifel wußte, daß es für diesen Verlust einen Grund geben mußte.

Sie setzte sich auf die Truhe, die sie gerade geschlossen hatte und stellte die Lampe auf die danebenstehende. Und weil Schweigen noch unmöglicher erschien als Reden, sagte sie einfach: »Ich wollte wissen, wo die Schatulle geblieben ist. Ich sah, daß sie nicht mehr in der Truhe war.«

»Ich weiß«, sagte er. »Ich habe die Spur gefunden, die du zurückgelassen hast. Ich dachte, du hättest mir die Schatulle geschenkt. Muß ich Rechenschaft darüber ablegen, was ich mit ihr tue?«

»Ich war neugierig«, sagte sie. »Du wolltest sie für das schönste deiner Bücher verwenden. Mir kam es merkwürdig vor, daß du schon nach einem Tag darauf verzichtet hast. Aber vielleicht hast du ein besseres Buch gefunden«, sagte sie entschlossen, »das seinen Platz eingenommen hat.«

Er schüttelte den Kopf und trat ein paar Schritte in den

Raum hinein, bis an die Ecke des Tisches, auf den sie den Schlüssel gelegt hatte. Das war der Augenblick, in dem sie völlige Gewißheit erlangte. Die Lampe zeigte ihr sein mühsames Lächeln, aber es ähnelte eher einem schmerzhaften Krampf. »Ich verstehe dich nicht«, sagte er. »Weshalb mußtest du heimlich herumschnüffeln? Hättest du mich nach dem, was du wissen wolltest, nicht einfach fragen können?«

Seine Hand bewegte sich verstohlen auf den Schlüssel zu. Dann wich er in den Schatten neben der Tür zurück, und ohne die Augen von ihr abzuwenden, tastete er hinter sich, steckte den Schlüssel ins Schloß, drehte ihn und schloß sie zusammen ein.

Da kam Fortunata der Gedanke, daß sie gut daran tun würde, ein wenig Angst zu haben, aber alles, was sie fühlen konnte, war eine unsichere Trauer, die sie bis ins Herz hinein erschauern ließ. Sie hörte ihre eigene Stimme sagen: »Hat Aldwin heimlich herumgeschnüffelt? Hat das sein Schicksal besiegelt?«

Jevan stemmte die Schultern gegen die Tür und starrte sie mit hartnäckiger Nachsicht an, als hätte er es mit jemandem zu tun, der unerklärlicherweise plötzlich den Verstand verloren hat. Sein gewollt geduldiges Lächeln wirkte starr und gequält.

»Du sprichst in Rätseln«, sagte er. »Was hat das mit Aldwin zu tun? Ich habe keine Ahnung, was du dir da in den Kopf gesetzt hast, aber das ist pure Einbildung. Wenn ich mich entschlossen hatte, das Juwel, das du mir geschenkt hast, einem Freund zu zeigen, der es gern sehen wollte – bringt dich das auf die merkwürdige Idee, ich könnte es mißbraucht oder für irgendwelche anderen Zwecke verwendet haben?«

»Oh, nein!« sagte Fortunata mit der tonlosen Stimme hilfloser Verzweiflung. »Damit kommst du nicht durch! Wenn es nur das gewesen wäre, dann hättest du mit der Schatulle auch das Buch zum Vorzeigen mitgenommen, du hättest gesagt, was du vorhattest. Und du wärest mir nicht hierher gefolgt. Das war falsch! Du hättest warten sollen. Ich habe nichts gefunden. Aber jetzt, da du hergekommen bist, weiß ich, daß es hier etwas zu finden gibt. Weshalb sollte dich sonst interessieren, was ich getan habe?« Sein ungerührter Versuch der Herablassung, mit dem er sich selbst täuschte, ließ einen plötzlichen Zorn in ihr aufwallen. »Warum hören wir nicht auf, uns etwas vorzumachen?« rief sie. »Es hat doch keinen Sinn. Wenn ich es gewußt hätte, dann hätte ich dir das Buch *geschenkt* oder das Geld genommen, das du dafür zu zahlen bereit gewesen wärest. Aber jetzt steht Mord zwischen uns, und deshalb kann nichts rückgängig gemacht oder vergessen werden. Und das weißt du so gut wie ich. Wir können nicht ewig hierbleiben, nicht imstande, einen Schritt vor oder zurück zu tun. Also sage mir, was tun wir jetzt?«

Aber das war eine Frage, die keiner von beiden zu beantworten vermochte. Ihre Hände waren gebunden, sie hingen gemeinsam im luftleeren Raum, und keiner von ihnen konnte das Band lösen, das sie aneinander fesselte. Er würde sie töten, sie würde ihn anzeigen müssen, bevor einer von ihnen wieder frei sein konnte; keiner brachte es fertig, und keiner von ihnen würde es letzten Endes unterlassen können. Es gab keine Antwort. Er holte tief Luft und gab eine Art Stöhnen von sich.

»Ist das dein Ernst? Du könntest mir verzeihen, daß ich dich bestohlen habe?«

»Ohne weiteres! Ich kann ohne das auskommen, was du mir genommen hast. Aber das, was du Aldwin genommen hast, läßt sich nicht ersetzen, und niemand außer Aldwin hat das Recht, dir zu verzeihen.«

»Woher hast du gewußt«, fragte er mit plötzlicher Heftigkeit, »daß ich Aldwin umgebracht habe?«

»Wenn du es nicht getan hättest, dann hättest du es hier und jetzt bestritten, ungeachtet dessen, was ich zu wissen glaube. Oh, warum, warum? Wenn das nicht wäre, könnte ich den Mund halten. Für dich hätte ich es getan. Aber was hat Aldwin getan, daß er auf diese Weise sterben mußte?«

»Er öffnete die Schatulle«, sagte Jevan hart, »und schaute hinein. Niemand sonst wußte es. Wenn sie vor aller Augen geöffnet wurde, hätte er es herausgeplappert! Nun weißt du es! Ein neugieriger Idiot, der mir in die Quere kam und mich hätte verraten können! Und dann hätte ich es verloren ... für immer verloren ... Es war die Schatulle, die Schatulle, die mich auf den Gedanken brachte. Er war mir zuvorgekommen und hatte gesehen, was ich nach ihm sah – und unbedingt besitzen mußte!«

Lange, stumme Pausen hatten den leisen, wütenden Faden seiner Rede unterbrochen, als hätte er minutenlang vergessen, wo er sich befand und zu wem er sprach. Draußen wurde das Licht allmählich schwächer. Drinnen begann die Lampe zu blaken. Fortunata war, als wären sie schon sehr lange in diesem Raum zusammen.

»Ich hatte nur Zeit, bis Girard nach Hause kam. Ich nahm es noch am gleichen Abend und legte das, was ich hatte, an seine Stelle. Ich wollte dich nicht um alles betrügen. Ich zahlte mit allem, was ich besaß ... Aber da war Aldwin. Wann hätte er je etwas, das er wußte, für sich behalten können? Und mein Bruder war auf dem Weg nach Hause ...«

Ein weiteres gequältes Schweigen, während er seinen Platz an der Tür verließ und ruhelos den Raum in seiner ganzen Länge durchwanderte, vorbei an der Stelle, an der sie fast vergessen saß, stumm und reglos.

»Als er damals hinter Elave herrannte, hatte ich mich fast damit abgefunden. Mein Wort gegen seines! Ein Risiko – aber ich war fast bereit, es auf mich zu nehmen. Selbst jetzt – ist dir das klar? – steht nur mein Wort gegen deines, wenn du dich dafür entscheidest!« Er sagte es ohne besonderen Nachdruck, fast gleichgültig. Aber er hatte sich wieder an sie erinnert, auch sie war eine Gefahr für ihn. Er fuhr mit der Hand, die nicht den Schlüssel hielt, über das Gestell mit seinen

Messern, eine Art geistesabwesender Liebkosung für das Gewerbe, das er betrieben und in dem er Hervorragendes geleistet hatte.

»Letzten Endes war es purer Zufall. Kannst du das glauben? Ein Zufall, daß ich das Messer bei mir hatte... Es war keine Lüge, ich war wirklich den Nachmittag über hiergewesen und hatte gearbeitet. Ich hatte ein Messer benutzt – dieses Messer...«

Zeit und Schweigen breiteten sich aus, als er es von dem Gestell nahm, es langsam aus seiner Lederscheide zog und mit den Fingern an der dünnen, scharfen Klinge entlangfuhr.

»Ich hatte es in meinen Gürtel gesteckt und vergessen, es abzulegen, bevor ich abschloß, um nach Hause zu gehen. Und ich dachte daran, durch die Stadt zu gehen und in Holy Cross an der Vesper teilzunehmen – schließlich war es der Tag der heiligen Winifred...«

Er drehte sich zu ihr um und musterte sie düster und eindringlich; sie saß still auf der Truhe neben der Lampe und hielt ihre ernsten Augen unverwandt auf ihn gerichtet. Nur einmal sah er sie einen kurzen Blick auf das Messer in seiner Hand werfen. Er drehte die Klinge nachdenklich so, daß sie das Licht einfing. Wie leicht konnte er sie jetzt umbringen, den Preis nehmen, um dessentwillen er gemordet hatte, und sich auf den Weg nach Westen machen, wie es schon unzählige Männer vor ihm getan hatten! Nach Wales war es nicht weit, Flüchtlinge überschritten, wenn sie es für erforderlich hielten, die Grenze in beiden Richtungen. Aber es gehörte mehr dazu als die bloße Gelegenheit. Die Zeit verging, und es schien, als müßten sie auf ewig in dieser Sackgasse, einer Art selbstgeschaffenen Fegefeuers, ausharren.

»... ich kam zu spät, sie waren schon alle drinnen, ich hörte das Singen. Und dann kam er durch die kleine Tür heraus, die zur Kammer des Priesters führt. Hätte er das nicht getan, dann wäre ich in die Kirche gegangen, und er wäre noch am Leben. Glaubst du mir das?«

Wieder hatte er sich voll und ganz an sie erinnert, an die Nichte, die er immer gern gehabt hatte. Und diesmal wollte er eine Antwort hören, das Zittern seiner Stimme verlangte danach.

»Ja«, sagte sie, »das glaube ich dir.«

»Aber er kam. Und als ich sah, daß er auf die Stadt zuging, änderte ich meine Absicht. Es passiert in der Zeit, die man braucht, um Atem zu holen, und auf einmal ist alles anders. Ich schloß mich ihm an und ging neben ihm her. Es war niemand da, der uns hätte sehen können, alle waren in der Kirche. Und dann fiel mir das Messer ein – dieses Messer! Es war einfach ... nichts Ungehöriges. Er hatte gerade gebeichtet und die Absolution erhalten, er war zufrieden, wie ich ihn nur selten erlebt habe. Und als wir den Pfad erreicht hatten, der zum Fluß hinunterführt, da stieß ich zu und trug ihn dann auf den Armen zu den Büschen hinunter, zu dem Boot unter der Brücke. Da war es noch fast hellichter Tag. Ich versteckte ihn dort, bis es dunkel geworden war. Danach war niemand mehr da, der mich hätte verraten können.«

»Nur du selbst«, sagte sie, »und jetzt ich.«

»Du wirst es nicht tun«, sagte Jevan. »Du kannst es nicht – ebensowenig wie ich dich umbringen kann ...«

Diesmal war das Schweigen länger und sogar noch qualvoller, und die stickige Luft im Schuppen stumpfte Fortunatas Sinne ab. Es war, als hätten sie sich für immer in eine enge Welt eingeschlossen, in die niemand eindringen könnte, um die Spannung zwischen ihnen zu brechen und ihnen zu erlauben, sich wieder frei zu bewegen, zu handeln, vorwärts oder rückwärts zu gehen. Jevan begann wieder durch den Raum zu wandern, wobei er alle paar Schritte herumfuhr und kehrtmachte, als litte er unter heftigen Schmerzen. Das tat er eine ganze Weile, bis er plötzlich stehenblieb, mit einem langen Seufzer die Hände senkte, die immer noch Messer und Schlüssel hielten, und fortfuhr, als wäre seit seinen letzten Worten nur eine Sekunde vergangen:

».. . und dennoch wird einer von uns letzten Endes nachgeben müssen. Eine andere Möglichkeit gibt es nicht.«

Er hatte kaum ausgesprochen, als eine Faust gegen die
Tür hämmerte und laut und fröhlich Hugh Beringars
Stimme ertönte: »Seit Ihr da drinnen, Master Jevan? Ich sah
das Licht durch die Läden. Vor einer Weile habe ich Euren
Verwandten eine gute Nachricht überbracht, aber Ihr wart
nicht da, um sie zu hören. Macht die Tür auf und hört sie
jetzt!«

Einen Augenblick lang blieb Jevan fassungslos stehen. Sie
spürte, wie er zu Eis erstarrte, aber diese Starre dauerte nicht
länger als einen Lidschlag. Dann riß er sich aus ihr heraus
und schaffte es irgendwie, in sachlichem Ton eine Antwort
hervorzubringen.

»Einen Moment noch! Ich bin hier gleich fertig.«

Schnell und lautlos wie eine Katze war er an der Tür und
schloß sie auf. Sie war aufgestanden, hatte sich aber nicht
von ihrem Platz entfernt; sie wußte nicht, was er vorhatte; es
war eine Art passive Verwunderung, die sie hinderte, selbst
irgend etwas zu unternehmen. Er packte sie mit der linken
Hand beim Arm, schob seinen Arm unter den ihren und
hielt sie beim Handgelenk fest, zog sie an sich wie ein Liebhaber oder ein zärtlicher Vater. Es fiel kein Wort, es gab kein
Drohen oder Flehen, keine Aufforderung zum Schweigen
oder Stillhalten. Vielleicht war er sich, im Gegensatz zu ihr,
dessen bereits sicher. Aber sie beobachtete, wie er das Messer, das er in der Rechten hielt, so drehte, daß die Klinge an
seinem Unterarm lag und der Ärmel sie verdeckte. Er zog sie
mit sich zur Tür, und sie ließ es ohne Widerstand geschehen.
Mit der Hand, in der er das Messer hielt, stieß er sie weit auf
und führte sie hinaus auf die grüne Wiese, in das Licht des
milden, wolklenlosen Abends, das von drinnen ausgesehen
hatte wie völlige Dunkelheit.

»Gute Nachrichten sind immer willkommen«, sagte er

und trat Hugh, ein paar Meter Abstand haltend, mit offenem und unbekümmertem Gesicht entgegen. »Aber ich hätte sie ohnehin bald gehört – wir wollten uns gerade auf den Heimweg machen. Meine Nichte hat meine Werkstatt ausgefegt und saubergemacht. Meinetwegen hättet Ihr nicht den weiten Weg auf Euch zu nehmen brauchen, Mylord, aber es war sehr freundlich von Euch.«

»Es war kein weiter Weg«, sagte Hugh. »Wir waren ohnehin in der Nähe, und Euer Bruder sagte, daß Ihr hier wäret. Die Nachricht ist, daß ich Euren Hirten freigelassen habe. Conan mag zwar ein Lügner sein, aber ein Mörder ist er nicht. Wir wissen jetzt, wo er jede Stunde jenes Tages verbracht hat. Er ist wieder zu Hause, eindeutig unschuldig. Das wollte ich Euch wissen lassen, denn vielleicht habt Ihr Euch, nach all den Lügen, die er uns aufgetischt hat, gefragt, wie tief er in die Angelegenheit verwikkelt ist.«

»Soll das heißen«, fragte Jevan gelassen, »daß Ihr den wahren Mörder gefunden habt?«

»Noch nicht«, sagte Hugh mit gleichermaßen zuversichtlicher und täuschend gelassener Miene, »aber es engt das Feld ein. Ihr werdet froh sein, Euren Mann wiederzuhaben. Er ist jedenfalls überglücklich, daß er wieder frei ist, das kann ich Euch versichern. Ich nehme an, das betrifft eher die Geschäfte Eures Bruders, aber nach dem, was Conan mir erzählte, hat er gelegentlich auch bei den Häuten geholfen.« Er hatte sich der Tür des Schuppens genähert und schaute neugierig in die dunkle Höhle hinein, nur ganz schwach erhellt vom Glühwürmchenlicht der Lampe, die nach wie vor auf dem Deckel der Truhe brannte. In dem Licht, das durch die weit offenstehende Tür einfiel, war das gelbliche Flackern kaum wahrzunehmen. Hughs Augen schweiften mit dem interessierten Blick des Laien über den großen Tisch unter dem verschlossenen Fenster, die Truhen und die Kalkbottiche und erreichten das Wandbrett mit den Messern, Messern zum Bearbeiten der Häute, zum Abkratzen von Fleisch und Haaren und zum Zuschneiden.

Und eine der Scheiden war leer.

Cadfael, der mit den Pferden ein wenig abseits stand, zwischen dem Baumgürtel, der sich zu seiner Linken um die Flußbiegung herumzog, und dem offenen Hang zu seiner Rechten, hatte einen ungehinderten Blick auf das Äußere des Schuppens, den grasbewachsenen Abhang und die drei Menschen, die vor der offenen Tür standen. Die Sonne stand niedrig, war aber noch nicht hinter den Bäumen verschwunden, und das schräg einfallende Licht ließ jede Einzelheit mit goldener, funkelnder Klarheit hervortreten und fand jeden Punkt, der es reflektieren konnte. Cadfael beobachtete angespannt; von seinem Standort aus konnte er vielleicht Dinge sehen, die Hugh entgingen. Die Art, auf die Jevan Fortunatas Arm umklammerte und das Mädchen fest an sich drückte, gefiel ihm nicht. Diese Umarmung, ganz untypisch für einen so kühlen und zurückhaltenden Mann wie Jevan von Lythwood, war Hugh bestimmt nicht entgangen. Aber hatte er, wie Cadfael, gesehen, wie in einem rubinroten Strahl der untergehenden Sonne und nur für den Bruchteil einer Sekunde unter Jevans rechtem Ärmel der Stahl des Messers aufblitzte?

An Fortunata fiel ihm nichts Besonderes auf, außer vielleicht die ungewöhnliche Reglosigkeit ihres Gesichts. Sie hatte nichts zu sagen, gab keinerlei Angst oder Mißtrauen zu erkennen, empfand kein Unbehagen darüber, so festgehalten zu werden, und wenn sie es empfinden sollte, so gab es in ihrem Verhalten nichts, was darauf hindeutete. Aber sie wußte ganz bestimmt, was Jevan in der anderen Hand hielt.

»Also hier verrichtet Ihr Eure Wunderwerke«, sagte Hugh und ging neugierig in die Werkstatt hinein. »Ich habe schon des öfteren über Euer Handwerk nachgedacht. Ich kenne die

Qualität Eurer Arbeit, ich habe fertige Produkte gesehen, aber ich habe noch nie gesehen, wie aus rohen Häuten so wundervoll weiße Blätter werden können.«

Wie irgendein wißbegieriger Fremder wanderte er in dem Raum herum und schaute in die Ecken, ließ das Brett mit den Messern aber unbeachtet – aus der Nähe wäre die Lücke nicht zu übersehen gewesen, und dann hätte er eine Bemerkung darüber machen müssen. Er versuchte herauszubekommen, ob Jevan irgendwelche Befürchtungen hegte oder etwas zu verbergen hatte; er wollte ihn dazu verleiten, daß er das Mädchen losließ und ihm folgte, aber Jevan dachte nicht daran seinen Griff zu lockern, sondern zog lediglich Fortunata mit sich zum Eingang und folgte ihm nicht hinein. Und jetzt schien dieses Mitziehen in der Tat eine finstere Bedeutung anzunehmen, eine Sache auf Leben und Tod zu sein. Cadfael bewegte sich, die Pferde führend, ein wenig näher heran.

Hugh war wieder aus dem Schuppen herausgekommen, noch immer um sich schauend, noch immer neugierig. Er passierte das eng beieinanderstehende Paar und ging hinunter zum Ufer des Flusses, wo die mit Netzen bespannten Rahmen im Wasser lagen. Jevan folgte, hielt aber nach wie vor Fortunatas Arm und drückte sie fest an sich. Frauen gehen an der linken Seite des Mannes, damit sein rechter Arm frei ist, um sie zu verteidigen, sei es mit der Faust oder mit dem Schwert. Jevan hielt Fortunata so fest an seine linke Seite gedrückt, damit sie in Reichweite seines Messers war, wenn er keinen anderen Ausweg mehr sah. Oder war das Messer für ihn selbst bestimmt?

Elave hatte, wie die Reiter, den Weg durch die Stadt genommen, über die eine Brücke hinein und über die andere wieder hinaus, nach der anfänglichen Erregung nicht mehr wie ein Wilder rennend, sondern stetig laufend in einem Rhythmus, von dem er wußte, daß er ihn beibehalten konnte. Von früher her kannte er den kürzesten Weg durch Frankwell und flußaufwärts bis zu der Biegung, an der die Strömung stark war und ein tiefes Bett gegraben hatte. Als er über die Kuppe gekommen war und einen Blick auf den einsamen Schuppen hinabwerfen konnte, hoch genug auf den Abhang gebaut, daß ihn, außer in einem sehr schlimmen Jahr, das Frühlingshochwasser nicht erreichte, blieb er, von den Bäumen verdeckt, kurz stehen, um die Szene unter sich zu betrachten und wieder zu Atem zu kommen, während er sich ein Urteil bildete.

Und da standen sie, unmittelbar vor der Tür der Werkstatt, die sich in dem stromauf gelegenen Ende des Schuppens befand. An den kleinen Strudeln aus der Wasseroberfläche konnte er die netzbespannten Rahmen im Fluß erkennen; sie lagen an einer Stelle, an der das erhöhte Ufer eine Möglichkeit zum Verankern bot. Und vor der weit offenen Schuppentür die dicht aneinandergedrängten Gestalten Jevans und Fortunatas, ein ebenso trügerischer Hinweis auf Offenheit und Ehrlichkeit, wie die Umarmung von Onkel und Nichte eine Travestie der Zuneigung darstellte. In all den Jahren ihrer Kindheit hatte Jevan sie nie in die Arme genommen, wie Girard es getan hatte, weil es in seiner Natur lag. Er war eine andere Art Mann, zurückhaltend, auf niemanden angewiesen, ein Mann, der nichts davon hielt, zu berühren oder berührt zu werden, selbst wenn er jemanden mochte. Auf seine kühle, spöttische Art war er ihr ein freundlicher Onkel gewesen, bestimmt hatte er sie gemocht, aber ohne jede Überschwenglichkeit. Und was war sie jetzt? Seine Geisel? Sein Schutz, wenigstens für eine kurze Weile? Wenn es nichts gab, das sie gegen ihn vorbringen konnte, wenn er ihrer sicher war, weshalb mußte er sie dann so fest an sich drücken? Hätte sie neben ihm gestanden, so hätte sie ihm besser helfen können, den Anschein des Normalen zu erwecken und den Sheriff zumindest für heute loszuwerden. Er hielt sie fest, weil er sich ihrer nicht sicher war, er mußte sie mit seinem Griff ständig daran erinnern, daß er sich, wenn sie ein falsches Wort sprach, an ihr rächen konnte.

Elave schlich in der Deckung der Bäume, die sich in einer langen, schmaler werdenden Kurve bis ans Flußufer hinabzogen, ein Stück weiter stromaufwärts und duckte sich, etwa fünfzig Meter vom Ufer entfernt, ins Gebüsch. Er war jetzt näher herangekommen; er konnte die Stimmen hören, verstand aber nicht, was sie sagten. Zwischen ihm und der Gruppe an der Tür stand Bruder Cadfael mit den Pferden, der sich nach wie vor im Hintergrund hielt. Und es war alles Theater, das sah Elave jetzt, ein Theater, das den Anschein erwecken sollte, als wäre alles in Ordnung. Nichts durfte es stören; ein zu offenes Wort, eine bedrohliche Bewegung konnten eine Katastrophe auslösen. Sogar ihre Stimmen klangen beiläufig, als ob Bekannte auf der Straße die trivialen Neuigkeiten des Tages austauschten.

Er sah, wie Hugh in die Werkstatt hineinging, und auch, daß Jevan Fortunata nicht losließ, um ihm zu folgen, sondern draußen stehenblieb. Er sah, wie der Sheriff wieder herauskam, munter und lächelnd, an den beiden vorüberging und Jevan mit einer Handbewegung bedeutete, ihn zum Fluß zu begleiten; aber als sie ihm folgten, taten sie es wie eine Person. Dann setzte sich Cadfael unvermutet in Bewegung und führte die Pferde den Abhang hinunter, um sich zu ihnen zu gesellen; er trat, wie es schien, Jevan plötzlich fast auf die Fersen, aber Jevan drehte weder den Kopf, noch lockerte er seinen Griff. Und Fortunata ließ sich die ganze Zeit stumm führen, mit unbewegtem und ausdruckslosem Gesicht.

Was sie brauchten, was sie zustande zu bringen versuchten, war eine Ablenkung, irgend etwas, das dieses dicht verschlungene Paar auseinanderbrachte und Hugh eine Chance gab, Fortunata dem Mann zu entreißen, unverletzt. Von ihr getrennt konnte Jevan überwältigt werden. Aber sie waren nur zu zweit, und er konnte dafür sorgen, daß sie mindestens eine Armeslänge Abstand von ihm hielten. Solange er

Fortunata im Arm hielt, war er sicher und sie in Gefahr, und niemand konnte riskieren, den Anschein zu zerstören, daß alles so war, wie es immer gewesen war.

Aber er, Elave, konnte es! Von seiner Anwesenheit hatte Jevan keine Ahnung, und vor ihm konnte er nicht auf der Hut sein. Und es mußte etwas geben, das ihn veranlaßte, seine Hand von seinem Schutzschild zu lösen, etwas, das ihn wehrlos machte. Aber mehr als eine Chance würde er nicht haben.

Ein letzter langer, roter Strahl der untergehenden Sonne ließ plötzlich das schwache gelbe Glimmen im Innern des Schuppens verblassen, das Elave die ganze Zeit gesehen hatte, ohne es wahrzunehmen, und glitzerte eine Sekunde lang auf dem Gelenk von Jevans rechter Hand. Elave erkannte, was diese Hand umkrampfte, und jetzt wußte er, weshalb Hugh sich so geduldig zurückhielt. Wußte auch, was er selbst tun würde. Die ganze Gruppe mit den geführten Pferden war flußaufwärts zu den netzbespannten Rahmen gewandert, auf denen Häute in der Strömung schaukelten. Ein paar Meter weiter, dann konnte er, den Schuppen zwischen sich und ihnen, ungesehen die Wiese überqueren und zu der offenen Tür gelangen.

Hugh Beringar besorgte das Reden, heuchelte Interesse an den Arbeitsgängen der Pergamentherstellung, versuchte Jevans Berufseifer so weit zu erregen, daß er in seiner Wachsamkeit nachließ. Cadfael blieb ihm mit den Pferden auf den Fersen, aber Jevan drehte sich kein einziges Mal um. Bestimmt hatte er die Tür offen und die Lampe brennen gelassen, um den Sheriff zu zwingen, schließlich doch aufzugeben, auf sein Pferd zu steigen und davonzureiten, damit der geduldige Handwerker sein Tagewerk beenden konnte. Hugh war ebenso entschlossen, selbst diese Geduld zu überbieten. Und während sie, an einem toten Punkt angelangt, am Ufer des Severn standen, gab es hier jemanden, der als einziger handeln konnte.

Elave verließ seine Deckung und rannte, den Schuppen als Deckung benutzend, auf die offenstehende Tür zu, in das düstere Innere und ergriff die Lampe. Das Stroh des Daches war alt, vom warmen Sommerwetter ausgetrocknet und zwischen den stützenden Balken herabgesackt. Er setzte es an zwei Stellen mit der Lampe in Brand, über dem langen Tisch, wo der zwischen den Läden eindringende Windhauch es anfachen würde, und außerdem, während er zurückwich, in der Nähe der Tür. Draußen riß er den brennenden Docht heraus, warf ihn auf die Dachschräge und goß das restliche Öl darüber. Die abendliche Brise, die oft nach einem stillen Tag aufkam, erwachte gerade im Westen, fachte die kleine Flamme an und schickte eine dünne, gewundene Feuerschlange das Dach hinauf. Aus dem Innern des Schuppens vernahm er etwas, das sich anhörte wie der tiefe Seufzer eines Riesen; im Stroh zwischen den Deckenbalken sprangen Flammen von Bündel zu Bündel. Elave rannte, nicht zurück in die Deckung des Gebüschs, sondern zu den Läden auf der landeinwärts gelegenen Seite des Schuppens. Er ergriff einen Laden und zerrte daran, bis er nachgab und aufschwang und zuerst eine Rauchwolke herauswogte und dann, als die frische Luft das Feuer drinnen noch weiter anfachte, Flammenzungen herausleckten. Er sprang zurück und beobachtete aus einiger Entfernung, was er da angerichtet hatte, sah Rauch aufsteigen und Flammen aus dem Dach schlagen.

Cadfael war der erste, der es sah und Alarm gab: »Feuer! Euer Schuppen brennt!«

Jevan drehte den Kopf, vielleicht halb ungläubig, und sah, was Cadfael gesehen hatte. Er stieß einen grauenhaften Verzweiflungsschrei aus, schleuderte Fortunata so plötzlich und so grob von sich, daß sie fast gestürzt wäre; das Messer, das er in der Hand gehalten hatte, bohrte sich ins Gras, und dann stürzte er wie ein Wahnsinniger auf den Schuppen zu. Hugh schrie ihm nach: »Halt! Ihr könnt nichts tun!« und rannte hinter ihm her, aber Jevan nahm nichts wahr außer der Wolke aus Feuer und Rauch, die den Sonnenuntergang verdunkelte und das Rosa und Blaßgold des Himmels schwärzte. Er rannte an der flußwärts gelegenen Wand des Schuppens entlang und durch den wogenden Rauch, der aus der Tür herausquoll.

Elave, der gerade rechtzeitig um die andere Ecke des Schuppens kam, um ihn von Angesicht zu Angesicht zu sehen, erblickte eine grauenhafte Maske mit offenem, schreiendem Mund und irren Augen, bevor sich Jevan, ohne auch nur eine Sekunde innezuhalten, in die erstickende Dunkelheit stürzte. Elave ergriff sogar seinen Ärmel, um ihn an dieser Wahnsinnstat zu hindern, doch Jevan fuhr herum und versetzte ihm einen Hieb ins Gesicht. Gleichzeitig schossen zwischen ihnen Flammen hoch und trieben sie auseinander. Als Elave zurücktaumelte und ins Gras fiel, sah er, wie ein Windstoß den Rauch einen Augenblick lang beiseite wehte. Er hatte einen ungehinderten Blick ins Innere des Schuppens und mußte mit ansehen, was drinnen vorging.

Jevan war durch den Rauch hindurchgestürmt und auf den langen Tisch gestiegen, und jetzt langte er hoch, streckte beide Arme bis zu den Ellenbogen in das brennende Stroh über seinem Kopf, griff nach etwas, das er dort versteckt hatte. Er hatte es, zerrte daran wie ein Besessener, um es in die Arme zu bekommen, gepeinigt von den Schmerzen in seinen verbrannten Händen. Dann sah es aus, als stürzte die Hälfte des brennenden Strohs in einer gewaltigen Flammenexplosion auf ihn herab, und er verschwand mit einem langgezogenen Wut- und Schmerzensschrei in einer blendenden Feuerrose.

Elave kam vom Boden hoch und eilte, die Arme schützend vors Gesicht gelegt, auf den Schuppen zu. Auch Hugh rannte atemlos heran, kam aber nicht weiter als bis zur Schwelle. Die Hitze trieb sie beide zurück, hustend und nach Luft ringend. Und plötzlich stürmte eine geschwärzte Gestalt mit einem Kometenschweif aus Rauch und Funken an ihnen vorbei, mit brennenden Haaren und Kleidern, etwas Verhülltes, Formloses in den Armen, das er leidenschaftlich und schützend an sich drückte. Er heulte mit leiser, dünner Stimme, wie der Winterwind in Tür und Kamin. Sie sprangen vor, um ihn aufzuhalten, wollten versuchen, die Flammen auszuschlagen, aber er war zu ungestüm und zu schnell. Er rannte den Abhang hinunter, eine lebende Fackel, und landete mit einem weiten Sprung in der Strömung. Der Severn zischte und spie, und Jevan war verschwunden, wurde flußabwärts getragen, an seinen eigenen Netzen und Häuten vorbei, vorbei an Fortunata, stumm und starr vor Entsetzen in Cadfaels Armen, die reißende Strecke des Flusses hinab, um an einer Stelle mit langsamerer Strömung und niedrigerem Wasser, dort, wo der Severn seine Schleife um die Stadt legte, an Land geschwemmt zu werden.

Fortunata sah, wie er vorbeitrieb, sich mit der Strömung drehte und bald dem Blick entschwunden war. Seine Arme umklammerten das verhüllte Bündel, für das er gemordet hatte und um dessentwillen er jetzt starb.

Es war vorbei. Man konnte nichts mehr tun für Jevan von Lythwood, nichts für seinen geschwärzten, lodernden Besitz. Man konnte ihn nur niederbrennen lassen. In der Nähe gab es nichts, auf das das Feuer hätte übergreifen können, nur die leere Wiese. Worauf es jetzt ankam, für Hugh ebenso wie für Cadfael, war, die beiden vor Schock sprachlosen Seelen sicher zurückzugeleiten in eine reale Welt mit vertrauten Dingen, selbst wenn es für die eine die Rückkehr in einen entsetzten und trauernden Haushalt sein mußte und für die andere die Rückkehr in eine steinerne Zelle und zu einer drohenden Verurteilung. Hier und jetzt war alles, was Fortunata sagen konnte, immer und immer wieder: »Er hätte es nicht fertiggebracht, mir etwas anzutun – er hätte es nicht fertiggebracht!« und schließlich, nach vielen Wiederholungen, fast unhörbar: »*Oder doch?*« Und aus Elave war vorerst nichts herauszubringen als der entsetzte Protest: »Das habe ich nicht gewollt! Wie hätte ich das ahnen können? Wie hätte ich das ahnen können? Das habe ich nicht gewollt!« Und schließlich sagte er in einer Art Wut über sich selbst: »Und wir wissen nicht einmal, ob er überhaupt etwas verbrochen hat, selbst jetzt wissen wir es noch nicht!«

»Doch«, sagte Fortunata, sich aus ihrer Erstarrung befreiend. »Ich weiß es. Er hat es mir gesagt.«

Aber das war eine Geschichte, die ganz zu erzählen sie noch nicht imstande war, und Hugh erlaubte ihr auch nicht, kostbare Zeit damit zu verschwenden; sie zitterte unter einer unnatürlichen Kälte von innen, und er wollte sie so schnell wie möglich nach Hause bringen.

»Kümmert Euch um den Jungen, Cadfael, und bringt ihn dahin, wo sein Bischof ihn haben will, bevor zu den Anklagen gegen ihn auch noch das Ausreißen kommt. Ich bringe die junge Dame heim zu ihrer Mutter.«

»Der Bischof weiß, daß ich fort bin«, sagte Elave mit einem mühsamen Anheben der Schultern, als könnten sie die schwere Last, die sie trugen, noch nicht abschütteln. »Ich habe ihn darum gebeten, und er hat mich gehen lassen.«

»Tatsächlich?« sagte Hugh überrascht. »Das spricht für ihn und für Euch. Ein solcher Bischof gibt Anlaß zu Hoffnungen.« Er war mit einem kraftvollen Satz im Sattel und streckte eine Hand zu Fortunata hinunter. Seinem starkknochigen Grauen würde das zusätzliche Gewicht nichts ausmachen. »Helft ihr hoch, Junge ... so ist's richtig, Euer Fuß auf meinen. Und nun seid vernünftig, laßt alles Weitere bis morgen auf sich beruhen. Was noch zu tun ist, das tue ich.« Er hatte seinen Rock ausgezogen und ihn Fortunata um die Schultern gelegt, und er hielt sie sicher im Arm. »Morgen früh, Bruder Cadfael, bin ich beim Abt. Wir werden uns besitmmt alle wiedersehen, bevor der Tag um ist.«

Dann waren sie fort, im Trab den Abhang hinauf, kehrten der Feuerbrunst, die schon jetzt zu einem geschwärzten, schwelenden Haufen aus dachlosem Gebälk zusammensackte, ebenso den Rücken zu wie den Schafshäuten, die auf ihren Gestellen in der starken Strömung schaukelten, während das Wasser unter dem gegenüberliegenden Ufer glatt und fast unbewegt war.

»Und wir machen uns auch auf den Weg«, sagte Cadfael und nahm die Zügel des Ponys auf, »denn hier gibt es nichts, was ein Mensch noch tun könnte. Alles ist vorüber. Und es hätte noch viel schlimmer kommen können. So, Ihr reitet, ich gehe nebenher, und wir machen uns in aller Ruhe auf den Heimweg.«

»Wäre er wirklich imstande gewesen, sie umzubringen?« fragte Elave nach langem Schweigen, als sie auf der Landstraße zwischen den Häusern und Werkstätten von Frankwell entlanggingen und sich der westlichen Brücke näherten.

»Wie können wir das wissen, wenn sie selbst nicht sicher ist? Die göttliche Vorsehung hat beschlossen, daß ihr nichts geschehen sollte. Das muß uns genügen. Und Ihr wart ihr Werkzeug.«

»Ich habe den Tod von Girards Bruder verschuldet«, sagte Elave. »Wie könnte er mir das nicht vorwerfen? Was sonst kann ich von ihm erwarten?«

»Wäre es besser für Girard gewesen, wenn sein Bruder am Leben geblieben und gehenkt worden wäre?« fragte Cadfael. »Und sein Name in aller Munde? Nein, Girard könnt Ihr Hugh überlassen. Er ist ein vernünftiger Mann, er wird es Euch nicht entgelten lassen. Ihr habt ihm eine Tochter zurückgegeben; er wird sie Euch nicht verweigern, wenn die Zeit gekommen ist.«

»Ich habe noch nie einen Menschen getötet.« Elaves Stimme war matt und nachdenklich. »Auf all den vielen Straßen, über die wir gereist sind, und bei all den Gefahren und Kämpfen unterwegs habe ich nicht ein einziges Mal jemandem eine Wunde beigebracht.«

»Ihr habt ihn nicht getötet und dürft Euch nicht mehr aufbürden, als Euch zusteht. Umgebracht hat ihn seine eigene Tat.«

»Glaubt Ihr, daß er sich irgendwo an Land geschleppt hat? Lebend? Kann es sein, daß er noch lebt? Nach alledem?«

»Möglich ist alles«, sagte Cadfael. Aber er erinnerte sich an die Arme in den schwelenden Ärmeln, die das, was Jevan dem Feuer entrissen hatte, fest umkrampften, den langen Körper, der im Wasser an ihnen vorbeigeschwemmt wurde, kampf- und lautlos, und er hatte keinerlei Zweifel daran, was sie am nächsten Tag finden würden, irgendwo an der Schleife, die der Fluß um die Stadt legte.

Das Pony trottete friedfertig über die Brücke und durch die Straßen der Stadt, und als es die Wyle hinunterging, schnüffelte es die Abendluft und beschleunigte, seinen Stall und das beruhigende Heim riechend, seine Schritte.

Als sie den großen Hof betraten, kamen die Brüder gerade von der Komplet. Abt Radulfus trat aus dem Kreuzgang heraus, um sich zu seinen eigenen Gemächern zu begeben, flankiert von seinen beiden hohen Gästen. Sie kamen genau im rechten Moment, um zu sehen, wie ein Bruder des Hauses den der Ketzerei angeklagten und drei Stunden zuvor auf Ehrenwort entlassenen Gefangenen hereinführte, der auf einem Pony der Abtei saß. Der Reiter war verschmutzt und von Rauch geschwärzt; seine Hände und das Haar an seinen Schläfen waren vom Feuer angesengt, eine Tatsache, die ihm bisher noch gar nicht bewußt geworden war; um so mehr jedoch empörte diese Prozession den Chorherrn Gerbert. Und daß Bruder Cadfael dieses unziemliche Spektakel gelassen hinnahm, machte die Sache nur noch schlimmer. Er half Elave beim Absteigen und klopfte ihm ermutigend den Rükken. Dann ging er davon, um das Pony in den Stall zu bringen, und überließ es dem Gefangenen, aus freien Stücken in seine Zelle zurückzukehren, was er sogar gern tat – es war, als käme er nach Hause. Das war nicht die rechte Art, mit einem angeklagten Ketzer zu verfahren. Alles was hier in der

Abtei von Saint Peter und Saint Paul vorging, weckte den Zorn des Chorherrn Gerbert.

»Nun ja«, sagte der Bischof unerschüttert, sogar wohlwollend. »Was immer der junge Mann sein mag, zu seinem Wort steht er.«

»Ich verstehe nicht«, sagte Gerbert kalt, »wie Euer Lordschaft überhaupt ein derartiges Risiko eingehen konnten. Wenn Ihr ihn verloren hättet, dann wäre das ein schwerer Verstoß und ein beträchtlicher Schaden für die Kirche gewesen.«

»Wenn ich ihn verloren hätte«, sagte der Bischof ungerührt, »dann hätte er noch mehr verloren. Aber er ist zurückgekommen, wie er gegangen ist, unversehrt!«

FÜNFZEHNTES KAPITEL

Tags darauf hatte Bruder Cadfael schon früh am Morgen um Audienz beim Abt gebeten, um ihm über alles Bericht zu erstatten, was geschehen war. Beim Hinausgehen begegnete er Hugh. Dessen Unterredung mit dem Abt dauerte länger. Es gab viel zu erzählen und noch immer viel zu tun, denn seit Jevan von Lythwood wie eine brennende Fackel mit loderndem Haar in den Severn gesprungen war, hatte man noch keine Spur von ihm entdeckt, weder tot noch lebendig. Auch dem Abt stand ein gewichtiger Tag bevor. Roger de Clinton haßte Zeitverschwendung, und da er in Coventry gebraucht wurde, hatte er vor, beim morgendlichen Kapitel der Sache so oder so ein Ende zu machen und dann sofort in seine unruhige und gefährdete Stadt zurückzukehren.

»Ach ja, und dem Chorherrn Gerbert habe ich die neuesten Nachrichten von Owains Grenze überbracht«, sagte Hugh, während er sich bereits erhob. »Earl Ranulf hat sich fürs erste mit ihm geeinigt. Owain ist geneigt, eine Zeitlang Ruhe zu geben. Der Earl wird heute abend wieder in Chester sein, und der Chorherr wird sich zweifellos freuen, daß er seine Reise fortsetzen kann.«

»Zweifellos«, sagte der Abt. Er lächelte nicht, aber selbst bei diesem knappen Wort war der Ton der Befriedigung in seiner Stimme nicht zu überhören.

Elave erschien zu seiner Verhandlung rasiert, frisch gewaschen, von allen Rußspuren befreit und, dank Bruder Denis, in einem sauberen Hemd und einem anständigen Rock anstelle seiner versengten und unansehnlich gewordenen Kleidung. Es war fast, als hätte die Gemeinschaft sich während der paar Tage, die er in ihr verbracht hatte, so an ihn gewöhnt und den Gedanken, er könnte irgendwie gefährlich sein, so vollständig abgetan, daß allen Brüdern daran gelegen war, daß er möglichst gut aussah und den bestmöglichen Eindruck machte. Es war eine Art wohlwollender Verschwörung.

»Ich habe mich unterrichten lassen«, sagte der Bischof, nachdem er die Versammlung eröffnet hatte, »über das allgemein menschliche Verhalten dieses jungen Mannes, und zwar von Leuten, die ihn gut kennen und mit ihm Umgang hatten. Außerdem habe ich ihn in dieser kurzen Zeit mit eigenen Augen beobachtet. Und kein Anwesender sollte auf den Gedanken kommen, daß Redlichkeit im tagtäglichen Verhalten eines Mannes mit einer Anklage wegen Ketzerei nichts zu tun hat. Dafür finden wir einen Beleg in der Heiligen Schrift: An ihren Früchten sollt ihr sie erkennen. Ein guter Baum kann keine schlechten Früchte hervorbringen, und ein schlechter Baum keine guten. Nach allem, was mir berichtet wurde, habe ich den Eindruck, daß die Früchte dieses Mannes den Vergleich mit allem aushalten können, was die meisten von uns vorzuweisen haben. Ich habe gehört, daß man keine von ihnen als faul bezeichnen könnte. Vergeßt das nicht. Es ist wichtig. Und was die gegen ihn vorgebrachten Anklagen angeht, daß er gewisse Dinge gesagt hat, die den Lehren der Kirche zuwiderlaufen . . . Ich bitte darum, daß jemand sie vor mir wiederholt.«

Prior Robert hatte sie niedergeschrieben und trug sie mit neutraler Stimme und unparteiischer Miene vor, als hätte sogar er gespürt, daß sich die Atmosphäre innerhalb der Klostermauern zugunsten des Angeklagten verändert hatte.

»Mylord, es sind vier Punkte: erstens glaubt er nicht, daß Kinder, die ungetauft sterben, der ewigen Verdammnis anheimfallen. Zweitens glaubt er aus diesem Grunde nicht an die Erbsünde, sondern behauptet, der Zustand der Neugeborenen sei der gleiche wie der Adams vor dem Sündenfall, nämlich der Zustand der Unschuld. Drittens behauptet er, daß sich ein Mensch durch sein eigenes Tun den Weg zur Erlösung bahnen könne, was von der Kirche als ein Leugnen der Gnade Gottes angesehen wird. Viertens lehnt er ab, was der heilige Augustinus über die Prädestination geschrieben hat, daß die Zahl der Auserwählten bereits feststeht und unveränderlich ist und alle anderen verdammt sind. Er sagt, er wäre eher der Ansicht des Origenes, der geschrieben hat, daß letzten Endes alle Menschen errettet würden, da alles von Gott käme und zu Gott zurückkehren müsse.«

»Und diese vier Punkte sind alles, um was es hier geht?« fragte der Bischof nachdenklich.

»So ist es, Mylord.«

»Und was sagt Ihr dazu, Elave? Seid Ihr in irgendeinem dieser Punkte mißdeutet worden?«

»Nein, Mylord«, sagte Elave entschlossen. »Ich stehe zu jedem einzelnen von ihnen. Allerdings habe ich Origenes nie erwähnt, denn der Name des Kirchenvaters, der schrieb, was ich für richtig hielt und noch halte, war mir damals noch unbekannt.«

»Also gut! Betrachten wir den ersten Punkt, Eure Verteidigung der Neugeborenen, die ungetauft sterben. Ihr seid nicht der einzige, der Schwierigkeiten damit hat, ihre Verdammnis zu akzeptieren. Im Zweifelsfalle sollte man immer die Heilige Schrift zu Rate ziehen. Sie kann nicht falsch sein. Der Herr«, sagte der Bischof, »spricht: Lasset die Kindlein zu mir kommen und wehret ihnen nicht, denn solcher ist das Himmelreich. Ich kann das nur so verstehen, daß er nie gefragt hat, ob sie getauft waren oder nicht, bevor er sie in die Arme nahm. Aber sagt mir, Elave, welchen Wert Ihr der Kindstaufe beimeßt, wenn sie nicht der einzige Weg zur Erlösung ist?«

»Sie dient fraglos dazu, den Menschen in der Kirche und in der Welt willkommen zu heißen«, sagte Elave, noch unsicher in bezug auf seine Position und seinen Richter, aber hoffnungsvoll. »Wir kommen unschuldig zur Welt, aber eine solche Zugehörigkeit und ein solcher Segen sollen uns helfen, unsere Unschuld zu bewahren.«

»Mit der Unschuld bei der Geburt kommen wir zum zweiten Punkt. Er ist Bestandteil des gleichen Gedankens. Ihr glaubt nicht, daß wir bereits mit der Sünde Adams beladen zur Welt kommen?«

Blaß, halsstarrig und unnachgiebig sagte Elave: »Nein, das glaube ich nicht. Es wäre ungerecht. Wie könnte Gott ungerecht sein? Bis wir herangewachsen sind, haben wir schwer genug an unseren eigenen Sünden zu tragen.«

»Das«, sagte der Bischof mit einem traurigen Lächeln, »dürfte für alle Menschen gelten. Der heilige Augustinus war der Ansicht, daß die Sünde Adams in all seinen Nachkommen fortbesteht. Vielleicht sollte man einmal darüber nachdenken, worin die Sünde Adams eigentlich bestanden hat. Nach Ansicht des Augustinus war es der fleischliche Akt zwischen Mann und Frau, den er für die Wurzel und den Ursprung aller Sünde hielt. Auch dies ist ein strittiger Punkt. Wenn das in jedem Falle Sünde wäre, wie hätte Gott dann den von ihm geschaffenen Geschöpfen befehlen können, sie sollten fruchtbar sein, sich mehren und die Erde füllen?«

»Dennoch ist es wesentlich segensreicher, sich dessen zu enthalten«, erklärte Chorherr Gerbert kalt, aber vorsichtig, denn Roger de Clinton befand sich auf seinem eigenen Terrain und war ein edler, von allen geachteter Mann.

»Für sich genommen sind weder der Akt noch die Enthaltsamkeit gut oder schlecht«, sagte der Bischof verbindlich, »sondern nur im Hinblick auf seinen Zweck und den Geist, in dem er vollführt wird. Welches war Euer dritter Punkt, Prior?«

»Die Frage des freien Willens und der Gnade Gottes«, sagte Robert. »Und insbesondere, ob ein Mensch mit Hilfe seines freien Willens zwischen Gut und Böse wählen und, indem er dies tut, einen Schritt zu seiner Erlösung tun kann. Oder ob nichts, was er tut, so tugendhaft es auch sein mag, etwas bewirken kann, sondern nur die Gnade Gottes.«

»Was das angeht, Elave«, sagte der Bischof und blickte in das entschlossene Gesicht, das ihn mit so eindringlichen und ernsten Augen anblickte, »möchte ich Eure Meinung hören. Ich versuche nicht, Euch eine Falle zu stellen. Sie interessiert mich.«

»Mylord«, sagte Elave, seine Worte mit Bedacht wählend, »ich glaube, daß uns der freie Wille geschenkt wurde und daß wir ihn gebrauchen dürfen und müssen, um zwischen Gut und Böse zu entscheiden, wenn wir Menschen sind und keine Tiere. Das ist gewiß das Mindeste, was wir tun können – zu versuchen, uns durch rechtes Handelns den Weg zur Erlösung zu bahnen. Ich habe nie die Gnade Gottes geleugnet. Gewiß ist die größte Gnade, die uns zuteil wurde, diese Möglichkeit zur Entscheidung und die Kraft, den rechten Gebrauch von ihr zu machen. Und wenn es einen Tag des Jüngsten Gerichts gibt, Mylord, dann wird und kann nicht über Gottes Gnade gerichtet werden, sondern nur über das, was jeder einzelne Mensch mit ihr getan hat, ob er diese Gabe vergraben oder mit seinem Pfunde gewuchert hat. Es sind unsere eigenen Handlungen, über die wir Rechenschaft ablegen müssen, wenn der Tag kommt.«

»Wenn Ihr so denkt«, sagte der Bischof, während er ihn interessiert musterte, »könnt Ihr natürlich kaum akzeptieren, daß die Zahl der Auserwählten bereits feststeht und alle übrigen verdammt sind. Wenn dem so wäre, weshalb sollte man sich dann bemühen? Und wir bemühen uns. Es liegt in der Natur des Menschen, ein Ziel zu haben und auf seine Erfüllung hinzuarbeiten. Und Gott weiß besser als jeder andere, daß Gnade und Wahrhaftigkeit und Aufrichtigkeit gute Ziele sind. Was sonst wäre Erlösung? Es ist kein Unrecht, wenn man sich dazu verpflichtet fühlt, daß man sie sich verdienen muß, anstatt darauf zu warten, daß sie einem geschenkt wird wie einem Bettler ein Almosen, unverdient.«

»Das sind Mysterien, über die die Weisen nachdenken mögen, wenn überhaupt jemand es wagen darf«, sagte Gerbert mit kalter Mißbilligung, aber gleichzeitig ein wenig abwesend; denn ein Teil seines Denkens beschäftigte sich bereits mit der Reise nach Chester und der diplomatischen Schlauheit, die er an den Tag legen mußte, wenn er dort angekommen war. »Für einen Menschen, der selbst unter der Laienschaft keine große Rolle spielt, ist es Anmaßung.«

»Es war also anmaßend von unserem Herrn, mit den Schriftgelehrten im Tempel zu streiten«, sagte der Bischof, »da er ebenso ein Menschenkind war wie ein Gott und in beidem seiner Natur getreu? Aber er tat es. Wir heutigen Schriftgelehrten täten gut daran, uns zu erinnern, wie verletzlich wir sind.« Und er lehnte sich auf seinem Stuhl zurück und musterte Elave ein paar Minuten lang sehr eindringlich. »Mein Sohn«, sagte er dann, »ich kann Euch keinen Vorwurf daraus machen, daß Ihr Euren Verstand benutzt, der, wie Ihr bestimmt sagen würdet, gleichfalls eine Gabe Gottes und dazu da ist, daß man ihn gebraucht und nicht ungenutzt vergräbt. Aber vergeßt nie, daß auch Ihr irren könnt und auf Eure Art ebenso verletzlich seid, wie ich auf die meine.«

»Mylord«, sagte Elave, »diese Lektion habe ich nur allzugut gelernt.«

»Aber hoffentlich nicht so gut, daß Ihr nun Eure Gaben vergrabt. Es ist besser, eine zu tiefe Rinne zu schneiden, als auf der Stelle zu treten und schal zu werden. Ich verlange nur noch eine Probe, damit soll es mir dann genügen. Wenn Ihr von ganzen Herzen an die Worte des Credos glaubt, dann sprecht sie jetzt im Angesicht dieser Versammlung und Gottes.«

Elave hatte begonnen, so hell zu strahlen wie das Sonnenlicht, das auf dem Boden des Kapitelsaals einfiel. Ohne weitere Aufforderung, ohne eine Sekunde des Nachdenkens, begann er mit lauter, klarer und freudiger Stimme: »Ich glaube an den einen Gott, den Vater, den Herrscher über alle Menschen, den Schöpfer aller Dinge, der sichtbaren wie der unsichtbaren ...«

Denn dies stand im Hintergrund seines Bewußtseins, unangetastet seit seiner Kindheit, gelernt von seinem ersten priesterlichen Gönner, den er geliebt hatte und der für ihn nichts Unrechtes tun konnte, mit dem er es regelmäßig über Jahre hinweg gesprochen hatte, ohne je in Frage zu stellen, was es für den sanften Lehrer bedeutete, den er anbetete und dem er nacheiferte. Dies war sein Glaube, den er sich in diesem Fall nicht selbst zurechtgemeißelt, sondern empfangen hatte, eher eine Beschwörung als ein Glaubensbekenntnis. Nach all seinen Zweifeln und bohrenden Gedanken und Auflehnungen war es diese Unschuld, die seinen Freispruch besiegelte.

Er endete gerade im Bewußtsein, frei und losgesprochen zu sein, als Hugh Beringar leise in den Kapitelsaal trat, mit einem unförmigen, in mehrere Lagen Wachstum eingewikkelten Bündel unter dem Arm.

»Wir haben ihn gefunden«, sagte Hugh, »unter der Brücke, an einer Kette hängengeblieben, an der vor Jahren einmal ein Mühlenboot vertäut war. Wir haben seinen Leichnam heimgebracht. Girard weiß alles, was wir ihm sagen konnten. Mit Jevans Tod können wir die Angelegenheit auf sich beruhen lassen. Er hat den Mord gestanden, bevor er starb. Es besteht keine Veranlassung, Dinge öffentlich zu machen, die seine Angehörigen noch weiter verletzen und quälen würden.«

»So ist es«, sagte Abt Radulfus.

Sie hatten sich zu siebt in Bruder Anselms Ecke im nördlichen Kreuzgang versammelt. Chorherr Gerbert befand sich nicht unter ihnen; er hatte den Staub dieser in Sachen der Orthodoxie höchst fragwürdigen Abtei von den Reitstiefeln geschüttelt, sein von seiner Lahmheit genesenes Pferd bestiegen und sich mit seinem Leibdiener und seinen Stallburschen auf den Weg nach Chester gemacht; zweifellos überlegte er sich bereits, was er zu Earl Ranulf sagen sollte und wieviel er aus ihm herausholen konnte, ohne ihm dafür handfeste Versprechungen machen zu müssen. Der Bischof dagegen war, nachdem er gehört hatte, was Hugh mitbrachte, neugierig genug, um zu warten und selbst zu sehen, was dabei herauskam. Bei ihm befanden sich Anselm, Cadfael, Hugh, Abt Radulfus sowie Elave und Fortunata, stumm, Hand in Hand, auch wenn sie in dieser hohen Gesellschaft die Hände diskret mit ihren Körpern verdeckten. Sie waren beide von den zu plötzlichen und zu einschneidenden Erlebnissen noch ein wenig benommen und noch nicht imstande, die ebenso unvermittelte wie verwirrende Erlösung ganz zu fassen.

Hugh hatte mit wenigen Worten Bericht erstattet. Jevan von Lythwood war tot, aus dem Severn herausgeholt unter demselben Bogen derselben Brücke, unter dem er bis zum Anbruch der Nacht sein eigenes Opfer versteckt hatte. Mit der Zeit würde Fortunata sich seiner so erinnern, wie sie ihn immer gekannt hatte, freundlich, wenn auch nicht überschwenglich. Eines Tages würde es keine Rolle mehr spielen, daß sie immer noch nicht mit Gewißheit sagen konnte, ob er sie wirklich umgebracht hätte, wie er bereits einen anderen Zeugen umgebracht hatte, anstatt auf etwas zu verzichten, was ihm letzten Endes mehr bedeutet hatte als sein eigenes Leben. Es war der Gipfel der Ironie, daß Aldwin, Conans Aussage zufolge, überhaupt nicht gesehen hatte, was sich in der Schatulle befand. Jevan hatte umsonst gemordet.

»Und das hier«, sagte Hugh, »hielt er nach wie vor in den Armen, und es war gegen den Brückenpfeiler gedrückt.«

Jetzt lag es auf Anselms Arbeitstisch und verbreitete noch ein paar Tropfen Wasser, als die Umhüllung entfernt wurde. »Es gehört, wie Ihr wißt, dieser jungen Dame, und sie hat darum gebeten, daß es hier geöffnet wird, meine Herren, vor Zeugen, die sich mit Werken wie dem, das sich möglicherweise darin befindet, auskennen.«

Während er sprach, wickelte er eine Lage nach der anderen ab. Die äußerste, angesengt und zerfetzt, hatte Hugh bereits fortgeworfen, aber Jevan hatte seinem Schatz allen überhaupt möglichen Schutz angedeihen lassen, und als die letzte Umhüllung entfernt worden war, lag die Schatulle vor ihnen, unversehrt von Feuer oder Wasser, mit dem goldenen Schlüssel nach wie vor im Schloß. Die Elfenbeinraute starrte sie mit großen byzantinischen Augen an, unter einer runden Stirn, die aussah, als wäre sie mit dem Zirkel gezeichnet worden, bevor das üppige Haar, der Bart und die Linien des Alters und der Nachdenklichkeit eingeschnitzt worden waren. Die verschlungenen Weinranken funkelten, die polierten Kanten brachen das Licht. Keiner konnte sich dazu entschließen, den Schlüssel zu drehen und den Deckel zu öffnen.

Es war Anselm, der sie schließlich ergriff und öffnete. Von beiden Seiten lehnten sie sich vor, um zu sehen, was darin war. Fortunata und Elave traten näher, und Cadfael machte ihnen Platz. Wer hatte mehr Recht darauf als sie?

Der Deckel hob sich über einem Einband aus purpurn eingefärbtem Pergament mit reicher Verzierung aus Blättern, Blüten und Ranken in Gold; in der Mitte, in einem zarten, goldenen Rahmenwerk prangte das Gegenstück zu dem Elfenbeinrelief auf der Schatulle: das gleiche ehrwürdige Gesicht mit der majestätischen Stirn, die gleichen eindringlichen Augen, die aufblickten in die Ewigkeit, diesmal jedoch in kleinerem Maßstab geschnitzt, kein Kopf, sondern eine Halbfigur, die eine kleine Harfe in den Händen hielt.

Mit andächtiger Sorgfalt kippte Anselm die Schatulle, fing das Buch mit der Handfläche auf und ließ es auf den Tisch gleiten.

»Kein Heiliger«, sagte er, »auch wenn er oft mit einem Heiligenschein dargestellt wurde. Das ist König David, und was wir hier haben, ist gewiß ein Psalter.«

Das purpurne Pergament des Einbands war über dünne Holzdeckel gespannt, und als Anselm das Buch aufschlug, war zu sehen, daß die erste Lage des Buches und auch die letzte gleichfalls purpurn eingefärbt waren. Die übrigen Blätter waren überaus fein und glatt und fast rein weiß. Das Eingangsbild stellte den spielenden und singenden Psalmisten dar, thronend wie ein Kaiser und umgeben von irdischen und himmlischen Musikanten. Die leuchtenden Farben sprangen ihnen von der Seite förmlich entgegen, so eindrucksvoll wie die Klänge, die der königliche Musikant seinen Saiten entlockte. Dies war keine kraftvolle, byzantinische Flächenmalerei, klassisch und monumental, es zeigte vielmehr geschwungene, zarte und anmutige Formen, so geschmeidig und ätherisch wie die Bordüre aus Weinreben, die das Bild umgab. Alles wand und kräuselte sich und war elegant gestreckt. Gegenüber, auf seidenglattem Pergament, begann der Text, in goldener Unziale geschrieben und mit einem prachtvollen Initial verziert. Doch auf dem nächsten Blatt, der Widmungsseite, kam eine andere Handschrift zum Vorschein, säuberlich, flüssig und gerundet.

»Das ist keine östliche Schrift«, sagte der Bischof und beugte sich vor, um besser sehen zu können.

»Nein. Es ist die Irische Minuskel, die Schrift der Insel.« Anselms Stimme wurde noch andächtiger und ehrfurchtsvoller, als er Seite auf Seite umschlug, bis zur Elfenbeinweiße des Innenteils, in dem die Schrift zugunsten eines intensiven Schwarzblaus auf das Gold verzichtet hatte und die Initialen in leuchtenden Farben erblühten, durchflochten und gerahmt von Wiesenblumen, Kletterrosen, Pflänzchen, die nicht größer waren als ein Daumennagel, Vögeln, die auf Zweigen sangen, kaum dicker als ein Haar, und scheuen Tieren, die aus der Deckung blühender Sträucher herauslugten. Winzige Frauen saßen lesend auf Rasenbänken in Geißblattlauben. Goldene Fontänen plätscherten in Elfenbeinbecken, Schwäne schwammen auf kristallenen Flüssen, winzige Schiffe überquerten Ozeane von der Größe einer Träne.

Die Blätter der letzten Lage des Buches wiesen wieder das kaiserliche Purpur auf, die letzten jubilierenden Psalmen waren in Gold geschrieben, und der Psalter endete mit einer gemalten Seite, auf der ein Firmament aus schwebenden Engeln, ein Paradies aus Heiligen und eine verklärte Erde mit erlösten Seelen gemeinsam mit dem Psalmisten Gott im Himmel priesen. Und all die bebenden Flügel der Engel, die Heiligenscheine, die Trompeten und Harfen, die Saiteninstrumente und Orgeln, die Tamburine und Zymbeln waren aus poliertem Gold; die Bewohner von Himmel, Paradies und Erde waren gleichermaßen schlank und ätherisch wie die Ranken von Rosen und Geißblatt und Wein, die sie umgaben, und das Firmament über ihnen war so blau wie die Schwertlilien und die Blüten des Immergrüns zu ihren Füßen, während die Spitzen der Engelsflügel mit einem Himmel aus blendendem Gold verschmolzen, der das letzte Mysterium dem Blick entzog.

»Das ist ein Wunder!« sagte der Bischof. »So etwas habe ich noch nie gesehen. Ein unschätzbares Werk. Wo kann das entstanden sein? Hat es je ein vergleichbares Kunstwerk gegeben?«

Anselm schlug die Seite mit der Widmung auf und las die lateinischen Worte laut und langsam vor:

»Geschrieben auf Wunsch von Otto, Kaiser und König, für die Hochzeit seines geliebten Sohnes Otto, Prinz des Römischen Reiches, mit der hochedlen und reizenden Theophanu, Prinzessin von Byzanz, ist dieses Buch das Geschenk des Allerchristlichen Herrschers an die Prinzessin. Diarmaid, Mönch in St. Gallen, hat es gemalt und geschrieben.«

»Irische Schrift und ein irischer Name«, sagte der Abt. »Gallus war selbst Ire, und viele seiner Landsleute sind ihm dorthin gefolgt.«

»Und unter ihnen einer«, sagte der Bischof, »der dieses kostbare Buch geschaffen hat. Aber die Schatulle wurde zweifellos später angefertigt, und zwar auch von einem irischen Künstler. Vielleicht stammt das Elfenbein auf dem Einband von derselben Hand wie das auf dem Deckel des Behältnisses. Es könnte sein, daß die Prinzessin einen solchen Künstler in ihrem Gefolge mit nach Westen brachte. Es ist wirklich die Hochzeit zweier Kulturen, wie die Hochzeit, die es feiert.«

»Sie waren in St. Gallen«, sagte Anselm, Gelehrter und Historiker, während er liebevoll, aber ohne Begierde, das schönste und einzigartigste Buch betrachtete, das er vermutlich je zu Gesicht bekommen würde. »In dem Jahr, in dem der Prinz heiratete, waren sie dort, Vater und Sohn gemeinsam. Das steht in der Chronik. Der junge Mann war siebzehn und wußte kostbare Manuskripte zu würdigen. Er nahm etliche aus der Bibliothek mit, und nicht alle wurden zurückgegeben. Ist es da ein Wunder, daß ein Mann, der Bücher liebte, dieses hier bis an die Grenze des Wahnsinns begehrte, sobald sein Blick darauf gefallen war?«

Cadfael, der stumm ein wenig abseits stand, wandte den Blick von den reinen, leuchtenden Farben ab, die vor fast zweihundert Jahren von einer sicheren Hand und einem liebevollen Geist aufgetragen worden waren, und betrachtete Fortunatas Gesicht. Sie stand da, mit einem wachsamen Elave dicht neben sich, und Cadfael wußte, daß der Junge nach wie vor in der Deckung ihrer Körper ihre Hand hielt, so fest, wie Jevan sie im Arm gehalten hatte, als sie die einzige, schwache Barriere war, die ihn vor Verrat und Untergang schützte. Sie blickte unverwandt auf den herrlichen Gegenstand, den William ihr als Mitgift geschickt hatte, und ihre Augen waren ein wenig verschleiert und die Lippen in einem blassen, unbewegten Gesicht zusammengepreßt.

Es war nicht die Schuld des irischen Mönches Diarmaid in St. Gallen, der seine höchste Kunst in ein Werk der Liebe hatte einfließen lassen oder zumindest in ein Geschenk zu einer Hochzeit, der erhabensten jener Zeit, einer Verbindung zweier großer Reiche. Nicht seine Schuld, daß dieses wundervolle Werk zwei Menschen den Tod gebracht und die Braut, der es zugedacht gewesen war, sowohl beraubt als auch bereichert hatte. War es ein Wunder, daß etwas so Vollkommenes einen bis dahin untadeligen Buchliebhaber veranlaßt hatte, es zu begehren, es zu stehlen und dafür zu morden?

Endlich blickte Fortunata auf und stellte fest, daß über den Tisch hinweg die Augen des Bischofs auf sie gerichtet waren.

»Mein Kind«, sagte er, »da hat man Euch ein wirklich kostbares Geschenk gemacht. Wenn Ihr es verkaufen wollt, wird es Euch eine wahrhaft reiche Mitgift einbringen, aber laßt Euch gut beraten, bevor Ihr Euch davon trennt, und verwahrt es sicher. Abt Radulfus würde es gewiß für Euch aufbewahren, wenn Ihr es wünscht, und Euch mit Rat und Tat zur Seite stehen, wenn Ihr mit einem Käufer verhandelt. Allerdings muß ich Euch sagen, daß es im Grunde unmöglich ist, einen angemessenen Preis für etwas zu erzielen, das im Grunde von unschätzbarem Wert ist.«

»Mylord«, sagte Fortunata, »ich weiß, was ich damit tun will. Ich kann es nicht behalten. Es ist wundervoll, und ich werde mich immer daran erinnern und froh sein, daß ich es gesehen habe. Aber solange ich es bei mir behalte, wird es für mich mit bitteren Erinnerungen verbunden sein und mir irgendwie mit einem Makel behaftet vorkommen. Es hätte nie mit etwas Häßlichem in Berührung kommen dürfen. Mir wäre es lieber, wenn Ihr es mitnehmen würdet. In Eurem Kirchenschatz wird es wieder rein und gesegnet sein.«

»Ich verstehe Euren Widerwillen«, sagte der Bischof sanft, »nach allem, was geschehen ist; Euer Schmerz, daß etwas so Herrliches mißbraucht wurde, ist gerechtfertigt. Aber wenn es wirklich das ist, was Ihr wünscht, dann müßt Ihr mit dem zufrieden sein, was die Bibliothek meiner Diözese Euch für dieses Buch zahlen kann – wobei ich allerdings gestehen muß, daß wir nicht so viel aufbringen können, wie es wert ist.«

»Nein!« Fortunata schüttelte entschlossen den Kopf. »Geld wurde schon einmal dafür gezahlt, Geld darf nicht ein zweites Mal dafür gezahlt werden. Wenn es so wertvoll ist, daß es keinen Preis hat, dann darf es auch keinen Preis haben. Aber ich kann es verschenken, ohne damit etwas zu verlieren.«

Roger de Clinton, selbst ein Mann schneller Entschlüsse, erkannte, daß er es hier mit einer nicht minder starken Entschlossenheit zu tun hatte, und was mehr war, er achtete sie und hieß es gut. Doch sein Gewissen veranlaßte ihn, sie rücksichtsvoll zu erinnern: »Der Pilger, der dieses Buch um die halbe Welt bei sich getragen und es Euch als Mitgift übersandt hat, hat gleichfalls ein Recht darauf, daß seinem Wunsch Rechnung getragen wird. Und sein Wunsch war, daß dieses Geschenk Euch zukommen sollte – niemand anderem.«

Sie bestätigte es mit einem leichten Kopfnicken, sehr ernst. »Aber nachdem er es mir geschenkt und zu meinem Eigentum gemacht hat, würde er auch der Ansicht gewesen sein, daß auch ich es verschenken könnte, wenn ich es wollte, und er hätte mir das nie verübelt. Zumal«, sagte Fortunata fest, »an Euch und die Kirche.«

»Aber er hat auch gewünscht, daß dieses Geschenk Euch

zu einer guten Ehe und einem glücklichen Leben verhelfen sollte«, sagte der Bischof.

Sie erwiderte seinen Blick stetig und ernsthaft, mit Elaves Hand in der ihren und Elaves Gesicht an ihrer Schulter. »Das ist schon geschehen«, sagte Fortunata. »Das Beste, das er mir geschickt hat, behalte ich.«

Am späten Nachmittag waren alle fort. Bischof de Clinton und sein Diakon Serlo waren auf der Rückreise nach Coventry, wohin einer von Rogers Vorgängern den Sitz der Diözese verlegt hatte, obwohl immer noch öfter von Lichfield als von Coventry die Rede war und beide Kirchen den Status einer Kathedrale beanspruchten. Elave und Fortunata waren gemeinsam in den unglücklichen Haushalt nahe der Kirche von Saint Alkmund zurückgekehrt, wo jetzt der Leichnam des Mörders in dem gleichen Schuppen auf dem gleichen Gestell aufgebahrt lag, auf dem sein Opfer gelegen hatte, und wo sich Girard, der Aldwin begraben hatte, jetzt darauf vorbereiten mußte, Jevan zu begraben. Die großen Löcher, die in das Gewebe eines dicht verknüpften Haushaltes gerissen worden waren, würden sich allmählich schließen und verheilen, aber es würde einige Zeit dauern. Zweifellos würden die Frauen mit gleicher Inbrunst für den Mörder beten wie für den Ermordeten.

Mit dem Bischof verschwand, sorgfältig und andächtig in seiner Satteltasche verpackt, auch der Psalter der Prinzessin Theophanu. Wie er vorzeiten in den Osten zurückgekehrt war, in ein kleines Kloster in der Nähe von Edessa, würde nie jemand erfahren, und eines Tages, vielleicht weitere zweihundert Jahre später, würde sich jemand fragen, wie er von Edessa aus in die Bibliothek von Coventry gekommen sein mochte; auch das würde ein Geheimnis bleiben. Bücher sind dauerhafter als diejenigen, die sie hervorbringen; doch zumindest der irische Mönch Diarmaid hatte sich seine Unsterblichkeit gesichert.

Sogar das Gästehaus war fast leer. Das Fest war vorüber, und die Pilger, die noch ein paar Tage länger geblieben waren, hatten erledigt, was sie in Shrewsbury noch erledigen wollten, und machten sich reisefertig. Die sommerliche Pause zwischen der Grablegung der heiligen Winifred und dem Jahrmarkt von Saint Peter reichte zum Abernten der Getreidefelder der Abtei hinter den Gemüsegärten der Gaye, auf denen die Ähren bereits heranreiften. Die Jahreszeiten gingen ihren gewohnten Gang. Nur Menschen kamen und gingen und handelten zur Unzeit.

Bruder Winfrid, ganz in seiner Arbeit aufgehend, beschnitt die zu groß gewordene Buchsbaumhecke und pfiff dabei vor sich hin. Cadfael und Hugh saßen stumm auf der Bank an der Nordmauer des Kräutergartens, ein wenig schläfrig von der Sonne und der Mattigkeit, die eintritt, wenn eine Anspannung vorüber ist. Die Farben der Rosen auf den Beeten des Abtes wurden zu den Farben von Diarmaids kunstvollen Bordüren, und der weiße Schmetterling auf der blaßblauen Blüte der Jungfer im Grünen verwandelte sich in ein kleines Schiff auf dem Ozean, nicht größer als eine Perle.

»Ich muß gehen«, sagte Hugh zum dritten Mal und machte keine Anstalten, aufzustehen.

»Ich hoffe«, sagte Cadfael schließlich mit einem leichten Aufseufzen, »daß uns das Wort Ketzerei in Zukunft erspart bleibt. Und daß alle bischöflichen Besuche, wenn wir sie schon ertragen müssen, ebenso gut enden. Bei einem anderen Mann hätte es auf eine Exkommunizierung hinauslaufen können.« Und dann fragte er nachdenklich: »War es töricht von ihr, sich davon zu trennen? Ich habe es immer noch vor Augen. Und ich kann es einem Mann fast nachfühlen, daß er es bis in den Tod hinein begehrte, seinen eigenen oder den eines anderen. Schon die Farben brennen sich einem ins Herz.«

»Nein«, sagte Hugh, »es war nicht töricht von ihr, sondern sehr weise. Wie hätte sie es je verkaufen können? Wer, außer Königen, könnte es bezahlen? Nein, indem sie die Diözese bereicherte, bereicherte sie sich selbst.«

»Und schließlich«, sagte Cadfael nach langem, zufriedenem Schweigen, »hat er ihr einen fairen Preis dafür gezahlt. Er hat ihr Elave zurückgegeben, von jeder Schuld freigesprochen. Ich weiß nicht – aber vielleicht hat sie trotz allem das bessere Geschäft gemacht.«